ORDENS DO AMOR

Bert Hellinger

ORDENS DO AMOR

Um Guia Para o Trabalho com
Constelações Familiares

Tradução
NEWTON DE ARAUJO QUEIROZ

Revisão técnica
ELOISA GIANCOLI TIRONI
TSUYUKO JINNO-SPELTER

Editora
Cultrix
SÃO PAULO

Título original: *Ordnungen der Liebe, Ein Kurs-Buch.*

Copyright © 2001 Bert Hellinger.

Copyright da edição brasileira © 2003 Editora Pensamento-Cultrix Ltda.

1ª edição 2003.
3ª reimpressão da 1ª edição de 2003 – catalogação na fonte 2007.
18ª reimpressão 2023.

Todos os direitos reservados. Nenhuma parte deste livro pode ser reproduzida ou usada de qualquer forma ou por qualquer meio, eletrônico ou mecânico, inclusive fotocópias, gravações ou sistema de armazenamento em banco de dados, sem permissão por escrito, exceto nos casos de trechos curtos citados em resenhas críticas ou artigos de revistas.

Dados Internacionais de Catalogação na Publicação (CIP)
(Câmara Brasileira do Livro, SP, Brasil)

Hellinger, Bert
   Ordens do amor : um guia para o trabalho com constelações familiares / Bert Hellinger ; tradução Newton de Araújo Queiroz ; revisão técnica Heloisa Giancoli Tironi, Tsuyuko Jinno-Spelter. -- São Paulo : Cultrix, 2007.

   Título original : Ordnungen der liebe
   3ª reimpr. da 1ª ed. de 2003.
   ISBN 978-85-316-0785-1

   1. Amor 2. Psicoterapia de família I. Tironi, Eloisa Giancoli. II. Jinno-Spelter, Tsuyuko. III. Título

07-2090   CDD-616.89156

Índices para catálogo sistemático:
1. Psicoterapia familiar : Ciências médicas 616.89156

Direitos de tradução para a língua portuguesa adquiridos com exclusividade pela
EDITORA PENSAMENTO-CULTRIX LTDA., que se reserva a
propriedade literária desta tradução.
Rua Dr. Mário Vicente, 368 – 04270-000 – São Paulo, SP – Fone: (11) 2066-9000
http://www.editoracultrix.com.br
E-mail: atendimento@editoracultrix.com.br
Foi feito o depósito legal.

Impressão e acabamento: Graphium Gráfica e Editora

SUMÁRIO

Prefácio à edição brasileira 7

Introdução 9

Agradecimentos 12

A compreensão por meio da renúncia 13

Os envolvimentos sistêmicos e sua solução 21
(de um curso de vivência pessoal e aperfeiçoamento)

Vínculos familiares de crianças adotadas 261
(de um curso para profissionais de orientação familiar)

O que faz adoecer nas famílias e o que cura 287
(de um curso para enfermos, terapeutas e médicos durante um
congresso internacional sobre Medicina e Religião)

Perguntas a um amigo 398
(Entrevista com Norbert Linz)

Quadro das matérias 417

PREFÁCIO À EDIÇÃO BRASILEIRA

Estou certo de que este livro ajudará muitas famílias a encontrar a solução para os problemas que sempre lhes pareceram insolúveis. Então o amor poderá unir de novo todos os membros da família.

O dia-a-dia de muitas famílias mostra que não basta que nos amemos reciprocamente. O amor também precisa de uma ordem, para que possa se desenvolver. Essa ordem nos é preestabelecida. Somente quando sabemos algo sobre as ordens do amor é que podemos superar os obstáculos que, apesar da boa vontade de todos os envolvidos, muitas vezes se colocam no nosso caminho. Este livro mostra em muitos exemplos o caminho que leva até lá.

Alegra-me que também no Brasil e em Portugal estejam sendo oferecidos muitos cursos onde os participantes podem configurar suas famílias. Assim eles experimentam, de forma imediata, como atuam as ordens do amor e como podem aplicar essas experiências à situação das próprias famílias. Para aqueles que ainda não têm essa possibilidade, este livro indica o caminho para entenderem o que é decisivo e o realizarem por si mesmos.

Newton Queiroz traduziu este livro para o português com muito cuidado e profundo conhecimento de seus contextos. Agradeço a ele pela tradução, e agradeço a Ricardo Riedel por ter acolhido este livro na programação editorial da Cultrix.

Desejo, caros leitores, que este livro traga bênçãos para vocês e suas famílias.

Bert Hellinger
(Janeiro de 2002)

INTRODUÇÃO

No decorrer dos últimos anos, este livro se converteu numa obra que, ultrapassando em muito os limites da psicoterapia, oferece ajuda a muitas pessoas na vida cotidiana. Assim, depois de sua quinta edição, chegou o momento de fazer uma revisão deste livro, levando em conta o crescente número de leitores. O texto foi reformulado e, em algumas partes, ampliado. Um novo capítulo sobre o caminho do conhecimento mostra como um olhar sem preconceitos para a realidade nos proporciona a intuição liberadora e curativa.

O tema deste livro são as ordens preestabelecidas para o amor nas relações humanas. Seu conhecimento é necessário para que sejamos bem-sucedidos nesse amor. O amor cego e inconsciente, que desconhece essas ordens, freqüentemente nos desencaminha. Mas o amor que as conhece e respeita realiza o que almejamos, produzindo em nós e ao nosso redor efeitos benéficos e curativos.

Este livro reproduz textualmente, se bem que de forma abreviada, três cursos terapêuticos.

O primeiro deles versa sobre os envolvimentos sistêmicos e sua solução. Foi um curso de vivência pessoal e aperfeiçoamento, aqui reproduzido praticamente na íntegra.

Ele introduz ao trabalho com as constelações familiares, ajudando a revelar o que nos enreda nos destinos de outros membros da família e do grupo familiar, bem como os efeitos desses envolvimentos. Traz à luz, sobretudo, quando, como e de acordo com que leis é possível desprender-se de tais enredamentos.

Manifesta-se aí que na família e no grupo familiar existe uma necessidade de vínculo e de compensação, partilhada por todos, que não tolera a exclusão de nenhum membro. Quando ela acontece, o destino dos excluídos é inconscientemente assumido e continuado por membros subseqüentes da família. É isso que entendemos aqui por envolvimento.

Quando, porém, os membros remanescentes reconhecem os excluídos como pertencentes à família, o amor e o respeito compensam a injustiça que foi cometida contra eles, e seus destinos não precisam ser repetidos. É isso que chamamos aqui de solução.

O envolvimento sistêmico obedece a uma ordem que estabelece que algo nefasto seja expiado por meio de algo nefasto e que os "pequenos", inocentes, paguem e expiem pelos "grandes", culpados. Por outro lado, a solução obedece a uma outra ordem que atende, de forma salutar, à necessidade de vínculo e de compensação. Ambas são "ordens do amor", sendo que a primeira causa infortúnios e a segunda proporciona a cura.

O segundo curso foi dirigido a profissionais da área de orientação familiar. Dele foram selecionados os trechos que mostram qual é o lugar dos filhos que perderam um dos pais, ou ambos, e as conseqüências que advêm quando os pais entregam filhos para adoção ou quando estranhos adotam uma criança sem necessidade.

O terceiro curso foi dirigido a doentes, terapeutas e médicos. Nele, os pacientes configuraram suas famílias de origem ou atuais, diante de centenas de observadores participantes. Esse trabalho tornou visível para as pessoas diretamente envolvidas, assim como para os colaboradores e espectadores, aquilo que na comunidade de destino constituída pela família e pelo grupo familiar provoca doenças graves, acidentes ou suicídios, e o que pode reverter tais destinos.

Este livro é, em vários sentidos, um guia:

— Em primeiro lugar, reproduz literalmente os cursos terapêuticos selecionados, permitindo que o leitor participe da busca de soluções, como se estivesse pessoalmente presente, e talvez que também encontre caminhos para superar as próprias crises e a cura para doenças condicionadas pela alma.

— Em segundo lugar, apresenta e esclarece importantes procedimentos terapêuticos. Isso se aplica sobretudo às constelações familiares que, de forma simples, trazem à luz envolvimentos e mostram soluções. Aplica-se também à retomada do movimento amoroso para a mãe ou o pai, o que possibilita a cura ou o abrandamento de medos e danos sofridos por causa de uma prematura separação ou perda dos pais.

— Em terceiro lugar, quem, além disso, se interessa também pelo caminho do conhecimento que conduz à percepção das ordens aqui descritas, poderá experimentar em si mesmo, na leitura deste livro, que a intuição liberadora e curativa, que nasce do simples olhar centrado, fulgura de repente como um raio na escuridão e atinge o alvo (psicoterapia fenomenológica).

Foram alterados os nomes dos participantes e eliminadas as indicações de lugares.

As constelações familiares são graficamente registradas em todos os seus passos. Capítulos intermediários esclarecem os procedimentos terapêuticos e descrevem os padrões recorrentes, eventualmente contando histórias ou agregando pontos dispersos. A entrevista no final do livro ("Perguntas a um amigo") contribui para melhor entendimento da prática aqui descrita. Ela mostra as diversas etapas de minha evolução como terapeuta e esclarece as intuições e os propósitos que estão por trás dos procedimentos mais importantes que, de outra forma, ofereceriam a algumas pessoas dificuldade de compreensão.

Finalmente, desejo que esta leitura lhes proporcione alegria, o reconhecimento das ordens do amor e a segurança de que, conhecendo essas ordens, alcançarão êxito nesse amor.

BERT HELLINGER

AGRADECIMENTOS

Gostaria de agradecer a muitos amigos por suas sugestões e ajuda.

O Dr. Gunthard Weber e o Dr. Norbert Linz me acompanharam durante todas as fases da redação deste livro e não descansaram enquanto não consegui organizar e apresentar, de maneira clara e compreensível, o grande volume de dados.

O Prof. Dr. Michael Angermaier e Heinrich Breuer ajudaram-me na coleta dos dados, prepararam o primeiro curso aqui apresentado e o gravaram em vídeo. O segundo curso foi documentado por Friedrich Fehlinger e o terceiro por Verena Nitschke.

O Prof. Michael Angermaier, Felizitas Betz, Heinrich Breuer, o Dr. Otto Brink, a Dra. Marianne Krüll, Jakob Schneider e o Dr. Gunthard Weber leram as provas, completando e melhorando o texto com numerosas sugestões.

O Dr. Norbert Linz cuidou da redação final e também realizou a entrevista "Perguntas a um amigo", que encerra este livro.

A todos eles o meu cordial agradecimento.

De modo especial agradeço a Herta, minha mulher, por ter-me concedido o espaço exigido por este trabalho e por tê-lo acompanhado com paciência e compreensão.

A COMPREENSÃO POR MEIO DA RENÚNCIA

Para começar, uma história:

O conhecimento

Alguém se decide afinal a saber. Monta em sua bicicleta, pedala para o campo aberto, afastando-se do caminho habitual e seguindo por outra trilha.

Como não existe sinalização, ele tem de confiar apenas no que vê com os próprios olhos diante de si e no que mede com seu avanço. O que o impulsiona é, antes de tudo, a alegria de descobrir. E o que para ele era mais um pressentimento, agora se transforma em certeza.

Eis, porém, que o caminho termina, diante de um largo rio. Ele desce da bicicleta. Sabe que, se quiser avançar, deverá deixar na margem tudo o que leva consigo. Perderá o solo firme, será carregado e impulsionado por uma força que pode mais do que ele, à qual precisará entregar-se. Por isso hesita e recua.

Pedalando de volta para casa, dá-se conta de que pouco conhece do que poderia ajudar e dificilmente conseguirá comunicá-lo a outros. Já tinha vivido, por várias vezes, a situação de alguém que corre atrás de outro ciclista para avisá-lo de que o pára-lama está solto: "Ei, você aí, o seu pára-lama está batendo! — "O quê?" — "O seu pára-lama está batendo!" — "Não consigo entender", responde o outro, "o meu pára-lama está batendo!"

"Alguma coisa deu errado aqui", pensa ele. Pisa no freio e dá meia-volta.

Pouco depois, encontra um velho mestre e pergunta-lhe: "Como é que você consegue ajudar outras pessoas? Elas costumam procurá-lo, para pedir-lhe conselho em assuntos que você mal conhece. Não obstante, sentem-se melhor depois."

O mestre lhe responde: "Quando alguém pára no caminho e não quer avançar, o problema não está no saber. Ele busca segurança quando é preciso co-

ragem e quer liberdade quando o certo não lhe deixa escolha. Assim, fica dando voltas.

O mestre, porém, não cede ao pretexto e à aparência. Busca o próprio centro e, recolhido nele, espera por uma palavra eficaz, como quem abre as velas e aguarda pelo vento. Quando a outra pessoa chega, encontra-o no mesmo lugar aonde ela própria deve ir, e a resposta vale para ambos. Ambos são ouvintes."

E o mestre acrescenta: "No centro sentimos leveza."

O caminho científico e o caminho fenomenológico do conhecimento

Dois movimentos nos levam ao conhecimento. O primeiro é exploratório e quer abarcar alguma coisa até então desconhecida, para apropriar-se e dispor dela. O esforço científico pertence a esse tipo e sabemos quanto ele transformou, assegurou e enriqueceu o nosso mundo e a nossa vida.

O segundo movimento nasce quando nos detemos durante o esforço exploratório e dirigimos o olhar, não mais para um determinado objeto apreensível, mas para um todo. Assim, o olhar se dispõe a receber simultaneamente a diversidade com que se defronta. Quando nos deixamos levar por esse movimento diante de uma paisagem, por exemplo, de uma tarefa ou de um problema, notamos como nosso olhar fica simultaneamente pleno e vazio. Pois só quando prescindimos das particularidades é que conseguimos expor-nos à plenitude e suportá-la. Assim, detemo-nos em nosso movimento exploratório e recuamos um pouco, até atingir aquele vazio que pode fazer face à plenitude e à diversidade.

Esse movimento, que inicialmente se detém e depois se retrai, eu chamo de fenomenológico. Ele nos leva a conhecimentos diferentes dos que podemos obter pelo movimento do conhecimento exploratório. Ambos se completam, porém. Pois também no movimento do conhecimento científico exploratório, precisamos às vezes parar e dirigir o olhar do estreito ao amplo, do próximo ao distante. Por sua vez, o conhecimento obtido pela fenomenologia precisa ser verificado no indivíduo e no próximo.

O processo

No caminho fenomenológico do conhecimento, expomo-nos, dentro de um determinado horizonte, à diversidade dos fenômenos, sem escolha e sem avaliação. Esse caminho do conhecimento exige portanto um esvaziar-se, tanto em relação às idéias preexistentes quanto aos movimentos internos, sejam eles da esfera do sentimento, da vontade ou do julgamento. Nesse processo, a atenção é simultaneamente dirigida e não-dirigida, concentrada e vazia.

A postura fenomenológica requer uma disposição atenta para agir, sem contudo passar ao ato. Ela nos torna extremamente capazes e prontos para a percepção. Quem a sustenta percebe, depois de algum tempo, como a diversidade presente no horizonte se dispõe em torno de um centro; de repente, reconhece uma conexão, uma ordem talvez, uma verdade ou o passo que leva adiante. Essa compreensão provém igualmente de fora, é experimentada como uma dádiva e, via de regra, é limitada.

A renúncia

O primeiro pressuposto para alcançar essa compreensão é a ausência de intenção. Quem mantém intenções impõe à realidade algo de seu; talvez pretenda alterá-la a partir de uma imagem preconcebida ou influenciar e convencer outras pessoas de acordo com ela. Procedendo assim, procede como se estivesse numa posição superior face à realidade; como se ela fosse um objeto para a sua subjetividade e não fosse ele, ao invés, o objeto da realidade. Aqui fica evidente o tipo de renúncia exigido de nós para abdicarmos de nossas intenções, inclusive das boas intenções. Além do mais, o próprio bom senso exige essa renúncia, pois a experiência nos mostra que freqüentemente sai errado o que fazemos com boa intenção ou até mesmo com a melhor das intenções. A intenção não substitui a compreensão.

A coragem

O segundo pressuposto para essa compreensão é o destemor. Quem teme o que a realidade traz à luz coloca uma viseira nos olhos. E quem receia o que outros vão pensar ou fazer quando diz o que percebeu fecha-se a um novo conhecimento. Aquele que, como terapeuta, teme defrontar-se com a realidade de um cliente — por exemplo, a de que lhe resta pouco tempo de vida — transmite-lhe medo, dando-lhe a ver que o terapeuta não está à altura dessa realidade.

A sintonia

A ausência de intenção e de medo permite a sintonia com a realidade como ela é, inclusive com seu lado atemorizante, avassalador e terrível. Dessa maneira, o terapeuta fica em sintonia com a felicidade e a infelicidade, a inocência e a culpa, a saúde e a doença, a vida e a morte. Justamente por meio dessa sintonia ele adquire a compreensão e a força para encarar o mal e, às vezes, em sintonia com essa realidade, para revertê-lo. Sobre este tema contarei também uma história:

> Um discípulo perguntou a um mestre: "Diga-me, o que é a liberdade?"
> "Que liberdade?", perguntou-lhe o mestre.
> "A primeira liberdade é a estupidez. Lembra o cavalo que, relinchando, derruba o cavaleiro, só para sentir depois o seu pulso ainda mais firme.

A segunda liberdade é o remorso. Lembra o timoneiro que, após o naufrágio, permanece nos destroços em vez de subir ao barco salva-vidas.

A terceira liberdade é a compreensão. Ela sucede à estupidez e ao remorso. Assemelha-se ao caule que se balança com o vento e, por ceder onde é fraco, permanece de pé."

"Isso é tudo?", perguntou o discípulo.

O mestre lhe respondeu: "Algumas pessoas acham que são elas que procuram a verdade de suas almas. Contudo, é a grande Alma que pensa e procura através delas. Como a natureza, ela pode permitir-se muitos erros, porque está sempre e sem esforço substituindo os maus jogadores. Mas aquele que a deixa pensar recebe dela, às vezes, certa liberdade de movimento. E, como um rio que carrega o nadador que se deixa levar, ela o leva até a margem, unindo sua força à dele."

Fenomenologia filosófica

Eu gostaria agora de dizer algo sobre a fenomenologia filosófica e a fenomenologia psicoterapêutica. Na fenomenologia filosófica, procuro perceber o essencial dentre a grande variedade dos fenômenos, na medida em que me exponho totalmente a eles, com minha máxima abertura. Esse essencial surge repentinamente do oculto, como um raio, e sempre ultrapassa em muito o que eu poderia excogitar ou deduzir logicamente a partir de premissas ou de conceitos. Não obstante, ele nunca se revela totalmente. Permanece envolvido pelo oculto, como cada ser é envolvido por um não-ser.

Dessa maneira, considerei os aspectos essenciais da consciência, por exemplo, que ela atua como um órgão de equilíbrio sistêmico, ajudando-me a perceber imediatamente se me encontro ou não em sintonia com o sistema e se o que faço preserva e assegura o meu pertencimento ou se, pelo contrário, o coloca em risco ou suprime. Portanto, nesse contexto, a boa consciência significa apenas: "Posso estar seguro de que ainda pertenço ao meu grupo." E a má consciência significa: "Receio não fazer mais parte do grupo. Assim, a consciência pouco tem a ver com leis e verdades universais, mas é relativa e varia de um grupo para outro."

Reconheci igualmente que essa consciência reage de um modo totalmente diverso quando não está em jogo o direito de pertencimento, como acabo de descrever, mas o equilíbrio entre o dar e o receber. Ela reage também de forma diversa quando vela pelas ordens da convivência. Cada uma das diversas funções da consciência é dirigida e imposta por ela por meio de diferentes sentimentos de inocência e de culpa.

Contudo, a principal diferença que se evidenciou nesse contexto é a que existe entre a consciência sentida e a consciência oculta. Com efeito, verifica-se que, justamente por seguirmos a consciência sentida, atentamos contra a consciência oculta; e, embora a primeira nos declare inocentes, a segunda pune esse ato como culpa. A oposição entre essas consciências é a base de toda tragédia — o que, no fundo, nada mais significa do que uma tragédia familiar. Ela provoca os enredamentos sistêmicos responsáveis por doenças graves, acidentes e suicídios. Essa oposição é igualmente responsável por muitas tragédias de relacionamento, quando uma relação entre um homem e uma mulher se desfaz, apesar de um grande amor recíproco.

Fenomenologia psicoterapêutica

Esses conhecimentos, porém, não resultaram apenas da percepção filosófica e da utilização filosófica do método fenomenológico. Foi necessária ainda uma outra via de acesso, a do "saber por participação". Essa via se abre através das constelações familiares, quando acontecem sob o enfoque fenomenológico.

O cliente escolhe arbitrariamente, entre os participantes de um grupo, representantes para si próprio e para outros membros significativos de sua família, por exemplo, seu pai, sua mãe e seus irmãos. Estando interiormente centrado, o cliente posiciona os representantes no recinto, relacionando-os entre si. Através desse processo, o cliente é surpreendido por algo que subitamente vem à luz. Isto significa que, no processo da configuração da família, ele entra em contato com um saber que antes lhe estava vedado. Um colega me contou recentemente um exemplo do fato. Na constelação de uma família evidenciou-se que a cliente estava identificada com uma ex-namorada de seu pai. Posteriormente, ela interrogou o pai e outros parentes a respeito, mas todos lhe garantiram que estava enganada. Alguns meses mais tarde, seu pai recebeu uma carta da Bielo-Rússia. Era de uma mulher que tinha sido seu grande amor durante a guerra e descobrira seu endereço depois de uma longa procura.

Mas este é apenas um lado, o do cliente. O outro lado é que o representante, logo que é posicionado, começa a sentir-se como a pessoa que representa; às vezes, chega a experimentar sintomas físicos dela. Presenciei casos em que o representante ouviu intimamente o nome da pessoa. Tudo isso é experimentado, embora os representantes saibam somente qual é a pessoa que estão representando. Portanto, no trabalho com as constelações familiares, fica evidente que entre o cliente e os membros de seu sistema atua um campo de força que é dotado de saber e o transmite através da simples participação, sem mediação externa. O mais surpreendente é que também os representantes possam conectar-se com esse conhecimento e com a realidade dessa família, embora nada tenham a ver com ela e nada possam saber sobre ela.

O mesmo se aplica, naturalmente e de modo especial, ao terapeuta. Mas a condição para isso é que tanto ele quanto o cliente e os representantes estejam dispostos a defrontar-se com a realidade que pressiona por manifestar-se e a dizer sim a ela, tal como é, sem intenções, sem medo e sem recorrer a teorias ou experiências anteriores. Nisso consiste, aliás, a postura fenomenológica aplicada à psicoterapia. Aqui também, a compreensão é obtida por meio da renúncia, do abandono de intenções e medos e do assentimento à realidade, tal como se manifesta. Sem essa postura fenomenológica, sem a concordância com o que se manifesta, sem interpretações, atenuações ou exageros, o trabalho com constelações familiares fica superficial, sujeito a desvios e destituído de força.

A alma

Mais surpreendente ainda do que esse conhecimento transmitido pela participação é o fato de que esse campo dotado de saber ou, como prefiro chamá-lo, essa alma dotada de saber, que transcende e dirige o indivíduo, procura e encontra soluções que ultrapassam em muito o que poderíamos imaginar, produzindo efeitos de muito maior alcance do que poderíamos obter com uma ação planejada. Isso se revela mais claramente naquelas constelações em que o terapeuta procede com a máxima reserva, limitando-se a colocar representantes para as pessoas significativas e entregando-os, sem prévias instruções, àquilo que os arrebata como um poder externo irresistível e os conduz a revelações e experiências que de outra forma pareceriam impossíveis.

Citarei um exemplo. Há pouco tempo, na Suíça, depois de constelar sua família atual, um homem julgou necessário acrescentar que era judeu. Coloquei então, lado a lado, sete representantes de vítimas do holocausto. Pus então, atrás deles, sete representantes dos assassinos e fiz com que as vítimas se virassem para eles. Um incrível processo sem palavras desenrolou-se então entre todos, durante cerca de um quarto de hora. Esse processo evidenciou que existe algo como uma morte consumada e uma morte não-consumada. Para a vítima e seu agressor, a morte só se consuma quando nela mutuamente se encontram, (e) percebem que foram igualmente determinados e dirigidos por um poder que atuou sobre eles, e nele se sentem finalmente acolhidos.

Fenomenologia religiosa

Aqui, o nível da filosofia e da psicoterapia é substituído por um outro mais amplo. Nele nos experimentamos como entregues a um todo maior, que temos de reconhecer como último e abrangente. Esse nível poderia chamar-se religioso ou espiritual. Mesmo nele, contudo, mantenho a postura fenomenológica, livre de intenções, de medo e pressuposições, apenas presente ao que se manifesta. Ilustrarei com uma terceira história o que isso significa para a experiência religiosa e o ato religioso.

A volta

Alguém nasce na sua família, na sua pátria, na sua cultura. Desde criança ouve falar de seu modelo, professor e mestre, e sente um desejo profundo de tornar-se e ser como ele.

Junta-se a pessoas que têm o mesmo propósito, disciplina-se por muitos anos e segue seu grande modelo, até que se torna igual a ele — até que pensa, fala, sente e quer como ele.

Entretanto, julga que ainda lhe falta uma coisa. Assim, parte para uma longa viagem, buscando transpor talvez uma última fronteira na mais distante solitude. Passa por velhos jardins, há muito abandonados, onde apenas continuam florescendo rosas silvestres. Grandes árvores dão frutos todos os anos, mas eles caem esquecidos no chão porque não há quem os queira. Daí para a frente, começa o deserto.

O viajante é logo cercado por um vazio desconhecido. Para ele, todas as direções se confundem e as imagens que esporadicamente aparecem diante dele são reconhecidas como vazias. Caminha ao sabor dos impulsos. Quando já tinha perdido, há muito tempo, a confiança nos próprios sentidos, avista diante de si a fonte. Ela brota do solo e nele imediatamente se infiltra. Porém, até onde a água alcança, o deserto se converte num paraíso.

Olhando em volta, o viajante vê então dois estranhos se aproximarem. Tinham procedido exatamente como ele. Seguiram seus próprios modelos até se tornarem iguais a eles. Partiram igualmente para uma longa viagem, buscando transpor talvez uma última fronteira, na solidão do deserto. E, como ele, encontraram a fonte. Juntos, os três se curvam, bebem da mesma água e acreditam que estão perto de atingir a meta. Depois, dizem seus nomes: "Eu me chamo Gautama, o Buda." —"Eu me chamo Jesus, o Cristo." "Eu me chamo Maomé, o Profeta."

Então chega a noite, e acima deles, brilham as estrelas, como sempre brilharam, extremamente distantes e silenciosas. Os três se calam. Um deles sabe que está mais próximo do grande modelo do que jamais estivera antes. É como se pudesse, por um momento, pressentir o que Ele sentira quando conheceu a impotência, a frustração, a humildade. E como deveria sentir-se, se conhecesse igualmente a culpa. E julgou ouvi-Lo dizer: "Se vocês me esquecessem, eu teria paz."

Na manhã seguinte ele retorna, fugindo do deserto. Mais uma vez, seu caminho o leva por jardins abandonados, até que chega a um jardim que lhe pertence. Diante da entrada está um velho, como se estivesse esperando por ele. O velho lhe diz: "Quem vai tão longe e encontra, como você, o caminho de volta, ama a terra úmida. Sabe que tudo o que cresce também morre, e quando acaba nutre". "Sim", responde o outro, "eu concordo com a lei da terra".

E começa a cultivá-la.

OS ENVOLVIMENTOS SISTÊMICOS E SUA SOLUÇÃO
(de um curso de vivência pessoal e aperfeiçoamento)

Primeiro Dia

Abertura

HELLINGER: Sejam bem-vindos a este curso. Para começar, peço a cada um que diga, em poucas palavras:

— como se chama;
— o que faz profissionalmente;
— qual é o seu estado civil;
— e o que pretende aqui.

A busca de soluções começará logo que surja a ocasião. Os diversos passos para a solução poderão ser experimentados por meio da própria constelação ou participando de outras, e serão comprovados pelo seu efeito. As eventuais perguntas sobre os procedimentos, os resultados ou os fundamentos serão respondidas por mim, da melhor maneira possível.

A adoção é perigosa

KARL: Eu me chamo Karl e vivo com minha mulher e nosso filhinho adotivo. Temos quatro filhos próprios, com idades que variam entre vinte e seis e trinta e dois anos. Todos eles já saíram de casa. Também foram criadas por nós três meninas, da mesma idade de nossos filhos. Uma delas é a mãe do filho adotivo que agora vive conosco. De profissão, sou pastor evangélico e trabalho com crianças e jovens deficientes e com suas famílias. No ano passado, a partir de um encontro com você, tomei consciência de que meu trabalho até então era muito limitado. Digo isso porque naquela ocasião só atendia aos jovens como pessoas deficientes ou, quando apresentavam distúrbios de relacionamento, somente em caráter individual. Noto agora que quase não faz sentido querer ajudar uma criança se não posso trabalhar também com sua família ou quando esta não tem a mesma consciência do problema.

HELLINGER: Você precisa anular essa adoção.

KARL: Anular a adoção?

HELLINGER: É o que você precisa fazer.

KARL: Isso eu nem consigo imaginar.

HELLINGER: Você não tem direito a ela. A adoção é uma coisa perigosa. Quem a faz sem uma razão de força maior paga caro por ela, com seu próprio filho ou com sua parceira. Ele os sacrifica como compensação. Quem quis a adoção?

KARL: Ambos a quisemos, minha mulher e eu.

HELLINGER: Por que o garoto não está com a mãe?

KARL: Ela veio à nossa casa quando seu filho tinha quatro meses. Como queria morar com amigos, deixou-nos então o menino, como filho de criação.

HELLINGER: Como filho de criação está bem, mas a adoção vai longe demais, além do que a criança precisa. Ela é arrancada de seu contexto familiar.

KARL: Ainda não percebo bem esse ponto, porque a relação dele com sua mãe natural continua como antes.

HELLINGER: A relação da criança com sua mãe natural não é a mesma de antes; este é o lado mau. Você tirou da mãe e também do pai os seus direitos e responsabilidades. O que acontece com ele?

KARL: O pai é turco e agora está casado em segundas núpcias com uma turca. Tem outros filhos com ela e abriu mão da relação com esse filho.

HELLINGER: Por que a criança não pode morar com o pai? Você teme que se torne muçulmana? Pois deveria tornar-se!

KARL: Sim, poderia tornar-se.

HELLINGER: O melhor lugar para a criança é lá. Não é um menino?

KARL: Sim.

HELLINGER: Então o lugar dele é com o pai, está claro.

KARL: Preciso refletir a respeito.

HELLINGER: Você sabe o que acontece com o "refletir a respeito"? É como a história daquele pastor que dizia, no fim de um retiro espiritual: "Caramba, depois do retiro preciso sempre de umas seis semanas para voltar aos velhos hábitos."

Enfrentar o risco de expor-se

BRIGITTE: Meu nome é Brigitte. Sou psicóloga e tenho consultório particular. Tive quatro filhas do primeiro casamento e depois me divorciei. Meu primeiro marido faleceu mais tarde. Em seguida, casei-me novamente e desse casamento tenho duas enteadas. Vivo distanciada de meu marido para concentrar minhas forças. Vim aqui para aprender algo sem me esforçar muito.

HELLINGER: Isto está fora de cogitação aqui. O que você deseja realmente?

BRIGITTE: Gostaria de não entrar mais fundo do que eu possa suportar internamente.

HELLINGER: Acho arriscado demais admitir aqui a presença de uma pessoa que não esteja disposta a se expor, mesmo sob risco pessoal, pois tal atitude inibe a manifestação do íntimo. Portanto, quero adverti-la: nosso trabalho não se destina a espectadores.

BRIGITTE: Não quero ser entendida dessa forma. Porém, como sou responsável pela formação de alguns participantes deste grupo e como o grupo é tão grande, gostaria de manter uma certa reserva. Mas quero fazer o que for necessário para poder participar.

HELLINGER: Já lhe expliquei as regras e você as entendeu. Com isso, está tudo em ordem para mim. Mas gostaria de lhe contar ainda uma história.

Quem recebe mais, e quem menos

Nos Estados Unidos, um professor de psicologia chamou um estudante, entregou-lhe uma nota de um dólar e outra de cem dólares e lhe disse: "Vá à sala de espera. Lá estão sentados dois homens. Dê a um a nota de um dólar e, ao outro, a nota de cem." O estudante pensou: "Esse cara está maluco!" Então pegou o dinheiro, foi à sala de espera e deu a um a nota de um dólar e, ao outro, a nota de cem. Ele não sabia que o professor tinha secretamente dito a um dos homens: "Você receberá um dólar" e ao outro: "Você receberá cem dólares".

Casualmente, o estudante deu a nota de um dólar ao que esperava receber um dólar e ao outro, que esperava receber cem dólares, deu a nota de cem.

HELLINGER (com um sorriso): Curioso, agora me pergunto o que esta história está fazendo aqui.

A dupla transferência

CLAUDIA: Meu nome é Claudia. Sou psicóloga e trabalho como psicoterapeuta e também como perita judicial, em assuntos de direito familiar. Dou também cursos para pessoas que perderam sua habilitação para dirigir e precisam passar por um treinamento psicológico. Quanto ao estado civil, sou divorciada. Isso é algo embaraçoso para mim, porque só fiquei seis meses casada e fico em dúvida se devo considerar-me casada ou divorciada.

HELLINGER: Você já foi casada e esse fato não pode ser anulado. Tem filhos?

CLAUDIA: Não, não tenho.
HELLINGER: Por que vocês se separaram?
CLAUDIA: Porque estava terrível. Tivemos pouco tempo para nos conhecer, decidimos nos casar rapidamente e então achei tudo terrível.
HELLINGER: Você achou terrível, e ele também?
CLAUDIA: Eu me esforcei por tornar a situação terrível também para ele.
HELLINGER: Quem foi a mulher raivosa do seu sistema familiar que você imitou?
CLAUDIA: Minha mãe, seguramente.
HELLINGER: Vamos procurar mais alguém. A pergunta é a seguinte: que mulher, em seu sistema de origem, tinha motivos para ficar com raiva de um homem? Quando acontece algo como você contou, a dinâmica que atua no fundo é a dupla transferência. Sabe o que é isso?
CLAUDIA: Não.
HELLINGER: Vou dar-lhe um exemplo. Num seminário onde Jirina Prekop fazia demonstração da *terapia do abraço*, ela pediu a um casal que se abraçasse firmemente. De repente, a expressão da mulher mudou e ela ficou furiosa com o marido sem que houvesse motivo para isso. Então eu disse a Jirina: "Veja como mudou a expressão dela. Por aí você pode reconhecer com quem ela está identificada." Com efeito, ela havia assumido de repente a expressão de uma velha de oitenta anos, embora não tivesse mais de uns trinta e cinco. Então eu disse à mulher: "Repare em sua própria expressão. Quem é que tinha uma cara assim?" "Minha avó", respondeu ela. "O que aconteceu com ela?", perguntei. Ela respondeu: "Minha avó tinha um restaurante, e meu avô várias vezes arrastou-a pelos cabelos no salão, diante dos fregueses. E ela agüentou isso."

Você pode imaginar como realmente se sentiu a avó? Ficou furiosa com o marido, mas não expressou esse sentimento. Foi essa raiva reprimida que a neta adotou dela. Essa foi a transferência no sujeito da raiva: da avó para a neta. Contudo, a neta dirigiu essa raiva para o marido e não para o avô. Essa foi a transferência no objeto da raiva: do avô para o marido. Isso era menos arriscado para a neta, porque seu marido a amava e tolerava isso. Esta é a dinâmica da dupla transferência. Mas ninguém está consciente dela.

Minha pergunta é a seguinte: aconteceu com você algo de parecido?
CLAUDIA: Que eu saiba, não.
HELLINGER: Se fosse assim, você ainda estaria devendo muito ao ex-marido.
CLAUDIA: Hum.
HELLINGER: Isso mesmo. (*Ela ri.*)
HELLINGER: Apanhei você?
CLAUDIA: Não. Mas acabo de pensar que estou contente porque ele está bem.
HELLINGER: Isso acontece quando alguém se sente culpado. Mas só na continuação do trabalho poderemos verificar o acerto de minha suposição. Por enquanto é só uma hipótese.

A precedência da primeira mulher

GERTRUD: Meu nome é Gertrud. Sou médica e tenho um consultório de clínica geral. Sou solteira e tenho um filho que vai completar dezenove anos.
HELLINGER: O que acontece com o pai dele?
GERTRUD: Faz uns cinco anos que meu filho não vê seu pai.
HELLINGER: O que há com o pai?
GERTRUD: Casou-se, e tem três filhos do atual casamento. Há uns cinco anos teve ainda uma filha com outra mulher. Mas isso é problema dele, pois faz cinco anos que já não falo com ele.
HELLINGER: Ele já era casado quando você o conheceu?
GERTRUD: Está casado agora pela terceira vez. Naquela ocasião já era casado, creio que pela segunda vez, e estava se divorciando. Eu o conheci nos tempos da escola, onde estivemos juntos. Depois, cada qual foi para seu canto. Ele morava em outra cidade e lá se casou. Da primeira vez, casou-se por favor, para que a mulher pudesse sair da Hungria. Depois divorciou-se e casou outra vez.
HELLINGER: Isso não se faz. Não se pode casar por favor. Vocês tiveram um relacionamento íntimo antes do primeiro casamento dele?
GERTRUD: Sim.
HELLINGER: Então você é a sua primeira mulher e tem precedência sobre as demais. É um sentimento agradável?
GERTRUD: Sim, sim, mas difícil.
HELLINGER: O que há de tão difícil nisso?
GERTRUD: É que agora já não tenho uma necessidade absoluta de ter esse sentimento. Agora não mais.
HELLINGER: A precedência não depende do sentimento.
GERTRUD: Ah, não?
HELLINGER: São realidades que subsistem independentemente do sentimento.

A felicidade dá medo

HELLINGER: Vou lhe dizer algo sobre a felicidade. Ela é sentida como perigosa, porque traz solidão. O mesmo se passa com a solução: é tida como perigosa, porque traz solidão. No problema e na infelicidade temos companhia.

O problema e a infelicidade se associam a sentimentos de inocência e de fidelidade. A solução e a felicidade, ao contrário, estão associadas a sentimentos de traição e de culpa. Por isso a felicidade e a solução só são possíveis quando enfrentamos esse sentimento de culpa. Não que a culpa seja racional, mas é experimentada como se o fosse. Por esta razão também é tão difícil passar do problema para a solução. Pois se fosse verdade o que eu lhe disse e você o aceitasse como tal, você teria de mudar radicalmente.

Constelação de Hartmut: Filho representa irmão da mãe

HARTMUT: Preciso acostumar-me primeiro a essa concentração em relações familiares. Meu nome é Hartmut. Sou consultor de empresas e trabalho cientificamente com a filosofia da religião, que é minha área de estudos. Tive duas filhas do primeiro casamento e depois casei-me de novo. Continuo casado com essa segunda mulher mas há sete anos estamos separados.

HELLINGER: E o que você pretende aqui?

HARTMUT: Gostaria de ver com clareza até que ponto devo envolver-me com relacionamentos de qualquer espécie. Tornei-me um perfeito eremita e tenho a sensação de estar perdendo com isso. Sinto uma grande capacidade de amar, mas não sei para onde dirigi-la.

HELLINGER: Vamos configurar agora sua família de origem. Já a configurou alguma vez? Sabe como isto funciona?

HARTMUT: Não sei ao certo como se faz, mas tenho um esquema na minha cabeça.

HELLINGER: Esse esquema está errado, com toda a certeza. Ele só serve como defesa. O que se elabora de antemão é um meio de defesa. Também o que se conta a um terapeuta sobre os próprios problemas serve como defesa. A seriedade só começa quando se passa à ação. Está bem, quem poderia representar seu pai?

HARTMUT: Robert poderia representá-lo, porque...

HELLINGER: Não precisa justificar. Quantos irmãos você tem?

HARTMUT: Tenho dois irmãos e uma meia-irmã. Por isso hesitei. Mas não fui criado com ela.

HELLINGER: É filha de quem?

HARTMUT: De meu pai.

HELLINGER: Ele foi casado antes?

HARTMUT: Não, casou-se depois. Depois do divórcio casou-se de novo e então nasceu essa meia-irmã. Minha mãe não se casou mais.

HELLINGER: Quem é o primeiro filho de seus pais?

HARTMUT: Sou eu.

HELLINGER: Algum dos pais foi antes casado ou noivo ou teve um relacionamento firme?

HARTMUT: Não. Quer dizer, minha mãe teve um outro pretendente, que depois se tornou meu padrinho.

HELLINGER: Precisamos dele. Mais alguém que tenha sido importante?

HARTMUT: Extremamente importante é o irmão da minha mãe.

HELLINGER: O que houve com ele?

HARTMUT: Minha mãe sempre quis viver com ele e também tentou moldar-me à imagem dele.

HELLINGER: Ele é pastor ou coisa parecida?

HARTMUT: Não, ele foi um ator muito conhecido.

HELLINGER: Ela queria viver com ele?
HARTMUT: Ela realmente o preferia a meu pai.
HELLINGER: Vamos introduzi-lo mais tarde. Colocaremos de início o pai, a mãe, os irmãos, a segunda mulher do pai, a meia-irmã e o namorado da mãe. Escolha no grupo representantes do mesmo sexo para cada uma dessas pessoas. Coloque-os, a seguir, em relação uns com os outros, de acordo com a sua sensação do momento. Por exemplo, a que distância do pai fica a mãe, e em que direção eles olham. Coloque cada um em seu lugar, sem dizer ou explicar nada. E faça-o centrado e com seriedade, caso contrário não funciona.

Observação
Nos gráficos a seguir, os homens são representados por um quadrado e as mulheres por um círculo. Por exemplo:

| H | Homem |
| M | Mulher |

É grifado o símbolo da pessoa que está colocando a própria família ou para quem ela está sendo colocada. O corte indica a direção em que a pessoa está olhando. As perguntas, salvo registro especial, são dirigidas aos representantes das pessoas nomeadas, e eles se exprimem sempre no papel dessas pessoas.

Hartmut monta sua família de origem.

HELLINGER: Agora dê uma volta em torno e corrija, se necessário. Então sente-se, de modo que você possa ver bem.

P	Pai
M	Mãe
1	**Primeiro filho (=Hartmut)**
2	Segunda filha
3	Terceiro filho
2MuP	Segunda mulher do pai
4	Quarta filha, da segunda mulher
NM	Namorado da mãe

Figura 1

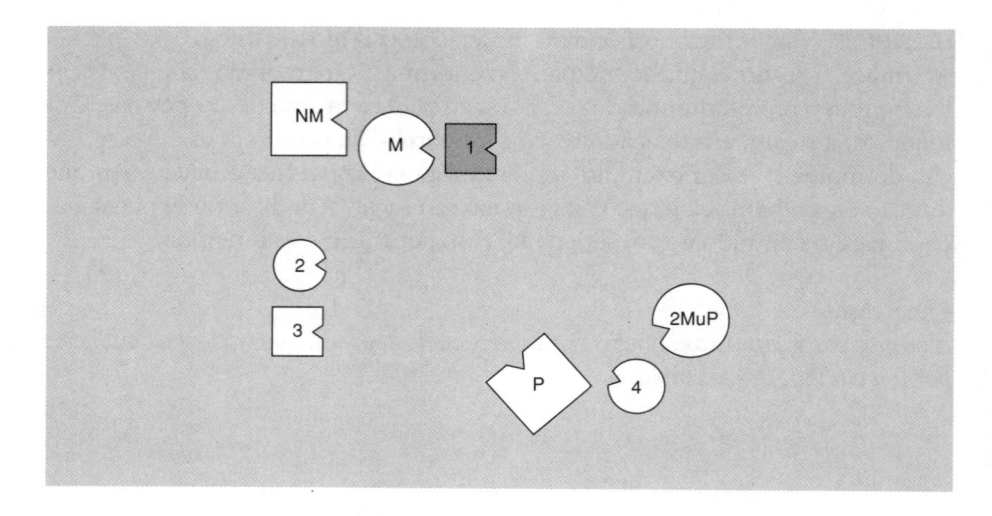

HELLINGER: Como se sente o pai?
PAI: Sinto-me muito isolado aqui. Minha família anterior está muito longe, e atrás de mim existe algo que não consigo ver.
HELLINGER: Como se sente a mãe?
MÃE: Sinto contato com meu ex-marido. Até então estava entorpecida.
HELLINGER: Como você se sente aí?
MÃE: Impotente. Incapaz de agir.
HELLINGER: E como se sente em relação ao namorado, o padrinho de Hartmut?
MÃE: Ele me dá apoio, mas também pesa sobre meus ombros. Meu sentimento é ambivalente.
HELLINGER: Como está o amante, o namorado?
NAMORADO DA MÃE: Ambivalente, posso dizer também. Acho a mulher atraente e simpática e também me sinto ligado a ela. Mas, no presente contexto, isto não me agrada. Sinto-me imobilizado, pregado no chão.
HELLINGER: Como está o filho mais velho?
PRIMEIRO FILHO: Quando fui colocado aqui, veio-me a palavra "Ui!" e senti como se alguém me tentasse agarrar, curiosamente na barriga da perna. Sinto muito calor ali. É como se um cachorro quisesse me morder. É uma sensação de calor, mas também de perigo. Na direção do pai existe um certo calor que escoa pelo lado. Com os irmãos, atrás de mim, não tenho nenhuma relação. A segunda mulher do pai e a meia-irmã não têm importância para mim.
HELLINGER: Como está a segunda filha?
SEGUNDA FILHA: Durante o processo da colocação, quando minha mãe ainda estava perto de mim, eu me sentia bem. Agora não me sinto tão bem.
HELLINGER: Como está o terceiro filho?

TERCEIRO FILHO: Tenho meus pais diante dos olhos, mas não consigo decidir-me. Sinto-me atraído por meu pai, mas não consigo sair daqui.
HELLINGER: Como está a segunda mulher?
SEGUNDA MULHER: Estou me perguntando: por que meu marido não pode se virar para mim?
HELLINGER: Como está a meia-irmã?
QUARTA FILHA: No início eu me sentia excluída e também achava o pai ameaçador. Desde que a mãe ficou atrás de mim, estou melhor. Mas o pai está me barrando a passagem.
PRIMEIRO FILHO: Desde que fiquei aqui assim, sinto muito calor na minha frente, como se estivesse carregado de energia e querendo agarrar alguma coisa.
HELLINGER (*para Hartmut*): Agora coloque também o irmão de sua mãe!

Figura 2

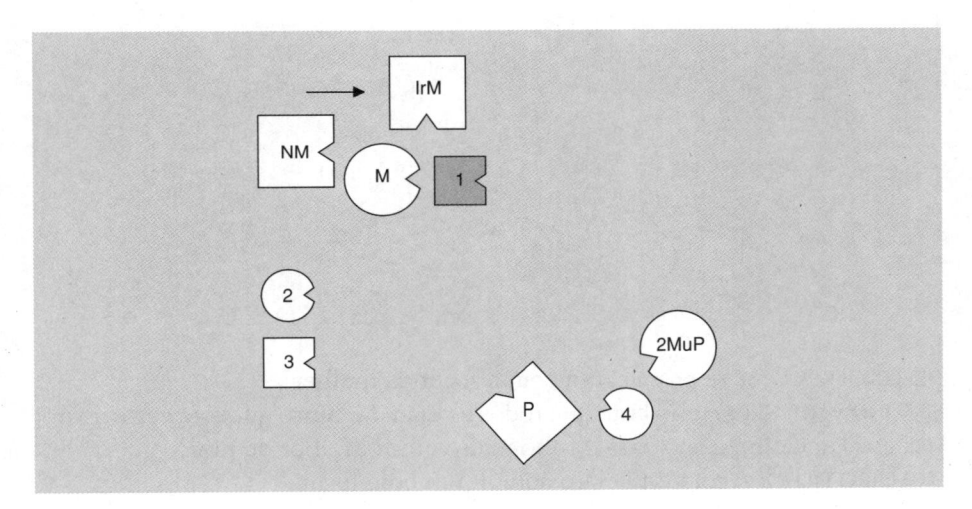

[figure]

IrM   Irmão da mãe

HELLINGER: O que mudou para o filho mais velho?
PRIMEIRO FILHO: Sinto-me atraído para o lado esquerdo e pergunto-me: o que pretende aquele ali? O que está fazendo ali?
HELLINGER: É melhor ou pior do que antes?
PRIMEIRO FILHO: A força que eu tinha antes está se escoando pela esquerda. Isso me dilacera. Assim não pode ficar. Alguma força ainda vai para o pai. Atrás de mim, tudo está carregado e, para a esquerda, algo está se escoando.
HELLINGER: Como está o irmão da mãe?
IRMÃO DA MÃE: Não sei o que estou fazendo aqui.
HELLINGER: Como está agora a mãe?

MÃE: Sinto-me apertada.
HELLINGER: E como!!!
MÃE: Sim. (*Ela ri.*)
HELLINGER (*para Hartmut*): Era casado, esse ator?
HARTMUT: Não, e também já morreu há muito tempo.

Hellinger muda as posições.

Figura 3

HELLINGER: O que se passa agora com a segunda mulher?
SEGUNDA MULHER: Acho bom que todos estejam aí. Sinto que está certo assim.
HELLINGER: Como é isto para o filho mais velho? Melhor ou pior?
PRIMEIRO FILHO: Agora está claro aqui. É um bom lugar.
HELLINGER: Como é para o pai?
PAI: Agora posso me voltar também para minha família atual.

Hellinger muda as posições. O namorado da mãe pode ser dispensado, pois evidentemente já não exerce nenhum papel.

Figura 4

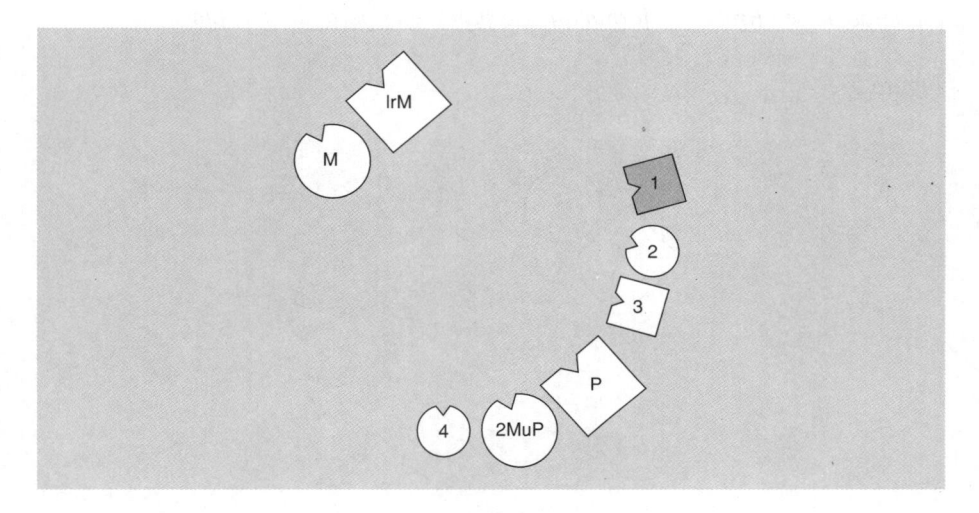

HELLINGER: Como é isto para o pai?
PAI: Assim é muito bom para mim. Posso olhar bem para minha primeira mulher. O que aconteceu com ela foi uma tentativa que não deu certo. A nova ligação é positiva para mim e meus filhos estão bem perto, o que acho bom.
HELLINGER: Como está o terceiro filho?
TERCEIRO FILHO: Gostaria de ter mais contato com minha mãe.
HELLINGER: Como está a filha?
SEGUNDA FILHA: Aqui no círculo está bem.
HELLINGER: Como está o filho mais velho?
PRIMEIRO FILHO: Muito bem, desde que minha meia-irmã e sua mãe também foram incluídas. Que minha mãe vá embora, está bem para mim.
HELLINGER: E como está agora a mãe?
MÃE: Gostaria de olhar para meus filhos.
HELLINGER: Como está o irmão dela?
IRMÃO DA MÃE: Sinto-me muito bem aqui. Gostaria de fazer alguma coisa espontaneamente.
HELLINGER (*para Hartmut*): Que diz você desta configuração?
HARTMUT: Naturalmente não consigo mais reconhecer nela a situação real; mas talvez não seja este o objetivo. Essa solução teria funcionado se os filhos também tivessem colaborado. Mas é justamente a solução que não aconteceu. Por isso, parece-me meio utópica.
HELLINGER: Comentários servem freqüentemente para questionar e evitar a solução. Eu só queria saber como você se sente quando vê isso.

HARTMUT: Sem nenhum entusiasmo. Mas com esta sensação: pena que não foi assim. No fundo, eu deveria calar-me.

Hellinger torna a virar a mãe e seu irmão para a família, colocando a mãe do lado esquerdo do seu irmão, de forma que ela fique mais perto de seus filhos.

Figura 5

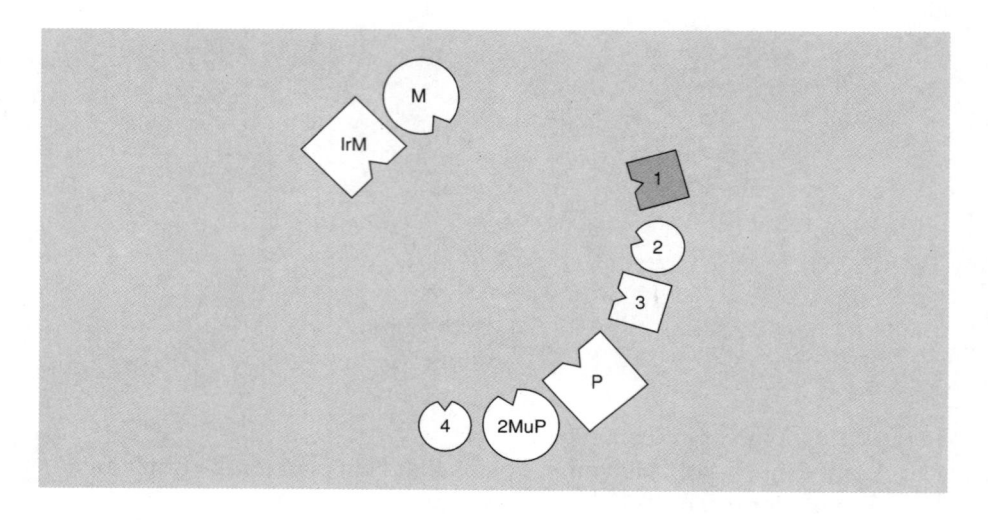

HELLINGER (*para os representantes*): Assim é melhor ou pior?
PRIMEIRO FILHO: Tem mais calor.
SEGUNDA FILHA: É pior.
HELLINGER: Para a mãe?
MÃE: Para mim é melhor.
IRMÃO DA MÃE: Para mim também.
HELLINGER (*para o grupo*): Essa mulher enganou seu marido.

A representante da mãe ri.

HELLINGER: Esta mulher enganou o marido, porque não o quis. Por isso ela deveria realmente virar-se. Ela perdeu o direito de olhar nessa direção.

Hellinger torna a virar ambos, o irmão da mãe e a mãe, e a coloca atrás dele.

Figura 6

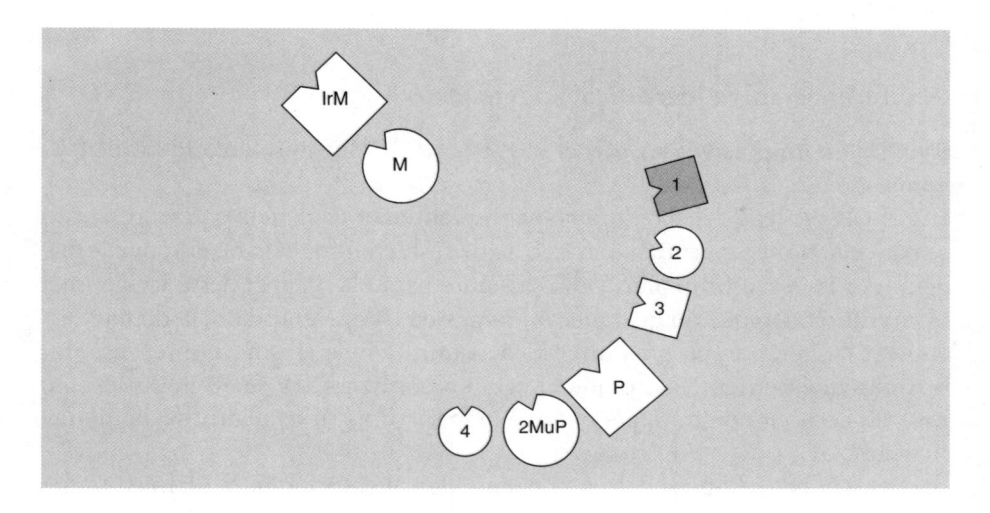

HELLINGER (*para os representantes*): Que tal assim?
MÃE: Assim está certo.
HELLINGER: Exatamente. Agora vocês podem ver com quem Hartmut está identificado. A mãe tem agora com seu irmão a mesma relação que tinha inicialmente com o filho mais velho. Hartmut está identificado com esse tio.
PRIMEIRO FILHO: Um calafrio desce pelas minhas costas e me vem a frase: "Pobre mãe!"
HELLINGER (*para o grupo*): Nessa família acontece um drama, sobre o qual nem o pai nem os filhos têm qualquer influência. Não sabemos por que isso acontece e não podemos interferir. Temos que deixar que a situação evolua. Para Hartmut, a única solução é ficar ao lado do pai.
HELLINGER (*para Hartmut*): Você quer se colocar pessoalmente?
HARTMUT: Sim.

Hartmut ocupa seu lugar no quadro da família.

HELLINGER: Esta é a ordem agora. Vou dizer-lhe ainda como se lida com isso. Você tinha em si uma imagem da família que era louca, no sentido literal da palavra. Foi dessa forma louca que você a colocou. Agora eu configurei a ordem e você tem a chance, se quiser aproveitá-la, de deixar-se penetrar pela nova imagem, apagando a antiga. Então você será uma pessoa renovada, sem que mais ninguém precise mudar e sem que a situação se modifique. Você está mudado porque leva em si uma imagem da ordem, e então poderá relacionar-se com a sua família atual de uma forma totalmente diferente. Pois, na posição

que você ocupava, identificado com uma pessoa por quem sua mãe tinha mais amor do que por seu pai, nenhuma mulher podia segurar você e você também não podia segurar nenhuma mulher. Está claro para você?
— Está bem, foi isso aí.

A diferença entre identificação e modelo

IDA: Como foi possível acontecer, no sistema de Hartmut, uma identificação com o tio?
HELLINGER: A mãe dele procurava inconscientemente alguém que representasse para ela, no sistema atual, o irmão a que tinha renunciado no sistema de origem. Por isso, seu filho mais velho assumiu para ela o papel desse irmão, sem que o filho ou a mãe ou qualquer outra pessoa tivesse consciência do fato.
HARTMUT: Há, porém, uma diferença se minha mãe me induz a representar o irmão que perdeu cedo e que cheguei a conhecer, ou se eu mesmo tomo esse tio como modelo, o que não fiz. Não são dois tipos distintos de identificação?
HELLINGER: Não. Um modelo não é uma identificação. Um modelo eu tenho diante de mim; por conseguinte, estou separado dele. Posso segui-lo ou não, e sou livre. Porém, quando estou identificado, não sou livre. Geralmente nem mesmo tenho consciência disso. Por esta razão, quando estou identificado, sinto-me também alienado de mim mesmo, o que não acontece quando sigo um modelo.
HARTMUT: Certíssimo. Portanto, você usa o termo identificação para descrever objetivamente um processo que ninguém desencadeou conscientemente.
HELLINGER: Isso mesmo. E ninguém tem culpa disso. Sua mãe não escolheu você para essa identificação; não se pode censurá-la. É uma dinâmica que resulta de sua constelação, sem intenção consciente por parte de ninguém e sem que uma criança possa se defender dela.
HARTMUT: Portanto só existem vítimas.
HELLINGER: Sim. Só existem pessoas emaranhadas, cada qual à sua maneira. Por isso, neste contexto, é inútil perguntar pela culpa ou pelo culpado.

Ter coragem de fazer o mínimo

DAGMAR: Quer dizer que agora não preciso colocar também o lado materno da família para descobrir o que aconteceu lá?
HELLINGER: Pelo amor de Deus, aonde é que você quer chegar? Hartmut não precisa disso, pois agora a solução está perfeitamente clara para ele. O resto não pode ser reconstruído. Quando se tenta isso, cai-se no domínio da fantasia. Por isso, as grandes reconstruções familiares ficam confusas e trazem poucas soluções. Hartmut já tem tudo o que precisa para agir. Quando se chega a

esse ponto, dou o trabalho por terminado. Nunca se deve ir mais longe do que a pessoa precisa para chegar à solução! Também não procuro soluções para pessoas ausentes. Oriento-me, portanto, pelo princípio do minimalismo, e limito-me a encontrar a solução para a pessoa em questão. Com isso dou por encerrado o trabalho e passo imediatamente ao seguinte. Também não quero fazer longos comentários posteriores. Estes que estou fazendo são exceções e servem para complementar a informação num curso de aperfeiçoamento. Não devem ser feitos em outros casos. Excluo igualmente controles de resultados e coisas semelhantes. Isso só tira a força.

A individualização diminui a intimidade nas relações

IDA: Num sistema como o que foi configurado aqui, não é verdade que as crianças também recebem algo importante pelo simples fato de existir um tal sistema?
HELLINGER: Naturalmente, pois é através dessa constelação original que recebem a vida, mesmo quando lhes traz uma carga negativa. Por outro lado, essa constelação também inibe o seu desenvolvimento. Em nosso caso, por exemplo, o filho mais velho assumiu algo que dificultou o seu desenvolvimento. Agora tem chances de crescer, superando isso.

Na família de origem e em nossos relacionamentos atuais o desenvolvimento se dá no sentido da individualização; isso significa que o indivíduo progressivamente se desprende de seus vínculos. Esse desprendimento visa simultaneamente à integração num contexto bem mais amplo onde a pessoa fica conectada, porém livre.

Algo semelhante acontece em regiões montanhosas. Quando alguém sai de uma aldeia, onde tudo é estreito e próximo, e sobe ao alto de uma montanha, descortina um horizonte cada vez mais amplo. Quanto mais alto sobe, mais solitário se torna. Apesar disso, percebe-se num contexto mais amplo que antes. Assim, na medida em que nos desprendemos do que está próximo, nós nos vinculamos a algo maior, mas o preço disso é o aumento da solidão. Daí a grande dificuldade que muitos sentem, de passar de um vínculo estreito a outro novo e mais amplo. Por outro lado, toda ligação estreita força a evoluir para algo maior e mais amplo. Por esta razão, quando uma relação conjugal alcança o seu ponto culminante — que é o nascimento do primeiro filho — ela perde em intimidade e ganha em amplitude. Com isso a relação se enriquece, mas a intimidade forçosamente diminui.

Ao começarem um relacionamento, algumas pessoas pensam que ficarão sempre estreitamente unidas. Mas o relacionamento é também um processo de morte. Cada uma de suas crises é experimentada como uma morte, como uma fase de nosso processo de morrer. Nesse processo, algo da intimidade se perde. Porém, num outro nível, o relacionamento ganha uma nova qualidade e fica diferente: mais relaxado, solto e amplo.

IDA: Então não é o amor que se perde aí?
HELLINGER: Não, não, o amor pode tornar-se maior, muito maior, mas passa a ter uma outra qualidade.

A ordem precede o amor

HELLINGER: Muitos problemas surgem quando alguém pensa que pode superar a ordem por meio de racionalizações, de esforços ou mesmo do amor, como o exige, por exemplo, o Sermão da Montanha*. Não obstante, a ordem nos é preestabelecida e não pode ser substituída pelo amor. Isso seria uma ilusão. É preciso voltar à ordem, voltar ao ponto da verdade. Só aí encontramos a solução.
HARTMUT: Você fez há pouco, num comentário, uma afirmação terrível: que nesse caso o amor não ajuda e não resolve e que, por conseguinte, não é possível resolver um problema desses por meio do amor. De fato, já tentei isso em muitas variantes e fracassei. Mas é uma terrível constatação.
HELLINGER: O amor é uma parte da ordem. A ordem precede o amor, e este só pode desenvolver-se dentro dela. A ordem preexiste. Quando inverto essa relação e pretendo mudar a ordem através do amor, estou condenado a fracassar. Isso não funciona. O amor se adapta a uma ordem e assim pode florescer, assim como a semente se adapta ao solo e ali cresce e prospera.
HARTMUT: Neste caso estou realmente louco ou me comportei como tal.
HELLINGER: Sim, porém agora você tem a chance de colocar isso em ordem. Algumas pessoas conseguem recuperar em pouco tempo um monte de coisas, quando realmente agem. Já confissões de culpa e lamentações são apenas substitutivos para a ação. Elas frustram a ação e enfraquecem.

A ordem de origem

DAGMAR: Você colocou o sistema de Hartmut dentro de uma hierarquia. Que tipo de ordem é essa?
HELLINGER: Existe uma hierarquia baseada no momento em que se começa a pertencer a um sistema: esta é a ordem de origem, que se orienta pela seqüência cronológica do ingresso no sistema. Por essa razão, no sistema de Hartmut, a primeira mulher tinha precedência sobre a segunda, e o filho mais velho sobre seus irmãos mais novos. Quando se dispõe uma família de acordo com essa ordem, por exemplo, num círculo, as pessoas que ocupam posição inferior ficam, no sentido horário, à esquerda das pessoas que ocupam posição superior.

O ser é definido pelo tempo e, através dele, recebe seu posicionamento. O ser é estruturado pelo tempo. Quem entrou primeiro num sistema tem precedência sobre quem entrou depois. Da mesma forma, aquilo que existiu pri-

---
* Sermão de Jesus, relatado no Evangelho de S. Mateus, cap. 5. (N.T.)

meiro num sistema tem precedência sobre o que veio depois. Por essa razão, o primogênito tem precedência sobre o segundo filho e a relação conjugal tem precedência sobre a relação de paternidade ou maternidade. Isso vale dentro de um sistema familiar.

Entretanto, os sistemas também possuem entre si uma hierarquia, que nesse particular é invertida: o sistema novo tem precedência sobre o antigo. Assim, a família atual tem precedência sobre a família de origem. Quando essa relação se inverte, as coisas correm mal. No exemplo que vimos, para a mãe de Hartmut o sistema de origem teve precedência sobre o sistema atual e as coisas correram mal.

DAGMAR: Então você diz que existe uma precedência cronológica, mas também que o sistema atual tem precedência. Entendi bem?

HELLINGER: Dentro de um sistema existe uma ordem de precedência, de acordo com o início da vinculação ao sistema. Porém, na sucessão dos sistemas, a família atual tem precedência sobre a anterior.

A precedência do primeiro vínculo

FRANK: Deveria haver também uma ordem de precedência quanto à qualidade dos sistemas, isto é, entre um sistema natural e saudável e um outro não natural ou patogênico.

HELLINGER: Não, esse tipo de distinção não funciona. O primeiro vínculo de uma pessoa tem precedência sobre o segundo, independentemente da qualidade da primeira ligação. Isso significa que o segundo vínculo prende menos que o primeiro. A profundidade do vínculo vai, portanto, diminuindo de relação em relação. Entretanto, vínculo não significa amor. Pode acontecer que num segundo relacionamento o amor seja maior, apesar de ser menor o vínculo. A profundidade de uma ligação pode ser avaliada pelo peso da culpa que se sente ao desprender-se. Ao desprender-se de uma segunda ligação, sente-se uma culpa menor do que da primeira; não obstante, o segundo sistema tem precedência sobre o primeiro.

HARTMUT: Sinto-me renovado e cheio de energia. Lembrando a máxima: "A verdade vos livrará", sinto-me como no início de uma libertação.

Hierarquias

HELLINGER: Gostaria de dizer algo sobre hierarquias, de modo especial sobre a ordem de origem. Cada grupo tem uma hierarquia, determinada pelo momento em que começou a pertencer ao sistema. Isso quer dizer que aquele que entrou em primeiro lugar em um grupo tem precedência sobre aquele que chegou mais tarde. Isso se aplica às famílias e também às organizações.

A hierarquia na família

Sempre que acontece um desenvolvimento trágico numa família, uma pessoa em posição posterior violou a hierarquia, arrogando-se o que pertence a pessoas em posição anterior. Essa presunção tem freqüentemente um caráter puramente objetivo e não subjetivo.

Por exemplo, quando um filho tenta expiar por seus pais ou carregar em lugar deles as conseqüências de suas culpas, incorre numa presunção. Mas a criança não se dá conta disso porque está agindo por amor. Não ouve nenhuma voz em sua consciência prevenindo-a contra isso. Daí decorre que todos os heróis trágicos são cegos. Pensam que estão fazendo algo de bom e grande, mas essa convicção não os protege da ruína. O apelo à boa intenção ou à boa consciência, quando acontece — geralmente, após o evento — não muda em nada o resultado e as conseqüências.

A criança não pode defender-se contra tal presunção, pois é levada a ela por amor e na melhor das intenções. Só na idade adulta, quando chega à razão, é que pode livrar-se das amarras dessa presunção e retomar o lugar que lhe compete. Mas abandonar essa posição é difícil para a criança porque então, de repente, terá de apoiar-se apenas em seus próprios pés, recomeçando bem de baixo e construindo apenas no que é seu. Aí ela fica em contato com seu centro; no lugar que se arrogou fica descentrada e alienada de si mesma.

Na terapia familiar é preciso, portanto, observar se alguém está se arrogando algo que não lhe compete e, antes de mais nada, colocar isso em ordem.

A proteção da intimidade

Uma criança jamais tem o direito de saber o que pertence à relação dos pais: isso não lhe diz respeito. Da mesma forma, o que pertence à relação do casal jamais diz respeito a terceiros. Quem revela assuntos de seu relacionamento íntimo comete uma quebra de confiança com sérias conseqüências, pois a relação se rompe. O que é íntimo pertence exclusivamente às pessoas que assumiram o relacionamento e deve permanecer como um segredo para as outras pessoas. Por exemplo, um homem não deve contar à sua segunda mulher coisa alguma que se refira ao seu relacionamento íntimo com a primeira. Tudo o que pertence à relação do casal deve ficar protegido como um segredo entre o homem e a mulher. Quando os pais contam aos filhos algo sobre o assunto, é muito mau para os filhos. Um aborto, por exemplo, não diz respeito a eles; pertence ao relacionamento íntimo dos pais. Mesmo a um terapeuta deve-se falar somente de forma a proteger o parceiro, senão o relacionamento se rompe.

A precedência no divórcio

PARTICIPANTE: O que fazer quando os pais se separam e os filhos perguntam: por que vocês se separaram?

HELLINGER: Deve-se dizer a eles: "Isso não diz respeito a vocês. Nós nos separamos, mas continuamos sendo seus pais." Pois a relação de paternidade ou de maternidade é inseparável. Em casos de divórcio, acontece com freqüência que os filhos são confiados a um dos pais e tirados do outro. Ora, os filhos não podem ser tirados dos pais. Mesmo após o divórcio, estes mantêm integralmente os seus direitos e deveres de pais. O que se desfaz é somente a relação de parceria. Da mesma forma, não se deve perguntar aos filhos com quem querem ficar. Caso contrário, serão forçados a decidir entre seus pais, a favor de um e contra o outro. Isto não se pode exigir deles. Os pais devem combinar entre si com quem ficarão os filhos e então dizer-lhes como isso se fará. Mesmo que os filhos protestem, sentem-se livres e satisfeitos porque não precisaram decidir-se entre os pais.

PARTICIPANTE: Não é verdade que muitos pais procuram desculpar-se diante dos filhos, contando-lhes o que não funcionou em seu relacionamento?

HELLINGER: Tomem como princípio que as separações acontecem sem culpa. São, via de regra, inevitáveis. Quem procura pelo culpado ou pela culpa, em si ou no parceiro, recusa-se a encarar o inevitável. Procede como se pudesse ter havido uma outra solução, se... E não é verdade. Separações são conseqüências de envolvimentos, e cada parceiro está enredado da sua própria maneira. Por esta razão, em minha prática terapêutica jamais procuro saber quem ou o que poderia ser culpado pelo fato. Digo a eles que acabou e que agora enfrentem a dor por ter acabado, apesar das boas intenções iniciais. Quando enfrentam a dor, conseguem separar-se em paz e resolver de comum acordo o que precisa ser resolvido. Em seguida, cada um fica livre para o próprio futuro. É assim que procedo. Isso alivia a todos.

PARTICIPANTE: Participei de uma pesquisa sobre as conseqüências do divórcio para os filhos e me interessaria saber o que você diz a respeito. Quando os casais revelavam aos filhos sua intenção de se divorciarem, o primeiro impulso das crianças era sempre pensar que elas tinham feito algo de errado e que os pais estavam se separando por causa disso.

HELLINGER: Quando algo dá errado entre os pais, os filhos buscam a culpa em si mesmos. Preferem ser culpados a atribuir a culpa aos pais. Então ficam aliviados quando estes lhes dizem: "Nós, como casal, decidimos nos separar. Mas continuamos a ser seus pais e vocês continuam a ser nossos queridos filhos."

PARTICIPANTE: Posso aceitar isto. Mas já reparei, muitas vezes, que as crianças continuam questionando por que razão os pais ficaram tão decepcionados. E aí, o que faço?

HELLINGER: Já lhe dei a solução. Mas existe uma outra coisa importante com relação ao divórcio. Depois da separação, os filhos precisam ficar com o progenitor que mais respeite neles o outro. Via de regra é o homem. O homem respeita mais a mulher nos seus filhos do que a mulher respeita neles o marido. Ignoro a razão, mas é possível observar isso. Quando aconselhamos um casal em vias de separação, devemos dizer-lhes que o melhor para o bem dos filhos é que cada um continue a cultivar neles o amor original que inicialmente sentiu pelo parceiro, seja no que for que se tenha transformado depois. Volta-se ao início do relacionamento que, para a maioria dos casais, foi um tempo abençoado, um tempo de intimidade. Com a lembrança dessa intimidade eles podem contemplar os seus filhos, mesmo após o divórcio.

A hierarquia em organizações

HELLINGER: Nas organizações, além da ordem de origem, existe também uma hierarquia por função e desempenho. Por exemplo, o departamento administrativo tem precedência sobre os demais, porque assegura os contatos externos. Por isso tem precedência, da mesma forma que na família o homem tem precedência sobre a mulher.

Numa clínica, por exemplo, o administrador está do lado do chefe, pois é a sua mão direita. A função do chefe e da administração fornece a base para toda a organização. Só depois vêm os médicos, apesar de constituírem o grupo mais importante, do ponto de vista da finalidade da clínica, assim como a mulher aparece como mais importante que o homem, do ponto de vista da finalidade da família. Portanto, o segundo grupo mais importante é constituído pelos médicos. Seguem-se as enfermeiras, novamente como um grupo próprio, e depois o pessoal auxiliar, por exemplo, o da cozinha, também como grupo próprio. Entre esses grupos existe portanto uma hierarquia, de acordo com sua função.

No interior desses grupos vigora então, além da hierarquia das funções, a precedência pela ordem de origem. O médico que se associou primeiro ao grupo tem precedência sobre os que vieram depois, e assim por diante. Essa hierarquia nada tem a ver com sua função, e é determinada apenas pelo tempo em que se pertence ao grupo.

Quando, num desses grupos, um novo chefe, que antes não pertencia a ele, é colocado à frente dos demais, então, apesar de ser agora o chefe, ele ocupa a última posição pela ordem de origem. Deve, pois, dirigir esse grupo como se fosse o último nessa hierarquia, e pode fazê-lo facilmente se entender sua função como prestação de um serviço ao grupo. O comando de quem ocupa a última posição é particularmente eficaz, desde que tal chefe saiba como proceder. Aquele que dirige mantendo-se na posição de último ganha todos para si porque respeita a hierarquia. Precisa, portanto, presidir e dirigir como se fosse o último.

Às vezes existe ainda uma hierarquia pela ordem de origem entre os departamentos e grupos. Quando numa clínica, por exemplo, é criado um novo

departamento, ele ocupa uma posição inferior aos anteriores, a não ser que ganhe um novo significado, subordinando a si os departamentos preexistentes.
PARTICIPANTE: Pode esse chefe demitir alguém que, por ser mais antigo, ocupa na hierarquia uma posição mais elevada que ele?
HELLINGER: Se o chefe o despede injustamente, o grupo perde a segurança e se dissolve em pouco tempo. Se, porém, o chefe o despede por ter incorrido em alguma culpa, então está dentro da ordem. Se o outro não tiver cumprido seu dever ou for incompetente, também pode ser rebaixado de função, mas nem por isso perde a sua posição na hierarquia de origem. Trata-se de dois domínios distintos: a função é um domínio, e a ordem de origem é outro.

Uma organização se dissolve quando um grupo hierarquicamente inferior se arroga o que compete a um grupo hierarquicamente superior: por exemplo, quando a administração quer dominar o chefe, em vez de servi-lo, ou ainda quando, no interior de um subgrupo, uma pessoa se arroga algo que compete a alguém que a precede na hierarquia. Existe naturalmente, entre os membros de um grupo, a competição pelo posto superior, pela posição de comando. Isso não envolve problema, desde que a pretensão se baseie na competência e no serviço prestado ao grupo, e ao mesmo tempo mantendo-se o respeito à outra hierarquia. Isso é comparável à luta dos cervos pelas fêmeas. Mesmo quando o macho dominante se retira, as fêmeas ficam. Isso se vê também nas organizações. Mesmo quando o "macho" dominante se retira, expulso por um outro, as "fêmeas" permanecem. Não tenho aqui a intenção de esclarecer mais este ponto, mas qualquer observador pode notá-lo.

A objeção

GERTRUD: Essa ordem de precedência me deu o que pensar, e logo tive a sensação que não consigo mais reproduzir — de que o pai de meu filho poderia, naquela ocasião, ter-se casado comigo. Isso mexeu comigo e gostei da idéia, mas logo abafei essa sensação.
HELLINGER: Certa vez, uma pessoa faminta teve oportunidade de sentar-se a uma mesa ricamente servida. Mas ela disse: "Isto não pode ser verdade!" e continuou morrendo de fome.

A decisão de não ter filhos

SOPHIE: Eu me chamo Sophie e tenho trinta e sete anos. Sou psicóloga e mantenho há seis meses um consultório particular. Quanto à minha vida privada, sou casada há dez anos.
HELLINGER: Vocês têm filhos?
SOPHIE: Não, e é justamente sobre isso que eu queria falar. Esta questão é premente, porque chegamos a uma idade em que precisamos decidir isso.

HELLINGER: Já está decidido.
SOPHIE: Já está decidido? Não vamos ter filhos, ou o quê?
HELLINGER: Isso mesmo.
SOPHIE: Hum. Como é que você chegou a essa conclusão?
HELLINGER: É fácil ver.
SOPHIE: Sim, já me questionei sobre isso por muito tempo.
HELLINGER: Vocês decidiram assim. Agora assumam a decisão e coloquem um ponto final! Do contrário, ficarão encravados nesse ponto.

O ser e o não-ser

HELLINGER: Quero expor-lhes algumas idéias básicas sobre este assunto. Quando alguém se decide por uma coisa, geralmente precisa abrir mão de outra. A coisa pela qual se decide é aquilo que é, que se realiza. A coisa de que se abre mão comporta-se, em relação ao que é e que se realiza, como um não-ser. Assim, cada ser que existe e se realiza está envolvido por um não-ser e não é imaginável sem um não-ser que lhe corresponda. Entretanto, o não-ser atua; não é um nada, apenas um não-ser. Quando desprezo o não-ser que corresponde ao meu ser, então o não-ser retira algo daquilo que é. Quando, por exemplo, uma mulher se decide pela carreira, contra a família e os filhos, mas de maneira a desprezar e depreciar família, filhos e marido, então esse não-ser retira algo do objeto de sua escolha, que assim fica diminuído. Inversamente, quando ela respeita, como algo de grande, esse não-ser do qual abriu mão em favor de sua carreira, esse não-ser acrescenta algo ao objeto de sua escolha, que assim fica acrescido e maior. Você consegue compreender isso?
SOPHIE: Sim.
HELLINGER: Agora você pode aplicá-lo à sua situação, se quiser.

(Sobre esse assunto, veja também a história: "O não-ser", p. 300.)

Conseqüências para o relacionamento

SOPHIE: Creio que não me decidi pela carreira e sim pela relação, pois obviamente imagino que ela se desfaz quando existe um filho. Quando você disse que já tínhamos nos decidido contra ter um filho, ficou claro para mim que fui eu que tomei a decisão. Mas acho que não tenho o direito de privar meu marido de um filho.
HELLINGER: Se ele quer um filho mas você não quer, isso significa que a relação terminou. Você precisa levar isso em conta, como conseqüência de sua decisão; caso contrário, estará se iludindo. Se seu marido, apesar de tudo, decide permanecer com você, você precisa honrar isso expressamente.

"Em pé de guerra"

IDA: Eu me chamo Ida e estou aqui com Wilhelm, meu marido. Temos muito trabalho em nosso negócio, onde ocupo um cargo de responsabilidade. Sou ainda mãe e dona de casa e também gostaria de trabalhar como psicóloga, profissão em que me formei, mas parece que ainda não chegou o momento. Tenho ainda um assunto importante. Na última vez em que estive com você, notei que estava em pé de guerra com você.
HELLINGER: Você sempre esteve um pouco assim.
IDA: Um pouquinho. Mas atualmente sinto falta de alguma coisa. De certa forma eu tinha colocado você dentro de mim. Sempre que me defrontava com um problema urgente, dizia a mim mesma: "Ah, vou escrever ao Bert!" Começava a redigir a carta, corrigia aqui e ali e, num dado momento, fosse de dia ou de noite, encontrava a solução sem precisar importuná-lo. Mas, de uns dois anos para cá, isso já não acontece.
HELLINGER: Existe aí algo não resolvido. Você está querendo algo de mim e chama isso de estar em pé de guerra.
IDA: Eu gostaria de recuperar aquilo, pois era bom para mim.
HELLINGER: Quando algo já não funciona, é preciso trocá-lo por uma coisa melhor.
IDA: Ah, você! Não vou encontrar.
HELLINGER: Podemos procurar juntos, para ver se encontramos algo melhor ou alguém melhor. (*Veja p. 247*)
IDA: Em termos pessoais, sinto muito que...
HELLINGER: Eu lhe fiz uma oferta. Você aceita?
IDA: Sim. Outra coisa: ontem peguei a tesoura e podei minha franja.
HELLINGER: Mas não bastante curta.

(*Risadas. Já tinha sido anteriormente observado que as mulheres que deixam cair os cabelos sobre os olhos estão confusas, e tanto mais quanto mais longa for a franja.*)

HELLINGER: Alguma coisa mais?
IDA: Sim. Apesar de toda a algazarra em torno, sinto-me bem.

Mau desempenho escolar dos filhos

WOLFGANG: Eu me chamo Wolfgang. Trabalho na Universidade e também me dedico à psicoterapia, em âmbito limitado. Não estava ciente de que haveria aqui tanta oportunidade de trabalhar com assuntos pessoais. Sou casado e tenho dois filhos. O que me incomoda há muito tempo é que sou atingido de um modo incrivelmente profundo quando meus filhos têm mau desempenho na escola. No momento, isso está acontecendo com meu filho.

HELLINGER: O que sucedeu com você quando era criança? Tirava boas notas na escola?
WOLFGANG: Fui um excelente aluno na escola primária, mas quando passei para o ginásio, tive um baque do qual nunca me recuperei totalmente.
HELLINGER: Quando seus filhos trouxerem más notas, você precisa dizer isto a eles: "Comigo aconteceu a mesma coisa: tive um baque do qual nunca me recuperei totalmente."
WOLFGANG: Preciso refletir a respeito.
HELLINGER: Você precisa dizer isso a eles. Não precisa refletir, mas simplesmente usar essas palavras.
(*para o grupo*): Será que ele vai dizer isso a eles? Não vai dizer. Está evitando a solução.
(*para Wolfgang*): Certa vez, uma mulher me contou que estava muito preocupada com a sua filha. Ela se apaixonara por um certo Michael Jackson, fizera um altar para ele e ali rezava todas as manhãs. Se Michael Jackson tivesse tosse, ela tossia também. A mãe me perguntou: "O que devo fazer?" Respondi: "Diga-lhe: 'eu também era assim'."

Você conhece o dilema do bom comprimido? Você o engole e ele faz efeito. Mas, se você o esfarela, já não consegue engoli-lo tão bem. ·

Luto transferido

ROBERT: Chamo-me Robert e trabalho como consultor de empresas. Tenho três filhos adultos e vivo com o mais novo deles.
HELLINGER: É divorciado?
ROBERT: Separado.
HELLINGER: Há quanto tempo?

Robert começa a soluçar.

HELLINGER: Mantenha os olhos abertos! Essa emoção o enfraquece e não ajuda em nada. Olhe para mim! Está me vendo realmente? Está vendo a cor de meus olhos?
(*para o grupo*): É preciso tentar desviar a atenção dele, para que saia dessa emoção.
(*para Robert*): Há quanto tempo está separado?
ROBERT: Há seis meses.
HELLINGER: Quem foi embora?
ROBERT: Ela.
HELLINGER: E o que aconteceu?
ROBERT: Ela não quis continuar.
HELLINGER: Repare na emoção que você tem agora. Qual é a idade dela?

ROBERT: Acho que é bem antiga.
HELLINGER: Qual é a idade da criança que tem essa emoção?
(*para o grupo*): Vocês podem observar isso, quando olham para ele.
(*para Robert*): Que idade tem essa criança, aproximadamente?
ROBERT: Três anos.
HELLINGER: Exatamente. O que houve aos três anos?
ROBERT: Minha irmã mais nova morreu.
HELLINGER: Sua irmã. É ela.
(*para o grupo*): Aqui existe a transferência, para o presente, de uma situação e de uma emoção antigas. Essas emoções não devem ser trabalhadas no presente. Devem ficar no seu contexto original e ser trabalhadas nele.
(*para Robert*): Vamos montar agora a sua família atual.
ROBERT: Não, agora não! (*Soluça.*)
HELLINGER: É a última chance que lhe dou.

Robert configura sua família atual.

Constelação de Robert: Filha representa a falecida irmã de seu pai

HELLINGER (*para Robert*): Algum de vocês foi casado ou noivo anteriormente?
ROBERT: Não.

Figura 1

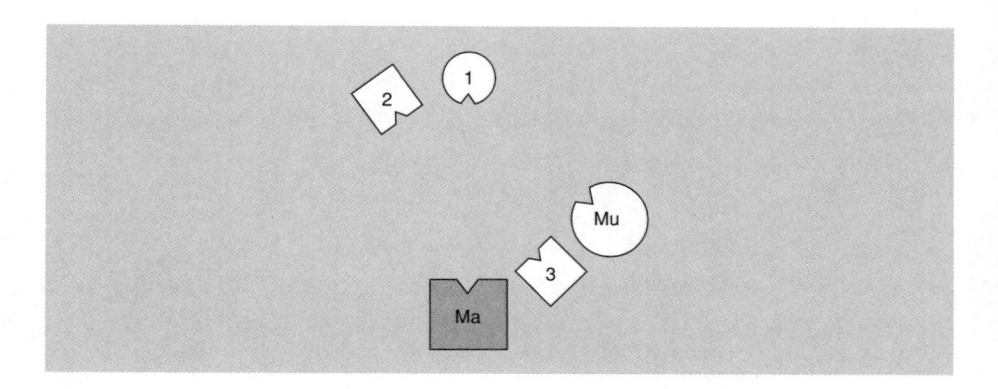

Ma   Marido (=Robert)
Mu   Mulher
1   Primeira filha
2   Segundo filho
3   Terceiro filho

HELLINGER: Como está o marido?
MARIDO: Sinto-me perdido, apesar de estar alinhado aqui.
HELLINGER: Como está a mulher?
MULHER: Sinto-me virada para o lado errado. Estou olhando para meu filho mais velho e gostaria de me virar.
HELLINGER: E como você se sente?
MULHER: Nada bem.
HELLINGER: Como está a filha?
PRIMEIRA FILHA: Estou bem posicionada, mas realmente só vejo meu pai.
HELLINGER: Como está o filho mais velho?
SEGUNDO FILHO: Estou bem, na medida em que vejo a todos, mas sinto certa falta de contato.
HELLINGER: Como está o filho mais novo?
TERCEIRO FILHO: Aqui estou num confronto muito forte com meu irmão mais velho e não me sinto bem, em absoluto. Por outro lado, é gostoso para mim estar encaixado assim entre meus pais, aparentemente.
MARIDO: Gostaria de acrescentar que não estou percebendo minha mulher, mas somente minha filha. A sensação de estar perdido veio provavelmente de baixo. Sinto-me próximo do filho mais novo.
HELLINGER (*para Robert*): O que aconteceu com sua irmã mais nova?
ROBERT: Morreu quando eu tinha três anos.
HELLINGER: Morreu de quê?
ROBERT: De pneumonia.
HELLINGER: Coloque-a também agora.

Figura 2

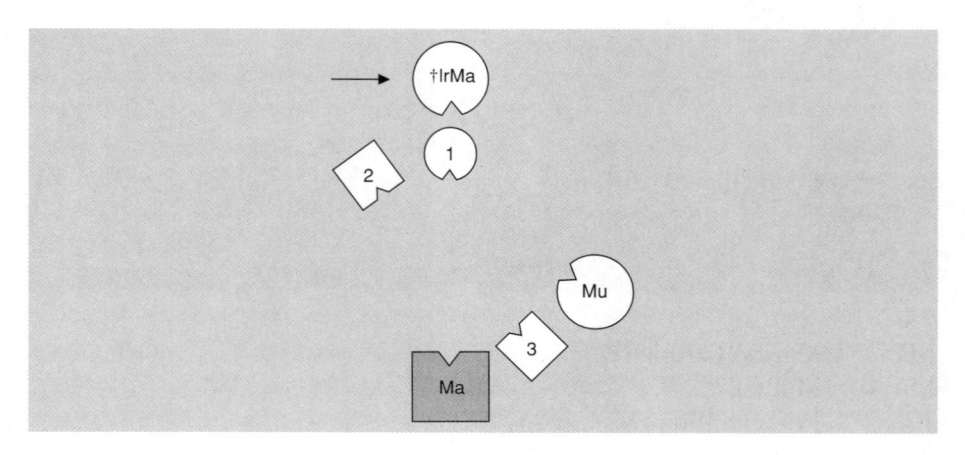

IrMa†   Irmã do marido, prematuramente falecida

HELLINGER (*para o grupo*): Vê-se que a filha está identificada com a irmã mais nova. Ela representa para o pai sua falecida irmã.
— O que mudou para o marido?
MARIDO: Senti um calafrio por todo o corpo.
HELLINGER: Como está agora a filha, melhor ou pior?
PRIMEIRA FILHA: Mais nervosa.
HELLINGER: E como se sente agora a mulher?
MULHER: Uma coisa está clara para mim. Tenho a sensação de que deveria agora entrar nisso. Com isso me sinto diferente e, na verdade, melhor.
HELLINGER (*para o grupo*): A irmã é aqui a pessoa mais importante. Um sistema sofre perturbação quando falta alguém importante, sejam quais forem os motivos. Muitas vezes, trata-se de um irmão precocemente falecido do pai ou da mãe. Logo que essa pessoa se reintegra, o sistema recebe uma nova energia. Só então algo pode mudar.
HELLINGER: Como está a irmã falecida?
†IRMÃ DO MARIDO: Não sei bem o que dizer.

Hellinger coloca a irmã falecida ao lado de seu irmão.

Figura 3

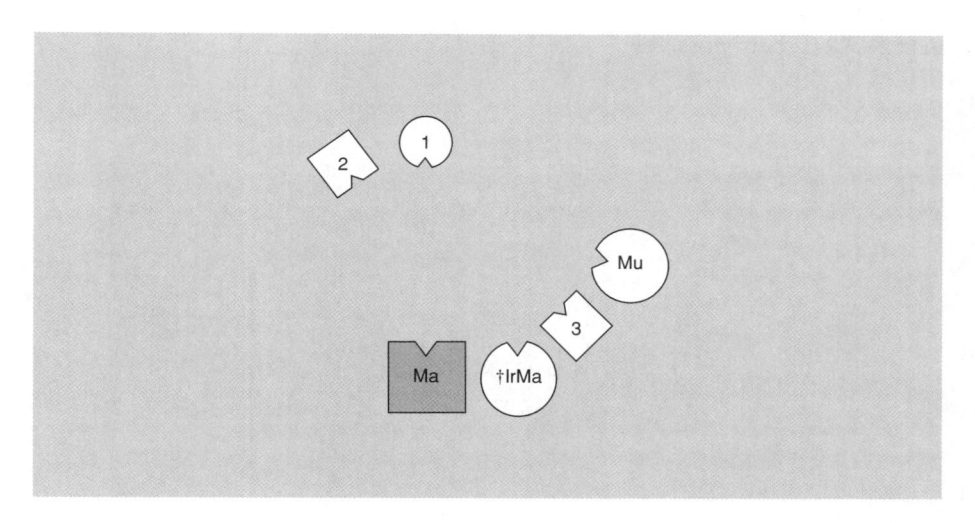

HELLINGER: E agora, como se sente a mulher?
MULHER: É incrível, mas agora posso me virar para meu marido.

Hellinger muda as posições.

Figura 4

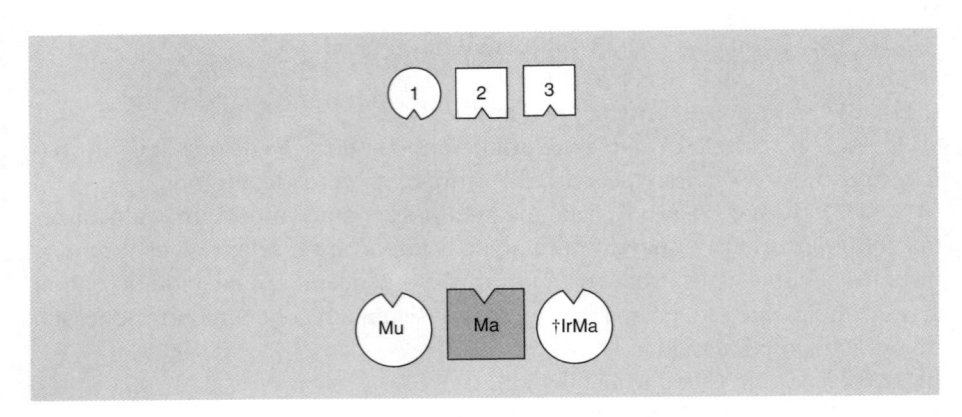

[Figura 4: posições 1, 2, 3 acima; Mu, Ma, †IrMa abaixo]

HELLINGER: Como é isto para o marido?
MARIDO: Foi muito bom quando minha irmã veio para cá. Também foi bom quando chegou minha mulher. Mas tenho a sensação de que deveriam trocar de lugar.
HELLINGER: É bem possível.

Figura 5

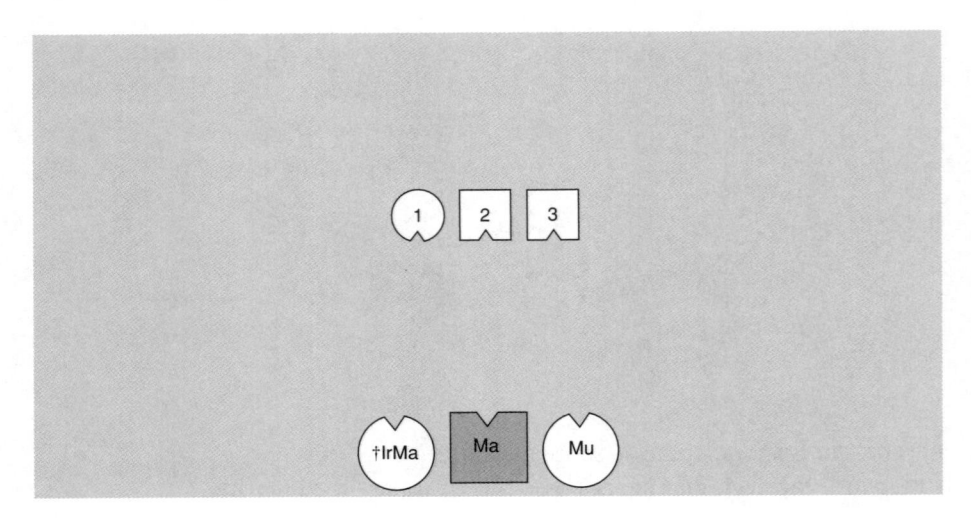

[Figura 5: posições 1, 2, 3 acima; †IrMa, Ma, Mu abaixo]

MARIDO: Assim está bem.
MULHER: Agora está diferente e melhor.

HELLINGER: Como está a irmã falecida?
†IRMÃ DO MARIDO: Bem.
HELLINGER: Como estão os filhos?
TODOS: Bem.
HELLINGER (*para a mulher*): O que você sente quando os filhos ficam assim na sua frente?
MULHER: Sinto-me bem.
HELLINGER (*para Robert*): Agora coloque-se você ali.
ROBERT (*quando se coloca na figura*): Não estou entendendo isto.
HELLINGER: Você não precisa entender. Só precisa colocar-se aí.

Robert sacode a cabeça.

HELLINGER (*para o grupo*): Estão vendo como a solução é difícil? Como ele resiste a ela? Paciência.
Está bem, foi isso aí.

Compensação através da renúncia

HELLINGER: A questão é a seguinte: o que ele pode fazer para que sua irmã recupere seu lugar e o que deve ser observado?
Primeiro ponto: Pelo fato de estar vivo, ele se sente culpado diante da irmãzinha, que está morta. Ele ficou em vantagem, ela em desvantagem. Essa é a idéia que ele faz. Quando acontece um caso assim, a pessoa que levou vantagem não toma o que poderia ter, no intuito de compensar. Assim, Robert não toma sua vida e também não toma sua mulher, porque quer chegar a um equilíbrio com sua irmãzinha. Essa é uma reação cega, que atua como uma compulsão irresistível. Por detrás dela atua também a crença mágica de que sua irmã ficará melhor se ele estiver mal e viverá se ele morrer.

Compensação através da ordem do amor

HELLINGER: Existe, contudo, uma solução num nível superior. Essa compulsão cega de compensar pode ser superada por uma ordem mais elevada, que é uma ordem do amor. Não podemos superá-la somente pelo amor — já que o impulso de compensar é também uma forma de amor — mas apenas num nível superior, por uma ordem mais elevada do amor. Dentro dessa ordem, reconhecemos nosso próprio destino e o destino da pessoa amada como independentes entre si e humildemente nos submetemos a ambos. Qual seria então, para Robert, o ato liberador? Ele precisa reconhecer seriamente que se sente culpado e então dizer à sua irmã uma frase liberadora. A frase que traz a solução seria esta: — Como se chama sua irmã?

ROBERT: Adelheid.
HELLINGER: "Querida Adelheid". Repita o que digo. Diga: "Querida Adelheid". Diga!

Robert soluça.

HELLINGER: O que você está fazendo é mau para a sua irmã.
(*para o grupo*): Quando ele procede assim, a morte é duplamente má para sua irmã. Ele está agindo como se não somente ela tivesse morrido, mas também como ele precisasse morrer por causa disso. Com seu luto torna ainda pior o destino dela, pois do mesmo modo como ele ama sua irmã, ela também o ama.

Contudo vou dizer a frase, embora ele não queira servir-se dela. A frase seria: "Querida Adelheid, você está morta, eu vivo ainda algum tempo e depois também morrerei." Esta é a frase que traz solução. Nela existe compensação, mas também liberdade. E existe humildade. A presunção acaba. Ele é solidário com os mortos — e vive.

Como segundo ponto, proponho um exercício que será proveitoso, tanto para ele quanto para sua irmã. Durante um ano, ele lhe mostra o mundo. Imagina que a toma pela mão e lhe mostra as coisas belas do mundo. Pode mostrar-lhe, por exemplo, sua mulher e seus filhos. Seria uma possibilidade. Assim, ele resgata alguma coisa para ela.
(*para Robert*): Quando você tiver de fazer algo difícil, faça-o com ela a seu lado. Tome do destino dela a força para fazer algo que você de outro modo não faria e para superar situações difíceis. Então a morte precoce de sua irmã exercerá um bom efeito sobre o presente, embora ela não exista mais. Ela continuará a viver por seu intermédio, naquilo de bom que você fizer. Isso reconcilia e pode ser também uma compensação.

Compensação por meio do reconhecimento

IDA: Durante todo o tempo em que venho trabalhando comigo, tenho me esquecido de prestar reconhecimento a uma pessoa. É a minha irmã.
HELLINGER: O que há com ela?
IDA: É a mais velha. Ela me bloqueou o caminho para minha mãe e, durante todo esse tempo, só tenho visto o lado negativo. Naturalmente também houve aí aspectos negativos, mas ela me deu muita coisa e muito lhe devo.
HELLINGER: Algo assim a gente pode dizer até mesmo em público.
IDA: Sempre tive vontade de lhe fazer algo de bom, mas não funcionou.
HELLINGER: Também não é assim que funciona. A única coisa que se pode e deve fazer numa situação dessas é reconhecer a outra pessoa. Isso consiste, inicialmente, num processo interior e então também pode ser expresso, por exemplo, com as seguintes palavras: "Eu sei o que você me deu. Eu o respeito

e isso me acompanha." É o melhor que se pode fazer. É bem mais válido do que a tentativa de pagar dando algo em troca.

Constelação de Klara: Tomar, mesmo quando muitos tiveram de abrir mão

KLARA: Chamo-me Klara. Sou assistente social e estudo psicologia. O que eu gostaria de fazer? Gostaria de resolver algo que se relaciona com minha família.
HELLINGER: E o que é?
KLARA: A situação com minhas irmãs. Tenho duas meias-irmãs mais velhas. A primeira, Barbara, é filha da minha mãe. A segunda, Franziska, é filha do meu pai, mas não a conheço.
HELLINGER: De onde vem essa filha? De que mulher?
KLARA: Meu pai ainda estava casado quando a conheceu e pouco tempo depois conheceu minha mãe. Isto significa que ele não manteve um longo relacionamento com a mãe de Franziska.
HELLINGER: Ele já tinha sido casado antes?
KLARA: Sim.
HELLINGER: E o que aconteceu com essa primeira mulher? Por que seu pai a deixou?
KLARA: A guerra os separou. Meu pai me disse que eles se distanciaram.
HELLINGER: Tiveram filhos desse casamento?
KLARA: Não.
HELLINGER: E aí ele conheceu sua segunda mulher?
KLARA: Sim.
HELLINGER: E com ela teve a filha?
KLARA: Sim.
HELLINGER: Por que não se casou com ela?
KLARA: Creio que foi porque conheceu minha mãe logo depois.
HELLINGER: Ela também já era casada?
KLARA: Não.
HELLINGER: Mas tinha uma filha?
KLARA: Sim.
HELLINGER: O que aconteceu com o pai dessa criança?
KLARA: Minha mãe me disse que inicialmente ele não quis se casar com ela e finalmente foi ela que não quis se casar com ele.
HELLINGER (*para o grupo*): Vocês precisam refletir agora no que significa, em termos de sistema, o que ela acabou de contar. Ela recebeu a vida à custa de muitos que lhe cederam o lugar. De quantos? Da primeira mulher de seu pai, da primeira filha dele e sua mãe, do primeiro namorado de sua mãe e da filha que tiveram. Quantos são? Cinco. Numa tal situação, para honrar a todos, a criança tenta equilibrar o balanço de ganhos e perdas, perdendo ela própria.

O caso é meio complicado. Provavelmente nada se pode fazer. O impacto é forte demais. Dificilmente alguém consegue, apesar de tudo isso, tomar a vida em plenitude quando a recebeu à custa de tanta gente.
HELLINGER (*para Klara*): Você já fez alguma tentativa de suicídio?
KLARA: Não.
HELLINGER: Não pensou nisso?
KLARA: Não.
HELLINGER: Graças a Deus.

(*Klara sofreu um grave acidente de trânsito e desde então tem dificuldade para andar.*)

Parceiros e filhos na família de origem de Klara

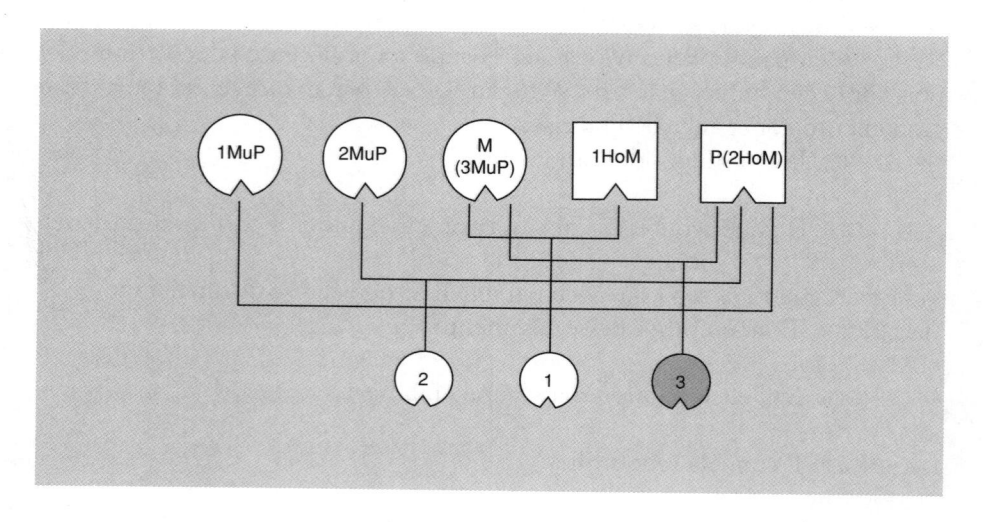

P (2HoM)   Pai, segundo homem da mãe
M (3MuP)   Mãe, terceira mulher do pai
1HoM   Primeiro homem da mãe, pai de 1
1   Filha que a mãe teve com o primeiro parceiro
1MuP   Primeira mulher do pai
2MuP   Segunda mulher do pai, mãe de 2
2   Filha do pai com a segunda mulher
3   Filha comum do pai e da mãe (=Klara)

HELLINGER (*para Klara*): Vamos montar agora a sua família de origem. Quem pertence a ela?
KLARA: Meu pai, minha mãe, eu, a primeira mulher de meu pai, sua segunda mulher, com quem ele teve uma filha que não conheço mas não se casou. A seguir, o homem com quem minha mãe teve uma filha antes do casamento, e essa filha.
HELLINGER: Qual é a ordem cronológica das irmãs?

KLARA: Primeiro, vem a primeira filha de minha mãe; em seguida, a primeira filha de meu pai e finalmente eu, que sou a mais nova. Quando nasceu a primeira filha de meu pai, ele ainda estava casado com a primeira mulher.
HELLINGER: Por que sua mãe não se casou com o pai de sua primeira filha?
KLARA: Ele já estava noivo quando a conheceu; e, logo que nasceu a criança, voltou para a então República Democrática Alemã.
HELLINGER: Ele se casou lá?
KLARA: Creio que sim.
HELLINGER: Teve outros filhos?
KLARA: Creio que sim.
HELLINGER: Então a sua irmã mais velha ainda deve ter irmãos que não conhece. É importante que ela procure o próprio pai e também esses irmãos.
KLARA: Ela não quer isso.
HELLINGER: Sua mãe deveria tomar a iniciativa por ela.
KLARA: Isso ela não faz.
HELLINGER: Vou lhe contar uma pequena história a respeito.

"Eles estão aqui"

Num de meus cursos havia um jovem que nunca tinha visto o pai. A mãe dele, na juventude, conheceu um francês em Paris e engravidou dele. Imediatamente, a família do rapaz casou-o com outra mulher, porque na França um homem casado não era obrigado a pagar pensão alimentícia. Então ele destruiu todas as pontes atrás de si, de modo que a mulher não soube mais do seu paradeiro. Não sabia o seu endereço nem tinha nenhuma indicação sobre ele.

Quando o filho completou vinte anos, a mãe o colocou em seu carro e viajou com ele para a França. Entretanto, tinha feito intimamente uma aliança com o avô do rapaz, pai do pai dele, confiando na orientação dele.

Um dia, quando atravessavam uma aldeia, viram numa tabuleta o nome de família do homem. Entraram e perguntaram a uma mulher se conhecia um certo fulano de tal. Ela exclamou: "Um momento!" Pegou o telefone, chamou alguém e exclamou: "Eles estão aqui."

HELLINGER (*para Klara*): Está bem, agora coloque sua família.
PARTICIPANTE (*para Klara*): O que aconteceu com a primeira mulher de seu pai? Tem família, vive ainda?
HELLINGER: Isto não é importante aqui. Nada de informações em excesso, para não perturbar a clareza das sensações!
HELLINGER (*para Klara, quando ela coloca sua representante entre o pai e a mãe*): Seus pais se divorciaram?
KLARA: Não.

Figura 1

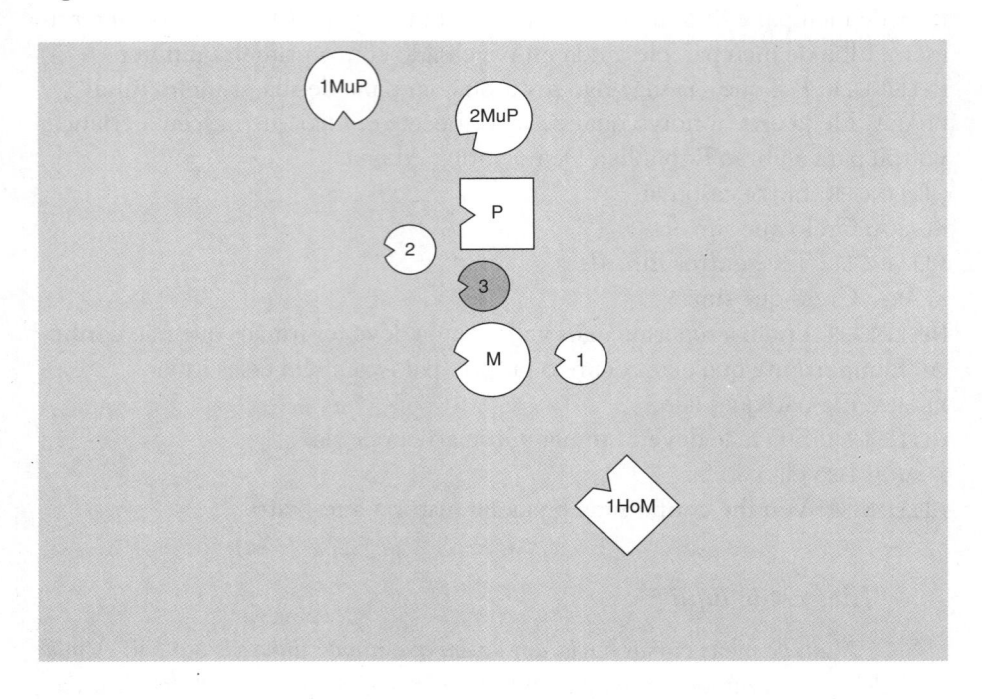

P	Pai de Klara, segundo homem de sua mãe
M	Mãe de Klara, terceira mulher de seu pai
1MuP	Primeira mulher do pai
2MuP	Segunda mulher do pai, mãe de 2
1HoM	Primeiro homem da mãe, pai de 1
1	Filha da mãe de Klara com o primeiro homem
2	Filha do pai de Klara com a primeira mulher
3	**Filha comum do pai e da mãe (=Klara)**

HELLINGER: Vou colocar logo a ordem.

Figura 2

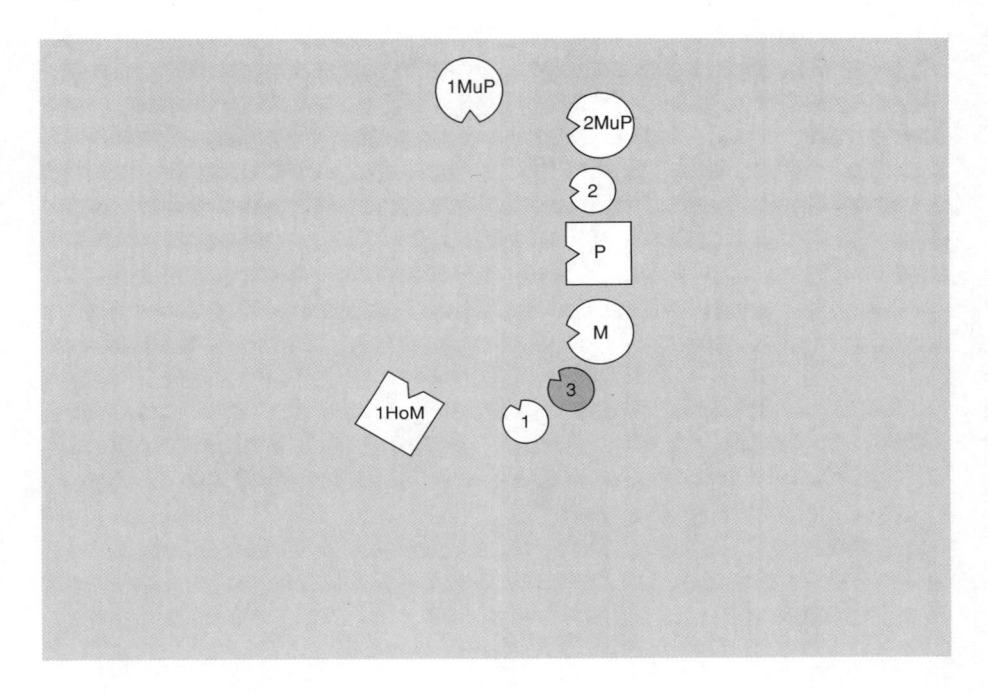

HELLINGER: Como é isto para a segunda filha?
SEGUNDA FILHA: Melhor.

HELLINGER: Troque de lugar com sua mãe!

Figura 3

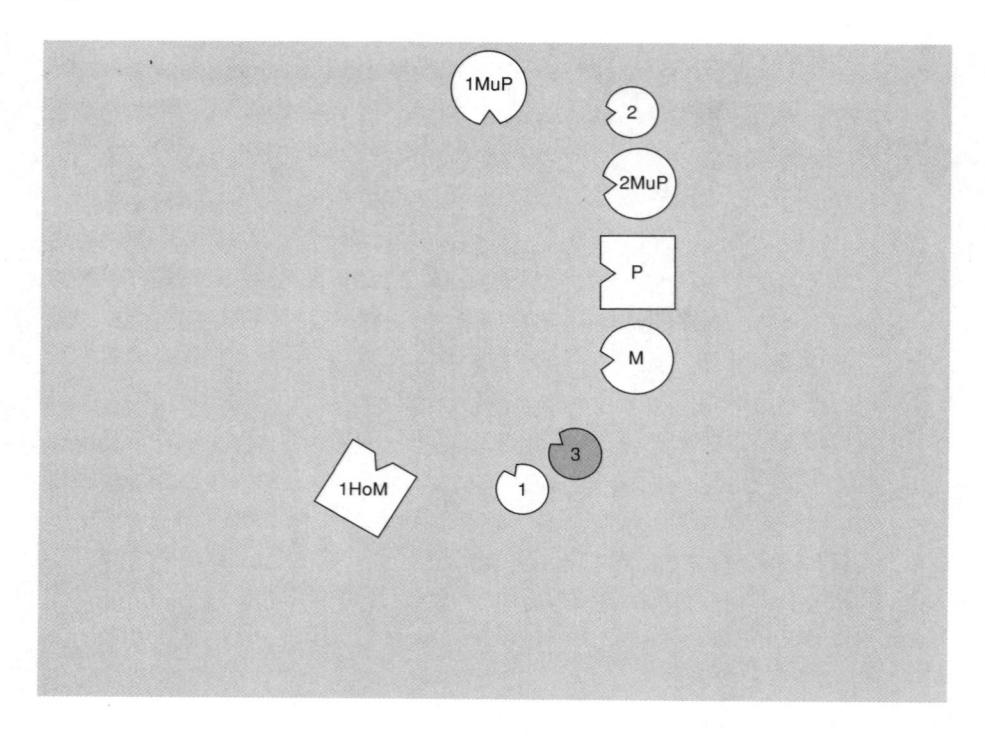

SEGUNDA FILHA: Assim é melhor ainda.
HELLINGER: Como se sente a segunda mulher do pai?
SEGUNDA MULHER: Está bem assim.
MÃE: Para mim, também.
HELLINGER (*para a representante de Klara*): Como se sente a filha mais nova?
TERCEIRA FILHA: Antes estava meio estranho, ao lado de meu pai. De fato, minha mãe estava à minha esquerda. Notei como me afastei dela e me virei para meu pai e não a olhei de modo nenhum. E, quando minha irmã ainda estava diante de mim, pensei: "Isto me serve de proteção, pois ninguém percebe o que pretendo com meu pai." Ainda sinto alguma tensão em relação à minha mãe, mas de resto estou bem.
HELLINGER: Como se sente a filha mais velha?
PRIMEIRA FILHA: Quando estava atrás de minha mãe sentia-me muito poderosa. Tinha influência sobre ela e sobre minhas irmãs, mas também me sentia estranha, não pertencente à família. Agora sinto-me integrada, com menos poder e força.
HELLINGER: Como se sente o pai da filha mais velha?

PRIMEIRO HOMEM DA MÃE: Há pouco, quando estava atrás de minha ex-mulher, senti-me muito aquecido do lado direito e constantemente atraído na direção dela. Quando você me colocou aqui, isso se equilibrou. Mas está faltando algo do meu lado esquerdo.
HELLINGER: Naturalmente teria de ser incluída a sua família atual.
— Como se sente a primeira mulher do pai?
PRIMEIRA MULHER DO PAI: Estou me sentindo pregada no chão e me pergunto sempre: "O que significa isto? Não estou entendendo."
HELLINGER: O vínculo do homem com a segunda mulher e com a filha dela tem precedência sobre o vínculo anterior. Ele substitui o primeiro.
PRIMEIRA FILHA: Há pouco, quando estava atrás de minha mãe, senti-me poderosa mas também irritada, não sei por quê. Agora me sinto forte como antes, mas há também uma irritação que tem a ver com o grande número de mulheres. Sinto-me a mais forte de todas, mas fico irritada com a presença de tantas mulheres.

HELLINGER: Quero ainda experimentar outra coisa. Coloque também a noiva de seu pai.

Figura 4

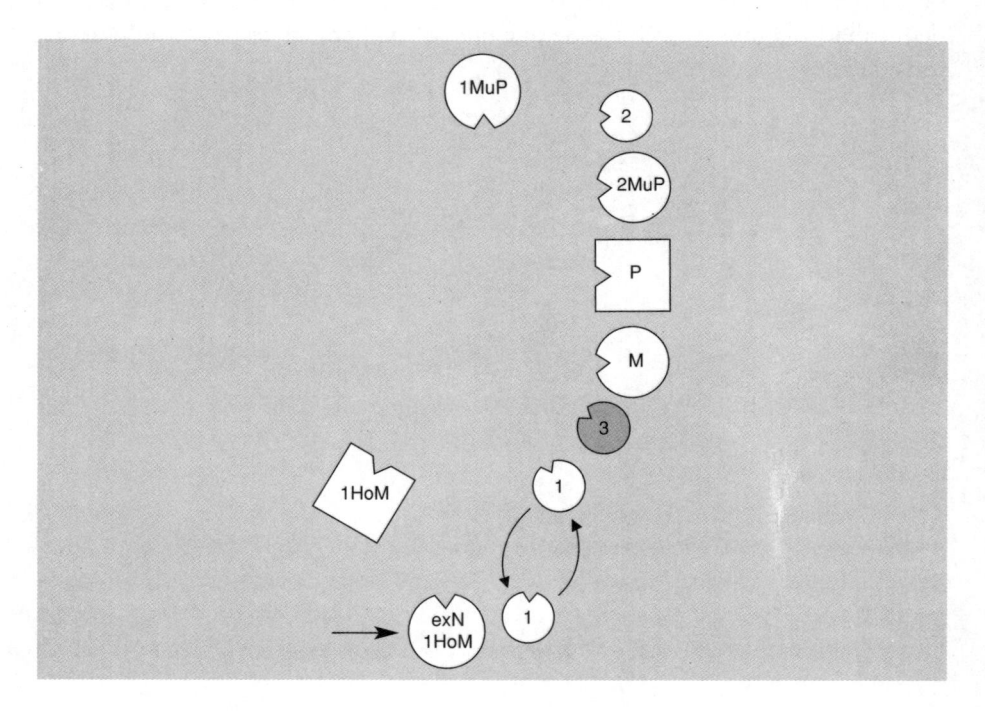

exN1HoM   Ex-noiva do primeiro homem da mãe

HELLINGER: Como se sente a noiva?
EX-NOIVA: Do lado esquerdo do homem eu sentia vertigem; do lado direito, perdia o fôlego. Aqui, bem atrás, estou melhor.
HELLINGER (*para a filha mais velha*): Você sente alguma relação com essa mulher?
PRIMEIRA FILHA: No momento, sinto vontade de sair fora e ir para trás.
HELLINGER: Coloque-se ao lado da ex-noiva. — Que tal assim?
PRIMEIRA FILHA: É melhor.
HELLINGER: Você está identificada com ela.
PRIMEIRA FILHA: Sinto-me simplesmente melhor aqui.
HELLINGER: Isso é o efeito da identificação; você tem os sentimentos dela. Ela foi enganada pelo relacionamento do seu pai com a sua mãe. Agora, neste grupo, você está sentindo a irritação dela. Esses sentimentos são dela. São estranhos a você.
(*para Klara*): Você pode compreender isso?
KLARA: Sim.
HELLINGER (*para a filha mais velha*): Agora volte ao seu lugar. Já verificamos que você está identificada com ela.
(*para a representante de Klara*): Como você se sente?
TERCEIRA FILHA: Acabo de sentir minhas costas: primeiro, na parte de cima; depois, como se eu fosse dobrar o corpo para trás. Isso tem a ver com a saída de minha irmã mais velha. Desde que ela voltou para cá, isso diminuiu de intensidade.

HELLINGER: Troque de lugar com sua mãe!

Figura 5

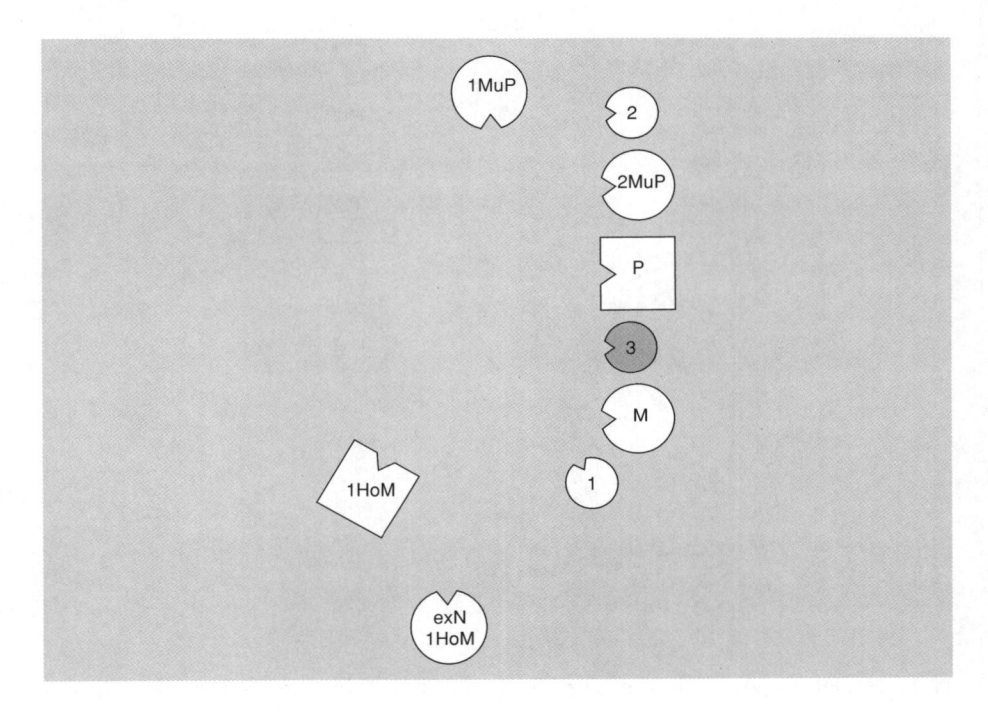

TERCEIRA FILHA: Aqui me sinto melhor.
PAI: Para mim, é como se houvesse aqui uma balança em equilíbrio, cujo eixo passa pela filha, à minha esquerda. Quando ela ficou do outro lado da mãe, o eixo passava por mim. Meu corpo também oscilou para a direita e para a esquerda.
HELLINGER: Como é isto para a mãe?
MÃE: Estou achando totalmente estranho. Nada disso me interessa. Não sinto nada. Porém aqui estou melhor, ao lado de minha filha mais velha..
PRIMEIRA FILHA: Sinto-me responsável por minha mãe, mas não quero isso.
HELLINGER: A mãe pertence mais ao sistema do seu primeiro homem. Na condição de terceira mulher, ela não ousa tomar o segundo.
(*para a filha mais velha*): Coloque-se ao lado de sua irmã mais nova!

Figura 6

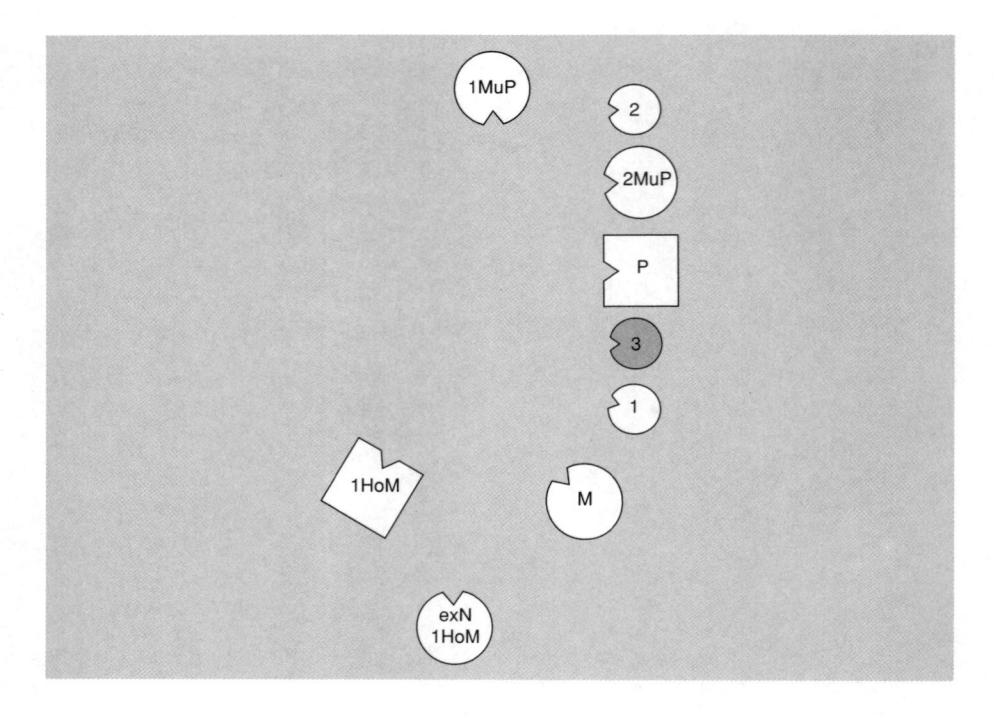

PRIMEIRA FILHA: Aqui fico sem ar. Sinto-me incrivelmente bem aqui, mas não consigo respirar.
HELLINGER (*para Klara*): Coloque-se agora você mesma em seu lugar!
KLARA (*quando fica em seu lugar*): Sinto uma forte ligação com minha irmã mais velha.
HELLINGER: Exato, porque vocês não podem confiar plenamente em seus pais.

Klara começa a chorar fortemente.

HELLINGER: Agora vou fazer um exercício com você. Dirija-se à primeira mulher de seu pai e incline-se diante dela! Faça uma inclinação leve, mas respeitosa.
(*depois de algum tempo*): Agora, dirija-se à segunda mulher dele e faça também diante dela uma leve reverência!
(*depois de algum tempo*): Agora dirija-se à sua segunda irmã e abrace-a!

Klara abraça-a demoradamente, soluçando muito.

HELLINGER: Agora, dirija-se à ex-noiva do pai de sua primeira irmã e incline-se diante dela!
(*outra vez, depois de algum tempo*): E agora, ao pai de sua primeira irmã e incline-se também diante dele!
(*depois que ela se inclinou*): Agora volte ao seu lugar, e olhe ao seu redor! Olhe para todos eles!

Seu pai a enlaça com o braço.

HELLINGER: Agora vá até sua mãe!

Klara abraça-a e soluça longamente.

HELLINGER: Agora volte ao seu lugar e olhe em torno! Olhe para todos ainda uma vez!
(*depois de algum tempo*): Está bem assim?

Klara acena que sim.

O reconhecimento da culpa pessoal como fonte de força

HARTMUT: Em conexão com a constelação de Robert, e o luto dele pela irmã que morreu cedo, preocupa-me o problema de assumir culpa. Ocorreu-me, então que, durante toda a minha vida, venho me programando para expiar culpas e para isso encontrei também uma superestrutura cristã.
HELLINGER: Quem tem a superestrutura cristã sente necessidade de expiar culpas, ou pensa que precisa fazê-lo. E o que é ainda pior: julga-se capaz disso.

Quando alguém tem uma culpa pessoal, ela é uma fonte de força, desde que seja reconhecida. No momento em que alguém reconhece a própria culpa, deixa de sentir-se culpado. Esse sentimento se infiltra quando a culpa é reprimida ou não é reconhecida. Quem reconhece a própria culpa se fortalece, pois ela se manifesta como força. Quem nega sua culpa e se esquiva de suas conseqüências tem sentimento de culpa e é fraco. A culpa que alguém possui capacita-o a fazer coisas boas. Ele não teria tido força para fazê-las se antes não tivesse reconhecido essa culpa.

Entretanto, quando alguém assume a culpa e suas conseqüências em lugar de outro, isto o enfraquece. Pois com ela não é capaz de fazer algo de bom; pelo contrário, faz algo de mau. Além disso, enfraquece o outro, pois, assumindo a culpa em seu lugar, tira dele a força para fazer com ela algo de bom.

Assim, sob qualquer perspectiva, assumir a culpa em lugar de outro produz um efeito mau. Portanto, você deveria dizer à sua mãe: "Seja qual for a cul-

pa que tenha havido entre vocês, eu os respeito como meus pais. Tomo o que vocês me deram, e agora os deixo em paz." Então você deixa com seus pais a culpa deles e suas conseqüências. Nesse exato momento, isso repercute sobre eles, mesmo que você não o diga exteriormente. Eles têm que assumir a própria culpa e suas conseqüências, e você fica livre para assumir a sua. Expliquei bem?
HARTMUT: Está claro.
HELLINGER: Perguntas a respeito?
CLAUDIA: Ainda não entendi completamente. Quando alguém assume a culpa por um outro, se enfraquece.
HELLINGER: Enfraquece o outro e a si mesmo.
CLAUDIA: Que enfraquece o outro, eu entendi; mas se enfraquece também?
HELLINGER: Também. A culpa assumida em lugar de outro sempre enfraquece. Quem carrega a cruz de outros não tem força para fazer o bem. Mas, quando alguém carrega sua própria cruz, sua culpa e seu destino, isto o fortalece. Ele os carrega de cabeça erguida e tem a força para fazer com isso algo de grande.

Salvar as aparências para o pai

HELLINGER: Vou dar mais um exemplo disto. Uma mulher tinha a idéia de que precisava salvar as aparências e tinha medo de perder sua reputação. Tentou fazê-lo cuidando de seu aspecto externo, por exemplo, através de diferentes penteados. Seu pai tinha sido, como ela supunha, um criminoso de guerra. Por conseguinte, também ele deveria ter medo de perder a própria reputação e a necessidade de mantê-la. Como solução, propus a ela que se imaginasse como criança, indo para junto do pai, levantando os olhos para ele e dizendo-lhe: "Querido pai, eu mantenho as aparências por você." Aliás, era exatamente o que ela estava fazendo. Ela, porém, não se atreveu a fazer o que eu disse, nem como simples exercício. Mas esta teria sido a solução, porque então o pai teria sido pressionado. A culpa e o medo voltariam ao lugar onde deveriam estar e ela ficaria livre. Mas seria um ato de humildade. Ela já não teria outra grandeza senão a própria: ficaria apenas com seu próprio peso. Entretanto, nesse tipo de destino, a criança raramente tem a coragem e a força para um ato como este. Então, como espectadores, temos de deixar que o destino siga livremente o seu curso. Pois, se alguém quiser interferir, estará se comportando de forma semelhante a essa criança, tomando para si algo que não pode e não deve.

Sofrer é mais fácil do que resolver

UTE: Meu nome é Ute. Há um ano e meio, tive uma hérnia de disco e desde então venho sofrendo constantemente dores nas costas. Apesar de meu trabalho terapêutico, tenho dificuldade em me impor limites, e penso que nunca fui amada por meus pais. Esta conclusão se reforça pelo fato de que há quinze anos mantenho relacionamentos que em parte são muito intensos, mas pouco duradouros.

HELLINGER: Dores nas costas, em termos psicológicos, têm sempre a mesma origem e se curam de modo muito simples: fazendo uma profunda reverência. A quem ela deveria ser feita?

UTE: Reverência?

HELLINGER: Sim, uma reverência. Veja como você está sentada. Sua postura é justamente o contrário de uma reverência. A reverência vai assim, até o chão. Provavelmente deve ser feita à sua mãe. Traduzindo numa frase interior, você diz numa reverência: "Eu lhe presto homenagem." É uma frase curiosa, pois, ao mesmo tempo, libera.

UTE: Há uma parte em mim que poderia fazer a reverência, mas creio que não seria muito profunda.

HELLINGER: Se você a fizer, ela deve chegar até o chão. Se bem que suportar as dores nas costas é mais simples do que fazer essa reverência. E você acha mais fácil sofrer do que agir. Por isso, ninguém precisa ter pena de você.

UTE: Eu a faria de bom grado, mas noto que ainda guardo rancor.

HELLINGER (*para o grupo*): É um erro grosseiro pensar que os clientes querem livrar-se de seus problemas. Muitas vezes, só desejam que sejam confirmados. O que acabamos de ver é um exemplo claro dessa atitude.

A solução humilde dói

LEO: Sou Leo. Há dezesseis anos trabalho como psiquiatra e psicoterapeuta. Estou plenamente satisfeito com meu trabalho mas não com minha família de origem. No relacionamento com minha mulher, vivo muito feliz e tenho dois filhos, de seis e nove anos, mas com meus pais tenho a justificada sensação de ter mais dois filhos. Meu pai tem uma espécie de senilidade precoce.

HELLINGER: Seu modo de falar é bem orgulhoso.

LEO: Eu também sou.

HELLINGER: Vê-se logo.

LEO: Só que às vezes não sei em que medida também sou levado a isso por minha família. Meus pais estão brigados desde que os conheço, se bem que jamais admitiriam esse termo "brigados". Em algum momento no passado, eles se gostaram, mas desde que os conheço tenho sido um mediador entre eles.

HELLINGER: Você está querendo me seduzir, para que eu concorde com a sua interpretação e assuma o seu ponto de vista. Se a sua interpretação fosse correta, o problema estaria resolvido. O fato de não o estar mostra que sua interpretação está errada. Quanto mais uma interpretação se afasta da realidade, tanto mais é preciso repeti-la para si mesmo; caso contrário, ela seria abalada pela percepção. Então, o que você quer fazer agora? Quer a solução?

(*para o grupo*): Notaram sua expressão? Ele não quer a solução. Por isso tam-

bém não vou entrar nisso agora. A solução dói. Mesmo a boa solução dói, porque é humilde. Esse é o obstáculo.
(*para Leo*): Você está zangado comigo?
LEO: Em minha família a gente costuma se ofender com isso, mas também sei que não vai adiantar. Esta questão com meus pais é um tema para mim porque tem se agravado muito. Mas também sou teimoso e não desisto.
HELLINGER: Muito bem. De acordo.

A interrupção do movimento amoroso em direção à mãe ou ao pai

JOHANN: Eu me chamo Johann. Sou professor formado, mas há três anos trabalho como ecologista e consultor de jardinagem; portanto, também faço jardins. Gostaria de trabalhar alguns sintomas físicos que constantemente me acompanham. Tenho tensões musculares nos ombros, às vezes sinto também dores de cabeça e pressão na barriga.
HELLINGER: A dor de cabeça poderia ser a conseqüência de amor represado, devido à interrupção de um movimento precoce, geralmente dirigido para a mãe. Olhando o seu rosto, é esta a impressão que me dá: de uma pessoa em quem esse movimento foi interrompido. Você esteve hospitalizado, quando criança?
JOHANN: Estive hospitalizado por duas vezes: da primeira, por causa de uma operação quando era bem pequeno e, mais tarde, por causa de cachumba.
HELLINGER: Isso poderia explicar. No ponto em que tal movimento foi interrompido surgem sentimentos de desespero, de dor, muitas vezes de raiva, e a constatação resignada: "Não adianta." Para que isso se resolva é preciso voltar à situação original e reconduzir ao seu termo o movimento interrompido. Isso pode ser feito por meio da hipnoterapia ou da terapia do abraço. Você tem uma idéia do que seja essa terapia?
JOHANN: Já ouvi falar dela.
HELLINGER: Ela pode ser feita também com adultos, mas de tal forma que você volta à sua infância, torna a sentir-se como a criança de então e também o terapeuta — ou a terapeuta — se converte na mãe daquela época. Ambos voltam àquela situação e então o movimento interrompido é reconduzido ao seu objeto, através do abraço.
JOHANN: Isto quer dizer que foi interrompido o fluxo de minha doação e direcionamento ao outro?
HELLINGER: Exatamente. O movimento em direção à mãe foi interrompido. Quando alguém que tenha sofrido a interrupção de um movimento precoce vai ao encontro de outra pessoa, digamos, de um parceiro, a lembrança daquela interrupção torna a aflorar, mesmo que apenas como memória corporal inconsciente. Então a pessoa torna a interromper o movimento, no mesmo ponto em que o interrompeu da primeira vez. Em vez de ser levado ao seu termo, o movimento se desvia e se torna circular, afastando-se do ponto da interrup-

ção e em seguida voltando a ele. Com isso dei-lhe uma descrição da neurose: ela nasce no ponto em que um movimento afetivo foi interrompido, e o comportamento neurótico é apenas o movimento circular que mencionei.

Ao descrever o problema, mostrei-lhe também como resolvê-lo, pois uma boa descrição já contém a solução. Porém a solução dá medo. Ao se levar a termo o movimento interrompido, experimenta-se muita dor. É a mais dolorosa das vivências, porque está associada a um sentimento de impotência, de uma impotência muito profunda.

JOHANN: Minha irmã me contou que meus pais queriam visitar-me no hospital, mas não foram autorizados a se aproximarem de mim. Só podiam olhar de longe e devem ter chorado muito. Mas disso não guardo nenhuma imagem concreta.

HELLINGER: Já temos uma imagem concreta. Quando olhamos para você, vemos exatamente qual era a sua idade e como isso foi ruim para você. Tome sua cadeira e sente-se diante de mim, bem próximo!

Johann pega sua cadeira e senta-se diante de Hellinger. Este puxa suavemente sua cabeça, que estava dobrada para trás, e a inclina para a frente.

HELLINGER (*para o grupo*): Aqui na nuca, o fluxo da energia estava interrompido e agora pode fluir.
(*para Johann*): Feche os olhos, respire profundamente e volte ao passado. Volte à sua infância. Respire profundamente. Resista à fraqueza, entre na força. Continue assim, respirando com força. Agora diga: "Por favor!"

JOHANN: Por favor!

HELLINGER: Alto.

JOHANN: Por favor!

HELLINGER: Mais alto.

JOHANN: Por favor!

HELLINGER: Continue assim, ainda mais alto.

JOHANN: Por favor!

HELLINGER: Bem. Continue assim.

JOHANN: Por favor! Por favor!

HELLINGER: Estenda também os braços. Pode me abraçar sem medo. "Por favor!"

JOHANN: Por favor!

HELLINGER: Como é que você chamava sua mãe?

JOHANN: Mãezinha.

HELLINGER: Diga: "Mãezinha, por favor!"

JOHANN: Mãezinha, por favor!

HELLINGER: "Por favor, mãezinha!"

JOHANN: Por favor, mãezinha!

HELLINGER: "Por favor!"

JOHANN: Por favor!
HELLINGER: Diga com veemência.
JOHANN: Por favor, mãezinha!
HELLINGER: Alto.
JOHANN: Por favor!
HELLINGER: Com toda a força.
JOHANN: Por favor! Por favor!
HELLINGER: E agora diga com toda a tranqüilidade: "Por favor, mãezinha!"
JOHANN: Por favor, mãezinha!

Johann abre os olhos.

HELLINGER: Olá, como se sente agora?
JOHANN: Bem.
HELLINGER: Está vendo como foi mau para o filho? Estava desesperado. Mas é possível resgatar o que foi perdido. Neste exercício, inspirar é tomar para si, e expirar é mover-se na direção da outra pessoa. Também a reverência é um movimento afetivo. Está bem, foi isso aí.

Dores nos ombros

GERTRUD: Gostaria de falar também sobre minhas dores nos ombros. Há muito tempo sofro de tensões musculares no lado direito e toda noite acordo com a mão direita insensível. Não consigo livrar-me disso, apesar da ginástica e de tudo o mais que faço.
HELLINGER: Quando doer de novo, imagine que você está acariciando, com essa mão, a face direita de seu marido.
GERTRUD: Não tenho marido.
HELLINGER: Então acaricie o ex-marido. De acordo?

Com a pulga atrás da orelha

KARL: Sua frase: "Você precisa desfazer a adoção" calou muito fundo e está constantemente mexendo comigo. Tenho que me concentrar muito no que se passa aqui para não ficar sempre pensando nela.
HELLINGER: Você poderia livrar-se dela com muita facilidade. Sabe como?
KARL: Realizando-a. (*Ri.*) Neste assunto ainda oscilo entre os pólos do sim e do não. Do lado do sim, afetou-me muito o que você falou sobre deixar fluir a energia novamente no caso das dores no ombro e na cabeça, e do efeito da reverência e do reconhecimento. Veio-me então à mente o pai da criança que adotamos. Penso que o caminho para o "sim" começa com o reconhecimento a esse homem.
HELLINGER: Muito bem. Você aprendeu depressa. Está começando.

Constelação de Thea: Mãe ameaçou matar a si mesma e aos filhos

THEA: Meu nome é Thea. Sou casada e tenho quatro filhos adultos, que já não moram conosco. Profissionalmente, comecei como professora de religião e depois me formei como terapeuta familiar. O que quero trabalhar aqui é o seguinte: Quanto mais o tempo passa, menos consigo esquecer meu irmão. Achei a princípio que isso não tinha muita importância, mas noto que tem.
HELLINGER: O que há com ele?
THEA: Suicidou-se há vinte e três anos.
HELLINGER: Que idade tinha?
THEA: Vinte e nove anos.
HELLINGER: Como se matou?
THEA: Enforcou-se.
HELLINGER: E o que há de tão mau nisso?
THEA: Noto que toda a minha vida, desde a infância, é atravessada pela sensação de estar viva à custa dele. Ainda hoje me pergunto por que fiquei viva e ele precisou morrer.
HELLINGER: Precisou morrer?
THEA: Penso que assim lhe pareceu.
HELLINGER: Houve algum motivo para o suicídio?
THEA: Sim, houve um motivo, mas não creio que bastasse como explicação.
HELLINGER: Qual é o motivo presumido?
THEA: Meu irmão fez o doutorado e já trabalhava como professor adjunto, quando um outro adjunto jurou prejudicá-lo de todas as formas —, e meu irmão o evitou.
HELLINGER: Esse não pode ter sido o motivo.
THEA: Não, nisso estou de acordo. Esse foi o pretexto imediato: ele teve a sensação de que alguém queria liquidá-lo e então se liquidou por suas próprias mãos.
HELLINGER: Em casos de suicídio, acontece freqüentemente que os familiares tomam isso como uma ofensa e se comportam como se tivessem o direito de estar ofendidos quando alguém toma essa decisão. Assim, para você, o primeiro passo para a solução é dizer a ele: "Respeito sua decisão e para mim você continua sendo o meu irmão."
THEA: Isso eu já fiz, uns dez anos atrás. Mas, apesar de tudo, não consigo ficar em paz. Noto que ainda há algo mais.
HELLINGER: Você não o fez, caso contrário estaria em paz.
THEA: Cheguei a tal ponto que creio poder dizer: "Aceito que você mesmo tenha decidido sobre sua vida."
HELLINGER: Não, não, não. O que eu disse é totalmente distinto do que você está dizendo. "Aceitar" é um ato de condescendência, de superioridade. Mas, quando você diz "Eu respeito", você encara o outro como grande. E o que acontece com seus filhos? Algum deles imita o tio?

THEA: O segundo.
HELLINGER: É um sinal de que a situação não foi resolvida. Ele já tentou suicídio?
THEA: Não.
HELLINGER: Falou disso?
THEA: Não.
HELLINGER: O que ele faz para preocupá-la?
THEA: Não, não é bem isso. Eu não me preocupo. Mas ele é o mais parecido com o tio, mesmo exteriormente e em seus ideais.
HELLINGER: Você o está programando.
THEA: Hum, receio que sim.
HELLINGER: Você o está programando com suas pretensas observações. A quem você precisa confiá-lo para que esteja seguro?
THEA: Ao pai dele.
HELLINGER: Exatamente.
THEA: Sempre desejei isso, mas até agora não funcionou.
HELLINGER: Então vamos configurar sua família atual. Quem faz parte dela?
THEA: Meu marido, eu e nossos quatro filhos.
HELLINGER: Algum de vocês esteve anteriormente casado ou noivo, ou teve um relacionamento sério?
THEA: Não.
HELLINGER: Ainda está faltando alguém?
THEA: Minha mãe mora conosco. Não sei, porém, que espécie de papel ela desempenha.
HELLINGER: Há quanto tempo vive com vocês?
THEA: Desde que nosso segundo filho saiu de casa, há uns seis anos.
HELLINGER: O seu pai morreu?
THEA: Morreu na guerra, quando eu tinha quase quatro anos.
HELLINGER: Você precisa cuidar de sua mãe, isso é bem claro.
THEA: Sim, esse não é o problema.
HELLINGER: Seu pai morreu quando você...
THEA: Tinha quase quatro anos. Quando o vi pela última vez, tinha três.
HELLINGER: Como ele morreu?
THEA: Na Rússia, perto de Stalingrado.
HELLINGER: Este é o quadro de fundo para o suicídio de seu irmão. Ele seguiu o pai. Qual era a idade do pai quando morreu?
THEA: Trinta anos. E meu irmão se suicidou alguns dias antes de completar trinta anos.
HELLINGER: Este é o quadro de fundo.
THEA: Não estou entendendo.
HELLINGER: É simplesmente assim. Filhos fazem assim. Como sua mãe reagiu à morte de seu pai?

THEA: Com idéias de suicídio, que também exteriorizou diante dos filhos.
HELLINGER: Isso agrava mais a situação. Ela o amava?
THEA: Sim.
HELLINGER: Não estou certo disso.
THEA: Acho que sim.
HELLINGER: Não estou certo. Quem ama não reage com pensamentos de suicídio.
THEA: Sim, primeiro reagiu com desespero e depois nos disse: "Se perdermos a guerra — mas então meu pai já estava morto — vamos pular no rio, vamos matar a família." Não sei se as ameaças de suicídio tinham uma relação direta com meu pai.
HELLINGER: Mas são ameaças de assassinato.
THEA: Sim, ameaças de assassinato.
HELLINGER: Assim a situação se torna cada vez mais sombria. Está bem, vamos representar agora a sua família.

Figura 1

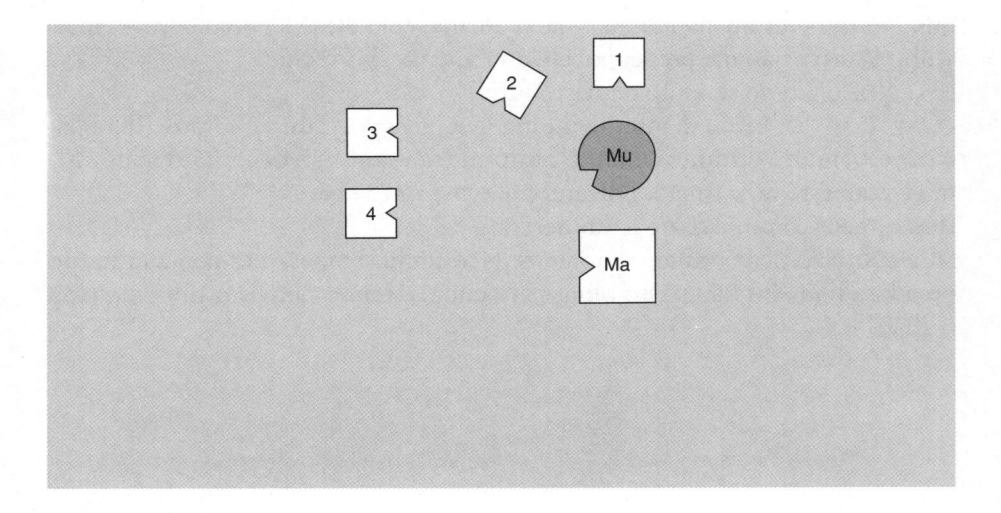

Ma	Marido
Mu	**Mulher (=Thea)**
1	Primeiro filho
2	Segundo filho
3	Terceiro filho
4	Quarto filho

HELLINGER: Como se sente o marido?
MARIDO: Muito estranho. A mulher não está perto e os filhos estão ainda mais longe de mim. O contato passa por minha mulher, mas nada indica que venha a se realizar. Os filhos, à minha frente, estão longe demais para que eu possa manter um diálogo com eles.
HELLINGER: Como se sente o filho mais velho?
PRIMEIRO FILHO: Estou fora de mim. Estou indignado, e quando minha mãe ficou aqui, entre meu pai e eu, esse sentimento ficou ainda mais forte. Este não é o meu lugar, e estou zangado.
HELLINGER: Como se sente o segundo filho?
SEGUNDO FILHO: Quero ir para longe de minha mãe, ainda mais longe do que estou.
HELLINGER: Como se sente o terceiro filho?
TERCEIRO FILHO: Minha primeira sensação foi esta: Isso é estranho, toda essa arrumação aqui. Meus dois irmãos mais velhos estão muito afastados. Minha mãe está virada para outra direção. Notei que suporto isso melhor mantendo a mente clara e não entrando nessa sensação inquietante. Quando me virei para meu irmão mais novo, pensei: Preciso tomar conta dele, preciso tirá-lo daqui. Por mim tenho clareza, mas me preocupo com ele. Mas com o irmão mais velho lá atrás não me preocupo, ele está apenas aborrecido.
HELLINGER: Como se sente o quarto filho?
QUARTO FILHO: Estou diante de minha mãe, mas não sinto contato. Também o pai está muito distante de mim. Sinto-me um tanto só. O contato mais íntimo é com este meu irmão. Portanto, não me sinto bem.
HELLINGER: Como se sente a mulher?
MULHER: Não posso olhar os homens. Não tenho braços, eles pendem muito pesados. Também não posso olhar para cima, e tenho que ficar olhando para o chão.

Hellinger altera as posições, de modo que a mulher olha para fora e os filhos ficam diante do pai, por ordem de idade.

Figura 2

HELLINGER: E agora, como está o marido?
MARIDO: Na verdade, não sinto falta da mulher. Estou contente com os filhos alinhados aqui, como se fossem os tubos de um órgão.
HELLINGER: O que se passa com o filho mais velho?
PRIMEIRO FILHO: Para mim, tudo aqui está perfeitamente em ordem. Não sinto falta da mãe.
HELLINGER: Como se sente o segundo filho?
SEGUNDO FILHO: Bem. Por mim, também gostaria de ter contato com a mãe. Quanto ao mais, acho que tudo está em ordem.
TERCEIRO FILHO: Não me preocupo mais com meu irmão mais novo.
HELLINGER: Como se sente o irmão mais novo?
QUARTO FILHO: Sinto-me realmente melhor assim, neste círculo. Aqui recebo muita força e me sinto seguro. Só lamento a ausência de minha mãe.
HELLINGER: Como se sente a mulher?
MULHER: Estou melhor. Para mim, está em ordem.

HELLINGER (*para Thea*): Não é uma boa solução a que temos agora, mas a situação é esta. Agora vou introduzir o seu pai e o seu irmão.

Figura 3

†PMu   Pai da mulher, morreu na guerra
†IrMu   Irmão da mulher, suicidou-se

HELLINGER: Como é isso para a mulher?
MULHER: Acho bom ficar assim, atrás de meu pai e de meu irmão.
HELLINGER: Isto significa lealdade. Ela segue o pai e o irmão. Para a lealdade, a própria vida não tem importância.
HELLINGER: Como se sente o marido com isso?
MARIDO: Está em ordem.
HELLINGER: E o irmão da mulher?
†IRMÃO DA MULHER: Sinto a mesma coisa.

HELLINGER (*para o grupo*): Vou ainda tentar uma solução mais branda. É preciso começar encarando o extremo, antes de contemplar a alternativa mais branda. Muitas vezes, porém, ela se reduz a um piedoso desejo e é o extremo que finalmente se impõe e atua.

Figura 4

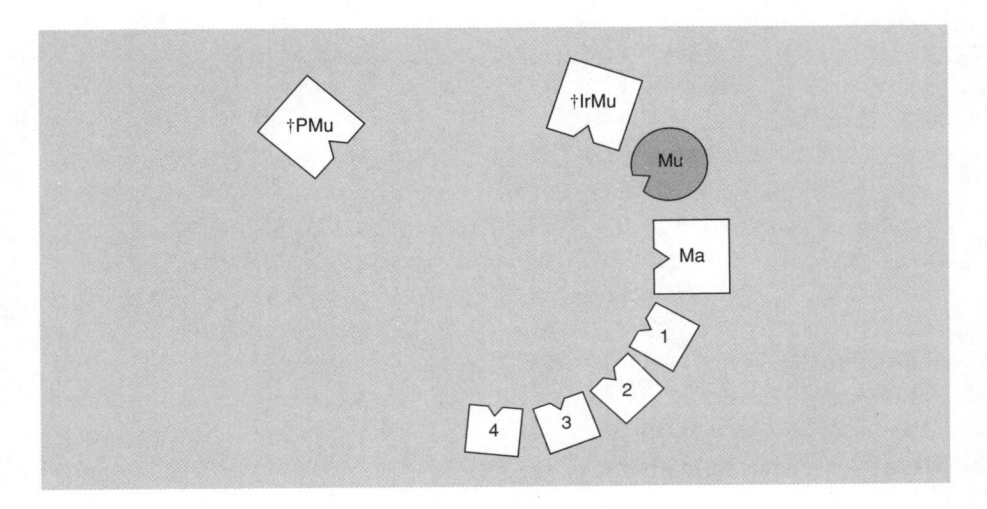

HELLINGER: Como se sente o marido nesta situação?
MARIDO: É pena que os filhos já não estejam diante de mim.
HELLINGER: Como se sente a mulher?
MULHER: Estou vinculada à minha família de origem. Gostaria de me apoiar um pouco em meu marido, mas prefiro não olhar e não ver coisa alguma.
HELLINGER (*para Thea*): Agora precisamos também da sua mãe.

Hellinger introduz a mãe da mulher, mas de costas para a família.

Figura 5

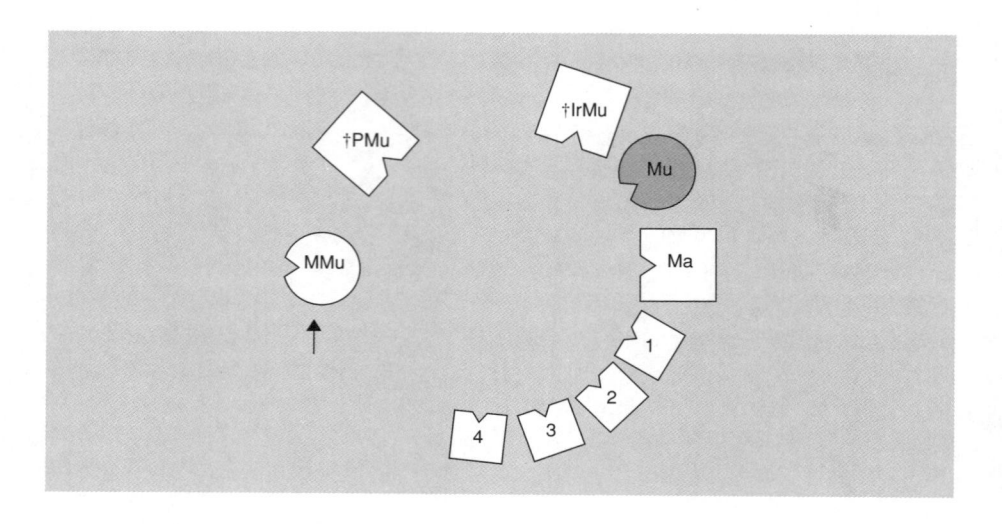

MMu   Mãe da mulher

HELLINGER: Como está a mãe aí?
MÃE DA MULHER: Não estou mal.
HELLINGER: O que mudou para a mulher?
MULHER: É bom que ela esteja aí. Agora também posso olhar um pouco o círculo.
HELLINGER *(para o grupo)*: É a mãe dela que precisa ir embora. Ela perdeu seu direito de pertencer à família.
HELLINGER: Como se sente o pai da mulher?
† PAI DA MULHER: Desde que minha mulher chegou, tudo me parece redondo e completo.
HELLINGER: *(para Thea)*: Coloque-se agora você mesma em seu lugar.
THEA: *(quando fica em seu lugar)*: Com os filhos me sinto bem. E aqui, com o meu marido?
HELLINGER: Você bem poderia conceder-lhe um olhar mais amável.
MARIDO: Ela evitou todo contato.
HELLINGER: Ela precisa acostumar-se primeiro.
      Certa vez, um esquimó foi veranear no Caribe. Depois de duas semanas, acostumou-se.
THEA: Outra coisa está me incomodando: ficar entre meu marido e meu irmão.
HELLINGER: Chegue-se mais perto de seu marido, em busca de contato.

MARIDO: Ficam sempre faltando uns três centímetros.

HELLINGER (*para o grupo*): Para ela, ficar feliz com o marido seria um crime muito grave, pois então estaria traindo sua mãe e presumindo ter uma sorte melhor do que a dela. Nisto vocês vêem que espécie de coragem essa felicidade requer.

Conseqüências de ameaças de morte e crimes graves numa família

HELLINGER: Se uma pessoa mata ou quer matar alguém num sistema, perde o direito de fazer parte dele.

ULLA: Devido à ameaça de assassinato?

HELLINGER: Sim, devido à ameaça de assassinato a mãe dela perdeu seu direito de pertencer ao sistema e também o direito de ser mãe.

FRANK: Mesmo que não execute a ameaça?

HELLINGER: Mesmo que não a execute. Isso ficou muito claro aqui. Também com crimes graves cometidos contra pessoas fora do sistema perde-se o direito de fazer parte dele. E o assassinato sempre se inclui entre eles.

Num de meus cursos, um homem contou que, no fim da guerra, seu pai, então prefeito de uma cidade, recusou-se a entregá-la, provocando com isso a morte de muitas outras pessoas. Terminada a guerra, foi condenado à morte. Sentia-se, porém, inocente e seu filho o considerava um herói. Entretanto, quando montamos o sistema, ficou claro que tinha perdido o seu direito de pertencimento. Então o retiramos do recinto e todo o sistema ficou em paz. Existem essas situações. Eu ainda não tinha visto numa família situações semelhantes a esta que presenciamos.

(*para Thea*): Está muito claro: sua mãe perdeu seu direito de pertencimento. Isso, porém, não tem conseqüências no que diz respeito aos seus deveres para com ela. Mas você precisa saber que esse sistema foi envenenado pelo assassinato ou por sua ameaça e isso teve conseqüências funestas, por exemplo, para seu irmão. Por essa razão, os seus filhos também precisam sair da esfera do seu sistema, que é carregado, e mudar-se para a parte saudável do sistema, passando todos eles para a esfera do pai. Aí estarão em segurança.

ROBERT: O que acontece com o aborto? É também considerado um assassinato no sistema?

HELLINGER: Não. Ele não tem essas conseqüências ou as tem somente em circunstâncias especiais.

THEA: Gostaria de perguntar mais uma coisa. Minha mãe reparou sua culpa — e foi o que me permitiu conviver até agora com isso — quando entramos numa zona de combate na Alta Silésia, quase no fim da guerra, e ela se lançou com seu corpo à nossa frente, quando as granadas explodiam. Assim, ela tentou mais tarde, por muitas vezes, salvar nossas vidas. Isso valeu para mim como uma reparação.

HELLINGER: Isso não pode anular a culpa. O que ela fez é bom e precisa ser honrado por você; mas não pode anular o outro ato, como você já viu pelo destino de seu irmão. Muitas vezes, temos a idéia de que podemos desfazer o acontecido, por exemplo, através da expiação. Mas isso não é possível. Então é preciso assumir a culpa. Assim é. A culpa não pode ser anulada ou reparada; mas, com sua força, pode-se fazer algo de bom ou de grande. Isso reconcilia, mas não anula a culpa. Assumir a própria culpa tem muito mais grandeza do que dizer que ela foi perdoada ou reparada. Aliás, que poder ou direito teria alguém de perdoar algo assim? A culpa permanece e atua como uma força.

KARL: Fiquei assustado quando você disse, há pouco, que o suicídio do irmão dela foi uma espécie de repetição da morte do pai. Não entendi isso.

HELLINGER: Vou explicar de outra forma. Quem deveria se matar era realmente a mãe, e o filho fez isso por ela. Esta é a verdadeira dinâmica.

(*para Thea*): Você pode perceber isso?

THEA: Sim.

CLAUDIA: Portanto, o suicídio do filho não tem nada a ver com a morte do pai, mas com as ameaças de morte por parte da mãe?

HELLINGER: Sim. Apesar de existir também essa dinâmica, de seguir o pai na morte por lealdade, no presente caso a outra dinâmica foi muito mais forte. Quando algo mais forte vem para o primeiro plano, o menos forte perde a importância. O que em outros sistemas seria importante já não o é aqui, porque aquele impacto deixa o resto na sombra. Então se trabalha um lado e se deixa o outro, como fizemos aqui. A ameaça de assassinato pela mãe ofuscou todo o resto.

Quem perdeu seu direito de pertencimento deve ir embora

GEORG: Você disse que a mãe de Thea perdeu seu direito de pertencer à família. Interessa-me saber quando isso se aplica e como devemos lidar com o fato.

HELLINGER: Só diante de casos concretos é que se pode decidir quando isso se aplica. O direito de pertencimento é sempre perdido quando alguém da família mata ou quer matar outra pessoa e quando alguém comete crimes graves contra outro, especialmente contra muitos outros. Então essa pessoa precisa ir embora e é preciso deixar que ela se vá. Caso contrário, um inocente irá colocar-se em seu lugar.

Num de meus cursos, havia um irlandês. Seu avô tinha assassinado o próprio irmão na guerra da independência. No entanto, em vez de ser excluído, passou a ser considerado um herói. Seu papel foi assumido por um neto dele, que vivia longe da pátria como alguém que já não fazia parte da família e estava em briga com o próprio irmão. Na constelação de sua família fizemos o avô sair da sala; imediatamente houve paz entre os irmãos e no sistema.

De outro curso participou uma sobrinha-neta de Hermann Göring, responsável pelos campos de concentração no regime nazista. Quando montamos a constelação, o fantasma dele ainda assombrava a família. Ainda conservavam um rico faqueiro de prata gravado com o seu nome. Também nesse caso só houve sossego e paz no sistema quando ele foi mandado embora e excluído. Também aconselhei à mulher que fizesse desaparecer o faqueiro, e de maneira radical: não devia ser vendido nem presenteado nem aproveitado de outra forma. Foi o que ela fez, um ano depois.

GEORG: E o que acontece quando a mulher engana o homem ou vice-versa? Eles perdem o direito de pertencimento?

HELLINGER: Eles o perdem, às vezes, na família atual, não porém na família de origem: para lá podem voltar.

Confiar na imagem interior

FRANK: Eu me pergunto: no caso presente, não poderíamos também pressupor que na própria mãe de Thea havia uma raiva assassina?

HELLINGER: O que você está fazendo...

FRANK: Ainda não terminei.

HELLINGER: Mas basta para mostrar o efeito de tais perguntas, pois o que é correto não se deixa questionar impunemente. Experimento isso da seguinte maneira: Alguém diz algo e uma imagem do sistema se forma dentro de mim. Num relance, vejo onde está o impacto. Se então duvido e faço uma pergunta hipotética, essa imagem se desvanece. Cada pergunta que você contrapõe à imagem faz com que ela se desvaneça e retira de você e da outra pessoa a força para agir. Entende?

FRANK: Sei disso, sei que existe algo assim; mas neste caso eu simplesmente tinha mais essa pergunta. Eu próprio trabalho com essas coisas e me interessa saber se eventualmente seria possível encarar desta forma.

HELLINGER: Não é possível comparar, pois o que aconteceu aqui a gente pode ver. Ao formular uma pergunta genérica, estou apenas imaginando uma situação hipotética, destituída de um impacto real. Se você tivesse um caso concreto e o trouxesse, poderíamos também tratá-lo concretamente; isso teria força. Caso contrário, a pergunta permanece hipotética e não tem força nenhuma. É ocioso perguntar qual é a aparência de uma montanha quando a temos diante dos olhos.

DAGMAR: Tenho mais uma pergunta. É que a mãe de Thea mora com ela, e o pai já morreu. Como é que ela deve comportar-se agora, em relação à mãe?

HELLINGER: Se eu responder a essa pergunta vou tirar força de Thea. Pois essa pergunta diz respeito a Thea, e ela já entendeu o que importa. Fazendo essa pergunta, que pertence a ela, você está atraindo a atenção para si, em vez de deixá-la com Thea, e valorizando mais o saber do que o agir.

DAGMAR: Mas isso também faz parte de meu questionamento.

HELLINGER: Não. Você se apropriou da pergunta de outra pessoa, e isso não se deve fazer. Quando você tiver uma pergunta que seja sua, que diga respeito ao seu próprio agir, eu a responderei. Mas precisa ser uma pergunta concreta.

A responsabilidade do terapeuta no trabalho com constelações familiares

HELLINGER: Há terapeutas que em constelações familiares dizem aos participantes que busquem a solução por si mesmos, de acordo com o próprio sentimento. Dessa maneira, porém, eles não a encontrarão. A solução requer a coragem de encarar a realidade. Essa coragem, via de regra, só o terapeuta a tem, desde que permaneça independente, conheça as ordens que atuam nos sistemas e concorde com elas. Quando os participantes são entregues a si mesmos, comportam-se como se tivessem conspirado secretamente para manter o problema. O terapeuta não deve agir como se não visse o que vê, nem esconder seu saber por trás de subjuntivos; caso contrário, engana os participantes e participa de sua conspiração. Quem entendeu as ordens vê a solução. Precisa experimentar um pouco, até que as tenha encontrado de forma bastante precisa. Porém, via de regra, o essencial fica claro de imediato.

No trabalho com constelações familiares, o terapeuta deve manter uma postura puramente fenomenológica. Isso significa que deve expor-se a um contexto obscuro, até que subitamente lhe venha a clareza. Quando, ao contrário, somente dispõe de um conceito e, a partir dele ou de uma associação, pretende encontrar a solução, jamais a encontra. Por meio de deduções, jamais achará a solução: ela precisa ser encontrada, de novo, para cada caso. Assim, cada solução é única e irrepetível. Quando, com base em experiências anteriores, afirmo que isso deve ser de uma forma ou de outra, perco o contato com a realidade com que me defronto diretamente. O importante, por conseguinte, é orientar o pensamento para agir, perceber e olhar de uma forma totalmente diferente. Nesse trabalho, contudo, só serei bem-sucedido se estiver atento a todos os participantes e respeitar todos eles, de modo especial aquele que suporta a carga. Quando estou atento a ele encontro a solução, porque então tenho o essencial diante dos olhos.

Sobre o procedimento na constelação de Thea

KARL: Ainda estou pensando no último trabalho, da constelação de Thea. Conheço bastante bem a família dela e notei que, em parte, os representantes se expressaram, sobre suas relações familiares, de um modo bem diferente do que usariam os membros da família. Impressionou-me, porém, que a imagem que você apresentou como a proposta mais dura coincidiu claramente com minha percepção da família, embora os representantes tivessem se manifestado emocionalmente de uma forma diversa. Assim, o que você configurou como imagem foi, a meu ver, correto para aquela família. A partir daí, pergunto-me como é que você, em sua fantasia e em seu trabalho, não fica dependente da manifestação emocional dos participantes.

HELLINGER: Não dependo deles. Noto se a pessoa, em sua manifestação emocional, está centrada e presente ao assunto ou se está distraída por alguma outra coisa.
KARL: Isso eu pude notar muito bem.
ROBERT: Sempre tive a idéia de que o importante é encontrar imediatamente, na medida do possível, a imagem final. Agora vejo que as imagens intermediárias são também importantes para a imagem final.
HELLINGER: A imagem final é buscada através de vários passos. Freqüentemente, mostramos primeiro os extremos aos quais tende o sistema e aí buscamos, por uma série de passos, a melhor solução; disso resulta uma imagem global. Porém, é preciso caminhar com uma certa rapidez na direção da meta. Quando se procura demais, a energia se perde. Às vezes, sabemos imediatamente o que convém. Então talvez um único passo bastará, para que tudo fique resolvido.

Sentimentos adotados

JONAS: Quando participei da constelação de Thea, como terceiro filho, fiquei muito confuso. Durante o intervalo, tentei descobrir a causa da confusão. Acho que isso também envolve muita coisa de minha própria família. A confusão consistiu no seguinte: no início, ouvi claramente, por duas vezes, quem desempenhava que papel. Contudo, na minha cabeça, a pessoa que representava o meu pai não era meu pai mas o pai de minha mãe. Pergunto, agora, o que tem a ver isso com minha família, porque minha mãe também perdeu seu pai muito cedo.
HELLINGER: Eu interpretaria desta forma: o que você sentiu foi o que se passava naquela família. Não desloque esse sentimento para sua própria família, trabalhe-o separadamente. Mas é bom que você tenha comunicado isso. Talvez exista uma confusão desse tipo no relacionamento de Thea com seu marido e você tenha dado a ela um importante retorno.
LEO: Eu também não saí completamente do papel de irmão suicida na constelação de Thea, embora perceba que nada tem a ver comigo hoje.
HELLINGER: A gente precisa sair conscientemente do papel. Quando tomamos parte numa representação como essa, podemos perceber com que rapidez nos enredamos num sistema alheio. Muito mais enredada fica a criança que vive diariamente nesse sistema. Com que rapidez se emaranha na dinâmica e nos sentimentos que ali prevalecem! Por outro lado, percebemos também como são instáveis e pouco confiáveis nossos sentimentos, que podem mudar totalmente de um passo para outro da constelação familiar.
(*para o grupo*): Podemos encerrar este tema?
HARTMUT: Não.

Ameaças de suicídio da mãe

HARTMUT: Durante toda a minha vida, falando *grosso modo*, estive sujeito a ameaças de suicídio por parte do mundo feminino. Estou sendo irônico. Minha mãe, depois do fracasso de seu casamento, sendo eu o filho mais velho, sempre me dizia: "Qualquer dia vou me matar." Nunca concretizou isso, mas com essa atitude me estressou terrivelmente. Posso lembrar-me disso; foi realmente horrível. Começou quando eu tinha treze anos.
HELLINGER: Qual teria sido a solução? Sua mãe ainda vive?
HARTMUT: Sim.
HELLINGER: Continua dizendo isso hoje?
HARTMUT: Não, não. Agora está tentando prolongar sua própria vida e a de outros.
HELLINGER: Qual teria sido na época a resposta certa, a resposta liberadora? — Eu a dou a você. Para isso estou aqui. Quer ouvi-la?
HARTMUT: Certamente.
HELLINGER: Teria sido a seguinte: "Querida mamãe, não se preocupe; na hora certa farei isso por você."
HELLINGER (*para o grupo*): Reparam o efeito? Que chances teria a mãe de se suicidar, depois disso? E ele também ficaria livre. Por mais estranho que pareça, traz bons resultados. Aqui trabalhamos também com truques, quando são bons.
HARTMUT: Isso se repetiu com minha primeira mulher, mãe de meus filhos.
HELLINGER: Não quero saber disso agora.
(*para o grupo*): O que ele está fazendo?
WILHELM: Continuando no problema.
HELLINGER: Ele sabe a resposta. Poderia fazer com sua mulher o mesmo que teria feito com sua mãe. Mas fica no problema.
JOHANN: Esta frase só faz efeito quando ele a planeja como um truque e não acredita que finalmente tenha de cumpri-la?
HELLINGER: Quando ele diz a frase, só pode dizê-la com duplo sentido, e para isso se requer muita força. Dizê-lo a sério é fácil, mas dizer com duplo sentido, de modo que o outro tenha dúvida, é uma arte. Não deixa de ser um truque, mas exige força. Imagine que ele vá até sua mãe e lhe diga isso. Então os seus joelhos irão tremer.
JOHANN: Acho que pode acontecer que, ao dizer a frase, ele pense que realmente precisa cumpri-la, por não experimentá-la como de duplo sentido.
HELLINGER: Minha suspeita é que o próprio Hartmut já pensou seriamente que precisaria fazê-lo. Mas, nesse caso, a frase também o salvaria.
GERTRUD: Não entendi a frase, por não ter ouvido bem. Pode repeti-la para mim?
HELLINGER: Não, algo assim eu não repito.
HARTMUT: Sinto-me agora amordaçado, pois queria dizer que a segunda...

HELLINGER: Não quero ouvir isso agora, e isso você está percebendo corretamente. E não pode me forçar a isso. Para que aconteça, precisa me ganhar primeiro. (*para o grupo*): Sobre o tema do suicídio vou contar-lhes uma história. É uma dessas que nos tocam. Quando a ouvimos, pode parecer que a morte e a separação foram revogadas. Assim, ela traz a algumas pessoas um alívio, como um copo de vinho tomado à noite. Depois do vinho elas dormem melhor, mas na manhã seguinte levantam-se de novo e vão trabalhar.

Outros, porém, quando tomam o vinho, ficam na cama e precisam de alguém que saiba despertá-los. Essa pessoa lhes conta a história de um modo um pouco diferente, faz do doce veneno um antídoto, e assim eles despertam de novo e talvez se livrem do feitiço.

O final

Harold, um jovem de vinte anos, costumava agir como se fosse amigo íntimo da morte, e com isso chocava as pessoas. Contou a um amigo a história de seu grande amor, a octogenária Maude, com quem queria festejar o aniversário e o noivado e como ela, no meio desse júbilo, confessou que tinha tomado veneno e que, à meia-noite, estaria morta.

O amigo refletiu um pouco e, depois, contou-lhe a seguinte história:

"Num minúsculo planeta vivia, certa vez, um homenzinho. Como era o único ali, denominou-se príncipe, isto é, o primeiro, o melhor. Além dele, porém, também havia ali uma rosa. Antigamente ela exalava um delicioso perfume, mas agora parecia estar sempre murchando. O pequeno príncipe, que ainda era uma criança, fazia todo esforço para mantê-la viva. Durante o dia tinha de regá-la e à noite a protegia do frio. Contudo, quando ele próprio queria algo dela — como antes, às vezes, tinha sido possível — ela lhe mostrava seus espinhos. Não admira que com o passar dos anos ele ficasse saturado e resolvesse ir embora.

Primeiramente, visitou planetas vizinhos. Eram pequenos como o seu próprio planeta e seus príncipes eram quase tão excêntricos quanto ele. Nada o reteve lá.

Então chegou à bela Terra e achou o caminho para um jardim de rosas. Deviam ser milhares, cada qual mais bela, e o ar estava doce e pesado com o seu perfume. Jamais havia imaginado que houvesse tantas rosas — pois até então só conhecia uma —, e sua abundância e beleza o cativaram.

No meio dessas rosas, porém, foi descoberto por uma esperta raposa, que se apresentou como se fosse tímida. Quando viu que poderia engambelar o homenzinho, disse-lhe: 'Talvez você ache belas todas essas rosas aqui, mas elas nada têm de especial. Crescem espontaneamente e precisam de pouco cuidado. Mas a sua rosa longínqua é única, pois é exigente. Volte para ela!'

Então o pequeno príncipe ficou confuso e triste, e tomou o caminho que levava ao deserto. Lá encontrou um aviador que tinha feito um pouso de emergência e esperou que lhe fizesse companhia. Mas o aviador era um leviano que só queria divertir-se. Assim, o pequeno príncipe lhe contou que estava voltando para sua rosa.

Logo que anoiteceu, esgueirou-se na direção de uma serpente. Fingiu que queria pisá-la e então ela o picou. Ele estremeceu e depois ficou imóvel. Assim morreu.

Na manhã seguinte, o aviador achou seu cadáver. 'Espertalhão!', pensou ele. E sepultou seus restos na areia."

Harold — assim se soube mais tarde — esteve ausente do funeral de Maude. Em lugar disso, pela primeira vez depois de muitos anos, colocou rosas no túmulo de seu pai.

Talvez se deva acrescentar que muitos que guardaram no coração a história do Pequeno Príncipe de Saint-Exupéry gostam de brincar com a idéia do suicídio e às vezes também o cometem. Nessa história encontram uma aura que inocenta e transfigura esse ato, como se fosse apenas uma brincadeira infantil, que realiza um sonho infantil. Assim imaginam que seu desejo e sua esperança são mais fortes que a morte, e que esta talvez anule a separação, em vez de selá-la. E se esquecem de que o que chamamos de imortal é o que já sabemos que está perdido e pertence ao passado.

Questão de vida ou morte

LEO: Dá-me também o que pensar o fato de provir de uma família onde se diz que a vida não tem mais graça depois dos trinta, como minha mãe acabou de me dizer ao telefone.
HELLINGER: Isso acontece às vezes em famílias cristãs. Ali as pessoas morrem com Jesus.
LEO: Apesar de tudo, não é tão simples deixar que os pais morram assim. O que eu ainda queria dizer nesta manhã é que meu pai, de algum tempo para cá, voltou a dirigir o automóvel. É muito teimoso mas sofre de senilidade precoce e já não consegue encontrar direito os controles no painel; por exemplo, não acerta o comutador de luzes. Então eu disse à minha mãe, talvez também com um duplo sentido: "Está bem, poderemos enterrá-lo entre Giessen e Fulda, quando fizermos de novo esse percurso." Mas nisso pintou também algo de sério. A situação é realmente nova para mim. E com isso, às vezes realmente não sei se faço outra piada ou me retraio e deixo meus pais entregues a si mesmos.
HELLINGER: Quando a morte não tem nada de assustador nem de sério, ela é tratada dessa maneira. Isso já aconteceu hoje de manhã, e por causa disso cor-

tei logo sua palavra. Havia algo de incrivelmente destrutivo na maneira como você falava de seus pais. Por princípio, considero em risco de suicídio pessoas que falam assim. São bastante animadas e freqüentemente simpáticas, mas percebe-se que estão caminhando numa outra direção. Por baixo da superfície, desenvolve-se uma dinâmica bem diferente. Esse modo de falar mostra que algo de assustador está se desenvolvendo nesse sistema, e essa impressão foi reforçada pelo que você acabou de dizer.

Agora você ficou sério. Está notando a diferença em relação a hoje de manhã? Percebe como está sério e centrado?
(*para o grupo*): É importante que o terapeuta não permita esse escape para a brincadeira em coisas sérias. Ele deve imediatamente reconduzir o grupo à seriedade, pois é uma questão de vida ou de morte.
LEO: Mas nesta manhã não tive intenção de fazer brincadeira. (*Ri.*)
HELLINGER (*para o grupo*): Estão vendo? Está aí de novo; ele acaba de demonstrá-lo, para que o possamos ver. Estão percebendo? É isso mesmo, e é algo bem perigoso. Tais pessoas eu logo considero em risco. Elas tramam algo e talvez não estejam absolutamente conscientes do que seja. É como se uma força estranha as impelisse.
(*para Leo*): Você também não consegue resistir ao riso. Ele o impele. É preciso buscar as raízes disso.
— Aconteceu algo de especial na família de seus pais?
LEO: O pai de minha mãe era mineiro e morreu muito cedo, de silicose.
HELLINGER: Quando um filho assim chega à idade do pai prematuramente falecido, freqüentemente julga que não tem o direito de viver mais, ou até mesmo deseja seguir o pai na morte. Se os filhos percebem ou supõem haver essa tendência na mãe, um deles quer morrer em lugar dela. Esse filho ri quando pensa na morte.

O túmulo

UTE: Estou muito envolvida com o que você disse na última meia hora. Estou agitada. Isso tem algo a ver com culpa e suicídio, mas não sei dizer exatamente. Tem a ver também com essa reverência profunda diante de minha mãe, que algo está me impedindo de fazer, mas não sei o que é.
HELLINGER: A reverência tiraria você do túmulo. — Mais alguma coisa?
UTE: Não sei dizer. Fico triste que você me diga uma frase assim. Não sei até que ponto está certa, só posso dizer que me entristece. Seguramente é porque tem algo a ver com a morte.
Ute chora
HELLINGER: Por enquanto, vou deixar isto assim.

Constelação de Frank: Tios-avôs repudiados e tio desprezado

FRANK: Sou Frank e conheço Bert há bastante tempo. Sou divorciado e tenho dois filhos, de vinte e um e catorze anos, e felizmente me relaciono muito bem com eles. Moro com a Dagmar, numa casa própria. Depois de anos tempestuosos, conseguimos chegar agora a uma relação bem mais pacífica. Trabalho como psicoterapeuta, com uma abordagem bem sistêmica. Quando trabalho com as pessoas, noto que certas coisas me atingem emocionalmente de uma tal maneira que receio ter ainda algo para trabalhar. Aqui algumas coisas também me tocaram fundo. Primeiro, foi o destino da irmã de Robert, que não foi admitida, e depois o caso do suposto criminoso de guerra. Há pouco, eu tremia tanto que parei de escrever. Tenho de descobrir, de qualquer maneira, que dinâmica é esta.

HELLINGER: Então coloque-a. Quando a dinâmica é tão forte, é preciso enfrentá-la imediatamente.

FRANK: Estou pensando em minha família de origem.

HELLINGER: Justamente. Quem pertence a ela?

FRANK: Meu pai, minha mãe, minha irmã, eu, que sou o segundo, meu irmão mais novo e uma outra irmã.

HELLINGER: Algum dos pais esteve antes casado ou noivo ou teve um vínculo estável?

FRANK: Não.

HELLINGER: Talvez ainda falte alguém?

FRANK: Sim, existem pessoas na família que foram repudiadas.

HELLINGER: Vamos começar com o núcleo da família. Mais tarde, procuraremos saber se ainda faltam pessoas, e então as introduziremos.

Figura 1

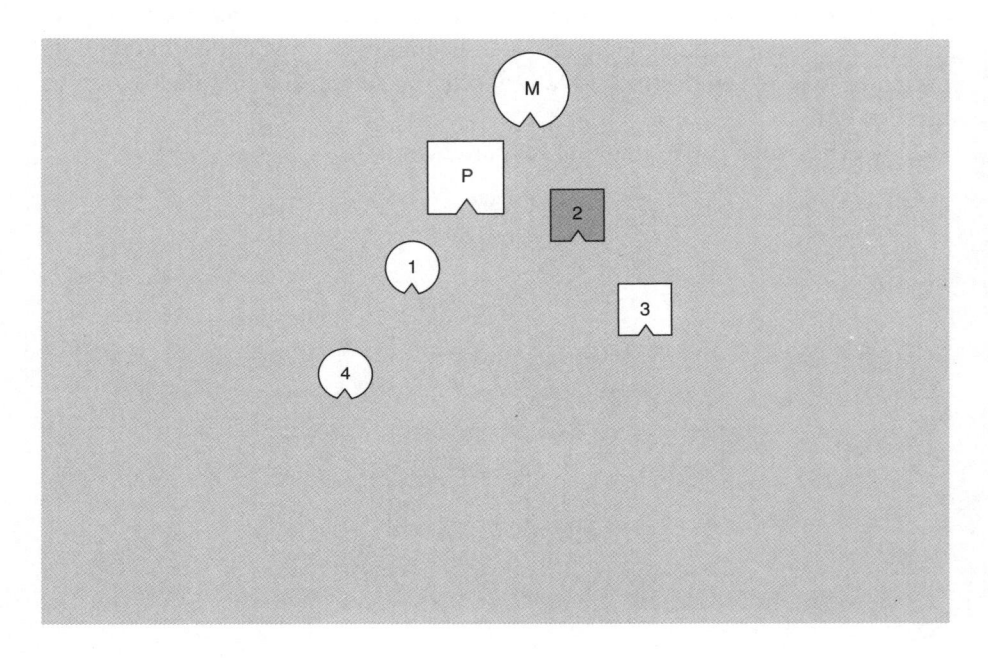

P   Pai
M   Mãe
1   Primeira filha
2   **Segundo filho (=Frank)**
3   Terceiro filho
4   Quarta filha

HELLINGER: Numa constelação, quando todos olham na mesma direção, como acontece aqui, faltam pessoas na frente. Para quem estão olhando? Quem deveria estar ali?
(*para Frank*): Aconteceu algo de especial na família de sua mãe?
FRANK: Meu avô tombou na primeira guerra mundial, quando minha mãe tinha doze anos. Outra coisa importante: o irmão dela, meu tio, era a ovelha negra da família.
HELLINGER: O que entende por ovelha negra?
FRANK: Em primeiro lugar, era homossexual, o que era grave. E depois, era considerado um incapaz, e isso na família também era grave.
HELLINGER: Vamos incluí-lo também. O que mais aconteceu na família de sua mãe?

FRANK: Dois tios dela foram mandados para os Estados Unidos por terem fracassado. Um deles bebia e era tido como um fracassado, e o outro era um boêmio.
HELLINGER: São esses os dois que faltam. O irmão de sua mãe era apenas o representante deles. Precisamos colocá-los ali, de frente para a família. A importância desses dois tios da mãe, para esse sistema, não provém do seu comportamento, mas do seu destino. O fato decisivo é terem sido mandados para os Estados Unidos.
FRANK: Aliás, meu irmão também foi para lá.

Hellinger introduz os excluídos.

Figura 2

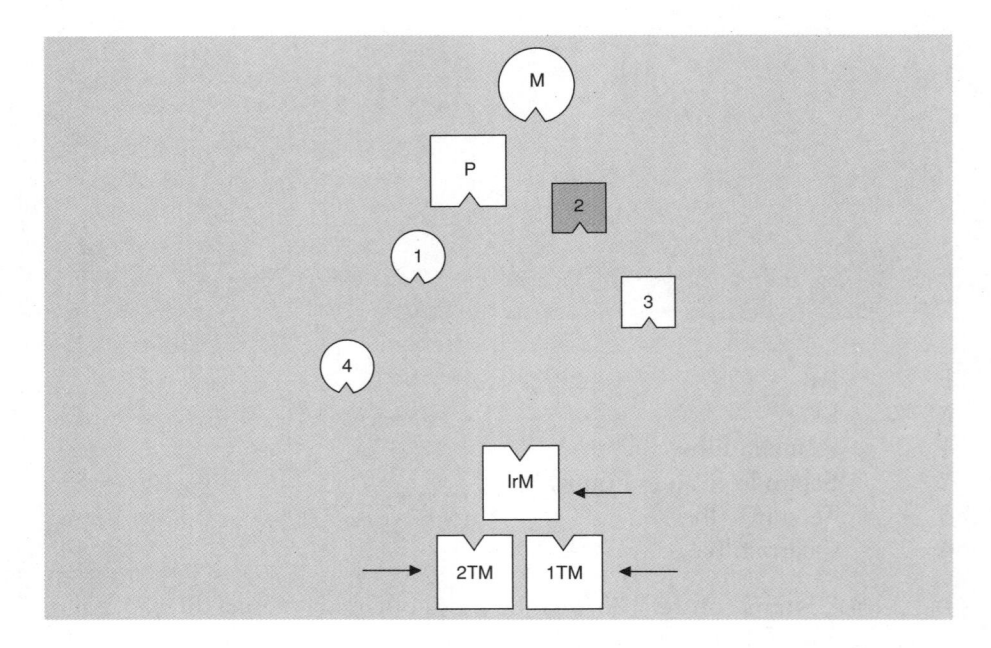

IrM   Irmão da mãe
1TM   Tio mais velho da mãe
2TM   Tio mais novo da mãe

HELLINGER: O que mudou para o pai?
PAI: Antes, eu estava olhando para o vazio e me deixei levar. Agora, existe paz e uma certa estabilidade, e posso ficar aqui.
HELLINGER: Como está a mãe?
MÃE: Estou vendo os três com um olho só, mas gostaria de olhar direito para eles.

HELLINGER: Coloque-se de maneira que possa vê-los.
MÃE: Agora está bem.
HELLINGER: Como é isto para a filha mais velha?
PRIMEIRA FILHA: Ficou muito melhor. Antes, estava tão aberto aqui que poderia surgir algum perigo e eu me sentia colocada na frente pela turma. Tinha de ficar na primeira fila. Agora, sinto simpatia pelos tios lá na frente. Na presença deles eu me sinto bem.
HELLINGER (*para o representante de Frank*): Como é isto para o segundo filho?
SEGUNDO FILHO: Não sei bem o que devo pensar disto, se tem algo que me atrai ou que me apavora.
HELLINGER: Como é a sensação? O que se modificou?
SEGUNDO FILHO: Sinto-me mais centrado.
HELLINGER: Como é a sensação? Melhor ou pior?
SEGUNDO FILHO: Melhor.
HELLINGER: Como é para o irmão mais novo, que quis ir para os Estados Unidos?
TERCEIRO FILHO: Antes, eu me sentia muito bem. Não era afetado pelos que estavam atrás de mim. Sentia-me desvinculado.
HELLINGER: Vamos mandá-lo logo para os Estados Unidos.
TERCEIRO FILHO: É para já. Quando eles ficaram ali, ficou claro para mim que tenho de ir para lá.
FRANK: Aliás, meu irmão está sempre visitando parentes e também quer me arrastar para lá.

Hellinger coloca o irmão mais novo no grupo dos excluídos.

Figura 3

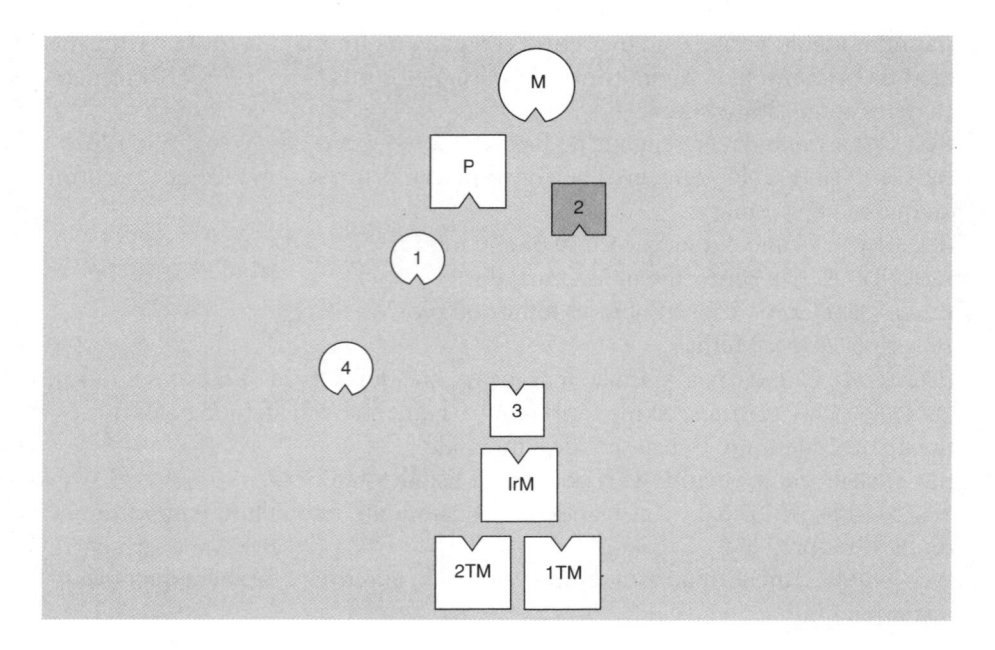

HELLINGER: Como está a filha mais nova?
QUARTA FILHA: Estou contente porque tem alguém lá na frente. Eu estava achando horrível, porque estava absolutamente sem contato com a família atrás de mim. Sentia-me bastante perdida. Agora, estou contente porque tem algumas pessoas lá na frente. Sinto-me um tanto espremida aqui no meio, mas dá para agüentar.
HELLINGER: Este é apenas o ponto de partida. A partir daqui vamos mais longe.
HELLINGER (*para Frank*): Existe algo de especial na família do seu pai?
FRANK: Meu pai era nazista. Eu nunca soube ao certo o que ele realmente fez. Mas deve ter sido figura importante, porque não o mobilizaram.
HELLINGER: Ele esteve internado depois da guerra?
FRANK: Foi internado e espumou e esbravejou, durante anos, contra a injustiça que fizeram a ele e à Alemanha.

HELLINGER: Vou colocar agora a ordem, de modo que os excluídos fiquem visíveis para a mãe, mas fora da vista dos filhos.

Figura 4

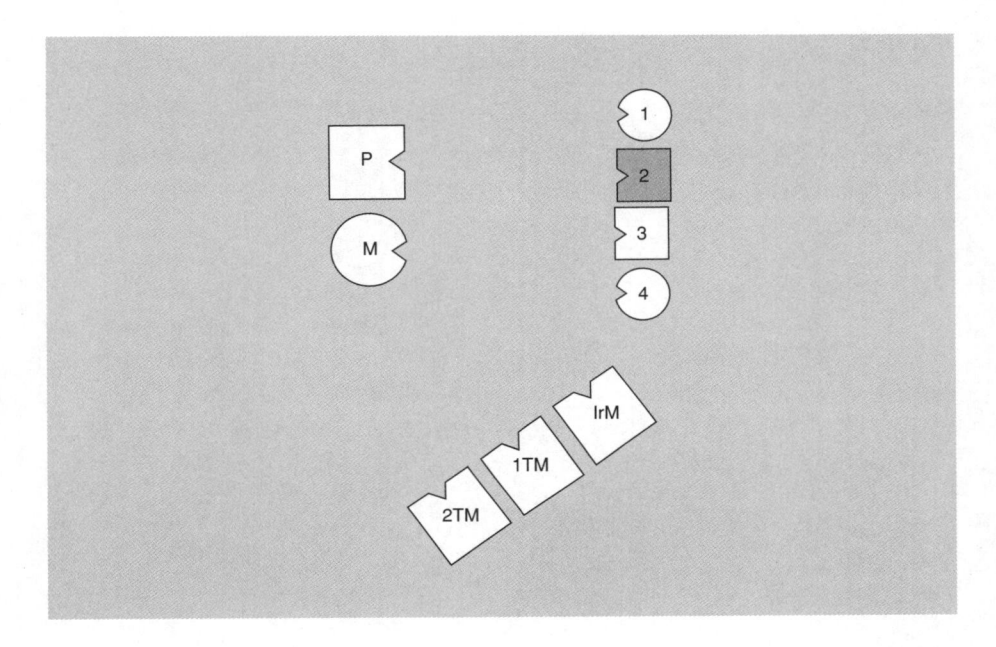

HELLINGER: Como está a mãe?
MÃE: Sinto-me bem aqui, ao lado de meu marido.
HELLINGER: Como está o pai?
PAI: Também muito melhor do que antes.
HELLINGER: Como estão os filhos?
TODOS: Bem.
HELLINGER (*para Frank*): Você quer colocar-se agora em seu lugar? — Como se sente aí?
FRANK: Sinto-me bem assim.
HELLINGER: Esta é a ordem agora. E os rejeitados foram reconhecidos, embora não estejam diante dos olhos.
FRANK: O que absolutamente não me agrada é que meu tio homossexual fique junto com os outros excluídos.
HELLINGER: Uma pessoa se torna homossexual, entre outras razões, se precisa representar pessoas excluídas como más. E isso é bem típico no caso presente. É um destino pesado, no qual você não pode interferir.
FRANK: Sim. Talvez também seria bom que tivéssemos o olhar livre para o futuro.

HELLINGER: Posso mostrar-lhe como se olha para o futuro? Os quatro filhos se viram e então têm os pais pelas costas. Os pais ficam parados e os filhos podem seguir em frente. Isso é o futuro. Mas, por enquanto, vocês podem tranqüilamente olhar um pouco mais para os pais.

Figura 5

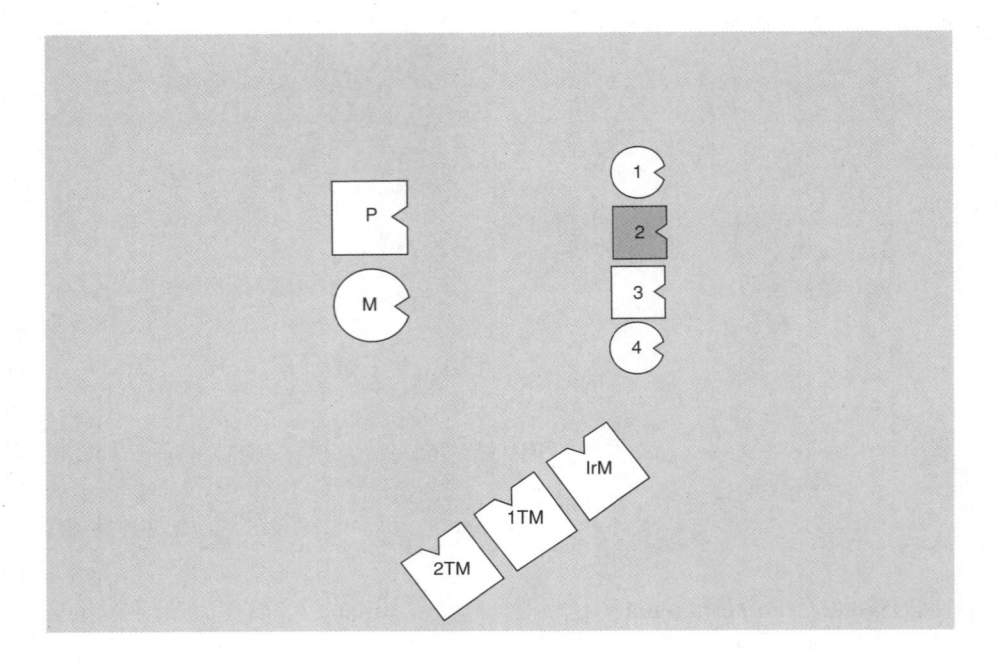

HELLINGER: Bem. Ficamos por aqui. Mas não deixe de anotar a constelação. Às vezes ajuda.

Quem faz parte do sistema familiar?

HELLINGER: Que pessoas pertencem ao sistema familiar? Por quem precisamos perguntar, quando configuramos uma família?

"Sistema" significa aqui uma comunidade de pessoas unidas pelo destino, através de várias gerações, cujos membros podem ser inconscientemente envolvidos no destino de outros membros. Reconhece-se a amplitude do sistema pela amplitude dos destinos que provocam tais envolvimentos. Dessa comunidade de destino pertencem, em geral, as seguintes pessoas:

— O filho e seus irmãos ou meios-irmãos, inclusive os falecidos e natimortos. Este é o nível inferior.

— Depois, no nível imediatamente superior, vêm os pais e seus irmãos ou meios-irmãos, inclusive os prematuramente falecidos e os natimortos.
— A seguir, mais um nível acima, incluem-se os avós e, mais raramente, algum irmão ou meio-irmão dos mesmos. Isso, porém, é raro.
— Às vezes inclui-se, também raramente, algum bisavô.
— Entre os anteriormente citados, são especialmente importantes as pessoas que tiveram um destino funesto ou foram lesadas por membros do sistema — por exemplo, em assuntos de herança — ou que foram excluídas, dadas a terceiros, desprezadas ou esquecidas.
— Seguem-se então — e muitas vezes são estas as pessoas mais importantes — todos os que cederam lugar a outros nesse sistema, mesmo que não sejam parentes. É o caso, por exemplo, de algum cônjuge ou noivo anterior dos pais ou dos avós, mesmo que já falecido.
— Também fazem parte do sistema o pai ou a mãe dos meios-irmãos.
— Pertencem-lhe ainda aquelas pessoas de cuja desvantagem ou prejuízo alguém do sistema foi beneficiado, por exemplo, recebendo alguma herança por motivo de sua morte prematura ou por terem sido deserdadas. — Incluem-se, além disso, todos os que colaboraram para a vantagem de alguém no sistema, por exemplo, como empregados, e que depois sofreram prejuízo ou injustiça. É preciso, entretanto, que se trate de um grande prejuízo e de uma grande injustiça.— Não pertencem ao sistema, neste sentido, tios ou tias agregados pelo casamento, bem como primos e primas.

Alguns consideram especialmente importantes para o sistema pessoas que conviveram com a família, por exemplo, alguma avó ou tia. Contudo, no caso de emaranhamentos, a proximidade física, por si só, não tem importância. Inversamente, muitas vezes alguém é enredado no destino de outra pessoa cuja existência até mesmo ignora.

Sobreviventes e mortos, perpetradores e vítimas como participantes de um destino comum

No decorrer dos anos, no trabalho com as constelações familiares tornou-se cada vez mais claro que entre os sobreviventes e os mortos, bem como entre os perpetradores e suas vítimas, se estabelece um vínculo profundo, que ultrapassa os diretamente atingidos e se estende aos descendentes deles. Por exemplo, soldados que voltaram da guerra sentem-se, de modo especial, ligados a seus companheiros mortos e também, da mesma forma, aos inimigos que mataram. Em consequência, descendentes de soldados que sobreviveram voltam-se para os companheiros e inimigos mortos de seus pais e avós, querem colocar-se ou deitar-se ao seu lado e sentem um desejo, na aparência surpreendente, de morrer ou também, às vezes, de matar-se. Eles estão apenas assumindo o desejo inconsciente ou reprimido de seus pais e avós, de estar com seus camaradas e inimigos mortos.

A solução consiste em fazer com que seus pais e avós, geralmente já falecidos, deitem-se ao lado de seus camaradas ou inimigos mortos. Muitas vezes, numa constelação, acontece uma emocionante confraternização entre pessoas que se sentem, cada uma por seu lado, como servidoras ou vítimas de poderes maiores do que nos permitem supor nossos conceitos e juízos mais superficiais. Elas se percebem assim como entregues a um poder maior e insondável ao qual igualmente se submetem, e se encontram reciprocamente como consumadas, com profundo amor e respeito. Como mortas, deixam para trás o que passou e se entregam em paz ao que agora, sob todos os aspectos, as une.

Algo semelhante vale também para os perpetradores e suas vítimas, por exemplo, para os nazistas convictos e aqueles que eles desprezaram, perseguiram e mataram. Na morte, uns e outros se experimentam como dedos da mesma mão sobre-humana, a qual, sem atentar para nossas idéias de justiça e injustiça, conduz a história de acordo com leis que vão além de nossas esperanças e desejos, e desmascara, como pouco profundas, nossas distinções entre o bem e o mal.

Atuar sem agir, apenas pela correta imagem interior

ROBERT: Está emergindo em mim a seguinte pergunta: o que devo fazer em relação à minha mulher, na situação atual? Eu gostaria de agir, de fazer alguma coisa, porque no momento vivo num estado de espera. Isso está me pressionando. Ou devo permanecer ainda no outro tema e ocupar-me mais com minha irmã falecida? Sinto dificuldade para dar tempo e espaço ao problema com minha mulher.

HELLINGER: Mudanças nos sistemas acontecem através da imagem interna correta. Vou citar um exemplo de outro curso meu.

Quando falei sobre a atuação da imagem interna, uma participante contou a seguinte história: "Há dois anos, em Viena, participei de um curso sobre *scripts* familiares, onde fiz a constelação de minha família atual. Na primeira imagem que montei, meu filho mais novo, que nasceu bem depois dos dois mais velhos, ficava entre mim e meu marido. Na verdade, naquele tempo ele ainda dormia freqüentemente conosco e não havia meio de tirá-lo do quarto sem gritaria e sem trancar a porta. Quando voltei para casa..."

Eu a interrompi e perguntei: "O que foi feito em sua constelação familiar?"

Ela respondeu: "O pequeno foi colocado junto com os dois irmãos maiores. Quando cheguei em casa, pensei: o que faço agora? Porém, desde então, ele nunca mais mostrou vontade de ficar conosco no quarto de dormir. Eu não disse nada e ele deixou de vir, e vai para o quarto dele. Isso me veio à mente quando você falou que a imagem interna atua."

É necessária uma disciplina interna especial para confiar na imagem interna correta e não perturbar sua atuação com palavras ou ações precipitadas. Então você pode atuar sem agir.

Ameaça de suicídio da primeira mulher

HARTMUT: Minha primeira mulher ameaçou muitas vezes suicidar-se e expressou também o desejo de nos suicidarmos juntos. Continuo muito indignado até hoje, pois o tema da ameaça de suicídio, ampliado em seguida com a proposta do duplo suicídio, me levou naquela época a fazer incríveis concessões que limitaram toda a minha vida. Ainda não me livrei disso, dessa indignação com a chantagem.

HELLINGER: Na terapia familiar, existe um princípio: no que se refere ao bem e ao mal, o real é o inverso do que é apresentado. Você está indignado porque sua mulher lhe disse que queria matar-se. A pergunta é a seguinte: Em sua família, quem realmente teria precisado matar-se, você ou sua mulher? O que será se de fato fosse você? Na presença de uma emoção tão forte, existe a suspeita de que a verdade é justamente o inverso. Caso contrário, a emoção não precisaria ser tão veemente. — Vou deixar-lhe algum tempo para refletir.

Constelação de Ulla: Filha representa para o pai a sua ex-noiva

ULLA: Eu me chamo Ulla. Sou casada, e o tema que escolhi para este trabalho é meu desejo, não realizado, de ter filhos. Acabo de localizar a noiva que meu pai teve, antes de se casar com minha mãe. Ele não manteve o noivado. Ela o esperou e ficou solteira. Ela mora perto de minha tia, irmã de meu pai, na antiga República Democrática Alemã, e dentro de alguns dias irei visitá-la ali, pela primeira vez.

HELLINGER: Então essa noiva é o modelo do seu *script*.

ULLA: Não sei.

HELLINGER: O que disse eu?

ULLA: Que essa noiva é meu modelo.

HELLINGER: Exatamente.

ULLA: Não.

HELLINGER: Esse "não" muda alguma coisa no fato?

ULLA: Muda sim!

HELLINGER: Está bem, coloque sua família, e então você poderá verificar isso.

Figura 1

P	Pai
M	Mãe
1	**Primeira filha (=Ulla)**
2	Segundo filho
exNP	Ex-noiva do pai

HELLINGER (*para Ulla*): Sua mãe já tinha sido noiva ou casada?
ULLA: Não. Mas teve dois abortos espontâneos antes do meu nascimento. Por causa disso, achou que não podia ter mais filhos. Passou a tomar remédios e desde então ficou depressiva.
HELLINGER: Não obstante, teve você.
ULLA: Sim, logo a seguir ela me teve. Então voltou a tomar remédios e depois nasceu meu irmão.
HELLINGER (*para o grupo*): Quando, numa constelação familiar, o marido e a mulher se defrontam como aqui, isso significa que a relação conjugal chegou ao fim. Como se sente o pai?
PAI: Horrível. Não tenho nenhuma relação para a frente, à direita ou à esquerda. Por trás, estou sendo traspassado e não posso me virar: é terrível. Como que dilacerado, não amado, ignorado.
HELLINGER: E com razão.
(*para o grupo*): Ele não tem mais chances. Se trata a noiva assim, não tem mais chances. Isso ele perdeu.
HELLINGER: Como se sente a mãe?
MÃE: Sinto-me repudiada, repudiada por meu marido. Estou contente que meu filho esteja aqui.

HELLINGER: Como se sente o filho?
FILHO: Não me sinto tão mal assim. Estou surpreso, mas aqui me sinto bem como filho.
HELLINGER (*para a representante de Ulla*): Como está a filha?
FILHA: Muito esquisito. Não quero ter nada a ver com nenhum deles.
HELLINGER (*para o grupo*): Esse poderia ser perfeitamente o sentimento da noiva.
HELLINGER: Como está a ex-noiva?
EX-NOIVA DO PAI: Quando você me colocou aqui, pensei isto: eu ganhei.

Hellinger coloca a filha ao lado da ex-noiva.

Figura 2

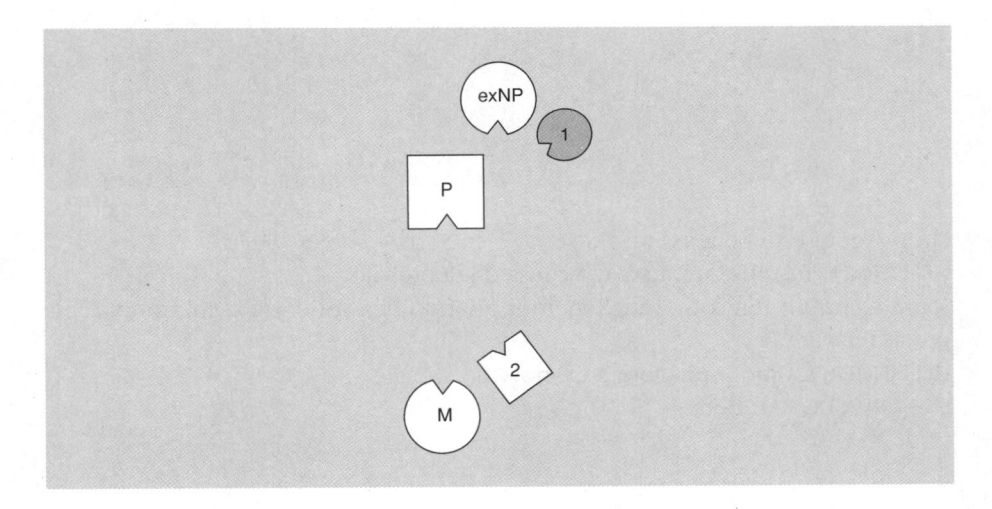

HELLINGER (*para a representante de Ulla*): Como é isto?
FILHA: A primeira coisa que me interessou foi quando a noiva foi interrogada; então olhei para lá. Mas agora a situação está bem desagradável.
HELLINGER: Chegue mais perto.
FILHA: É o que estou tentando fazer. É muito estranho. É como se ela se apoiasse em mim, e eu precisasse segurá-la. Isto me confunde. Assim não pode ser.
HELLINGER: Como se sente a mãe agora?
MÃE: Melhor. A agressividade desapareceu.
HELLINGER: Quem deveria realmente ficar ao lado da noiva?
MÃE: Não sei.
HELLINGER: É você que deveria ficar ali. Vá para lá.

A mãe se coloca ao lado da ex-noiva, e a filha volta ao seu lugar.

Figura 3

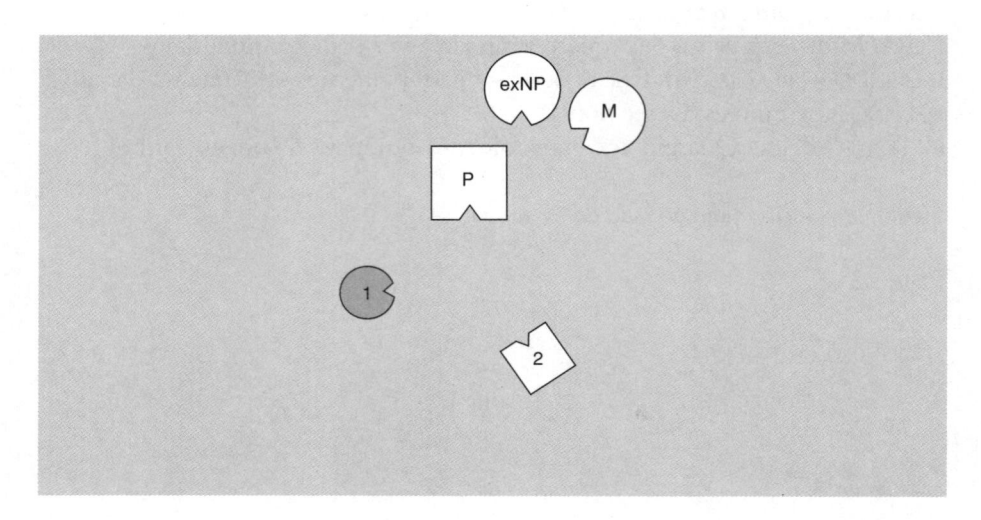

MÃE: Agora está bem assim.
HELLINGER: Justamente. Esta é a causa da depressão.
(para o grupo): Ela só se sente melhor quando fica solidária com a noiva. Ela precisa ir para lá.
HELLINGER: Como está agora a ex-noiva?
EX-NOIVA DO PAI: Bem.

Hellinger altera a figura.

Figura 4

HELLINGER: Como se sente o pai?
PAI: Excluído, mas com o futuro em aberto.
HELLINGER: Sente-se melhor ou pior?
PAI: Numa ambivalência total.
HELLINGER: Como é isto para a ex-noiva?
EX-NOIVA DO PAI: Para o lado esquerdo, sinto-me bem. É bonito assim. Mas, na direção de meu ex-noivo, continuo sentindo pena.
HELLINGER: Esse aí você não pode mais ter.
EX-NOIVA DO PAI: Também estou olhando muito mais para estes à minha esquerda do que para ele.
HELLINGER: Podemos experimentar como seria, se...

Hellinger coloca o pai e a ex-noiva dele, como um casal, diante da família.

Figura 5

HELLINGER: Como é isto para o pai?
PAI: Pela primeira vez, é tolerável.
HELLINGER: Como é para a mãe?
MÃE: Muito melhor.
HELLINGER: E para a ex-noiva?
EX-NOIVA DO PAI: É bom.
FILHA: Esta é para mim a melhor constelação até agora. Mas já é tempo de eu ir embora e me apoiar sobre meus próprios pés.
HELLINGER (*para Ulla*): Coloque-se agora em seu lugar.
ULLA: (*quando fica em seu lugar*): Isto é bom.

O lugar certo para os filhos

JAN: Quando, numa constelação, os filhos ficam frente a frente com os pais, eu experimento isso como um confronto.
HELLINGER: Esse é um sentimento que você deduziu da imagem, mas os participantes não a vivenciam como um confronto. Os pais constituem um grupo; os filhos também constituem um grupo e se posicionam exatamente pela ordem de precedência, de acordo com a hierarquia de origem. A ordem de precedência é sempre em círculo, no sentido horário. Ela é preservada também se os pais ficam de um lado e os filhos de outro, como você pôde verificar há pouco, na constelação de Ulla: primeiro veio o marido, depois a ex-noiva, em se-

guida a mulher; depois a filha, que é a mais velha, e finalmente o filho. Contudo, o lugar em que são colocados, preservada a ordem de precedência, depende das circunstâncias. Se os filhos precisam ir para a esfera de influência do pai, ficam mais perto dele. Se precisam ir para a esfera da mãe, ficam mais próximos dela. No caso que vimos, tiveram de ficar mais perto da mãe, e por isso não ficaram diretamente de frente para ela. Quando, porém, não existe essa necessidade, os filhos ficam de frente para os pais.

JAN: Minha imagem ideal da família era que os filhos ficassem no sentido horário, mas não de frente para os pais e sim, de preferência, num semicírculo.

HELLINGER: Não, não. Mesmo quando os pais ficam de um lado e os filhos de outro, o círculo está fechado. É diferente quando faltam pessoas. Nesse caso, elas entram no círculo, às vezes entre os pais e os filhos, como seria o caso de uma falecida irmã gêmea da mãe.

JAN: Se o sistema assim está fechado, como os filhos podem se desprender? Ou isso acontece quando eles se viram?

HELLINGER: Perfeitamente. Quando chega o tempo de se desprenderem, os filhos se viram e vão em frente, afastando-se dos pais. Estes, por sua vez, ficam parados e acompanham os filhos com um olhar benevolente. Esta é, para todos, a boa solução.

Aliás, esta é também uma boa ordem para a mesa de jantar: os pais se sentam de um lado e os filhos na frente deles, de acordo com sua ordem de precedência: o primeiro à direita, o segundo à sua esquerda, etc. Esta ordem na mesa cria paz.

A identificação inconsciente com um parceiro anterior dos pais

UTE: Como é possível que uma filha se identifique com uma ex-mulher do pai, que ela não conheceu?

HELLINGER: Não é necessário conhecer as pessoas com quem nos identificamos. Com efeito, a pressão que leva à identificação provém do sistema e atua sem que saibamos coisa alguma sobre as pessoas que precisamos representar. Assim, se houve um relacionamento anterior intenso do pai com outra mulher, podemos tomar como ponto de partida que uma filha irá imitar essa mulher e representá-la na família, sem ter consciência desse fato. E, se houve uma relação anterior intensa da mãe com outro homem, podemos pressupor que um filho irá imitar esse homem e representá-lo na família, igualmente sem estar consciente desse fato. Assim, a filha torna-se rival da mãe, sem que a filha e a mãe saibam por quê, e o filho torna-se rival do pai, sem que o filho e o pai conheçam a razão.

A pressão que sofre uma filha para representar, por identificação, uma mulher ou amante anterior do pai, cede quando sua mãe presta reconhecimento a essa mulher, na qualidade de parceira anterior de seu marido, colocando-se porém, conscientemente, entre ambos e tomando-o plenamente como seu marido. Contudo, independentemente do comportamento da mãe para com a anterior mulher ou amante do pai, a filha pode livrar-se dessa identificação, logo que dela tome conhecimento, dizendo à sua mãe, mesmo que só interiormente: "Você é minha mãe, e eu sou sua filha. Só você é a verdadeira para mim. Com a outra não tenho nada a ver." E dizendo a seu pai, mesmo que só interiormente: "Esta é a minha mãe, e eu sou filha dela. Só ela é a verdadeira para mim. Com a outra não tenho nada a ver."

Então a filha pode amar a mãe como sua mãe, e a mãe pode amar a filha como sua filha, sem recear nela a sua rival. Então a filha pode também voltar-se para o pai e amá-lo como seu pai, e o pai pode voltar-se para a filha a amá-la como sua filha, sem buscar nela também uma ex-mulher ou ex-amante.

O mesmo vale para o filho. A pressão que sofre, para representar por identificação um antigo marido ou amante da mãe, cede se seu pai presta reconhecimento ao ex-parceiro dela, na qualidade de parceiro anterior, e não obstante coloca-se conscientemente entre ambos, tomando-a plenamente como sua mulher. Mas, independentemente do comportamento do pai em relação ao ex-marido ou ex-amante de sua mulher, o filho pode livrar-se de sua identificação, logo que dela tome consciência, dizendo ao pai, mesmo que só interiormente: "Você é meu pai e eu sou seu filho. Só você é o certo para mim. Com o outro, não tenho nada a ver." E dizendo à sua mãe, mesmo que só interiormente: "Ele é meu pai e eu sou seu filho. Só ele é o verdadeiro para mim. Com o outro não tenho nada a ver."

Então o filho pode voltar-se para seu pai e amá-lo como seu pai, e o pai pode voltar-se para seu filho e amá-lo como seu filho, sem recear nele um rival. Então o filho pode também voltar-se para sua mãe e amá-la como sua mãe, e a mãe pode voltar-se para o filho e amá-lo como seu filho, sem procurar nele seu antigo marido ou amante.

A identificação inconsciente com um antigo parceiro dos pais pode eventualmente levar a uma psicose, principalmente quando, na falta de uma moça disponível, um filho precise representar uma ex-parceira do pai, ou inversamente, quando uma filha, na falta de um rapaz disponível, precise representar um ex-parceiro da mãe.

A preocupação com Deus

RUTH: Eu me chamo Ruth e sou pastora evangélica. Muita coisa mudou, nos últimos anos, porque assumi maior responsabilidade e recentemente também fui eleita para um conselho diretor. Percebo que ainda tenho de encontrar meu lugar nessa equipe e isso me preocupa, até mesmo em sonhos.
HELLINGER: Como última eleita, você precisa primeiro ganhar uma posição, antes de poder exercer qualquer influência. Por conseguinte, deixe ainda, por

mais algum tempo, que os outros ponderem o que for necessário, e acate suas decisões.

RUTH: Enquanto as coisas estão acontecendo aqui no grupo e você está falando, eu estou constantemente em reunião com o conselho da igreja e ouço tudo a partir desse quadro de fundo.

HELLINGER: Quero dizer-lhe algo sobre os conselhos de igrejas. Eles se caracterizam por não terem confiança em Deus e confiar demais no próprio planejamento. Se Deus existe, esses conselhos não precisam preocupar-se tanto.

Era uma vez um certo Pedro, sobre quem existe um relato nos Atos dos Apóstolos. Quando ele compareceu a julgamento diante de um tribunal em Jerusalém, um certo Gamaliel, que era uma espécie de sumo sacerdote, disse uma palavra sábia. Lembra-se dela?

RUTH: Sei o que você quer dizer.

HELLINGER: "Se isso for uma coisa de Deus, ninguém conseguirá detê-la. E se não for de Deus, vai romper-se por si mesma, e vocês não precisam fazer nada para isso."

RUTH: Ainda não estou pronta.

HELLINGER: Estou vendo. Contudo, quando uma pessoa alcança esse nível de compreensão, ela participa de um tal conselho como se não estivesse nele, e nesse momento pode atuar sem agir.

RUTH: Isso é bom. Noto, porém, que me surgem idéias e preciso entender o que se passa.

HELLINGER: Você quer entender os caminhos de Deus. Pode ser que a vontade de Deus se realize justamente quando algo sai errado. Quem sabe?

RUTH: Isto me toca, mas não o entendo. Por quê?

HELLINGER: Ocorre-me ainda uma outra reflexão: como pode alguém atrapalhar Deus? Falando em termos teológicos ou filosóficos, qual é o ser mau que pode fazer algo contra Deus ou impedi-lo de algo? E qual é o ser bom que tem esse poder?

RUTH: Não entendo por que estou a pique de chorar.

HELLINGER: Isto eu posso dizer-lhe. Lembro-me de nossa última sessão de terapia primal.

RUTH: Estou sempre pensando nela.

HELLINGER: Você precisa despedir-se de seu sonho de menina: de que seu amor pode fazer com que seu pai volte da guerra. Por outras palavras, precisa despedir-se do sonho de que isso está em seu poder. Estou me lembrando disso. É isto que está em questão aqui: a despedida de um lindo sonho. Esta ligação está clara para você?

RUTH: Não, ainda não totalmente. Há, porém, outra coisa. Desde que você disse aquilo das imagens internas, sinto-me impelida a oscilar entre diferentes sentimentos.

HELLINGER: Eu também participei de conselhos eclesiásticos. De vez em quando, soltava de passagem uma frase sobre algo que percebera como correto. Na ocasião sacudiam a cabeça mas, depois de um ano, algum deles repetia a mesma frase e recebia aprovação, como se ela fosse evidente. Causa um secreto prazer verificar como uma frase faz silenciosamente seu efeito, durante um ano. Portanto, é possível atuar discretamente nesses conselhos. Mas precisa ser a frase certa!

Com quem deve ficar a filha de uma divorciada toxicômana?

CLAUDIA: Estou buscando a sentença correta num parecer que redijo no momento. Trata-se de uma menina, de quatro anos e meio, cuja mãe é toxicômana.
HELLINGER: O que acontece com o pai?
CLAUDIA: Eles se separaram. O pai cuidou da filha nas diversas vezes em que a mãe esteve internada numa clínica. Quando a mulher se separou, ele passou a viver com outra mulher. É uma ligação que está começando. Essa mulher tem dois filhos.
HELLINGER: De que se trata no parecer?
CLAUDIA: Para onde deve ir a criança.
HELLINGER: Precisa ficar com o pai.
CLAUDIA: Mas está certo que o pai deixe a criança sobretudo com seus próprios pais?
HELLINGER: Não, precisa acolhê-la em sua própria família. A outra mulher trouxe dois filhos para a relação. Se ele também traz uma filha, eles ficam mais equilibrados, o que beneficia a própria relação. A solução já convém por esse lado, além de ser boa para a criança.
CLAUDIA: Por conseguinte, a criança precisa se afastar da mãe viciada?
HELLINGER: Sim, precisa afastar-se dela.
CLAUDIA: E o que você recomenda, se a mãe se curar em um ou dois anos?
HELLINGER: A criança deve ficar com o pai.
CLAUDIA: Mesmo sendo uma menina?
HELLINGER: Mesmo assim, deve ficar com o pai.
CLAUDIA: Como fica então o direito de visita? Em que medida a mãe deve poder visitar a filha?
HELLINGER: Como mãe, ela tem todo o direito de fazê-lo; isso precisa ficar assegurado. Contudo, enquanto a mãe continuar dependente, a criança corre um certo perigo. Por essa razão, deve-se ponderar o que for razoável. Apenas quando a mãe abandonar a dependência é que não haverá objeção.
CLAUDIA: E como devo lidar com a incompreensão da família do pai pela doença da mãe? Pois considero uma doença esse vício da mãe. Mas ela é desvalorizada pela família de seu marido e tratada como se fosse uma pessoa inútil, em quem não se pode confiar.

O que leva ao vício

HELLINGER: Alguém se torna viciado quando a mãe lhe disse: "O que vem do seu pai não vale nada. Tome só de mim." Então a criança se vinga da mãe e toma tanta coisa dela que sofre prejuízo. O vício é portanto a vingança da criança contra sua mãe, pelo fato de tê-la impedido de tomar algo do pai. — Ficou claro para você?

CLAUDIA: Sim, embora não seja esta a minha questão. Mas é muito importante para mim. Minha pergunta original era a seguinte: o que posso fazer pela criança ou pela mãe, se ela goza tão pouco respeito na família em que a criança vai crescer? Como posso intervir aí?

HELLINGER: Você poderia esclarecer ao pai como se origina o vício. Então ele terá uma outra visão. E você poderia dizer a ele que a criança fica bem quando ele respeita e ama nela a sua mãe.

Vou dar-lhe um exemplo disso. Uma mulher forçou o marido a fazer uma psicoterapia, para que ele finalmente fizesse algo para si mesmo. Ela própria já havia freqüentado muitos grupos, feito terapia primal e outras mais. Assim, o homem entrou num dos meus grupos. Quando o vi, perguntei-lhe: "O que você está fazendo aqui? Basta vê-lo para perceber que você está bem. Você não precisa estar aqui." Ele ficou muito feliz. Era um artesão, uma pessoa simples. Depois de alguns dias, disse que não entendia como podia estar tão bem, pois não conhecera seu pai, que morreu na guerra cinco semanas antes do nascimento do filho. Eu lhe disse: "Provavelmente você não sentiu falta dele porque sua mãe amou e respeitou muito o seu pai." "Sim", respondeu ele, "isso ela fez". Mais tarde colocamos sua família, e eu vou colocá-la de novo para vocês.

Figura 1

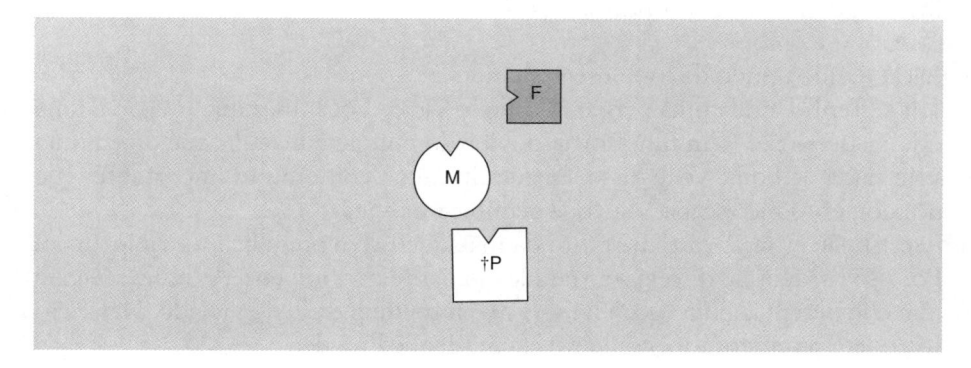

†P   Pai, morto na guerra
M   Mãe
F   **Filho (=cliente)**

HELLINGER: Foi esta a configuração. A mulher disse: "Sinto-me como se metade minha fosse meu marido." Então coloquei o marido inteiramente atrás dela.

Figura 2

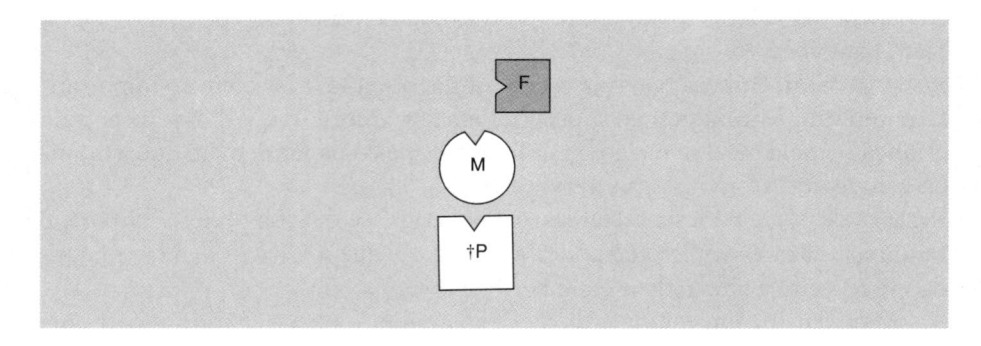

HELLINGER: Ela disse: "Agora, ele e eu somos uma só pessoa." E o filho ficou muito bem. Isso acontece quando uma pessoa honra a outra. Ela pode representar ambas.
MÃE: Também sinto isso.
HELLINGER (*para o filho*): Como se sente?
FILHO: Eu estava bem aquecido.
HELLINGER: O pai não fez falta, porque era respeitado.
(*para o grupo*): Os filhos ficam bem se o pai respeita e honra neles a mãe e a mãe respeita e honra neles o pai. Então os filhos se sentem completos. Por isso, numa separação, quem deve receber a guarda dos filhos é aquele que mais respeita e honra nos filhos o outro parceiro. Via de regra, é o homem. As mulheres, porém, podem conquistar isso.
CLAUDIA: Como?
HELLINGER: Agindo de forma semelhante.
THEA: Tenho ainda uma pergunta sobre o vício. Você disse que o vício é uma fidelidade ao pai. Um filho torna-se viciado porque a mãe diz que do pai não vem nada de bom. Você disse, entretanto, uma coisa muito importante, que no momento me escapa: algo que acontece no vício.
HELLINGER: A criança toma tanto da mãe que isso a prejudica. O vício é isso. Por isso os viciados devem ser tratados somente por homens. As mulheres não têm competência para isso, a não ser que respeitem o pai do viciado. Nesse caso podem representá-lo, como no exemplo que lhes dei.
DAGMAR: Isso pode ser afirmado como regra geral ou existe uma diferença, conforme o sexo da pessoa que se vicia?
HELLINGER: Não; em princípio, sempre.
DAGMAR: Então a situação é sempre que a mãe diz ao filho, que se tornou viciado: "O que vem do seu pai não vale nada. Não tome nada de seu pai, tome

somente de mim." O que acontece, porém, se o pai também se tornou viciado, por exemplo, se ele é um alcoólatra e a mãe diz ao filho: "O que o seu pai faz não vale nada"?

HELLINGER: Então a mãe deve dizer ao filho: "Eu amo o seu pai em você e estou de acordo que você se torne como ele." O efeito é incrível. Pois, quando o pai é respeitado no filho, este não precisa tornar-se também um alcoólatra. O modo certo de proceder é, portanto, justamente o contrário do que costuma acontecer na prática.

THOMAS: Isso significaria que o aumento maciço de problemas com viciados no mundo ocidental está relacionado a essa dinâmica.

HELLINGER: Sim. Os homens estão em retirada. São cada vez mais desprezados pelas mulheres; com isso, aumentam os casos de vício. É um fenômeno absolutamente normal. As mulheres não podem simplesmente excluir os homens.

O vício como expiação

GERTRUD: Antes que surgisse o tema "vício", eu julgava que nada tinha de atual. Mas meu pai era um alcoólatra e minha mãe sempre me disse que eu sou igual a ele, mas era mais por medo de que isso viesse a acontecer. Durante certo tempo também tive grandes problemas com o álcool, e agora o que ainda resta de vício é a nicotina.

HELLINGER: Certa vez, tratei de uma mulher que tinha uma presença forte, porém mais tarde ficou muito mal. Teve um surto psicótico e começou a beber. Mais tarde, quis voltar a fazer algumas sessões comigo e eu a aceitei. A primeira lembrança que lhe ocorreu foi a seguinte: via sua mãe embriagada, deitada no chão, seu pai de pé e inerte ao seu lado, e ela própria zangada com a mãe. Eu lhe disse então: "Imagine que sua mãe está ali, deitada no chão, e agora deite-se ao lado dela, ao lado de sua mãe bêbada, e olhe com amor para ela."

Ela fez isso. De repente seu amor fluiu para a mãe e com isso ela se livrou da compulsão de expiar. Você pode fazer algo semelhante com o seu pai. Pode imaginá-lo bêbado, colocar-se ao lado dele, de pé, sentada ou deitada, diante de sua mãe, e olhar com afeto para o pai.

GERTRUD: Quer dizer que minha mãe deve estar presente?

HELLINGER: Sim, na imagem. Pois trata-se de uma imagem.

GERTRUD: Sim, sim. Meu pai era sempre muito agressivo...

HELLINGER: Não, não. Isso eu não quero saber. Você tem a solução. Isso já basta plenamente. Quando temos a solução, já não precisamos de nenhum problema.

A intuição está conectada ao amor

HELLINGER (*para Gertrud*): A intuição só funciona quando estou direcionado para a solução, pois nesse caso estou também direcionado para o amor e o respeito. Então, não preciso mais de histórias sobre quem quer que seja. Mas no momento em que fico curioso, volto ao problema e quero saber mais sobre ele, a intuição falha. Ela está conectada ao respeito e ao amor.

O vício como tentativa de suicídio

HELLINGER: Um vício que envolve risco de vida como, por exemplo, tomar heroína ou outras drogas pesadas, pode ser uma tentativa disfarçada de suicídio. Freqüentemente ela segue esta dinâmica: "Eu sigo você" ou "Antes eu do que você"; algumas vezes, a dinâmica é: "Eu morro com você." Vou ilustrar isso com um exemplo:

Uma mulher viciada em heroína disse: "Minha mãe tem câncer e está morrendo." Então colocamos essa mulher e sua mãe de frente uma para a outra, a uma certa distância. Foi impressionante ver com que amor a filha olhava sua mãe. Ela lhe estendeu os braços e disse: "Eu vou junto com você." Ficou evidente que queria morrer com a mãe.

O movimento curativo em direção à mãe

UTE: Fiquei todo este tempo muito agitada com sua frase, que a reverência me tiraria do túmulo. No momento, sinto-me um pouco melhor, mas muito enfraquecida. Senti dores em toda a região da bacia e no peito, que agora diminuíram um pouco. A fantasia que eu tinha quando comecei a pensar em minha mãe — o que estou fazendo durante este tempo todo — era que...
HELLINGER: Não quero nenhuma descrição dos seus pais, pois não vai adiantar nada. Só é importante o que aconteceu.
UTE: Pela primeira vez, tive a idéia de que minha mãe talvez tivesse se suicidado, ou que pelo menos pensou nisso. É um pensamento novo para mim.
HELLINGER: Agora estamos no assunto.

Ute soluça.

UTE: Ainda mais porque sempre vivenciei de forma diferente.
HELLINGER: Está vendo como você a ama?
(*para o grupo*): Esta é a sensação de dor que se sente quando se entra em contato com o amor.
UTE: Isso exige uma força tremenda.
HELLINGER: Não, não diga nada. Esta é uma sensação boa e produz efeito por si mesma. Vou deixá-la com ela.

Ute se levanta e faz menção de sair da sala.

HELLINGER: Não, fique aqui. É muito melhor que você fique aqui. Conosco você fica bem melhor. Sente-se ao meu lado. Recoste-se em mim.

Ela soluça.

HELLINGER: Respire fundo e conserve a boca aberta. Abrace-me, com ambos os braços. Exatamente assim. Isso é melhor. Respire com força, mantendo a boca aberta, e expire profundamente. Como é que você chamava sua mãe quando pequena? "Mamãe"? "Mãezinha"?
UTE: "Mamãe".
HELLINGER: Diga: "Mamãe".
UTE: Mamãe! Mamãe!
HELLINGER: "Querida mamãe!"
UTE: Querida mamãe!

Hellinger a segura firmemente, até que ela pára de soluçar.

HELLINGER: Como se sente agora?
UTE: Sinto-me agradecida.
HELLINGER (*para o grupo*): Aqui agora um movimento interrompido chegou ao seu termo. Notam como é doloroso? Como é profundo? Como a pessoa o protege e o esconde em si, e como teme retomar esse movimento?

A solução para um movimento amoroso interrompido

Através dos pais
A pessoa que melhor pode conduzir a seu termo um movimento interrompido da criança é a mãe, porque em geral é a ela que tal movimento se dirige. Com crianças pequenas a mãe ainda consegue isso facilmente. Ela toma o filho nos braços, aperta-o amorosamente contra si e o mantém pelo tempo necessário, até que esse amor, que tinha se transformado em raiva e tristeza, flua de novo abertamente para ela, como amor e anelo, e a criança relaxe em seus braços.

Também um filho adulto pode ser ajudado pela mãe, se o mantiver em seus braços, a finalizar um movimento interrompido e a desfazer as conseqüências da interrupção. É necessário, entretanto, que o processo regrida à época em que ocorreu a interrupção do movimento. Ele deve ser retomado no ponto em que foi interrompido e ser levado ao seu alvo da época. Pois é a criança daquele tempo que está buscando aquela mãe e continua a buscá-la até hoje. Por isso, durante o abraço, tanto o filho quanto a mãe devem voltar a ser e a sentir-se como o filho e a mãe daquela época. A pergunta é apenas esta: como pode acontecer o que volta a unir pessoas separadas há tanto tempo?

Darei um exemplo: Uma mãe estava preocupada com sua filha adulta. Esta, porém, evitava a mãe, a quem raramente visitava. Eu disse à mãe que abraçasse de novo sua filha, como uma mãe acolhe uma criança triste. Não devia fazer coisa alguma, apenas deixar que essa boa imagem fizesse efeito na alma da filha, até que espontaneamente se completasse o movimento. Um ano depois, ela contou que a filha chegou em casa e aconchegou-se silenciosa e ternamente a ela, que a abraçou ternamente, por longo tempo. Então a filha se levantou e foi embora. Nem ela nem a mãe disseram coisa alguma.

Através de representantes dos pais

Quando a mãe ou o pai não estão disponíveis, podem ser substituídos por outras pessoas. Podem ser parentes ou educadores, quando se trata de crianças pequenas, e talvez um psicoterapeuta experimentado, no caso de um filho adulto. O ajudante ou terapeuta deve esperar pelo momento adequado. Ele se conecta intimamente à mãe ou ao pai da pessoa e age apenas como seu substituto, como se recebesse deles esse encargo. Ama no lugar dos pais, deixando que passe por ele e chegue aos pais o amor que o filho exteriormente lhes manifesta. Logo que o filho completa o encontro com os pais, o terapeuta silenciosamente se retira. Assim, apesar de toda a intimidade, preserva o distanciamento e fica interiormente livre.

A reverência profunda

Pode haver uma resistência ao movimento em direção aos pais quando se trata de um filho adulto que despreza ou censura seus pais por sentir-se ou desejar ser melhor do que eles, ou por querer deles coisas diferentes do que efetivamente recebe. Nesses casos, o movimento amoroso deve ser precedido por uma reverência profunda.

Essa reverência profunda é, em primeiro plano, um ato interior, mas é mais profundo e forte quando se faz de forma visível e audível. Isso acontece, por exemplo, quando num grupo experiente é feita a constelação da família de origem do filho. A "criança" se ajoelha diante dos representantes de seus pais, inclina-se até o chão diante deles, estende-lhes os braços, com as mãos abertas e voltadas para cima, e permanece nessa atitude até que esteja pronta a dizer a um deles ou a ambos: "Eu lhe(s) presto homenagem." Às vezes, pode acrescentar: "Sinto muito", ou: "Eu não sabia", ou: "Por favor, não fiquem zangados comigo", ou ainda: "Vocês me fizeram muita falta", ou simplesmente: "Por favor!" Só então o filho poderá levantar-se, mover-se amorosamente para eles, abraçá-los ternamente e dizer: "Querida mamãe", "querida mãezinha", "querido papai", "querido paizinho" ou simplesmente: "Mamãe", "Mãezinha", "Papai", "Paizinho", ou outra expressão que tenha usado com seus pais.

É importante que os representantes dos pais se conservem em silêncio durante todo o processo e sobretudo que não vão ao encontro do filho quando este se inclinar diante deles, mas recebam a homenagem em lugar dos pais, até que o respeito seja expresso de forma suficiente e o fator de separação seja dissolvido. Só no momento do abraço é que eles devem também ir, com o seu abraço, ao encontro do filho.

O coordenador do grupo conduz o processo. Ele decide se o movimento em direção aos pais é indicado ou se deve ser precedido por uma reverência profunda. Ele antecipa à "criança" as palavras que deve dizer durante a inclinação ou o abraço. Fica atento também aos sinais de resistência e ajuda a superá-la, por exemplo, solicitando à "criança" que respire profundamente, abra levemente a boca e deixe a cabeça pender para a frente.

Incluem-se entre as resistências todos os sentimentos debilitantes, tais como lamentações ou sons indistintos acompanhando a respiração. O coordenador do grupo incentiva a "criança" a resistir, a entrar em contato com a própria força e a respirar sem sons. Tudo o que enfraquece só serve para repetir a interrupção, em vez de curá-la. Às vezes, o coordenador do grupo coloca a mão entre as escápulas da "criança", para dar-lhe segurança e apoiar suavemente os movimentos. Eventualmente interrompe o processo, caso esteja faltando a plena disposição para a homenagem, ou então o interrompe após a reverência e não deixa que prossiga, como é o caso quando uma "criança" cometeu alguma ação má contra seus pais e lhes deve uma reparação.

Quando numa constelação familiar não se puder exigir do interessado que faça pessoalmente a reverência e o movimento em direção aos pais, o seu representante na constelação familiar poderá representá-lo também nesses atos, dizendo e fazendo, em seu lugar, o que for necessário. Isso pode, em alguns casos, produzir um efeito ainda maior do que a ação pessoal do interessado.

O movimento amoroso para além dos pais
O movimento em direção a nossos pais e a reverência diante deles são bem-sucedidos quando, ao mesmo tempo, vão além dos pais. Experimentamos esses atos, quando bem-sucedidos, como uma aceitação de nossa própria origem e de suas conseqüências e como uma realização muito profunda de nosso destino. Quando o movimento amoroso e a reverência são bem-sucedidos, neste sentido pleno, o filho pode ficar de cabeça erguida e com dignidade, ao lado de seus pais e no mesmo nível que eles — nem mais alto, nem mais baixo.

Segundo Dia

O papel de vítima como vingança

HARTMUT: Você disse ontem, num comentário: "A fidelidade perturba a vida."
HELLINGER: Não me lembro disso. Mas, para evitar generalizações apressadas de minhas frases, vou lhe dizer mais uma: "A prática incomoda a teoria."

Risadas no grupo.

HARTMUT: Não estou achando graça nenhuma, pois o dia terminou para mim depois que falei da chantagem que sofri ou pude ter sofrido, pelas ameaças de suicídio de minha primeira mulher, e você comentou que aqui o "bom" e o "mau" são freqüentemente o inverso do que se supõe. Assim, talvez fosse eu que deveria ter-me suicidado. Esse pensamento bateu em mim como uma incrível novidade. Refleti a respeito, mas não cheguei a nenhuma conclusão. De qualquer maneira, jamais brinquei conscientemente com a idéia do suicídio; pelo contrário, ele sempre me chocou em outras pessoas.
HELLINGER: Aliás, se choca você, é a mesma coisa.
HARTMUT: Está ficando claro para mim. Mas lembrei-me de que, após o divórcio com minha primeira mulher, tive, durante uns três anos, terríveis pesadelos em que me suicidava de todas as maneiras. Mas tudo isso vinha apenas em sonhos e nunca foi realmente aceito. Nos sonhos aparecia sempre minha segunda filha, com quem tenho uma relação muito íntima.
HELLINGER: De qualquer maneira, você entrou em contato com isso e agora pode enxergar de olhos abertos. Em sua constelação ficou claro que você foi escolhido para vítima. Os que estudam teologia entre os católicos... — você é católico ou evangélico?
HARTMUT: Evangélico, mas com restrições.
HELLINGER: Entre os católicos isso é mais acentuado do que entre os evangélicos. E os estudantes de teologia são geralmente escolhidos para vítimas, sobretudo quando também se destinam ao ministério religioso. São ecos do sacrifício bíblico de crianças, pelo bem da família.
HARTMUT: O sacrifício do primogênito. Percebi ontem, com muita clareza, que assumi uma postura de vítima, muito difícil de se desfazer. Notei, igualmente, que tenho interpretado os acontecimentos de minha vida a partir do papel de vítima.
HELLINGER: Quero dizer-lhe uma coisa: o papel de vítima é a mais refinada forma de vingança.

Hartmut ri.

HELLINGER: Exatamente. Na luta pelo poder, quem vence são as vítimas. Mais alguma coisa, Hartmut?
HARTMUT: De qualquer maneira, agora posso dar-me mais algum tempo.

A promessa

SOPHIE: Gostaria ainda de dizer que conversei com meu marido esta noite e lhe contei tudo o que vivenciei e senti aqui. Foi uma conversa muito boa e ele me recomendou que eu me lembrasse de que ele é o meu marido.

A compensação

BRIGITTE: Ontem à noite, eu estava tão estressada como depois de uma semana inteira de um curso dado por mim.
HELLINGER: Isso acontece quando a gente somente quer observar.
BRIGITTE: Não consigo deixar de pensar em minha filha mais velha. Por protesto, e protesto contra mim, mudou-se para outra cidade. Por protesto, não quis começar nenhum curso superior. Por protesto, queria ter cinco filhos, pois tenho quatro. Acabou estudando Psicologia, mas agora não quer assumir nenhuma profissão. De minhas filhas, é a única com quem não me entendo e não me dou bem.
HELLINGER: Como você não quer trabalhar nada aqui, nada podemos fazer. — Agora vinguei-me.
BRIGITTE: Sim, é mesquinho. Naturalmente quero trabalhar isso.
HELLINGER: Ah, sim? Aqui?
BRIGITTE: Sim.
HELLINGER: Vou fazer isso, porém mais tarde.

Melhora surpreendente

GERTRUD: Na noite passada, pela primeira vez depois de muito tempo, minha mão não ficou dormente. Apesar de tudo, consegui pensar naquele homem com amor. E nesta manhã, realmente me surpreendi por não ter despertado.

Conciliador

ROBERT: Estou bem, muito bem, e sinto também a pequena Adelheid ao meu lado. É uma sensação maravilhosa. Reparo que também estou ficando mais conciliador para com minha mulher. Acho tão incrível essa conexão entre a falecida pequena Adelheid e meus sentimentos para com minha mulher!
HELLINGER: A lógica obedece a leis diferentes das que regem a alma ou a realidade. É pelos efeitos que você percebe o que é real.

ROBERT: Esse efeito ou resultado me surpreende, mas eu acho bom.
HELLINGER: Vou contar-lhe uma história, como advertência.
A cidade de Colônia passou, certa vez, por uma idade de ouro, você sabia? Naquele tempo, as pessoas iam dormir à noite e pela manhã o trabalho já estava realizado. Isso durou, até que alguém quis saber a razão... *

Na pista da dupla transferência

CLAUDIA: Estou começando a sentir um bate-boca interior. Ontem mesmo eu afirmava, com a maior tranqüilidade, que dificultei de todas as maneiras a vida do meu marido. Agora, contudo, começa a surgir em mim uma recriminação contra ele: "Mas ele também fez isto e aquilo..." Assim, as mágoas voltaram à tona.
HELLINGER: Isso é o que se chama o prolongamento de um processo.
CLAUDIA: Ontem não cheguei a esse ponto. Há pouco, quando eu vinha de carro, havia um engarrafamento no trânsito que me deixou muito irritada. Ocorreu-me então que na casa de meu pai havia uma série inteira de tias, irmãs mais velhas dele, que odiavam meu avô porque ele, com a má administração de seu negócio, impediu que se casassem. Tiveram de ficar trabalhando na roça e não puderam casar-se. Ele tornou muito pobre uma família muito rica.
HELLINGER: É justamente o direito dessas mulheres que você quer defender lutando contra o seu próprio marido, embora ele seja inocente de todo.

Constelação de Laura: Colocando em ordem uma dupla transferência

LAURA: Estou tremendamente indignada e não sei a razão disso.
HELLINGER: Indignada? Realmente furiosa?
LAURA: Sim. Você ri?
HELLINGER: Sim. Devo chorar? — Está bem, vamos colocar sua família.

---

* Referência ao conto popular dos anos mágicos. (N.T.)

Figura 1

Ma   Marido
Mu   **Mulher (=Laura)**
F   Filha

HELLINGER: Esta configuração indica a presença de um envolvimento sistêmico, pois não é possível imaginar um relacionamento como este entre marido e mulher, nem mesmo nas representações mais caóticas.
(*para Laura*): Ocorre-lhe alguma coisa?
LAURA: Tive muitas vezes a sensação de que alguém esconde alguma coisa. Estou na pista de um segredo, mas toda pergunta que faço é despachada com o maior desagrado. Entretanto, tenho uma terrível suspeita de que minha mãe está escondendo alguma coisa.
HELLINGER: Então o envolvimento provém da família dela.
LAURA: Meu avô materno só teve filhas, e eram sete. Isso decerto não lhe agradava. Queria um filho, e para ele era muito importante que todas as suas filhas tivessem filhos sem se casarem. Tinha a esperança de que uma delas traria ao mundo um filho que continuasse o seu nome. Todas elas se comportaram exatamente como ele tinha imaginado, com exceção de minha mãe. Ela se casou e foi a única que teve filhos homens. Todas as outras tiveram filhas.
HELLINGER: Quem é, então, que o seu marido teve de representar na sua constelação? — O avô. Se isso é certo, então você ainda está devendo muito ao marido.
(*para o grupo*): Quero acrescentar alguma coisa sobre o tema "Dinâmica da du-

pla transferência". Em primeiro lugar, pergunto: quais devem ter sido os sentimentos das filhas, em relação ao pai? — Estavam furiosas, e com razão. E quem recebeu esses sentimentos de indignação?
LAURA: Meu ex-marido.
HELLINGER: Exatamente. Você assume os sentimentos dessas filhas: esta é a transferência do sujeito, das tias para você. Porém, em lugar do avô, quem recebe esse sentimento é o seu ex-marido: essa é a transferência do objeto, do seu avô para o seu marido. Assim, você ainda tem uma grande dívida para com seu marido. Quando alguém sente que está com razão, realmente com razão, como você há pouco, então existe, na maioria dos casos, uma dupla transferência. Quando se trata do próprio direito, as pessoas não se empenham tanto, quanto com o direito alheio.
Vou fazer agora um exercício com você. Coloque todas essas tias e coloque-se também.

Figura 2

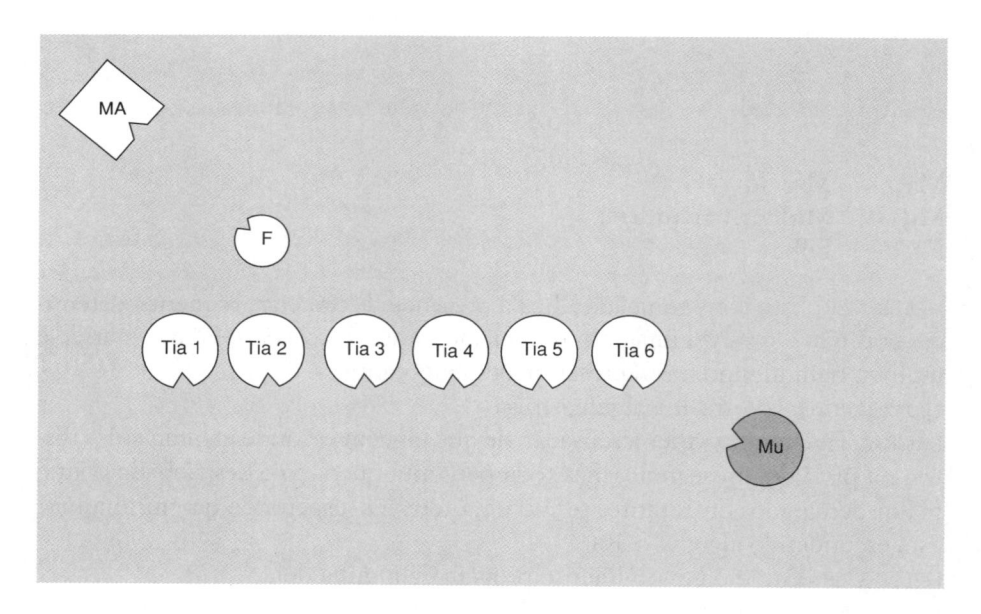

HELLINGER (*para Laura*): Agora, olhe amavelmente para cada tia e lhe diga: "Querida titia", como uma menina diz a uma tia querida.
LAURA: Mas eu não sinto afeição por elas.
HELLINGER: Então repita tantas vezes até que consiga senti-la.

Laura repete até que consegue fazê-lo melhor.

HELLINGER: Agora ajoelhe-se diante das tias, incline-se até o chão, estenda os braços com as mãos abertas para cima, e diga a elas: "Eu honro vocês."

Figura 3

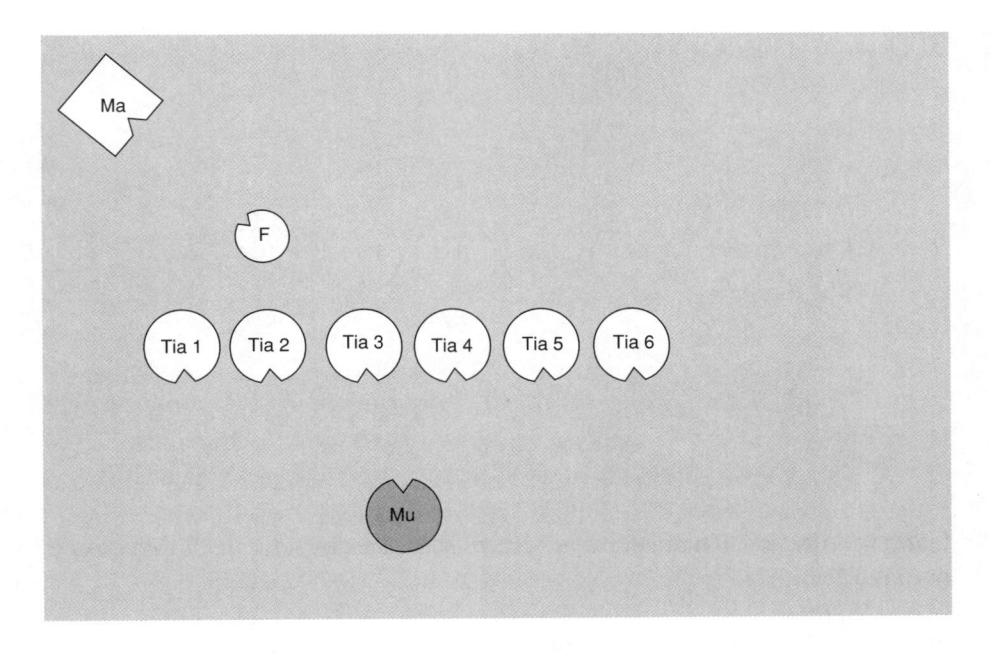

[Figura 3: diagrama com Ma no canto superior esquerdo, F no centro-superior, Tia 1 a Tia 6 em linha horizontal, e Mu abaixo]

LAURA: Eu honro vocês.
HELLINGER: "Queridas tias, eu honro vocês."
LAURA: Queridas tias, eu honro vocês.
HELLINGER (*depois de algum tempo*): Agora levante-se, vá para junto das tias e diga a cada uma delas: "Querida titia."
LAURA: Querida titia, querida titia...

Laura está muito emocionada. Somente agora fluem seu amor, sua dor e sua compaixão. Então Hellinger coloca o marido diante dela.

Figura 4

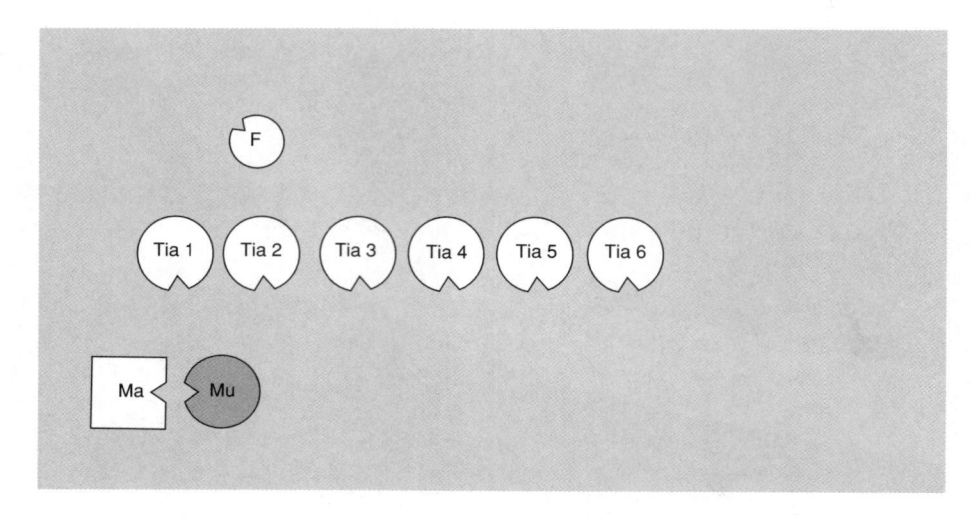

Laura se dirige ao seu marido, cai nos braços dele e lhe diz, soluçando: Perdoe-me, por favor!

HELLINGER: Diga apenas: "Sinto muito." Apenas isto: "Sinto muito."
LAURA: Sinto muito.
HELLINGER: Diga-lhe: "Eu não sabia."
LAURA: Eu não sabia.

HELLINGER (*quando Laura se acalma*): Agora coloque-se ao lado dele, e vou colocar também sua filha.

Figura 5

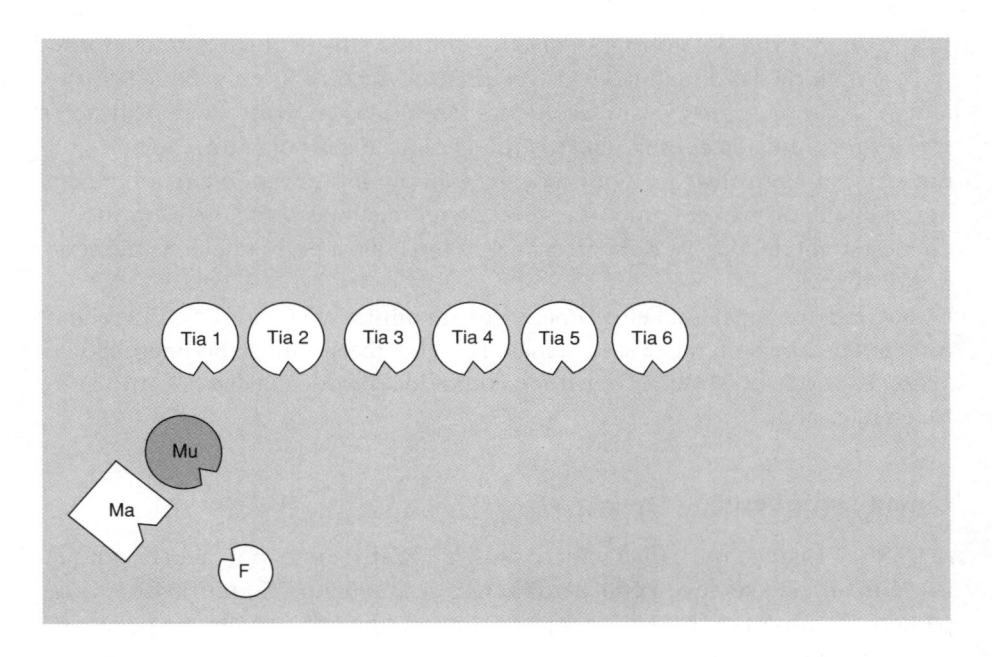

[Figura 5: diagrama mostrando em linha as representantes Tia 1, Tia 2, Tia 3, Tia 4, Tia 5, Tia 6; abaixo, Mu (mulher) ao lado de Ma (marido), e F (filha) próxima.]

HELLINGER: Como estão agora?

Todos estão bem.

HELLINGER: Muito bem, foi isso aí.

(*para o grupo*): Quero explicar mais em detalhe esse processo. No caso de uma dupla transferência, podemos observar que a pessoa em questão já não é ela mesma, pois está identificada com uma outra pessoa. A identificação significa que ela está alienada de si e se sente como se fosse a outra; não a vê, portanto, como uma pessoa autônoma, porque está identificada com ela. Por isso, foi necessário inicialmente colocar as tias diante de Laura. A identificação com elas não pôde ser mantida, principalmente quando ela lhes disse: "Eu honro vocês." Elas voltaram a ser suas tias e Laura voltou a ser somente ela mesma e mais ninguém. As tias voltaram a ser grandes e responsáveis pela própria dignidade e pelos próprios direitos. E Laura voltou a ser pequena e pôde amá-las como se fosse a criança de então.

REPRESENTANTE DE UMA TIA: Para mim foi importante sentir, como tia, como é bom receber a homenagem.

HELLINGER (*para o grupo*): Vocês viram a beleza da cena, quando as tias se postaram ali, em sua dignidade. Sem isso, sem a dignificação que precede o amor, o processo não funciona. Mesmo quando um filho encontra o caminho de volta para os pais, freqüentemente é preciso que antes lhes preste homenagem: por exemplo, quando os injustiçou ou desprezou. Só depois dessa preliminar é possível o encontro. Caso contrário, algo foi omitido e o encontro não tem força.

A maioria das dificuldades graves entre casais baseia-se na dupla transferência. Todos os esforços para resolvê-las são inúteis enquanto a identificação não for reconhecida e resolvida. Só então volta a existir uma relação boa e renovada. Na identificação, a pessoa vive num mundo estranho e fica também inacessível, pois não se comporta como ela mesma, mas como um estranho. E, do mesmo modo, não vê seu parceiro, mas uma outra pessoa nele. Então tudo fica distorcido.

LAURA: Estou estupefata. Pela primeira vez em minha vida, senti as costas quentes sem que ninguém me pusesse a mão. Isso eu jamais tinha experimentado.

REPRESENTANTE DO MARIDO: Senti-me comovido quando ela disse: "Sinto muito, eu não sabia."

É mau pedir perdão

HELLINGER (*para Laura*): Eu a impedi de dizer: "Perdoe-me, por favor!", porque isso é mau. Não se deve pedir perdão. Um ser humano não tem o direito de perdoar. Nenhum ser humano tem esse direito. Quando alguém me pede perdão, empurra para mim a responsabilidade por sua culpa. Da mesma forma, quando alguém se confessa, empurra para o outro as conseqüências de seu comportamento. Algumas pessoas se confessam ao psicoterapeuta. Ao permiti-lo, ele assume a responsabilidade e fica com ela. Pode entretanto resguardar-se, dizendo: "Não quero saber disso." No ato de perdoar existe sempre um desnível de cima para baixo, que impede uma relação de igualdade. Pelo contrário, se você diz: "Sinto muito", você se coloca de frente para o outro. Então você preserva sua dignidade, e para a outra pessoa é bem mais fácil ir ao seu encontro do que se você lhe pedir perdão.

LAURA: Isso eu pude perceber. Fez uma enorme diferença. Era a coisa certa para se dizer.

HELLINGER: Sua dor honra seu marido, e isso basta.

Conseqüências de abusos para os filhos

LAURA (*no dia seguinte*): Hoje senti vontade de dizer, com muito entusiasmo, como me sinto bem. Este sentimento durou uns dez minutos. Mas agora estou diante de uma coisa e preciso de seu conselho. Não entrei para a família de meu marido: foi ele que entrou para a minha. Depois do divórcio, reassumi

meu nome de solteira e o dei também à minha filha. No processo do divórcio, os pais dele se intrometeram com veemência e brigamos ferozmente. Em conseqüência, proibi à minha filha o contato com eles e agora tenho uma terrível impressão de que foi uma enorme burrice.
HELLINGER: Realmente foi, mas ainda pode ser consertada.
LAURA: Preciso acrescentar outra coisa. Nos últimos seis meses, minha filha também não teve mais nenhum contato com o pai, porque houve uma situação de abuso, e continuo sem confiança para deixar que ela o visite. Agora, porém, tenho a sensação de que ela precisa visitar os avós e que deve visitá-los em companhia do pai. Ainda ontem eu teria rido se alguém me sugerisse isso. Mas falta-me a confiança nele. De qualquer modo, eu já tinha a sensação de ter sacrificado minha filha. Sei como é isso — em nossa família, foi um jogo apreciado através de gerações — e eu não queria fazê-lo. Contudo, já não tenho essa sensação de segurança, de ter preservado a tempo minha filha. E também não tenho bastante confiança para dizer a ele: "Tome sua filha e vá com ela visitar os seus pais, ela também lhes pertence."
HELLINGER: Em relação ao abuso, você precisa dizer à sua filha: "Você fez algo por mim."
LAURA: Isto precisa ser dito diante dela?
HELLINGER: Sim. Você precisa dizer-lhe: "Você fez algo por mim e agora isso pode ser consertado." E pode dizer a ela: "As crianças são sempre inocentes." Então você assume a responsabilidade por isso, juntamente com o seu marido. E imediatamente a criança fica livre.
(Provavelmente, atua aqui ainda uma identificação com a avó, que deixou suas filhas sem proteção, entregues aos planos do avô.)

Constelação de Ute: Irmão deficiente e meio-irmão escondido, falecidos quando crianças

UTE: Desde que você me falou de túmulo, ficou claro para mim que minhas ligações com a morte são múltiplas e grandes...
HELLINGER: Não quero saber disso.
UTE: Também não quero voltar a falar disso. Apenas me veio uma idéia que surgiu ontem e que nunca me havia ocorrido antes. Além de meu irmão mais velho, tive um meio-irmão, um filho extraconjugal de meu pai. Meu irmão mais velho sofria de uma grave deficiência cerebral e morreu quando eu tinha seis meses de idade. Mas eu nunca havia pensado nesse meio-irmão, que também morreu cedo. Depois que você falou da importância de outras pessoas, ele me veio à mente pela primeira vez.
HELLINGER: Ele é o mais velho dos irmãos?
UTE: Não, fica no meio. Meu irmão é o mais velho, então vem o meio-irmão e em seguida eu, que sou a mais nova.

HELLINGER: E o que aconteceu com a mãe desse meio-irmão?
UTE: Dela não sei coisa alguma. Casou-se depois. Era a secretária de meu pai. Só sei que depois ficou bem. Apenas soube disso depois da morte de meu pai.
HELLINGER: Numa situação como esta, a ordem sistêmica é que o homem precisa separar-se da primeira mulher e casar-se com aquela de quem tem um filho. Esta teria sido a ordem. Como sua mãe manteve a precedência e seu pai permaneceu com ela, cometeu-se uma injustiça contra essa segunda mulher.
UTE: Minha mãe quis assumir a criança.
HELLINGER: Não, não, isso não pode ser! Ela não tem nenhum direito sobre ela.
UTE: Não, um direito ela não tinha.
HELLINGER: Coloque agora sua família de origem. Vamos ver isso.

Ute começa a colocar sua família de origem.

HELLINGER: Algum dos pais foi anteriormente casado ou noivo?
UTE: Sim, meu pai teve uma primeira mulher. Tudo isso eu vim a saber depois de sua morte.
HELLINGER: Houve filhos nesse casamento?
UTE: Não. Minha mãe também teve um relacionamento anterior, muito importante, com um homem 25 anos mais velho.
HELLINGER: Precisamos também desses dois.
HELLINGER: Algum dos pais incriminou a si próprio ou ao parceiro, por causa da lesão da criança?
UTE: Acredito que minha mãe. Por ocasião do parto, tinha tomado comprimidos dados pela parteira, provavelmente porque queria sossego. Acredito que se sentiu culpada por isso.
HELLINGER: O que dizem os médicos a respeito? É possível que o uso de tais comprimidos resulte em lesão cerebral?
UM MÉDICO: Se o nascimento foi retardado, é possível.

UTE: O bebê ficou entalado, totalmente entalado, mas ela negou isso mais tarde.

Figura 1

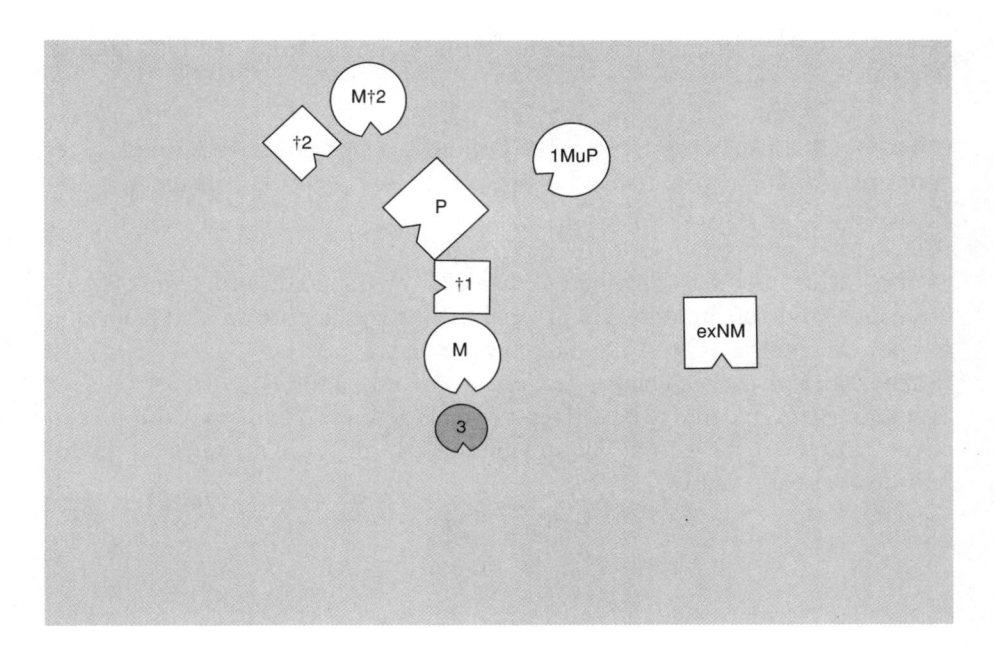

P   Pai
M   Mãe
†1   Primeiro filho, deficiente, prematuramente falecido
†2   Segundo filho (extraconjugal) do pai, falecido prematuramente
3   **Terceira filha (=Ute)**
M†2 Mãe do filho extraconjugal falecido
1MuP Primeira mulher do pai
exNM Ex-namorado da mãe

UTE: De repente, há tanta gente aí, e eu fui sempre tão só...
HELLINGER: Como está o pai?
PAI: Não me sinto bem, em absoluto. Estou irritado, mas esta é também uma situação atrapalhada. Minha sensação é de que não posso ir para a frente, nem para trás.
HELLINGER: Como se sente a mãe?
MÃE: Horrível. Totalmente horrível. Completamente horrível.
HELLINGER: Como está o falecido filho mais velho?
PRIMEIRO FILHO†: Bem. Sinto-me espaçoso, pesado e aquecido entre os dois. Não preciso de mais nada.

HELLINGER: Como está a mãe do filho extraconjugal?
MÃE DO SEGUNDO FILHO: Por algum tempo fui deixada só com meu filho. Muita responsabilidade.
HELLINGER: Como está o filho extraconjugal falecido?
SEGUNDO FILHO†: Imensamente triste. Tenho vontade de chorar. Não me sinto bem.
HELLINGER: Como está a primeira mulher do pai?
PRIMEIRA MULHER DO PAI: É estranho. Por um lado, preferia não ter nada a ver com isto, absolutamente nada. Por outro lado, se tivesse de participar, gostaria de ser avó de todo esse povo.
HELLINGER: Como está o ex-namorado da mãe?
EX-NAMORADO DA MÃE: Sinto muito calor no meu lado direito, como se estivesse recebendo ou fazendo carícias ternas. Sinto realmente uma atração, apenas por essa mulher. O resto não tem importância.
HELLINGER (*para a representante de Ute*): Como está a filha?
TERCEIRA FILHA: É como se eu estivesse partida ao meio. Na metade direita sinto calor, inclusive nas costas. A outra metade está gelada, e me sinto totalmente indefesa quanto a isto.

Hellinger coloca a primeira mulher do pai de frente para os demais.

Figura 2

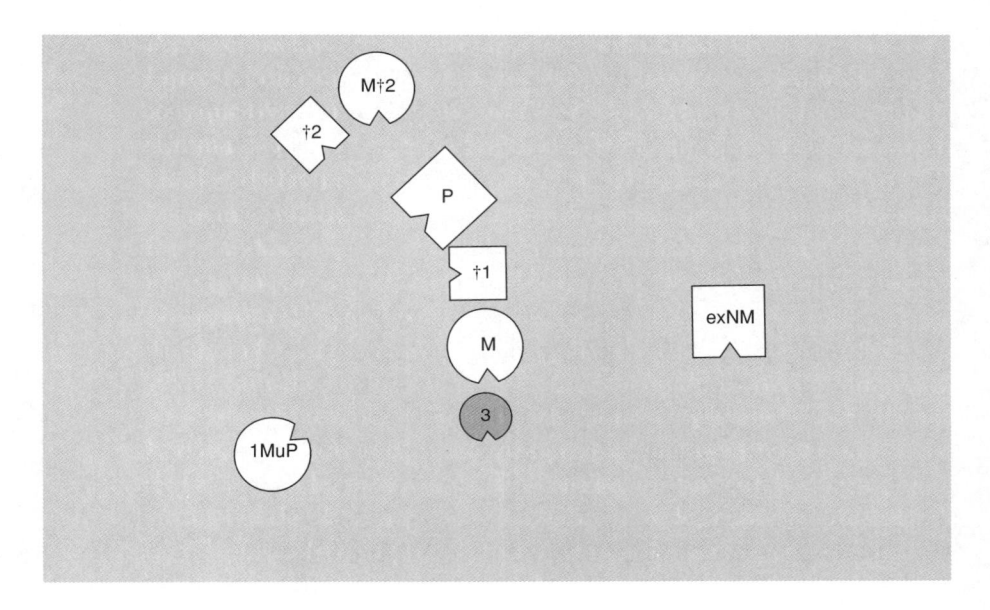

HELLINGER: Como está o pai agora?
PAI: Acho melhor agora, pois posso vê-la. Quando estava atrás de mim, não me sentia nada bem.
MÃE: Aqui melhorou muito, embora ainda não esteja bem.
TERCEIRA FILHA: Estou contente, pois agora tenho para quem olhar.
HELLINGER: Como está a primeira mulher?
PRIMEIRA MULHER DO PAI: Lá atrás senti frio e agora, por um momento, ficou aquecido. Começo a me interessar. Já existe uma ligação.

Hellinger coloca a mãe ao lado da primeira mulher do pai.

Figura 3

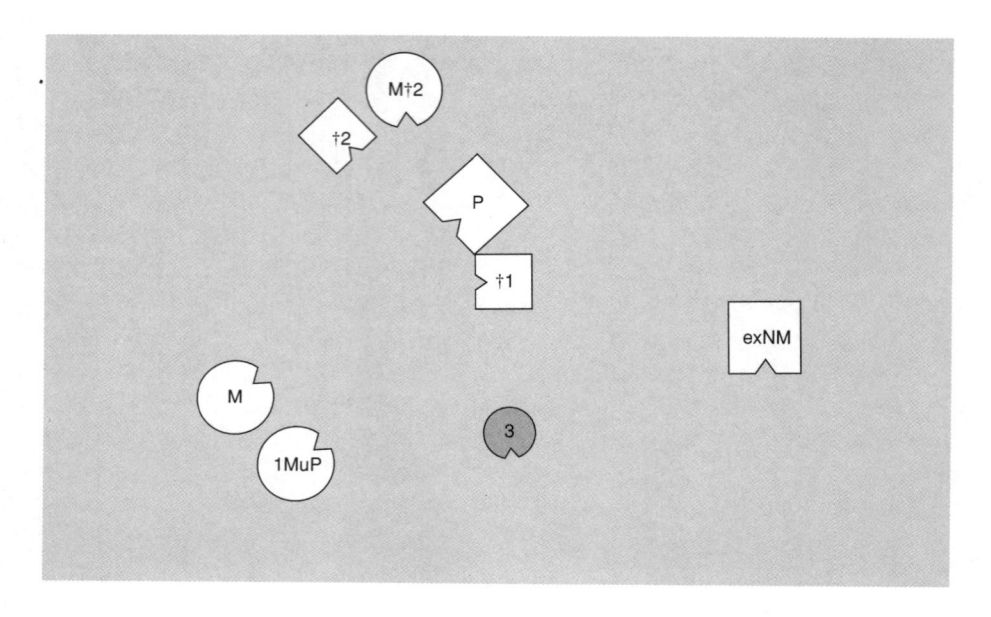

PAI: Isto é melhor. É realmente a primeira vez que minha mulher fica visível para mim. Antes eu pensava: o que pretende aquela mulher? Nada tenho contra ela, mas também nada a favor.
TERCEIRA FILHA: Posso respirar melhor.
PRIMEIRO FILHO†: Para mim, é indiferente.

Hellinger muda a imagem e faz com que o falecido filho mais velho se sente no chão diante de seus pais, com as costas apoiadas neles.

Figura 4

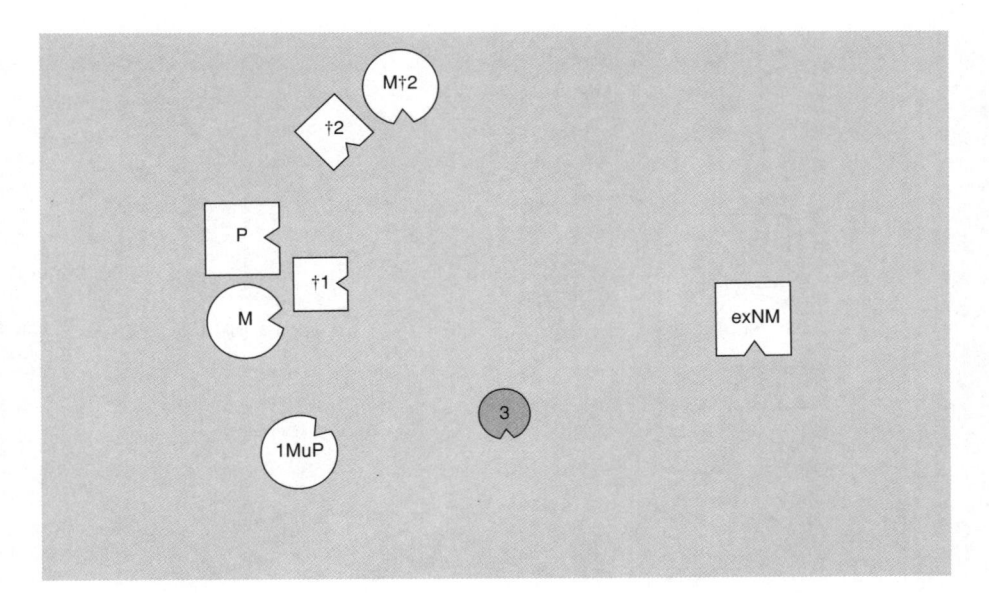

HELLINGER: Como é isto para o filho mais velho?
PRIMEIRO FILHO†: Conveniente.
HELLINGER: Como é isto para a mãe?
MÃE: Fico triste.

Hellinger coloca o falecido filho extraconjugal ao lado do pai e a filha ao lado de sua mãe.

Figura 5

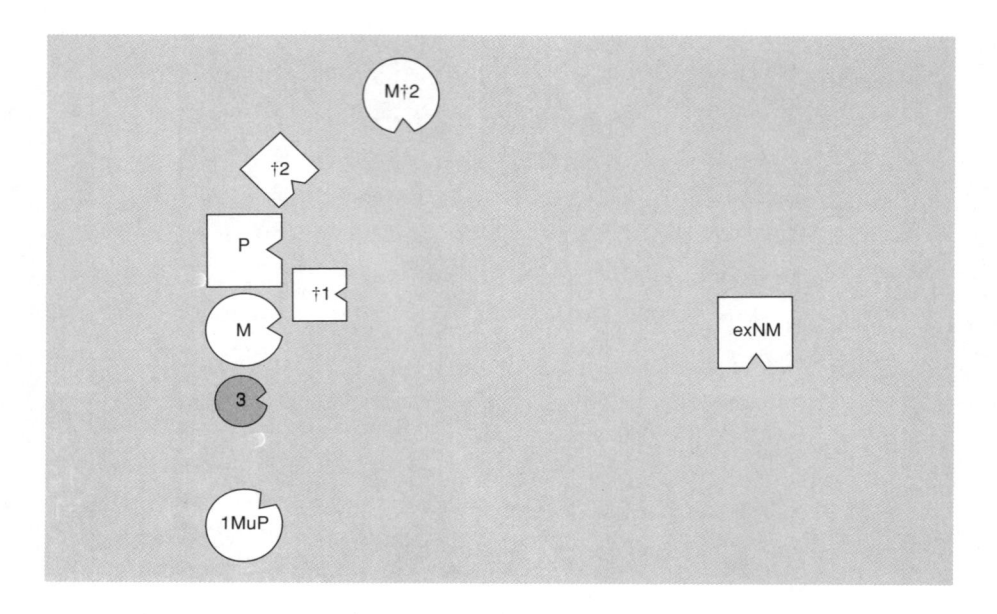

HELLINGER: Como está o pai agora?
PAI: Estranho. O fato de meu filho extraconjugal estar aqui a meu lado é antes opressivo para mim. Com o outro filho, aqui embaixo, está tudo em ordem. A ligação com minha mulher existe principalmente em função desse filho. Tenho uma simpatia por ela, mas também uma sensação de que algo não está certo com o relacionamento. Mas não sei o que é.
HELLINGER: Do ponto de vista sistêmico, ele se desfez.
HELLINGER (*para a representante de Ute*): Como está a filha?
TERCEIRA FILHA: Não estou bem.

Hellinger coloca a imagem que traz solução.

Figura 6

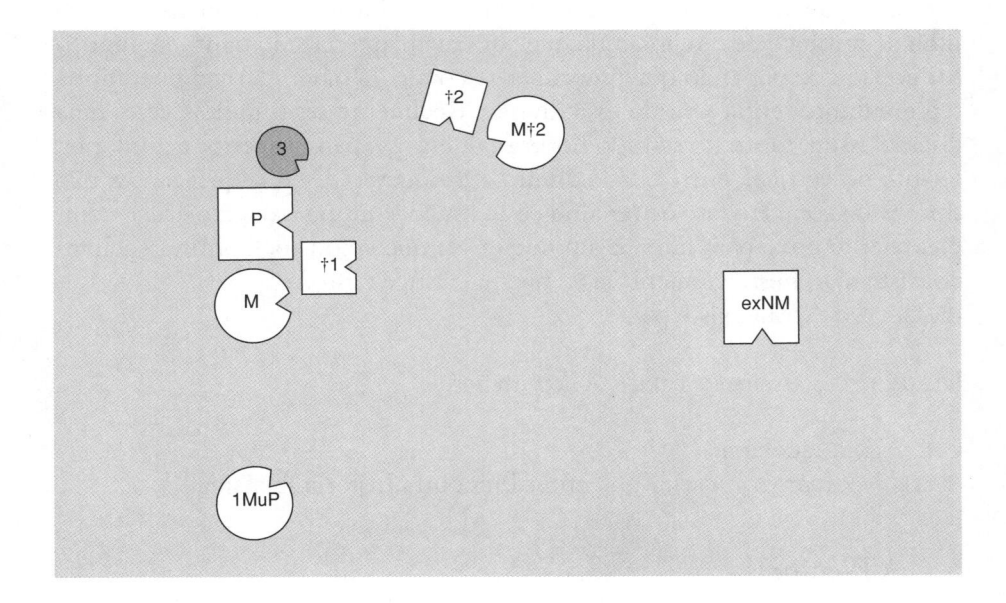

HELLINGER: Como está a filha aqui?
TERCEIRA FILHA: Melhor.
MÃE: Melhor, também.
HELLINGER: Como está o filho extraconjugal falecido?
SEGUNDO FILHO†: Estou contente por estar aqui de novo, ao lado de minha mãe. Ali, ao lado do pai, eu me sentia muito só.
TERCEIRA FILHA: Minha sensação de estar dividida desapareceu.
HELLINGER: Como está a mãe do filho extraconjugal?
MÃE DO SEGUNDO FILHO: Muito bem. Estava triste porque meu filho estava tão distante. Mas agora está melhor. Muito bom.
MÃE: Isto me deixa triste.
HELLINGER: Como está a primeira mulher do pai?
PRIMEIRA MULHER DO PAI: Não tenho mais nada a ver com isso.
HELLINGER: Os acontecimentos posteriores têm um tal impacto que a relação anterior já não tem importância.
HELLINGER (*para o ex-namorado da mãe*): Ainda tem alguma importância para você?
EX-NAMORADO DA MÃE: Sinto um calor agradável e, de vez em quando, fico observando, mas já passou.
HELLINGER (*para Ute*): Quer se colocar pessoalmente?

Ute se coloca em seu lugar e olha longamente para todos.

UTE: O que me faz bem aqui é que sinto ligações no lado direito e no lado esquerdo. E para mim é também muito bom ficar assim entre os homens. Fui uma filha de minha mãe. Acho ainda que para mamãe teria sido muito melhor ficar ao lado de papai do que preocupar-se comigo. Achei incrível que minha representante tenha sentido essa divisão. Realmente senti muitas vezes uma divisão assim, tanto no sentido horizontal, entre a parte superior e a inferior, quanto no vertical, entre o lado direito e o esquerdo. De qualquer modo, não sinto isso agora. E o fato de ter ainda este irmão à minha esquerda é algo completamente novo para mim. É a primeira vez que vejo isso. Continuo achando triste mas, neste momento, isso não me atinge tanto.
HELLINGER: Agora existe paz.

Ute acaricia suavemente o pai e os dois irmãos.

UTE: Agora está bem.
HELLINGER (*para o grupo*): Vou contar-lhes outra história. É assim:

A Plenitude

Um jovem perguntou a um ancião:
"O que distingue você,
que quase já foi,
de mim, que ainda serei?"

O ancião respondeu: "Eu fui mais."

De fato, o dia jovem que surge
parece ser mais do que o velho,
pois este já foi antes dele.

Todavia, embora ainda esteja nascendo,
o dia novo só poderá ser
o que o velho foi,
e tanto mais
quanto mais o outro tiver sido.

Como o outro fez, em seu tempo,
ele sobe verticalmente até o meio-dia,
atinge o zênite antes do pleno calor
e parece ficar um certo tempo no alto,

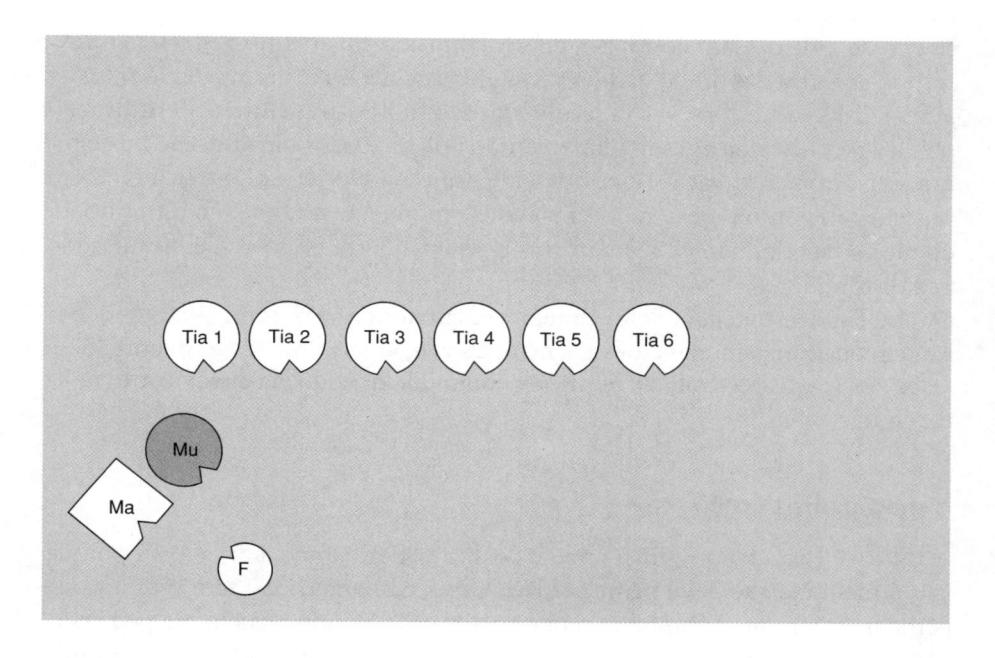

[Figura 5: Tia 1, Tia 2, Tia 3, Tia 4, Tia 5, Tia 6 em linha; abaixo Mu, Ma e F]

*até que — quanto mais tarde, melhor —
mergulha profundamente na tarde,
como que arrastado por seu peso crescente,
e se consumará quando,
como o velho,
tiver sido plenamente.*

*Entretanto, o que já foi não passou;
porque foi, permanece.
Embora tenha sido, ele atua
e se acresce através do novo
que o sucede.*

*Como a gota redonda
de uma nuvem que passou,
o que já foi mergulha
num oceano que permanece.*

*Somente o que nunca se realizou,
porque foi apenas sonhado, não vivido,
apenas pensado, mas não feito,
apenas idealizado, mas não pago
como preço pelo que foi escolhido:
somente isso passou;
disso, nada nos resta.*

*O Deus do momento oportuno
nos aparece, portanto, como um jovem
com uma franja na frente e uma careca atrás.
Pela frente, o seguramos pela franja.
Por trás, tateamos no vazio.*

*O jovem perguntou:
"Que devo fazer, para me tornar
o que você foi?"*

O velho respondeu: "Seja!"

HELLINGER: Está bem, Ute?
UTE: Essa história me disse algo importante.

Luta inútil

UTE: Estou bem. Fiquei mais desperta depois de configurar minha família de origem, mas não entendi algo que você disse anteriormente. Antes que eu começasse a colocar minha família, você me disse que não adiantava eu me defender contra a idéia de que a noiva de meu pai era meu modelo. Não entendi isso, embora tenha entendido a imagem.

HELLINGER: Isso basta. Há pessoas que pensam que basta negar uma coisa para que ela desapareça do mundo. O que eu quis dizer foi isso.

UTE: Sinto-me bem, desde que a noiva ficou à minha vista e ocupou o seu lugar.

HELLINGER: Há uma história bíblica sobre um certo Jacó. Ele lutou com um anjo à margem de um rio, durante toda a noite.

UTE: Não foi o anjo Gabriel?

HELLINGER: Não foi o anjo Gabriel. Seu nome é desconhecido. Falando com precisão, o anjo aqui é uma imagem de Deus. O anjo disse a Jacó: "Larga-me", e este lhe respondeu: "Não te largarei até que me abençoes." Só então puderam separar-se. De acordo?

O luto adotado enfraquece

ULLA: De algum tempo para cá, estou passando por uma fase de mudança, que está associada à tristeza. Depois dessa fase de alerta, eu estava sentindo hoje muito mais energia e cheguei aqui com muita força. Entretanto, na constelação de Ute, onde representei sua mãe, fiquei muito triste, pois era uma situação triste. Então usei isso para trabalhar minha tristeza mas, com isso, minha energia se perdeu. Agora ela voltou.

HELLINGER: Aqui acontece o mesmo que na adoção de culpa alheia. A tristeza própria, se é justificada, fortalece. Ela sempre tem muita força. Já a tristeza alheia não serve de nada. Quando alguém chora, os que choram junto se enfraquecem. Só quem chora com razão se fortalece com isso.

Resolver um problema soltando-o

FRANK: Quando representei o pai, na constelação de Ute, senti vertigens, e foi muito desagradável. Conheço essa sensação.

HELLINGER: Deixe isso totalmente com a pessoa que você representou. Isso é muito importante. Um dos princípios deste trabalho é que quem participa como representante, numa constelação, não deve relacionar a si mesmo coisa alguma do que ali vivencia. Mesmo que exista uma ligação, o cuidado pela própria alma proíbe o envolvimento com isso. Eu só trabalho essas sensações quando surgem espontaneamente, não neste contexto. Você precisa sair disso

completamente, senão as portas ficam abertas para a fantasia e a confusão. Este é um aviso importante.
FRANK: Portanto, você diz que também não devo referir isso a mim, mesmo se o sinto como uma ressonância?
HELLINGER: Não. De fato, tudo o que é profundamente humano encontra em cada um uma ressonância, e o que acontece aqui é sempre profundamente humano. Mas, quando você aplica isso a si mesmo de uma forma especial, você age como se tivesse vocação de esponja.
FRANK (ri): Muito obrigado.
HELLINGER: Não quero presumir isso de você. Digo-o apenas como um exemplo para advertência. Não se deve aplicar isso a si. É importante colocar limites.
FRANK: O que me mobiliza neste contexto é algo que me tem acontecido com freqüência nos últimos anos. Quando vou a um lugar qualquer, tenho um súbito acesso de vertigem, e a sensação de que preciso sentar-me. Isso me inquieta pois certamente não tem causa orgânica. Gostaria de saber o que é.
HELLINGER: Se aceita minha sugestão, eu deixaria que isso passe. Falando em "soltar", ocorreu-me uma frase. Ela ajuda muito, porque penetra na alma e talvez também ajude neste caso: "Soltar significa caminhar transformado."

Felicidade excessiva

FRANK: Não me saiu da cabeça a colocação de minha família de origem, ontem. Mas não fiquei pensando conscientemente nela, porque era demais para mim. Então me ocorreu, nesse contexto, que freqüentemente isso é demais para mim e que, por exemplo, busco refúgio na leitura.
HELLINGER: Isso pode ser também uma sobrecarga pela felicidade.
FRANK (ri): Isso, naturalmente, também é possível. O que sei é que, quando me sento num círculo como este — exceto hoje pela manhã — fico contando e recontando as pessoas presentes.
HELLINGER: Isso é bom. É uma boa forma de se distrair da felicidade. Sobre isto vou contar uma pequena história.

Um certo Nasrudin teve um sonho... Você já ouviu falar dele? Era um mulá, ou coisa parecida. Sonhou que alguém lhe pagava dez moedas de ouro, mas parou na nona. Então Nasrudin gritou: "Quero todas as dez!" e acordou. Mas fechou os olhos de novo e disse: "Nove já bastam."

Mais alguma coisa, Frank?

Divórcio e culpa

FRANK: Sim. Quando representei o pai na constelação de Ute, ocorreu-me que não sei exatamente como se sentem meus filhos em relação ao divórcio e à separação. Acho difícil conversar com eles a respeito.

HELLINGER: Isso não diz respeito a eles, em absoluto.
FRANK: Mas eu gostaria de saber como estão.
HELLINGER: Isso você pode perguntar-lhes, não porém especificamente a respeito do divórcio. Sobre esse assunto não precisa conversar com eles. O divórcio é coisa dos pais. Por isso, também não precisam justificar-se diante dos filhos pela separação.

    Há, porém, um outro ponto importante. Todo divórcio envolve culpa; ele é necessariamente vivenciado como culpa. Quando você pergunta aos filhos se estão bem, e intimamente espera que digam sim, está procurando descarregar-se de algo que não pertence a eles. Eles recebem então uma sobrecarga. Isso não pode ser.
FRANK: Essa não é também a minha intenção. Há algo mais que está me inquietando, mas não sei bem o que é.

Separações levianas são expiadas pelos filhos

HELLINGER: Existe outra coisa a se observar nas separações. Quando um dos parceiros se separa levianamente, como se dissesse: "Estou fazendo isso para a minha própria realização; o que diz respeito a vocês é assunto seu e nada tenho a ver com isso", então freqüentemente um filho se suicida. A separação leviana é vivenciada como um crime grave, pelo qual alguém tem de pagar.
FRANK: Pela leviandade.
HELLINGER: Pela leviandade. É preciso atentar para esse ponto. Neste caso, pode-se aliviar o filho, procurando o outro parceiro e resolvendo corretamente com ele o que ficou por resolver. E o modo correto exige que cada um assuma a sua parte de responsabilidade pelo que não deu certo e que os filhos saibam que os pais a assumem. Então nada haverá a ser expiado.
FRANK: Preciso ainda refletir sobre a expiação e o seu significado.

A expiação como compensação compulsiva

HELLINGER: A expiação é uma forma de compensação e, por sinal, uma compensação cega. Existe uma lei natural que busca sempre compensar um desequilíbrio. Essa lei atua igualmente na psique, onde também se busca sempre uma compensação. Assim, a expiação é uma tentativa de compensar alguma coisa instintivamente. Muitas vezes, ela funciona de um modo que escapa do controle do indivíduo. Há, porém, uma forma de libertar-se do contexto instintivo e de compensar de acordo com uma ordem superior, que chamo ordem do amor. Ela se encontra num nível superior e leva a compensar de uma forma que dispensa a expiação. Por causa disso, quando os pais concordam que a relação fracassou e cada um assume as conseqüências e a sua própria "culpa" — colocada entre aspas e não entendida no sentido da simples moralidade —, então cessa para os filhos a compulsão de expiar.

Culpa como negação da realidade

HELLINGER: Nesse contexto, a culpa nasce como negação da realidade, na medida em que a pessoa não quer reconhecê-la e se comporta como se não estivesse vinculada. Quando, embora vinculada, ela age como se estivesse livre, está negando a realidade, pois o vínculo é uma coisa real.

FRANK: Isso aconteceu comigo. Sei que neguei furiosamente que estava vinculado.

HELLINGER: E isso talvez ainda pode ser resgatado, como um processo interior: reconhecer que existe um vínculo com o parceiro divorciado e que tal reconhecimento é necessário para que possa haver um novo vínculo. Este terá, porém, uma outra qualidade.

GERTRUD: A idade dos filhos tem alguma importância num divórcio?

HELLINGER: Seguramente. Quando os filhos já saíram de casa, os pais são mais livres do que quando os filhos ainda moram com eles ou são pequenos. Isso é evidente.

THOMAS: Quem decide sobre a leviandade?

HELLINGER: Sobre isso ninguém pode decidir, pois é algo que se experimenta. Quando acontece, cada um sabe imediatamente se é leviano ou não. Em seu caso, houve leviandade.

THOMAS: Não.

Longa pausa.

HELLINGER: Está bem, não cabe a mim decidir a respeito. É a imagem que faço. Hölderlin escreveu um curto poema sobre os amantes, que na verdade é apenas um aforismo:

> "Quisemos a separação? Alegamos que isso era bom e sensato?
> Se agimos assim, por que nos horroriza, como se fosse um crime?
> Ah! Pouco nos conhecemos, pois em nós reina um Deus."

Seja como for que interpretemos esse aforismo, ele contém a experiência a que me refiro.

O vínculo que nasce da consumação do amor

Pela consumação do amor cria-se, entre o homem e a mulher, um vínculo real. Este, por seus efeitos, é ainda mais forte do que o vínculo real dos filhos aos pais. É absolutamente o mais forte dos vínculos. Separar-se dos pais não traz tanta dor e culpa quanto separar-se de um parceiro a quem se estava ligado. Isso se mostra pelos efeitos.

Muitas pessoas iniciam uma ligação como quem fica sócio de um clube, onde se pode entrar e sair à vontade. Mas isso não é assim. Quem entra, fica vinculado e não pode sair sem dor e sem culpa. Pelo tamanho da dor e pela culpa sentida percebe-se a força que o vínculo tinha ou ainda tem.

Na esfera de influência da mãe

IDA: Este assunto me toca bem de perto, e o trabalho com os irmãos que morreram prematuramente mobilizou algo em mim. Gostaria de esclarecer algumas coisas que me deixam confusa. Minha mãe sempre cuidou de nós. Foi ela que ganhou o dinheiro para a família e nos manteve. Por isso, não tenho imagens tão claras sobre os papéis da mulher e do homem.

HELLINGER: O que houve com o seu pai?

IDA: Meu pai sempre foi totalmente ligado à sua família de origem. Sempre esteve ou ainda está na prisão.

HELLINGER: Por causa de quê?

IDA: Por causa de suas posições políticas, mas esse não foi o verdadeiro motivo.

HELLINGER: Qual foi o motivo?

IDA: O motivo é que minha avó, mãe de meu pai, teve um filho com o marido de sua irmã, e essa criança foi assassinada.

HELLINGER: Por quem?

IDA: Provavelmente pela própria mãe. Minha avó deu à luz o filho. Uns dizem que ele morreu, mas corre a versão de que foi assassinado. E meu pai ficou envolvido nisso.

HELLINGER: Ele está expiando. Isso, porém, nada tem a ver com sua pergunta sobre os papéis do homem e da mulher. Para você, a solução é deixar que seu pai vá para a família dele e colocar-se, então, ao lado de sua mãe. Esse é o lugar seguro para você. Isso basta.

IDA: Sim. Ontem tive imagens claras, até mesmo desta mulher de carreira. As pessoas dizem que sou muito ambiciosa.

HELLINGER: Isso é bom. Você está imitando sua mãe.

IDA: Justamente. Isso é o certo. E não vem de meu pai.

HELLINGER: Muitas pessoas se alegrariam se tivessem um modelo como esse.

IDA: Sim. Minha confusão era esta. Pensei que ainda estava na esfera de influência de meu pai, e ligada a ele. Mas é na esfera de minha mãe que me encontro.

HELLINGER: É uma boa esfera.

Diversos modos de dar e tomar na família

IDA: Tenho ainda uma pergunta. Os filhos tomam dos pais. O que acontece quando recebo algo de minha irmã como se ela fosse a minha mãe? Receber isso dos pais é para mim natural. Mas como é receber da própria irmã?

HELLINGER: Os pais dão aos filhos aquilo que eles próprios são. A isso nada podem acrescentar, disso nada podem tirar. Por isso, os filhos só podem aceitar os pais como eles são. Ao que receberam dos pais nada podem acrescentar, do que receberam deles nada podem tirar. Isso é simplesmente assim. Tem uma qualidade totalmente diversa de quando presenteio a alguém o que tenho. Este é o primeiro ponto. Assim, cada um precisa tomar seus pais; quando aceita isso, ele os tem e está completo em si mesmo.

Por outro lado, os pais dão aos filhos algo mais, além da vida, pois cuidam deles por muitos anos e de muitas maneiras. Isso os filhos também tomam. A soma de tudo isso resulta num desnível tão grande entre pais e filhos que estes jamais poderão compensar e retribuir. Sob a pressão desse desnível eles se desprendem dos pais, pois não suportam essa situação. Assim, esse desnível leva os filhos a se soltarem dos pais. Então passam adiante o que receberam deles, aos próprios filhos ou a outras pessoas, pelo engajamento social. É esta então a compensação.

Entretanto, os pais também possuem algo que pertence somente a eles e não se relaciona com os filhos: por exemplo, alguma culpa, algum envolvimento pessoal, como no caso de seu pai, ou algum mérito pessoal. Isso um filho não pode nem deve tomar dos pais, pois não lhe diz respeito. Não deve assumir a culpa ou suas conseqüências, nem tampouco os méritos dos pais. Desses méritos, naturalmente, o filho recebe certas vantagens. Eles pertencem ao domínio do que os pais dão aos filhos por acréscimo. Mas o filho não pode proclamar-se um grande pintor, um grande político ou seja lá o que for, só porque o seu pai o foi. Nisso ele precisa impor-se limites. Esta é também uma forma de respeito para com os pais. Contudo, com o que recebe dos pais, o filho faz algo de novo — e nisso consiste seu mérito —, ou se torna culpado — e nisso reside sua culpa.

Existe ainda algo de comum entre os filhos e os pais, porque a família é também um empreendimento do qual todos participam e no qual cada um também tem seus deveres. Por isso, os filhos precisam também dar algo na família, de acordo com as eventuais necessidades. Portanto, os pais podem exigir que eles contribuam para o sucesso do todo. Nesse sentido, a sua irmã assumiu na família a tarefa de cuidar de você quando sua mãe faltou, e você também pôde e precisou receber dela. Contudo, quando os pais fazem aos filhos exigências que ultrapassam esses limites — por exemplo, que os consolem —, os filhos se tornam pais de seus pais, e estes, filhos de seus filhos. Isso é uma perversão do relacionamento entre pais e filhos. Quando pequenos os filhos não conseguem defender-se contra essa intenção dos pais. Com isso são vítimas de envolvimentos e sentem necessidade de arrogar-se algo pelo que mais tarde se castigarão, por exemplo, deixando-se ficar mal, fracassando ou sucumbindo. Só quando o filho se torna adulto e racional é que pode consertar isso, por exemplo, através de uma psicoterapia. Está claro para você?
IDA: Sim.

Feliz com o problema

WILHELM: Meu nome é Wilhelm. Sou casado com Ida e temos uma filhinha. De profissão, sou engenheiro. Temos uma empresa em comum, que fabrica instrumentos de medida para computadores. Atualmente trabalho de 12 a 14 horas por dia. Realmente não desejo isso mas me encontro numa situação em que julgo ter de agir dessa forma. Apesar de ser patrão de mim mesmo, não posso simplesmente deixar que as coisas fiquem como estão.
HELLINGER: Não é tão fácil assim. Existe uma orientação interna pelo que é certo. E quando se trata do certo, você não pode esquivar-se disso sem prejudicar-se. Diante do que é certo ninguém é livre. Se você tem responsabilidade em sua firma, você não é livre, embora ela lhe pertença.
WILHELM: Mas quando me tornei autônomo, minha intenção era organizar livremente meu trabalho.
HELLINGER: Isso foi um engano. Autônomos não são mais livres. Você tem obrigações na empresa, obrigações na família e obrigações consigo mesmo. A questão é a seguinte: como discernir quais as áreas mais importantes? Aí está a dificuldade...
WILHELM: Sem falar de que há muito tempo tenho muita coisa a fazer, penso que poderia dividir isso em partes menores...
HELLINGER: Agora você me impediu de dar a solução. Eu queria justamente dizê-la, mas você retornou imediatamente com o problema. Vejo que você está feliz com ele. Essa felicidade eu não posso perturbar.

Vítima substituta

WILHELM: Estou um tanto nervoso.

Suspira e está prestes a chorar.

HELLINGER: Olhe com simpatia para cá.
HELLINGER (*para o grupo*): Está ausente, estão notando? Quando alguém com um sentimento assim não pode olhar, está sentindo algo que nada tem a ver com o presente.
WILHELM: É isso mesmo.
HELLINGER: Exato. Se você me olhasse, mudaria imediatamente o seu sentimento.
(*para o grupo*): Ele não olha para cá, estão notando? E quando olha não me vê. Não consegue manter esse sentimento quando olha para cá.
WILHELM: Agora estou vendo você.
HELLINGER: Não, ainda não.
WILHELM: Sim, sim! (*Faz um movimento com a mão, como se quisesse dissipar uma névoa diante dos olhos.*)

HELLINGER (*para o grupo*): Ele continua não me vendo. Vocês percebem que ele não me vê? Continua sempre fechado, dentro de sua própria imagem.
(*para Wilhelm*): Ida, a seu lado, me vê, isso é fácil de perceber, mas você não está me vendo.
WILHELM: Na verdade, hoje cheguei aqui numa boa. Mas o que aconteceu na rodada desta manhã, a história de Hartmut... Ontem isso não me tocou tanto, mas hoje a palavra "vítima" me atingiu.

Longa pausa.

HELLINGER: Você é uma vítima?
WILHELM: Sim.
HELLINGER: Por quem ou por quê?
WILHELM: Creio que conheço a técnica de arranjar as coisas de maneira a ser a vítima.
HELLINGER: A vítima expia. O que se precisa saber é por quem ela expia: se é por outra pessoa do sistema ou por uma culpa própria. Você alguma vez teve alguma culpa própria? Alguém morreu por suas mãos, por exemplo, num acidente de trânsito?
WILHELM: Não. Mas meu pai é filho extraconjugal e meu avô era tabu. Jamais o conheci. Há pouco tempo, soube que ele também tinha uma família e que um filho dele, meu tio, se suicidou.
HELLINGER: Existe algo escondido em seu sistema. Vamos examinar isso.

Constelação de Wilhelm: O pai é filho extraconjugal e seu pai foi excluído

WILHELM: Quem devo pegar?
HELLINGER: Pai, mãe, filhos. Algum dos pais foi antes casado ou noivo, ou morreu algum filho?
WILHELM: Não.
HELLINGER: Falta mais alguém?
WILHELM: Como disse, meu avô paterno era o personagem tabu.
HELLINGER: Vamos aguardar ainda. Começaremos colocando o núcleo da família.

Quando Wilhelm começa a colocar a família, posiciona o seu representante inicialmente de frente para o pai, depois passa-o para o outro lado.

Figura 1

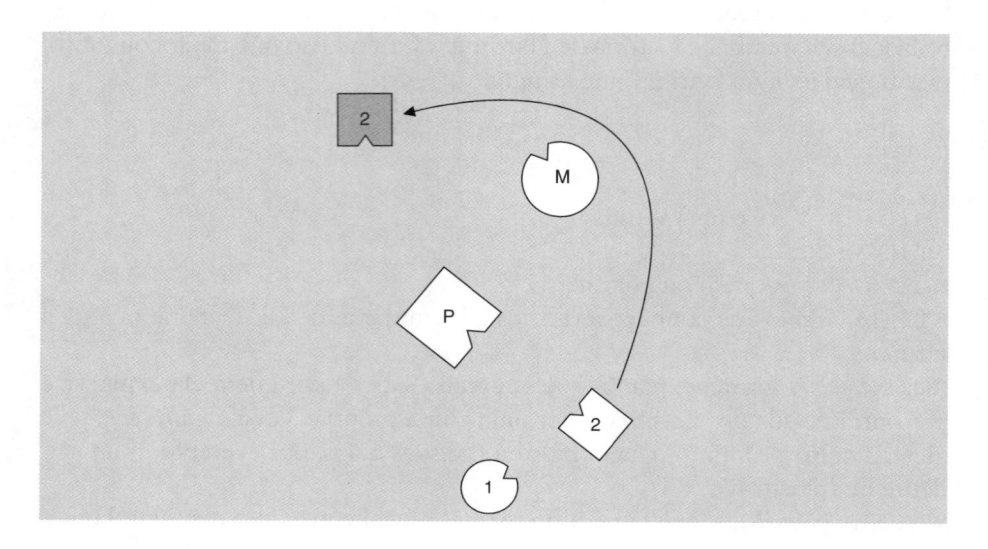

P	Pai
M	Mãe
1	Primeira filha
2	**Segundo filho (=Wilhelm)**

HELLINGER: Seus pais são divorciados?
WILHELM: Não, não se divorciaram.
HELLINGER: O que se passou na família de sua mãe? Houve algo de especial? Alguém morreu?
WILHELM: A primeira mulher de meu avô materno morreu ao dar à luz seu primeiro filho. O avô se casou de novo, não sei bem quando, e com a segunda mulher teve três filhas: minha mãe e duas tias.

HELLINGER: A primeira mulher de seu avô é a pessoa mais importante. Vamos colocá-la imediatamente.

Figura 2

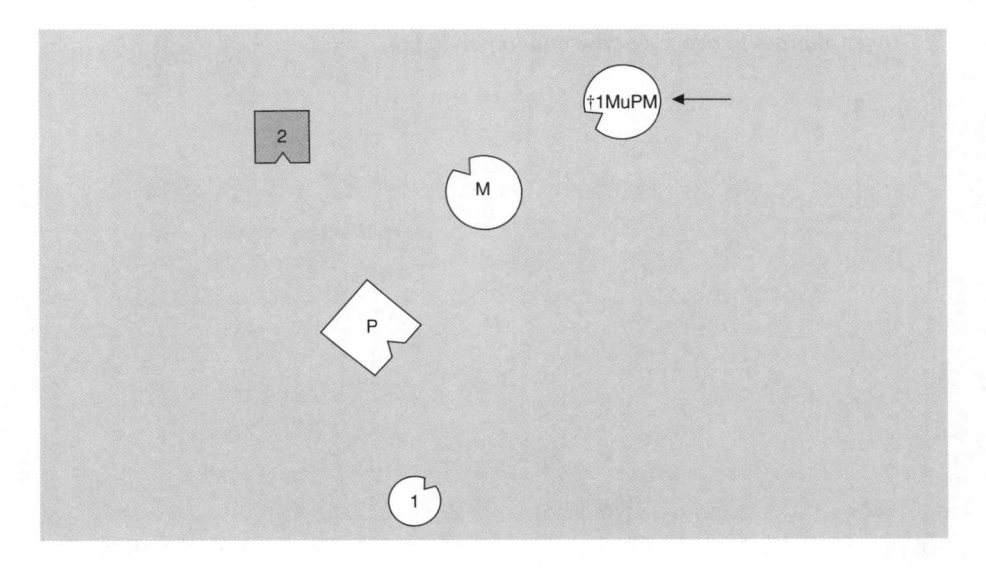

†1MuPM   Primeira mulher do pai da mãe, morreu no parto

HELLINGER: Como está o pai?
PAI: Meio perdido aqui.
HELLINGER (*para o grupo*): Se quiséssemos configurar uma família da maneira mais dispersa possível, não encontraríamos imagem mais significativa do que esta. — Como está a mãe?
MÃE: No início, senti-me como se estivesse morta.
HELLINGER: Isso é a identificação com a primeira mulher do avô.
MÃE: Ainda existe um pouco de ligação com meu marido aqui. E quando o filho foi colocado diante de mim, houve pelo menos um pouco de relação.
HELLINGER: Como está a filha?
PRIMEIRA FILHA: Nem bem nem mal.
HELLINGER (*ao representante de Wilhelm*): Como está o filho?
SEGUNDO FILHO: Antes de aparecer a primeira mulher de meu avô, eu me sentia quase sem vida, a ponto de não saber se realmente estava vivendo. Não sentia a menor relação com quem quer que seja. Desde que ela apareceu, senti um leve calor em sua direção.
PRIMEIRA MULHER DO PAI DA MÃE†: Tenho a sensação de que estou zangada e me agarro firmemente na mulher. Sou importante.

PAI: No início, quando eu estava aqui e o sistema estava se formando, meus lábios estavam muito quentes e eu quis ir para junto de minha mulher. Isso foi se perdendo aos poucos e agora já não há mais nada.

HELLINGER (*a Wilhelm*): Agora vou colocar também o pai de seu pai.

Hellinger altera a imagem e acrescenta o pai do pai.

Figura 3

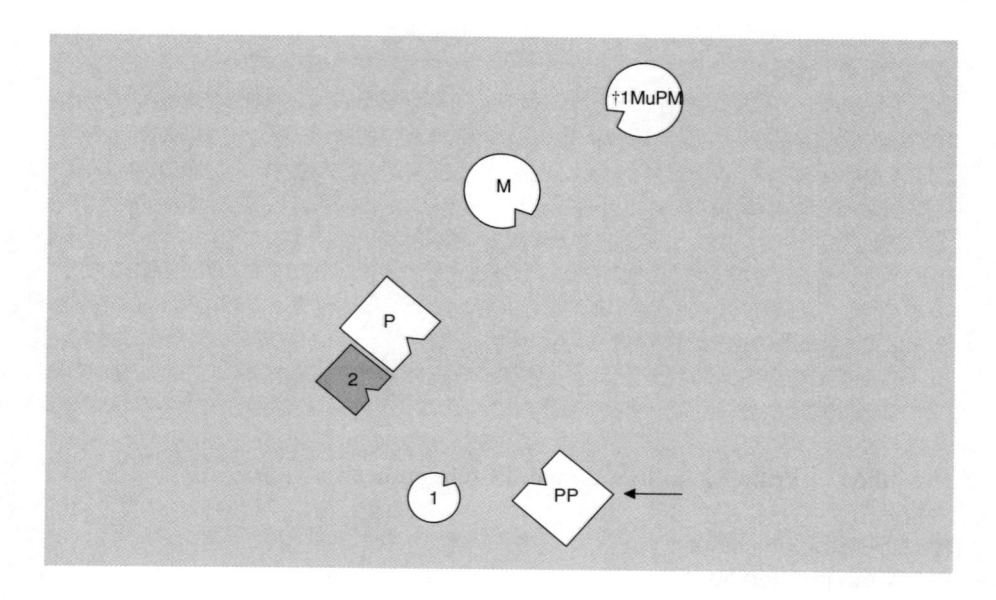

PP   Pai do pai

PAI: Agora ficou melhor. Agora existe algo arredondado.
HELLINGER: Exatamente.
HELLINGER (*à filha*): Algo mudou para você?
PRIMEIRA FILHA: Sim, ficou mais bonito.
HELLINGER: Como está a mãe?
MÃE: Ressuscitada dos mortos.
HELLINGER (*ao representante de Wilhelm*): Como está você?
SEGUNDO FILHO: Bem.
PRIMEIRA MULHER DO PAI DA MÃE†: Pensei o seguinte: ainda aceito que a mulher se vire, mas não admito nada além disso. (*Ri.*) Estou bem. Essa mulher é importante para mim, o resto não importa muito.
HELLINGER: Como está a mãe agora?
MÃE: Bem melhor do que antes, mas ainda muito distante e sozinha.

PAI: A distância para minha mulher é adequada. O importante é que ela agora está voltada para a direção certa.

PAI DO PAI: Gosto desses dois na minha frente, meu filho e meu neto, e acho bonito a minha neta à minha esquerda. Mas estou orientado principalmente para meu filho e meu neto.

SEGUNDO FILHO: Não preciso ficar tão perto do pai como agora. O avô é muito importante para mim. Quando ele apareceu, surgiu finalmente uma orientação.

HELLINGER (a Wilhelm): Ele é o bom modelo.

IDA (mulher de Wilhelm): Era negociante.

HELLINGER: Era negociante? Mais esta.

Risadas no grupo.

Figura 4

PAI: Antes havia mais calor. Agora tenho meu filho diante de mim, mas tenho de aceitar isso. Também perdi alguma coisa.

SEGUNDO FILHO: Senti novamente uma espécie de arrepio e tenho a sensação de que assim está bem. Está muito melhor do que junto do pai.

HELLINGER: Você está "parentificado", isto é, você representa o seu avô para o seu pai. Por esta razão, suas posições eram intercambiáveis.

HELLINGER (para a mãe): Algo mudou agora para você?

MÃE: Acho bonito poder agora contemplar meus filhos.

PAI: Não estou acostumado a ter minha mulher tão perto de mim. Mas posso aceitar isso.

Figura 5

PM   Pai da mãe
MM   Mãe da mãe

HELLINGER (*para os representantes*): Como vocês se sentem agora?
MÃE: Bem.
PAI: Bem. Completo. Agora está balanceado. E também consigo sentir-me bem com a mulher a meu lado. Antes havia algo perturbando.
SEGUNDO FILHO: É muito estranho ver os pais juntos, tão perto. Isso me parece inquietante.
PAI DO PAI: É bom que esteja claro este eixo na direção dos netos e que eu esteja sentindo e percebendo meu filho com muita nitidez. O que acontece do lado feminino não tem nada a ver comigo. Quando olhei para lá, senti medo.
HELLINGER: (*para Wilhelm*): Você quer colocar-se pessoalmente?
WILHELM: De bom grado.
HELLINGER (*para o grupo*): Quero dizer algo sobre a dinâmica que atua aqui. Quando uma mulher morre ao dar à luz, isso é vivenciado no sistema como se fosse um assassinato, que exige expiação. Geralmente precisa morrer um dos filhos que nascem depois, e nesse caso seria ele. Esta é a razão de seu sentimento de vítima. Ele estaria em perigo se essa mulher não fosse reverenciada.

(*para Wilhelm*): É muito mais seguro para você deslocar-se para o lado do pai, em vez de ficar do lado da mãe. Seu avô paterno puxa você para fora desse envolvimento nefasto e lhe dá segurança.
Bem, foi isso aí.

Parentificação: Quando filhos representam pais dos próprios pais

IDA: O que você entende por parentificação? Entendi bem esse termo?
HELLINGER: O pai de Wilhelm sente falta de seu próprio pai. Então o filho o substitui para ele, assumindo o papel de pai do seu pai, em vez de se comportar como filho. Isso se chama parentificação. Acontece com freqüência quando não foi possível a relação com um dos pais, como aconteceu com o pai de Wilhelm.

Expiação pela morte no parto

FRANK: Não é importante para ele a criança que nasceu quando morreu a mãe?
HELLINGER: Não, neste caso não, pois o outro fato, a mulher morta, é demasiado impactante.
GEORG: A não ser quando a criança morre.
HELLINGER: A não ser quando ela morre. Mas mesmo nesse caso ficaria em segundo plano, em relação à mãe morta.
(*para Wilhelm*): Essa criança morreu?
WILHELM: Não. É o meu tio materno mais velho.
FRANK (*para Wilhelm*): E como vai ele?
WILHELM: Vai bem.
FRANK: Acho incrível que quem se sente mal não seja ele, mas outra pessoa.
WILHELM: Sim, ele fez coisas loucas; não obstante, está bem e goza de boa saúde.
HELLINGER (*para o grupo*): Fazer coisas loucas significa, naturalmente, colocar-se em risco de vida. Assim fazem essas pessoas. Wilhelm nos revelou isso.
Num sistema como este, surge uma compulsão no sentido de que os homens e os filhos expiem pela morte da mulher. No fundo, atua uma fantasia louca, que é inimiga das mulheres e as desvaloriza. Parece estranho que essa fantasia esteja tão amplamente difundida em nossa cultura. Isso talvez se ligue ao fato de que, em nossa consciência, o ato de procriar é representado como algo quase indecente, embora seja, em termos absolutos, a máxima realização humana possível. Não existe nenhum ato humano maior do que esse ou que envolva mais riscos. Os pais sabem disso. Eles estão conscientes dos riscos, e o ato acontece tendo presente esse risco. Ambos têm o risco diante dos olhos, e isso faz com que o ato seja tão grande. Também a mulher encara o risco e o aceita. Quando acontece algo funesto, é pior para a mulher do que para o homem, pois ela perde a vida. Mas quando isso é interpretado como se o homem, por

ter agido pelo instinto, tivesse assassinado a mulher, sacrificando-a a seus instintos, comete-se uma injustiça contra a mulher e um atentado à sua dignidade, sem falar do atentado à dignidade do homem. Num caso como este, existe uma fantasia, largamente difundida, de que o homem assassinou a mulher. Contudo, nas constelações familiares, fica sempre claro que a mulher morta está plenamente consciente da sua própria dignidade. Ela não faz acusações contra o homem, mas contra aqueles que não a honram porque sentem medo diante da morte da mulher. Esse medo atua sobre muitas gerações e é expiado através delas, muitas vezes de uma forma totalmente estranha.

Vou dar um exemplo. Certa vez, um participante de um curso meu configurou sua família de origem: o pai, a mãe e três irmãos. Os três irmãos estavam muito inquietos, realmente nervosos. Após uma investigação minuciosa, descobrimos que a primeira mulher do bisavô tinha morrido num parto. Coloquei-a então atrás dos três irmãos e imediatamente todos ficaram tranqüilos. Os três eram homossexuais e um deles se suicidara. Isso revela também uma das dinâmicas responsáveis por destinos homossexuais: quando não há moças disponíveis, produz-se uma identificação com o sexo oposto. Em outras palavras, um rapaz precisa identificar-se com uma mulher e representá-la, tornando-se com isso homossexual. Muitas vezes, outras pessoas no sistema se suicidam, eventualmente até mesmo netos e bisnetos, para expiar a morte de uma mulher no parto.

(*para Wilhelm*): Por conseguinte, você precisa passar da esfera de influência da mãe e da família materna para a esfera do pai e do avô, o homem de negócios. Lá, você escapará do envolvimento com a família da mãe e do sentimento de ser uma vítima e de ter de expiar.

WILHELM: Mas foi só mais tarde que descobri que meu avô tinha um negócio.

HELLINGER: Sei apenas que um envolvimento sistêmico não decorre de uma comunicação verbal, mas que existe um conhecimento imediato sobre as suas causas. Se tal conhecimento imediato não existisse, não teríamos condições de representar isso.

FRANK: Tenho ainda uma pergunta a respeito da suposta culpa. Nesse caso, o descendente se identificaria, por um lado, com a mulher que morreu e, por outro, com a suposta culpa desse antepassado. Portanto, com duas pessoas.

HELLINGER: Não quero amarrar isso a uma pessoa ou a duas, pois vejo-o como uma unidade. A fantasia presente no sistema é a seguinte: na verdade, é o avô que deveria suicidar-se; como não o faz, um outro o faz em seu lugar. Entretanto, o homem cuja mulher morreu no parto, por ter melhor conhecimento, não tem esta fantasia; são os descendentes que a têm. Por trás disso atua ainda uma outra idéia: se uma pessoa se perde, uma outra pessoa também precisa perder-se, para compensar. Trata-se de uma primitiva e antiqüíssima idéia de compensação, que atua nas profundezas da alma. Essa necessidade arcaica pode ser substituída e superada por uma outra compensação, adequada a uma ordem do amor. Quando as pessoas que cederam seu lugar são conscientemente respeitadas e honradas, não se precisa fazer nada mais. Logo que se faz algo adicional, por exemplo, no intuito de expiar, isso anula o reconhecimento. O respeito é a única coisa que importa e tudo o mais é supérfluo. Por isso, cada um pode realizar isso imediatamente por si mesmo.

FRANK: Trata-se portanto apenas de reconhecimento?

HELLINGER: Correto.

KARL: Esta é a pergunta que eu já trazia anteriormente. Quando a pessoa que se sente como vítima presta essa homenagem, isso basta. Não precisa fazer com que outra pessoa o faça também.

HELLINGER: Para ele, basta que ele o faça. Deve portanto reconhecer que essa primeira mulher cedeu seu lugar à mãe de sua mãe e, portanto, também à sua mãe.

ANNE: É importante o lado em que a desgraça acontece, se materno ou paterno?

HELLINGER: Não, isso não importa. Não existe diferença.

(*para o grupo*): Sobre isso vou contar-lhes uma fábula, dessas que simultaneamente encobrem e revelam. Ela nos ilude com uma imagem enganosa, como se ajudasse a realização de desejos. Assim, talvez nos desvie para ações que não nos conduzem à felicidade desejada mas à infelicidade temida.

Onde essas imagens atuam, é útil contar esta fábula com sobriedade, para que também aqui os desejos conheçam limites e as ações arrogantes fracassem. Com isso, baixamos do céu para a terra e reconhecemos nossa medida.

O engano

Um velho rei estava para morrer. Preocupado com o futuro de seu reino, chamou seu servidor mais fiel, chamado João, confiou-lhe um segredo e pediu-lhe: "Cuide de meu filho, pois ainda é inexperiente, e sirva-o tão fielmente como a mim mesmo!"

O fiel João sentiu-se importante — pois era apenas um criado — e, sem pressentir nada de mau, ergueu a mão em juramento e disse: "Guardarei teu segredo e servirei fielmente a teu filho como a ti mesmo, mesmo que me custe a vida."

Depois que o rei morreu e terminou o ritual do luto, o fiel João conduziu o jovem rei através do castelo, abriu-lhe todas as salas e mostrou-lhe os tesouros do reino. Uma das portas, porém, ele passou adiante e quando o rei, impaciente, quis que também fosse aberta, João preveniu-o de que seu pai o tinha proibido de abri-la. Quando o rei, teimosamente, ameaçou arrombá-la com as próprias mãos, se fosse preciso, o fiel João cedeu, com o coração pesado. Abriu também essa porta mas antecipou-se rapidamente e postou-se diante de um quadro, para que o rei não o visse. Isso, porém, de nada adiantou. O rei o empurrou para o lado, olhou o quadro e desmaiou. Era um retrato da Princesa do Teto Dourado.

Quando o rei voltou a si, continuou fora de seu juízo e só pensava como poderia obter a mão daquela princesa. Mas cortejá-la abertamente seria excessivamente arriscado, pois soubera que o pai dela tinha recusado todos os pretendentes. Assim, ele e o fiel João tramaram um ardil.

Como tinham ouvido que o coração da Princesa do Teto Dourado era apegado a qualquer objeto de ouro, pegaram no tesouro real as jóias e os talheres de ouro, colocaram tudo num navio e navegaram pelo oceano até chegarem diante da cidade onde a princesa residia. Ali o fiel João tomou alguns objetos de ouro e clandestinamente os colocou à venda diante do castelo. Quando a princesa o soube, veio olhar todas as jóias. O fiel João contou-lhe que possuíam muitas mais no navio e persuadiu-a a embarcar nele, em sua companhia. O rei a recebeu, disfarçado em roupas de comerciante, e achou-a ainda muito mais bela em pessoa do que no retrato que vira. Levou-a ao interior do navio e mostrou-lhe os tesouros de ouro.

Nesse meio-tempo, as âncoras foram levantadas e as velas abertas e o navio singrou para o mar. A princesa notou isso e ficou perturbada. Mas percebeu a trama e, como ela vinha ao encontro de seus secretos desejos, entrou no jogo.

Quando já tinha examinado tudo, olhou para fora, viu o navio já longe do cais e pareceu assustada. Mas o rei tomou-a pela mão e disse: "Não tenhas medo! Não sou um comerciante mas um rei e amo-te tanto que te peço que sejas minha mulher." Ela o olhou e achou simpático, pegou o ouro e disse sim.

Entretanto, o fiel João, sentado ao timão, assobiava uma melodia, muito feliz pelo bom êxito de seu ardil. Nisto, três corvos chegaram voando, pousaram num mastro e começaram a conversar entre si.

O primeiro corvo disse: "O rei ainda está longe de ter a princesa. Pois logo que desembarcarem, galopará ao seu encontro um cavalo cor de fogo e ele o montará para cavalgar até o castelo. Porém o cavalo sumirá com ele e o rei jamais será visto de novo."

O segundo corvo disse: "A não ser que alguém se antecipe, pegue a arma que está em seu coldre e mate o cavalo."

E o terceiro corvo disse: "Mas se alguém souber e revelar, será transformado em pedra, do dedo do pé até o joelho."

O segundo corvo disse: "Mesmo que o primeiro caso acabe bem, o rei ainda não terá a princesa. Pois, quando ele chegar a seu castelo, um traje de festa estará preparado e o rei irá até lá para vesti-lo. Mas o traje o queimará até os ossos, como piche e enxofre." O terceiro corvo disse: "A não ser que alguém chegue antes dele, pegue o traje com luvas e o lance ao fogo."

E o primeiro corvo disse: "Mas se alguém souber e revelar, será transformado em pedra, do joelho até o coração."

O terceiro corvo disse: "E mesmo que o segundo caso acabe bem, o rei ainda não terá a princesa. Pois, quando a dança nupcial começar, a rainha ficará pálida e desabará no chão como morta. E, se alguém não acudir imediatamente, abrir seu corpete, tirar para fora seu seio direito e sugar dele três gotas de sangue e tornar a cuspi-las, ela morrerá."

E o segundo corvo disse: "Mas se alguém souber e revelar, será transformado em pedra, do coração até o topo da cabeça."

Então o fiel João percebeu que o assunto era grave. Fiel a seu juramento, propôs-se fazer tudo o que pudesse para salvar o rei e a rainha, mesmo que lhe custasse a vida.

Quando desembarcaram em terra, aconteceu exatamente como os corvos haviam predito. Um cavalo cor de fogo aproximou-se a galope. Antes que o rei pudesse montá-lo, o fiel João se adiantou, pegou a espingarda e matou o cavalo. Então os outros criados disseram: "Como ele se atreve? O rei queria cavalgar o belo cavalo até o castelo, mas ele o matou. Não se pode tolerar isto!" Mas o rei disse: "Ele é meu fiel João. Quem sabe qual foi o proveito disso."

Quando chegaram ao castelo, lá estava o traje festivo e, antes que o rei pudesse aproximar-se e vesti-lo, o fiel João o pegou com luvas e atirou ao fogo. Então os outros criados disseram: "Como se atreve ele! Agora o rei queria vestir o belo traje para as núpcias, mas ele o atirou ao fogo diante de seus olhos. Isso não se pode tolerar!" Mas o rei disse: "Ele é meu fiel João. Quem sabe qual foi o proveito disso."

Então foi celebrado o casamento. Quando começou a dança das núpcias, a rainha ficou pálida e desabou no chão, como morta. Mas o fiel João apareceu imediatamente ao seu lado e, antes que o rei ousasse fazer qualquer coisa, abriu o corpete da rainha, tirou para fora seu seio direito, sugou dele três gotas de sangue e as cuspiu. Então abriram-se os olhos da princesa e ela ficou curada.

O rei, porém, ficou envergonhado. Ao ouvir os criados censurarem que desta vez era realmente demais e, se o rei deixasse passar mais essa, perderia sua reputação, convocou o tribunal e condenou seu criado à morte.

O fiel João, porém, quando era conduzido ao cadafalso, ponderou consigo mesmo se deveria revelar o que os corvos tinham contado. Pois de qualquer maneira iria morrer: se não o revelasse, morreria na forca; se revelasse, se converteria em pedra. Mas então resolveu revelar, pois disse a si mesmo: "Talvez a verdade os liberte."

Quando foi colocado diante de seu carrasco e, como é de praxe, o deixaram dizer algumas palavras, ele contou, diante de todo o povo, por que tinha feito o que parecia tão mau. Logo que terminou, caiu e foi transformado numa pedra. Assim morreu.

Todo o povo gritou de dor e o rei e a rainha voltaram para o castelo e se retiraram para seus aposentos. Lá a rainha olhou para o rei e disse: "Também ouvi os corvos mas nada disse, por medo de me transformar em pedra." O rei, *porém, colocou-lhe um dedo diante da boca e lhe sussurrou: "Eu também os ouvi!"*

Este ainda não é o fim da história. O rei não ousou enterrar o fiel João transformado em pedra, e assim o colocou, como um monumento, diante de seu castelo. Quando passava diante dele, suspirava e dizia: "Ah, meu fiel João!" Mas logo se ocupou com outros pensamentos, pois a rainha engravidou e no ano seguinte deu à luz gêmeos, dois lindos meninos.

Quando os dois meninos tinham três anos, o rei não encontrava paz e disse à sua mulher: "Temos de fazer alguma coisa para ressuscitar o fiel João. Conseguiremos isso se sacrificarmos a coisa mais querida que temos." Então a rainha se assustou e disse: "Mas o mais querido são nossos filhos!" — "Sim", disse o rei.

Na manhã seguinte tomou uma espada, cortou as cabeças de seus filhos e derramou o sangue deles sobre o monumento do fiel João, na esperança de que ele ressuscitasse. Mas ele continuou transformado em pedra.

Então a rainha soltou um grito e disse: "Isto é o fim!" Retirou-se para seus aposentos, juntou suas coisas e foi-se embora para sua terra. O rei, porém, dirigiu-se ao túmulo de sua mãe e lá chorou por muito tempo.

Quem agora for tentado a reler esta história tal como nos foi transmitida, encontrará nela, se a ler com atenção, o mesmo que ouviu aqui. Mas, caso tema a visão nua e crua de sua própria verdade, lá encontrará ao mesmo tempo a fábula propriamente dita que transforma para ele o terrível em algo ainda suportável ao adicionar-lhe algo de belo, conjurando com uma ilusória esperança o seu medo de que o céu esteja vazio.

Pai e filho

WOLFGANG: Aproveitando logo o estímulo que recebi de você, conversei com meu filho ontem à noite. Não foi difícil, em absoluto. Ele apenas disse: "Como psicólogo, você mesmo deveria saber isso." Eu respondi: "Às vezes, também preciso de um pequeno empurrão." À noite conversamos mais um pouco e então ele ponderou: "Talvez eu ainda vá estudar Psicologia." Minha mulher comentou: "Então você precisa tirar boas notas", e eu disse: "Se ele estiver interessado, também vai tirar boas notas."

HELLINGER: Foi bom, em termos psicológicos. Quero contar-lhe ainda um exemplo a respeito. Durante um seminário, um participante de um grupo contou: "Meu filho não me respeita." Eu lhe disse: "Isso você pode resolver com muita facilidade. Quando ele se comportar assim de novo, dê um murro na mesa e lhe diga: 'Ouça, meu filho: eu sou seu pai e você é meu filho'. Naquela tarde ele voltou para casa, pois morava perto dali. No dia seguinte voltou ao grupo e disse: "Tive com meu filho uma conversa como nunca tive antes. Não precisei bater na mesa." Mas ele tinha mudado interiormente e isso fez com que algo fluísse entre eles.

Avô desconhecido

WOLFGANG: Estou às voltas com outra coisa que não consigo compreender. Minha mãe é filha extraconjugal e uma vez lhe perguntei o que aconteceu com seu pai. Ela não queria contar nada a respeito, mas depois me disse, a muito custo: "Ele morreu cedo." Quando pensei nisso, ocorreu-me que ela disse que seu pai se casou depois e que o filho mais novo desse casamento morreu na guerra, com dezoito anos.
HELLINGER: Importante para você é o avô. Você deve dar-lhe espaço em seu coração.
WOLFGANG: Não tenho acesso a ele.
HELLINGER: Isso você tem. Já ouviu falar de um certo Konrad Lorenz, o terapeuta comportamental? Ele tinha um cão chamado Stasi e ficou muito sentido quando o cão morreu sem deixar prole. E disse a si mesmo que isso não voltaria a acontecer. Em seguida teve outro cão, que chamou de Tito. Dele providenciou logo uma cria e desta, mais outra. Certo dia, vendo o cãozinho brincar em sua frente, ele pensou: "É igualzinho ao Tito!" Mas logo sentiu um estalo na cabeça: "Isto não está certo. Ele *é* o Tito!".
WOLFGANG: Isso me parece um tanto exagerado.
HELLINGER: É tão difícil assim? Um filho sempre conhece seus pais, mesmo que nunca os tenha visto. Ele é os seus pais e os seus avós.

Prestar reconhecimento à mãe

WOLFGANG: Creio que já estou percebendo a importância que tem para mim prestar reconhecimento. Com respeito a meu pai, consigo isso relativamente bem; começo a conseguir. Mas noto que o mesmo não acontece em relação à minha mãe e que procedo indignamente para com ela.
HELLINGER (*para o grupo*): Descrevendo a coisa, ele a tornou difícil para si mesmo. Poderia ter começado imediatamente a fazê-la, em vez de falar de sua dificuldade.
(*para Wolfgang*): Já repeti algumas vezes a frase mágica que é preciso dizer e que ajuda nesse caso. Você se lembra dela?

Wolfgang sacode a cabeça.

HELLINGER: Para você, vou repeti-la mais uma vez. É assim: "Eu lhe presto homenagem." Nada o impede de entrar na vibração desta frase até que ela faça efeito.

Ciúme transferido

DAGMAR: Chamo-me Dagmar. Sou psicoterapeuta e tenho uma clínica particular. Há dez anos vivo com Frank. O que busco aqui para mim é algo profissional e pessoal. Em termos profissionais, tenho trabalhado com entusiasmo em reconstruções familiares. Mas esse método é muito exaustivo e dura muitas horas. Acho que seria bom aprender um método que permita limitar-se e agir de modo rápido e conciso. Neste assunto espero lucrar com você. Em termos pessoais, não consigo suportar quando alguém me ignora.

HELLINGER: Isso é um sentimento que você adotou de outra pessoa. A pergunta é a seguinte: esse sentimento foi adotado de quem e se refere a quem?

DAGMAR: Ainda ontem eu me ajoelhei diante de minha árvore genealógica de cinco gerações, que pintei com muito amor para minha formação em terapia familiar, e nela fiquei totalmente aprisionada. Marquei alguns lugares mas, a cada vez, voltava a ouvir você dizendo: "Não é isso", o que, naquele momento, parecia vir acompanhado de uma incrível severidade e desdém. Sou muito afeiçoada à minha avó materna. Ela demorou quinze anos para se resolver a casar, deixando uma vida confortável e segura para fazer companhia ao marido numa granja extremamente pobre. Seu marido logo faleceu e ela ficou administrando sozinha a granja.

HELLINGER: Sua avó tinha sido casada antes?

DAGMAR: Não. Aos quinze anos ela se empregou numa casa de família, onde o futuro marido já trabalhava como cocheiro. Eles namoraram quinze anos antes de casar.

HELLINGER: Quem impediu o casamento?

DAGMAR: Não sei.

HELLINGER: Que imagem lhe vem?

DAGMAR: A primeira imagem que me veio foi que algo não estava em ordem com meu futuro avô, e que ele ainda estava procurando outra coisa.

HELLINGER: Minha imagem é diferente. Estou olhando para os patrões.

DAGMAR: Realmente, sei que não queriam deixar minha avó ir embora.

HELLINGER: Exatamente.

DAGMAR: Estavam totalmente entusiasmados com ela.

HELLINGER: Com quem ela ficou zangada?

DAGMAR: Sei que estava zangada com o marido. Mas você julga que na realidade ela estava zangada com os patrões?

HELLINGER: Isso mesmo.

DAGMAR: Ela sempre falou deles com muito entusiasmo. Sentia-se muito reconhecida e estimada por eles.

HELLINGER: Talvez ela não quisesse absolutamente casar-se com o homem. Então o enganou.

Constelação de Dagmar: Filha está identificada com a ex-noiva do pai e assumiu os sentimentos dela

DAGMAR: Gostaria de colocar minha família, para ver se nela assumi algum papel por presunção. Quero livrar-me disso.
HELLINGER: Então coloque-a.
DAGMAR: Pai, mãe, avós?
HELLINGER: Não, pai, mãe, filhos, isso basta. Ou algum dos pais foi antes casado ou noivo?
DAGMAR: Meu pai foi noivo e teve em seguida um relacionamento com uma outra mulher.
HELLINGER: Houve filhos nesse relacionamento?
DAGMAR: Não.
HELLINGER: Por que o noivado foi desfeito?
DAGMAR: Meu pai deixou de gostar da mulher de quem ficara noivo.
HELLINGER: Naturalmente você está identificada com ela. Podemos esquecer todos os outros.
DAGMAR: Isso me surpreende.

HELLINGER: Vamos colocar também essa noiva.

Figura 1

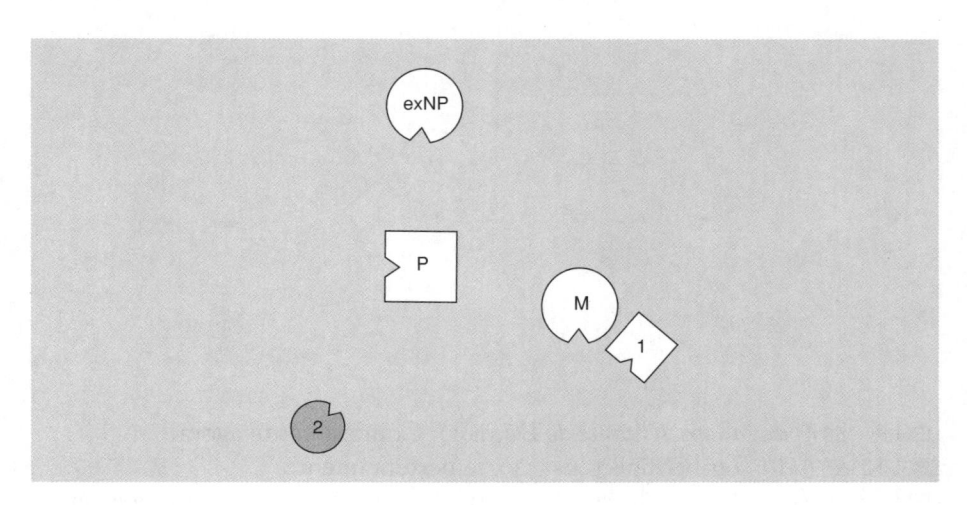

P	Pai
M	Mãe
1	Primeiro filho
2	**Segunda filha (=Dagmar)**
ExNP	Ex-noiva do pai

HELLINGER: Como está o pai?
PAI: Nada bem. Como deslocado. Tive a sensação de que Dagmar me virou na direção de minha ex-noiva, um pouco mais do que eu desejava. Precisei resistir. Pelo canto dos olhos, vejo indistintamente duas pessoas, à direita e à esquerda, e sinto algo nada amável às minhas costas.
HELLINGER: Como está a mãe?
MÃE: Não me sinto mal, mas nada tenho em comum com o marido. Vejo apenas meu filho, e a filha somente um pouquinho, pelo canto do olho. Mas estou mais centrada neste meu filho. Nada sinto às minhas costas.
HELLINGER: Como está o filho?
PRIMEIRO FILHO: Estou a pique de fugir. (*A mãe e o filho riem.*)
HELLINGER (*para a representante de Dagmar*): Como está a filha?
SEGUNDA FILHA: Sinto-me bastante desconectada e algo observada.
HELLINGER: Como está a ex-noiva?
EX-NOIVA DO PAI: Estou fixada em meu ex-noivo.
HELLINGER (*para a representante de Dagmar*): Coloque-se à esquerda da ex-noiva.

Figura 2

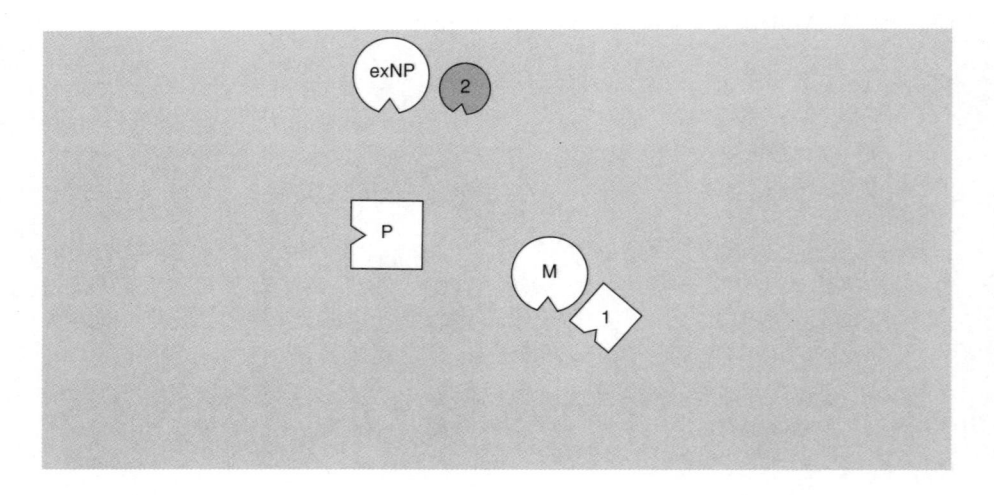

HELLINGER (*para a representante de Dagmar*): Como se sente agora?
SEGUNDA FILHA: Tenho mais sensação de pertencimento.
HELLINGER (*para Dagmar*): Isso é a identificação. Agora, imagine que sentimentos ela teve, pela forma como seu pai se referiu a ela. Esses sentimentos você adotou dela.
DAGMAR: Meu pai falou muito pouco sobre ela.
HELLINGER: Você disse há pouco que ele deixou de gostar dela.
DAGMAR: Ah sim! É verdade.

HELLINGER: Como ela tinha de sentir-se?
DAGMAR: Estava aborrecida com ele.
HELLINGER: Exatamente. Quando você voltar a ter esses sentimentos por ser desconsiderada, olhe de onde provêm: são dela. Por isso, a longa briga com Frank foi totalmente inútil. (*Ela ri.*) Atingiu a pessoa errada.
PAI: Sinto-me atraído por minha noiva. Não é verdade que deixei de gostar dela, ou que não gosto mais.
HELLINGER (*para a mãe*): Como se sente quando sua filha fica junto da ex-noiva? Melhor ou pior?
MÃE: Pior. Sinto falta dela.
HELLINGER: Você tem um coração de mãe.

Hellinger altera a imagem.

Figura 3

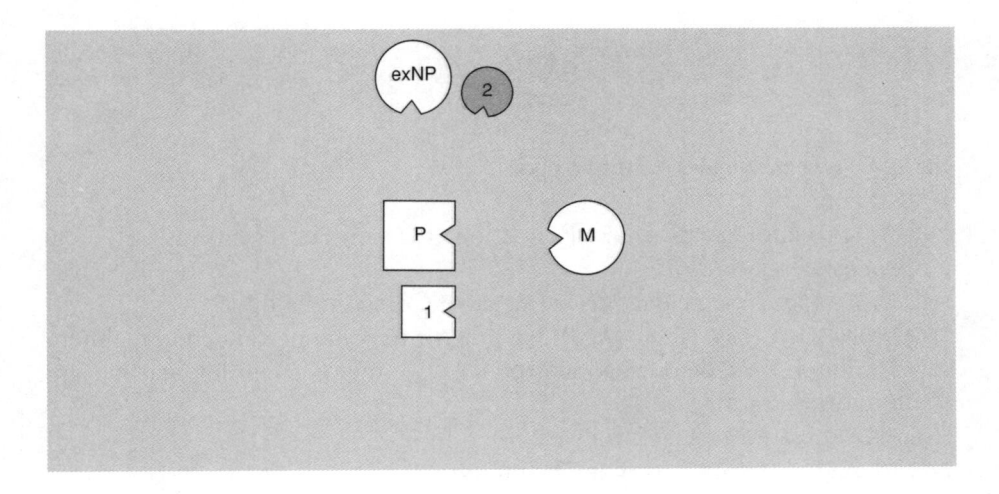

HELLINGER: Como é isto agora?
MÃE: É melhor.
PAI: Isso me faz bem.
PRIMEIRO FILHO: Sinto pena de minha mãe quando ela fica tão só.
HELLINGER (*para a ex-noiva*): Algo mudou para você nesse intervalo?
EX-NOIVA DO PAI: Sim. O homem ganhou um rosto para mim. Agora posso olhar para ele.
SEGUNDA FILHA: Sinto-me um pouco distante, mas noto que estou muito ligada à noiva ao meu lado.

Hellinger configura a imagem da solução.

Figura 4

HELLINGER (*para a mãe*): Como é agora?
MÃE: É bom.
PAI: Agora a família está unida. Passou logo por minha cabeça: o assunto com a noiva está encerrado.
HELLINGER (*para a representante de Dagmar*): Como está a filha?
SEGUNDA FILHA (*olha para o chão*): Não me sinto como pertencendo realmente à família. É verdade que agora estou aqui, no meio da família, mas me sinto um tanto estranha.
HELLINGER: Como está a ex-noiva?
EX-NOIVA DO PAI: Sinto-me bem. Estou livre.
HELLINGER (*para a representante de Dagmar*): Agora vou fazer um exercício com você. Não lhe será tão difícil, porque não tem a ver com você, já que está apenas representando a Dagmar. Ajoelhe-se diante da mãe, incline-se profundamente até o chão e estenda os braços para a frente, com as palmas para cima.

Ela se inclina diante da mãe.

HELLINGER (*depois de algum tempo, quando ela pretende levantar-se*): É cedo ainda. Fique mais um pouquinho.
HELLINGER (*para a mãe*): O que se passa com você? Qual foi o efeito?
MÃE: Senti um pouco isto: não mereço essa reverência. Não sou digna dela.
HELLINGER (*para a representante de Dagmar*): Levante-se. Como se sente agora?
SEGUNDA FILHA: Melhor.

Ela sorri para a mãe, que lhe devolve o sorriso.

HELLINGER (*para Dagmar*): Este é o próximo passo que você precisa fazer: dirigir-se à sua mãe, seja o que for que ela sinta. Isso dissolve a identificação com a noiva. A mãe não se sente digna porque está no meio, entre o marido e a ex-noiva. Apesar disso, o correto para a filha é inclinar-se diante dela. Com isso a filha está lhe dizendo: "Eu lhe presto homenagem."
EX-NOIVA DO PAI: Isso também foi importante para mim.
HELLINGER: Isso deixa você ainda mais livre.
HELLINGER (*para Dagmar*): Você quer se colocar pessoalmente ali?

Dagmar se coloca em seu lugar e olha para o chão.

DAGMAR: A cena da reverência me tocou profundamente. Mas a mãe não a recebe.
HELLINGER: Isso ela não disse.
DAGMAR: Disse que não se sente digna.
HELLINGER: Ela tem o direito de dizer isso.
(*para o grupo*): O efeito da reverência não depende do que a outra pessoa diz. Na terapia familiar, a solução nunca depende do outro. Ninguém precisa ser diferente do que foi. Os pais não precisam mudar e ninguém precisa desculpar-se. Cada um pode fazer, por si só, tudo o que seja devido, por exemplo, inclinar-se diante dos pais, prescindindo da reação deles. A solução está no ato da própria pessoa. Bem, foi isso aí.

Presunção objetiva e presunção subjetiva

HELLINGER (*para Dagmar*): Vou acrescentar uma coisa para aliviá-la. Quando uma criança representa outra pessoa e, como no seu caso, assume um papel de acusadora em relação aos pais, sua presunção é objetiva e não subjetiva. Resulta de uma dinâmica à qual a criança não pode resistir. A criança não se arroga esse papel. É uma presunção objetiva. Tem, na verdade, o mesmo efeito que a subjetiva, mas não envolve culpa pessoal. É um envolvimento. Você só será culpada se mantiver a mesma atitude depois deste curso.

Saudades do pai

GERTRUD: Não estou nada bem. Sinto um mal-estar no estômago e os sintomas que experimentei na constelação, como representante da mãe. Não me lembro de ter jamais experimentado uma fraqueza semelhante.
HELLINGER: Mas isso nada tem a ver com você.
GERTRUD: Sim, mas repercute. Alguma coisa me falta. Queria perguntar uma

coisa a você e fiquei pensando nisso na pausa do almoço. É sobre meu filho extraconjugal. (*Suspira e está a ponto de chorar.*) Será que me tornei culpada?
HELLINGER: Pegue sua cadeira e traga-a aqui. Sente-se diante de mim, um pouco mais perto, com os olhos fechados e a boca ligeiramente aberta. Respire e entregue-se ao que acontecer.

Ele inclina a cabeça dela para a frente.

HELLINGER: Respire mais rápido e siga o movimento.

Gertrud soluça.

HELLINGER: Imagine que você está abraçando firmemente alguma coisa. (*depois de algum tempo*): Deixamos ficar nesse ponto?

Gertrud concorda com a cabeça.

HELLINGER: Está bem, como se sente?
GERTRUD: Melhor, mas não entendo isto.
HELLINGER: Não faz mal.
HELLINGER (*quando o sentimento a toca de novo*): Ceda ao que estava se manifestando. Siga o movimento.

Gertrud chora.

HELLINGER (*sussurra*): Sente saudades?
GERTRUD: Estou pensando no meu pai.
HELLINGER: Feche os olhos. Imagine que você volta para casa e o encontra.

Ela soluça.

HELLINGER: Continue respirando. Deixe fluir.

Gertrud respira mais facilmente.

HELLINGER: Você conhece a canção dos dois filhos do rei?
GERTRUD: Não.
HELLINGER: Não? É assim: "Eles não puderam vir juntos, a água estava muito funda."
GERTRUD (*ri*): Cheguei perto dele.
HELLINGER: Está bem, vou deixar assim agora.

A precedência numa família: quando cabe ao homem e quando à mulher?

GEORG: Numa constelação familiar, quando é que o homem fica à direita, e quando fica à esquerda da mulher?
HELLINGER: Isso varia. Na verdade, os pais se equiparam. Juntos ocupam o primeiro lugar. A seguir vêm os filhos: o primeiro, o segundo, etc. Entre os pais não há precedência pela ordem de origem, porque começaram a ser pais simultaneamente, mas existe uma hierarquia, de acordo com sua função. Aquele que é responsável pela segurança tem, via de regra, o primeiro lugar, e geralmente é o homem. Então ele fica à direita da mulher. Mas existem famílias, como a de Ida, na qual, pelo que ela contou há pouco, a mãe claramente ocupa o primeiro lugar. Num caso assim, a mulher ficaria à direita do homem.

Há, todavia, outras situações em que a mulher tem a precedência. Quando foram excluídas pessoas importantes na família da mulher, por exemplo, o pai, por não ter desposado a mãe, ou a mãe, por ter tido um destino funesto, a hierarquia muda. Nesse caso se posicionam, da direita para a esquerda, primeiro as pessoas excluídas, em seguida a mulher e só então o homem. Isso tem a ver com o impacto dos destinos. Thea, por exemplo, ocupava o primeiro lugar na sua família atual, porque o impacto dos destinos na sua família de origem lhe dava maior peso. Assim, você precisa testar cada caso individual.

Quando alguém foi noivo anteriormente, o segundo parceiro, via de regra, deve colocar-se entre o atual e o antigo. Por exemplo, na família de origem de Dagmar, sua mãe precisou colocar-se entre o marido e a ex-noiva dele, e por essa razão o precedeu na hierarquia. Assim, ela mostra a seu marido e à ex-noiva que o toma e o reivindica como seu marido. Com isso, a ex-noiva não apenas se separa dele como também fica livre. Contudo, há também muitos casos em que o segundo parceiro não deve colocar-se no meio. Muitas vezes, uma segunda mulher não deve colocar-se entre o marido e sua primeira mulher quando esta faleceu, nem entre o marido e uma ex-noiva, quando esta foi alvo de uma grave injustiça.

A mulher segue o homem, e o homem deve servir ao feminino

HELLINGER: A relação do casal é bem-sucedida quando a mulher segue o homem. Isso significa que ela deve segui-lo para o país, a língua, a cultura e a família dele, e permitir que os filhos façam o mesmo. Quando o homem segue a mulher, surgem tensões. Por exemplo, quando o homem entra numa família pelo casamento, ele segue a mulher e isso não dá certo. O relacionamento não se realiza plenamente, o que só acontece quando a mulher segue o homem. Com isto, estou descrevendo o que percebi. Se alguém tem exemplos em contrário, estou pronto a aprender. Até agora não vi nenhum.

Por outro lado, o relacionamento só tem êxito se o homem serve ao feminino. Esta é a compensação. O que digo aqui não obedece a uma teoria, mas descreve o que tenho observado.

JONAS: Isso é patriarcado.

HELLINGER: De maneira nenhuma. Não foi derivado daí.

JONAS: Um americano, amigo meu, mora com sua mulher indiana na casa da família dela, na Índia. Já completou sessenta anos e está ótimo. É uma das relações mais bonitas que conheço, mas é também uma grande exceção.

HELLINGER: Bem, então retiro minha frase. (*Risadas no grupo*.)

ANNE: Não estou de acordo com essa retratação, pois o que você disse está fazendo efeito em mim. Gostaria que você dissesse ainda mais alguma coisa a respeito.

HELLINGER: Está certo. Eu não mudo tão rapidamente, e o que digo nem sempre é o que sei.

(*para Jonas*): Existem naturalmente — como em todas essas ordens — dinâmicas que apontam noutra direção. Isso sempre existe. Assim, é possível que seu amigo esteja fazendo justamente o que é correto.

Mas quero dizer mais uma coisa sobre os filhos de tais relacionamentos. Quando os pais nasceram em países diferentes, os filhos não devem escolher entre esses países, como se tivessem de se decidir por um contra o outro: eles pertencem a ambos, mas o país do pai tem, via de regra, a precedência.

GERTRUD: Por que se fala então em "língua materna"? Isso contradiz expressamente o que você disse.

HELLINGER: A língua materna segue outras leis. A criança aprende a língua já no colo da mãe; já a recebe ali. Mas não estou trazendo isso para contradizer minha afirmação anterior.

THOMAS: Creio que isso também tem algo a ver com minha história. Foi um caso em que o homem teve de seguir a mulher e entrar para a família dela.

HELLINGER: Esse tipo de casamento sobrecarrega e limita o relacionamento. Entretanto, seguir não significa obedecer. Significa apenas que sigo alguém para sua família.

Amor frustrado

JOHANN: Estou às voltas com essa idéia, de que a mulher deve seguir o homem. Há dois anos tenho uma namorada que vive na Suíça e até agora não conseguimos viver juntos. Isso me deixa muito triste. Certa vez, estive quase me mudando para lá, mas então percebi que não estava certo e que era ela que deveria se mudar para cá. É um desejo muito forte, mas não consigo descobrir por que não funciona. Talvez tenha a ver também comigo.

HELLINGER: Quero dizer-lhe uma coisa: entre o homem e a mulher, tudo se decide no primeiro quarto de hora. Quando não funciona então, é melhor esquecer.

WILHELM: No primeiro quarto de hora?
HELLINGER: Sim, é no primeiro quarto de hora que se estabelecem todas as regras. Daí para a frente, nada mais se modifica.
JOHANN: Isso soa muito sem esperança.
HELLINGER: Arranje algo melhor. Algumas pessoas continuam acenando para o velho trem quando o novo já estacionou na plataforma. Mas o amor sem esperanças dura mais.
JOHANN: Tenho a impressão de que amo essa mulher, apesar de tudo.
HELLINGER: Ela ama você?
JOHANN: Creio que sim. Noto apenas que é difícil para ela e que tem muito medo de expressar ou de viver isso. A pergunta que sempre me faço...
HELLINGER: Não, não, pode esquecer isso.
JOHANN: O que?
HELLINGER: Certa vez, um homem me disse que tinha três namoradas e me perguntou qual delas deveria escolher. Pedi-lhe que me contasse algo sobre cada uma delas e então lhe disse: "É a terceira." Ele me perguntou: "Como é que você percebeu?" Respondi: "Seu rosto se iluminou."
BRIGITTE: Quando a gente tem três, é mais simples.
HELLINGER (*para Johann*): Não havia nenhum brilho em seu rosto.
JOHANN: Mas noto que muitas vezes há.
HELLINGER: Algumas pessoas acham que, através do amor, podem superar os obstáculos e forçar as situações. Julgam que basta amarem bastante e tudo ficará melhor. Não fica!
JOHANN: Estou bastante decepcionado com o que aconteceu, mas também tenho contato com esse brilho.
HELLINGER: Não vi nada disso. Se estivesse aí eu teria notado.

Que mal lhe fiz para estar tão furioso com você?

JAN: Estou muito perturbado e deprimido. Quero contar uma coisa que estive o tempo todo com vontade de mencionar aqui. Há quatro anos tive um relacionamento que se desfez há dois anos, mas nunca foi corretamente encerrado. Desde então penso nessa mulher, não sei quantas vezes por dia. Isso também me atrapalha muito em meu atual relacionamento. Sinto-me preso e não sei o que é.
HELLINGER: Você ainda lhe deve algo.

Longa pausa.

HELLINGER: O que você ficou lhe devendo?
JAN: Não sei, simplesmente ainda estou com uma tremenda raiva dela.
HELLINGER: Você sabe como nasce essa raiva? Há uma frase inteligente e bem-

humorada a respeito: "Que mal lhe fiz para estar tão furioso com você?" Neste caso, a raiva funciona como defesa contra a culpa.

Longa pausa.

HELLINGER: O que há agora?
JAN: Talvez eu lhe deva respeito.
HELLINGER: Isso é muito pouco aqui. Dou-lhe porém outra dica. As mulheres se sentem atraídas pelo homem que se posta ao lado do pai, mas sentem pena do que fica ao lado da mãe.

Raiva como defesa contra a dor

ROBERT: Estou pensando na raiva que você acabou de citar e a relaciono com a minha separação.
HELLINGER: Numa separação, a raiva muitas vezes funciona como um substitutivo da dor pela perda. Quando ambos os parceiros se permitem sentir a dor por aquilo que correu mal, eles poderão mais tarde conversar bem um com o outro. Num divórcio, é muito importante que ambos tenham chorado e sentido essa dor profunda. Muitos procuram onde está a culpa porque querem escapar dessa dor. Mas quem a sofreu também fica livre.

Raiva reprimida

HARTMUT: Eu me atormento com o problema da raiva, da ira e da agressão. Não tenho lembrança de ter jamais cedido a essas coisas.
HELLINGER: Muito bem! Isso se chama continência emocional. Só pode ser encontrado em animais *alfa*.
HARTMUT (*ri*): O que quero saber agora é se ainda preciso resgatar essas coisas ou se encontro uma solução conservando ou recuperando a paz.
HELLINGER: Já lhe dei a resposta.
HARTMUT: Então meus ouvidos não estão funcionando bem.

Diversos tipos de raiva

HELLINGER: Há diversos tipos de raiva:
Primeiro: Alguém me agride ou me faz uma injustiça, e eu reajo com indignação e raiva. Essa raiva permite que eu me defenda ou me imponha com energia. Ela me capacita para agir, é positiva e me fortalece. Essa raiva é objetiva e por isso é adequada. Ela cessa logo que atinge seu objetivo.
Segundo: Fico enfurecido e zangado porque noto que deixei de tomar, exigir ou pedir o que eu poderia ou deveria ter tomado, exigido ou pedido. Em

vez de me impor, recebendo ou tomando o que me falta, fico enfurecido e zangado com as pessoas de quem não tomei, não exigi ou não pedi, embora eu pudesse ou devesse ter agido dessa maneira. Essa raiva é um substitutivo da ação e a conseqüência de uma omissão. Ela paralisa, incapacita e enfraquece, e muitas vezes perdura por longo tempo.

De maneira semelhante, a raiva funciona como defesa contra o amor. Em vez de expressar meu amor, fico com raiva das pessoas que amo. Essa raiva surgiu na infância, em conseqüência da interrupção de um movimento afetivo. Em situações posteriores semelhantes, essa raiva reproduz a vivência original e dela retira a sua força.

Terceiro: Fico com raiva de alguém porque lhe fiz mal, mas não quero reconhecer isso. Com essa raiva, eu me defendo das conseqüências dessa culpa e a empurro para a outra pessoa. Também essa raiva é um substitutivo da ação. Ela me permite ficar inativo, me paralisa e enfraquece.

Quarto: Alguém me dá tantas coisas grandes e boas, que não consigo retribuir. Isso é realmente difícil de suportar. Então me volto contra o doador e suas dádivas, ficando zangado com ele. Essa raiva se manifesta como recriminação, por exemplo, dos filhos contra os pais. Ela se torna um substitutivo do tomar, do agradecer e do próprio agir. Paralisa e esvazia a pessoa. Ou se manifesta como depressão, que é o outro lado da recriminação. Também serve de substitutivo para o tomar, o agradecer e o dar. Ela paralisa e esvazia. Essa raiva se manifesta também sob a forma de um luto muito prolongado depois de uma morte ou uma separação, quando fiquei em dívida com essas pessoas no que tange ao tomar e ao agradecer. Essa raiva se manifesta ainda, como no terceiro tipo, se deixei de assumir minha própria culpa e suas conseqüências.

Quinto: Algumas pessoas têm uma raiva que adotaram de outras contra terceiros. Num grupo, por exemplo, quando um membro reprime sua raiva, depois de algum tempo um outro membro se enraivece, geralmente o mais fraco, que não tem absolutamente nenhum motivo para isso. Nas famílias, esse membro mais fraco é uma criança. Quando, por exemplo, a mãe fica zangada com o pai mas reprime sua raiva, um filho fica zangado com ele. O mais fraco freqüentemente não se torna apenas sujeito mas também objeto da raiva. Quando, por exemplo, um subordinado se irrita com seu superior mas reprime sua raiva diante dele, costuma descarregá-la em alguém mais fraco. Ou, quando um homem fica com raiva de sua mulher mas a reprime diante dela, um filho é castigado por ela.

Muitas vezes, a raiva não se desloca apenas de um portador para outro, por exemplo, da mãe para o filho, mas também de um objeto para outro, por exemplo, de uma pessoa forte para uma pessoa fraca. Nesse caso, uma filha que assume a raiva da mãe pelo pai, não dirige essa raiva contra o próprio pai mas contra alguém mais à sua altura, por exemplo, ao próprio marido. Nos grupos, a raiva adotada não se dirige então contra a pessoa forte que era inicialmente visada — por exemplo, o dirigente do grupo —, mas contra um membro fraco, que se torna o bode expiatório, no lugar do mais forte.

Quando agem através de uma raiva adotada, os perpetradores ficam fora de si. Sentem-se orgulhosos e em seu direito, mas agem com uma força e um direito que não lhes pertencem, o que os frustra e enfraquece. Por sua vez, as vítimas dessa raiva adotada se sentem fortes e em seu direito, pois sabem que sofrem injustamente. No entanto, também eles permanecem fracos e seu sofrimento é inútil.

Sexto: Existe uma raiva que é virtude e habilidade: uma força de imposição, alerta e centrada, que responde a emergências e que, com ousadia e saber, enfrenta inclusive o que é difícil e tem poder. Essa raiva é destituída de emoção. Quando é preciso, também inflige algum mal ao outro, sem medo e sem maldade: é a agressão como pura energia. Resulta de uma longa disciplina e de um longo exercício, mas é possuída sem esforço. Essa raiva se manifesta como ação estratégica.

Cautela e coragem

JONAS: Meu nome é Jonas. Sou médico, porém não trabalho na área da medicina somática e sim como terapeuta familiar. Sou solteiro, vivo amigado há dezessete anos e não tenho filhos. O que está me afetando no momento é uma falta de clareza em relação à minha família de origem. Quando tinha dezoito anos, saí da casa de meus pais e fui morar a trezentos quilômetros de distância. Então minha mãe adoeceu com câncer. Percebi uma conexão entre os fatos, mas absolutamente não reagi. Mesmo desenganada pelos médicos, ela se curou em três anos. Agora, neste ano, o primeiro chamado que recebi de casa, a trezentos quilômetros de distância, foi para me comunicar que meu irmão talvez tenha ficado louco. Ele é dez anos mais jovem que eu. Neste curso, sinto-me ainda numa fase de aproximação e sou cauteloso com as suas "verdades".
HELLINGER: Quero dizer-lhe uma coisa: coragem e cautela tensionam em sentidos contrários, como as extremidades de um arco. Entretanto, o arco é mantido pela corda, que mantém unidas essas extremidades que tensionam em sentidos contrários. Com isso se produz a tensão que impulsiona a flecha para o alvo. Mas a cautela sozinha não gera tensão.
JONAS: Minha falta de clareza é sobre o grau em que devo intrometer-me, apesar do medo de que dessa forma estou apenas estabilizando o sistema. Gostaria de encarar o medo de frente e colocar minha família.

Constelação de Jonas: Filho representa o ex-noivo da mãe

HELLINGER (*para Jonas*): Quem pertence à sua família?
JONAS: Meu pai, minha mãe, meu irmão mais jovem e eu.

HELLINGER: Falta ainda alguém no núcleo familiar?
JONAS: Sim, houve ainda uma irmã que nasceu morta.
HELLINGER: Ela é importante. Que posição ela ocupava?
JONAS: Entre mim e meu irmão.
HELLINGER: Algum dos pais foi antes casado ou noivo?
JONAS: Sim, minha mãe foi noiva anteriormente. Seu noivo morreu na guerra.

HELLINGER: Vamos colocá-lo também.

Figura 1

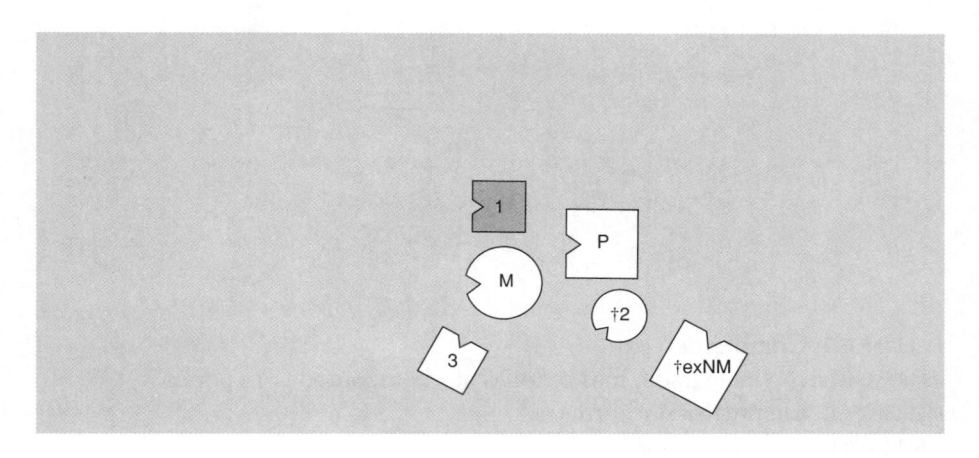

P	Pai
M	Mãe
1	**Primeiro filho (=Jonas)**
†2	Segunda filha, nascida morta
3	Terceiro filho
†exNM	Ex-noivo da mãe, morto na guerra

HELLINGER (*para Jonas, quando ele coloca o ex-noivo da mãe*): Agora já é possível ver sua identificação.
JONAS: Minha identificação com o noivo?

HELLINGER: Sim.
HELLINGER: Vou configurar imediatamente a solução, porque é muito simples neste caso.

Figura 2

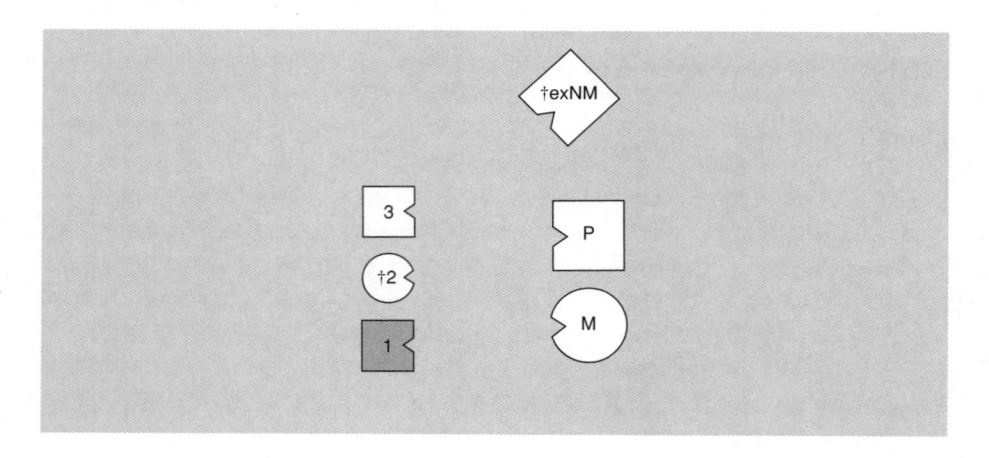

HELLINGER: Como está o pai?
PAI: A situação me agrada, mas o noivo ainda incomoda um pouco.
HELLINGER: Ele precisa ser honrado.
HELLINGER: Como está a mãe?
MÃE: Eu gostaria de me virar um pouco para ver o noivo. (*Ela ri.*)
HELLINGER: Sim, está certo. Ele tem seu lugar. Mas o marido precisa colocar-se no meio; caso contrário, não vai dar certo.
(*para o representante de Jonas*): Como está o filho mais velho?
PRIMEIRA CRIANÇA: Estou muito bem.
HELLINGER: Como está o filho mais novo?
TERCEIRA CRIANÇA: Estou muito nervoso, mas não sei por quê.
HELLINGER: Como está a irmã morta?
SEGUNDA CRIANÇA†: Bem.
EX-NOIVO DA MÃE: Eu bem gostaria de chegar mais perto, mas sei que isso não seria bom.
HELLINGER (*para Jonas*): Você quer colocar-se em seu lugar?
HELLINGER (*para Jonas, quando este se coloca em seu lugar*): Agora você pode dizer uma frase à sua mãe, uma frase muito simples. Olhe para seu pai e diga a ela: "Meu pai é ele."

Jonas ri e olha para o noivo.

HELLINGER: Não, não.
(*para o grupo*): Ele entra automaticamente em competição com o pai, porque está representando o ex-noivo da mãe. O noivo é importante para a mãe e Jonas o representa para ela.
(*para Jonas*): Você contou, de sua vida, que foi embora para longe. Foi exatamente o mesmo que fez o noivo. Mas você pode permanecer, se ficar com seu pai. O lugar certo para você é junto dele. Portanto, diga à sua mãe: "Meu pai é este."
JONAS (*à mãe*): É este.
HELLINGER: "Apenas este."
JONAS: Apenas este.
HELLINGER: "Com o outro não tenho nada a ver."
JONAS (*ri*): Sim, com o outro não tenho nada a ver. É este.
HELLINGER: Quero dizer-lhe ainda alguma coisa sobre os buscadores de Deus. Quer ouvir?
JONAS: Sim.
HELLINGER: Eles buscam o próprio pai. Quando o encontram, cessa a procura de Deus. Ou ela se transforma.
— Está bem, foi isso aí.
(*para o grupo*): Mais alguma pergunta?
FRANK: Às vezes, você primeiro coloca, uma ao lado da outra, as pessoas que estão identificadas. Neste caso você não fez isso.
HELLINGER: Não; neste caso a identificação estava tão evidente que isso não foi necessário. Na medida em que o curso avança, diminuem os passos necessários à solução, porque muita coisa já ficou clara.

O sentido do equilíbrio sistêmico

Um sentido ciente nos conecta às pessoas e aos grupos. Através de seu constante impulso e direcionamento, ele nos mantém nesses relacionamentos, da mesma forma que um outro sentido ciente, com seu constante impulso e direcionamento, mantém nosso corpo em equilíbrio, contra a força da gravidade. É verdade que, quando desejamos, podemos cair para a frente ou para trás, para a direita ou a esquerda. Mas um reflexo força o equilíbrio antes da catástrofe e assim nos aprumamos a tempo.

Também nossos relacionamentos são vigiados por um sentido superior ao nosso arbítrio. Ele atua como um reflexo para nos corrigir e equilibrar quando nos afastamos das condições necessárias ao bom êxito dos relacionamentos e colocamos em risco nosso pertencimento. À semelhança de nosso sentido de equilíbrio, também o sentido dos relacionamentos percebe o indivíduo dentro de seu entorno, reconhece o espaço livre e os limites e conduz essa pessoa através do prazer e do desprazer. O prazer é experimentado como inocência, o desprazer como culpa. Culpa e inocência são portanto experimentadas em relacionamentos e dizem respeito a eles. Toda ação que afeta outras pessoas também é acompanhada por um sentimento que conhece a inocência e a culpa. E, assim como nossa visão distingue constantemente o claro e o escuro, esse sentimento distingue, em cada momento, se nosso modo de agir prejudica ou favorece o relacionamento. O que o prejudica é experimentado como culpa; o que o favorece, como inocência.

Culpa e inocência servem, porém, a um único senhor. Da mesma forma como um cocheiro dirige seus cavalos, um sentido único as prende a um carro, as dirige numa direção, e assim elas puxam, como uma parelha, uma só corda. Alternando seus estímulos, a culpa e a inocência fazem avançar o relacionamento e o mantêm na trilha. Bem que gostaríamos, às vezes, de tomar as rédeas em nossas mãos, mas o cocheiro não as deixa cair das suas. Viajamos nesse carro como prisioneiros e como visitantes. E o cocheiro se chama consciência.

As diversas consciências

Pessoas que provêm de diferentes famílias ou grupos têm consciências diferentes. Pois a consciência ordena a cada pessoa o que a liga a seu grupo e serve a ele, e lhe proíbe o que a separa de seu grupo e o prejudica.

Entretanto, o indivíduo também segue a consciência em cada grupo de forma diversa, pois o que serve a um grupo pode prejudicar a outro e o que num grupo proporciona ao indivíduo um sentimento de inocência, em outro lança-o no sentimento de culpa, como acontece, por exemplo, no âmbito da profissão e da vida familiar.

Contudo, também no próprio indivíduo e dentro do mesmo grupo, a consciência está a serviço de fins que ora se completam e ora se contradizem: por exemplo, o amor e a justiça, a liberdade e a ordem. Nesse particular, a consciência se serve, para fins diferentes, de diferentes sentimentos de inocência e de culpa. Portanto, experimentamos a culpa e a inocência de modos diferentes, conforme estejam a serviço do amor e do vínculo ou da justa compensação. E também as vivenciamos de modos diversos, conforme sirvam a ordens e regras ou à renovação e à liberdade. O que serve ao amor prejudica a justiça, e o justo talvez se sinta inocente enquanto o amante se sente culpado.

Algumas vezes, vivenciamos a consciência de uma forma simples e compacta: por exemplo, quando numa emergência nos precipitamos para salvar uma criança. Na maioria das vezes, porém, a consciência atua de um modo múltiplo e variado e é também de igual maneira que sentimos a inocência e a culpa. Assim, às vezes vivenciamos a consciência como se ela fosse um indivíduo; porém, na maioria dos casos, ela mais se assemelha a um grupo onde diversos representantes procuram conseguir objetivos diferentes de maneiras diversas, com a ajuda de diferentes sentimentos de inocência e culpa, ocasionalmente se apoiando reciprocamente ou então se mantendo em xeque, para o bem do todo. Não obstante, mesmo quando se opõem, tais sentimentos servem a uma ordem superior. Assemelham-se a um general que, em diversas frentes, com diversas tropas, em terrenos diversos, com diferentes meios e táticas, busca diversos êxitos e no final, em função do todo maior, só permite êxitos parciais em todas as frentes.

A respeito disto lhes contarei uma pequena história:

A inocência

Alguém, querendo livrar-se de um peso que o oprimia, ousa tomar um novo caminho. Pela tardinha se detém para descansar e avista diante de si, a uma certa distância, a entrada de uma caverna. "Estranho", pensa consigo. Quer entrar imediatamente mas encontra a entrada fechada por uma porta de ferro. "Estranho", pensa consigo, "talvez aconteça alguma coisa". Senta-se diante da caverna e olha alternadamente para a caverna e para longe dela. Passados três dias, quando olha para longe e de novo para a caverna, vê a porta aberta. Precipita-se para dentro, lança-se para a frente e subitamente se encontra de novo sob céu aberto.

"Estranho", pensa consigo. Esfrega os olhos, senta-se e vê diante de si, a uma certa distância, um pequeno círculo branco — branco como a neve — e dentro dele vê-se a si mesmo encerrado, encurvado e esplendidamente branco. Ao redor desse pequeno círculo branco se retorce uma imensa e negra chama de sombras, como se quisesse penetrá-lo à força.

"Estranho", pensa consigo, "talvez algo aconteça". Senta-se diante do círculo, olha alternadamente para o círculo e para longe dele. Passados três dias, quando olha para longe e volta a olhar para o círculo, vê que o pequeno círculo branco se abre, a negra chama de sombra se precipita em seu interior, o círculo se expande e finalmente ele pode se estender nele. Este, porém, se tornou cinzento.

Consciência e compensação

IDA: Sinto-me mais livre e mais ágil desde que Wilhelm colocou sua família. O que ainda mexe comigo é esta pergunta: Fica algo por fazer quando uma situação foi bem resolvida?

HELLINGER: Quando, numa relação ou num grupo, existe um desnível entre a vantagem de um e a desvantagem de outro, todos os envolvidos sentem uma necessidade de compensação. Eles a experimentam como uma reivindicação da consciência, a que obedecem consciente ou instintivamente. Por conseguinte, também nessa forma especial vivenciamos a consciência como o sentido de equilíbrio e de compensação. Essa necessidade de compensação nós sentimos em face do destino quando, sem nossa participação, obtivemos uma vantagem ou fomos beneficiados pela sorte.

Quando recebo algo de alguém ou o tomo para mim, por mais belo que seja, tenho um sentimento de desprazer. Sinto isso como uma pressão, até que eu, por minha vez, pague ou dê algo de igual valor. Essa dívida é por mim vivenciada como obrigação de dar. Dizemos então, por exemplo: "Sinto-me em dívida com essa pessoa."* Quando, pressionado pelo sentimento da dívida, pago ou dou algo de igual valor, sinto-me livre da pressão dessa obrigação. Essa sensação de estar desobrigado eu experimento como leveza e liberdade. E também quando me recuso a receber alguma coisa, para não me sentir obrigado, sinto leveza e liberdade. Essa inocência é cultivada pelos que se afastam da sociedade e também pelos que se dedicam a ajudar sem receber. Mas ela nos torna solitários e pobres.

Compensação boa e compensação má

Numa relação de casal, quando a mulher dá algo ao homem e com isso lhe mostra o seu amor, o homem fica sob pressão até que também lhe dê algo em retorno. Porém, como também a ama, dá-lhe um pouco mais do que recebeu. Agora é ela que fica sob pressão e, como o ama, lhe dá também um pouco mais. Assim, aumenta entre eles o intercâmbio do dar e do tomar. Sua felicidade cresce e sua ligação se reforça. Entretanto, quando o homem retribui à mulher apenas na mesma medida em que recebeu, cessa a pressão por compensação e troca.

DAGMAR: E quando ele retribui menos?

HELLINGER: Quando um parceiro dá menos do que toma, coloca em risco a relação. Ilustro com um exemplo. A alternância entre o dar e o tomar, assim como o seu incremento, pode ser comparada ao caminhar para a frente. Quando quero avançar, preciso estar em constante mudança, saindo do equilíbrio e voltando a ele. Quando saio do equilíbrio sem compensá-lo imediatamente, caio e fico estirado no chão. O mesmo se passa numa relação entre parceiros, quando um dá e o outro se nega a tomar e a equiparar. Quando nos limitamos a manter o equilíbrio, por exemplo, numa relação de casal, retribuindo apenas na medida do que recebemos e sem aumentar o dom, ficamos estacionados. Quando, numa relação, uma pessoa dá menos do que toma, a outra também lhe dará menos. Então a troca diminui e, em lugar de progredir, eles regridem, e sua felicidade e sua ligação diminuem.

BRIGITTE: E o que acontece quando alguém me faz algo de mau? Preciso também compensá-lo?

---

* Ou ainda, "em culpa", pelo duplo sentido da palavra *Schuld*. (N.T.)

HELLINGER: A pressão para compensar é sentida tanto no positivo quanto no negativo. Quando alguém comete alguma injustiça contra mim, sinto a necessidade de me vingar por isso. Se também não cometo alguma injustiça contra ele e prefiro perdoá-lo, ou se não exijo dele algo que também lhe doa, não o tomo a sério e ele irá separar-se de mim. Quando me vingo adequadamente ou sou ressarcido, permaneço em relação com ele. Algumas pessoas, porém, agem no negativo da mesma forma como agem no positivo, e fazem ao outro um mal maior do que receberam dele. Aí o outro se sente no direito de fazer-lhe, por sua vez, algo de mau. Assim, o intercâmbio também cresce no mal e, com ele, crescem também o sofrimento e a infelicidade.

A pergunta agora é a seguinte: O que pode fazer um casal para encerrar um intercâmbio negativo e retomar um positivo? Do mesmo modo como, na troca positiva, eles dão, por cautela, um pouco mais do que receberam, assim também na negativa, a bem do amor, devem retribuir, por precaução, um pouco menos do que receberam. Então cessa a troca negativa e pode recomeçar a positiva.

Os limites da compensação

Aquilo que é válido no interior dos grupos é freqüentemente transferido para Deus e o destino. Quando, por exemplo, uma pessoa é salva de um perigo em que outras pereceram, ela quer pagar por isso a Deus e ao destino, como se os tivesse diante de si como pessoas, cujas boas graças poderia conseguir através dessa compensação. Então ela se limita, criando um sintoma ou sacrificando algo valioso para ela, ou ainda alguma outra pessoa se sacrifica em seu lugar, por exemplo, um filho.

Outras vezes, um parceiro não toma o outro quando este já teve um vínculo anterior, mesmo com pessoa já falecida, porque o teve à custa dessa pessoa.

Ou ainda os filhos de um segundo matrimônio não tomam os seus pais ou se limitam e punem a si mesmos porque outros lhes cederam o lugar.

É ainda pior quando se consideram escolhidos e se gabam de sua sorte quando o destino lhes foi favorável. Então sua sorte muda — seja como for que o expliquemos —, porque isso não é suportado por eles nem por outras pessoas.

Compensar por meio do agradecimento e da humildade

A única maneira adequada de receber algo do destino é tomar como um presente o bem que nos toca sem merecimentos. Isso significa agradecer. Agradecer é tomar sem soberba. É uma forma de compensar sem pagamento. Agradecer assim é totalmente diferente de dizer "obrigado". Quando dou algo a uma pessoa e ela apenas agradece, é muito pouco. Mas quando fica radiante e diz: "É um belo presente", ela agradeceu e honrou a mim e a dádiva. Em contraposição, dizer "obrigado" é freqüentemente apenas um substitutivo do verdadeiro agradecimento. Algumas pessoas agem assim também com Deus e o destino. Dizem "obrigado", em vez de receber com amor o presente.

Quem recebe do destino um presente imerecido fica, entretanto, sob pressão e precisa fazer alguma coisa. Mas, em vez de limitar-se, deve passar para a frente algo do que recebeu. Isso o alivia e proporciona coisas boas a outras pessoas.

Assim como tenho a necessidade de tomar o bem quando me toca sem minha colaboração, assim também preciso aceitar quando algo de mau me atinge sem minha culpa. Preciso, portanto, submeter-me ao destino, tanto no bem quanto no mal. Então fico simultaneamente sintonizado e livre. Esse ato de submissão é a humildade.

Clareza duradoura

DAGMAR: O que vivenciei em minha constelação familiar foi muito certo. Na verdade, eu não tinha honrado minha mãe. Senti uma breve tristeza e então uma grande e permanente clareza. Aconteceu então um efeito-dominó: minha mãe se virou, honrou sua mãe e esta igualmente disse: "Não sou digna disso." Agora me é indiferente quem enganou quem, se foi meu avô que enganou minha avó ou vice-versa. Posso prescindir disso.

Em minha família, mudou imediatamente meu relacionamento com os homens: por exemplo, com meu irmão. Isso é fora do comum. Estou curiosa para saber o que vai acontecer ainda. Interiormente passei para o lado de meu pai e redistribuí minhas simpatias. Com os estímulos aqui recebidos ainda coloco uma pergunta: O que acontece quando algo não foi honrado? Minha avó paterna, por exemplo, perdeu sua filhinha com seis meses de idade e tenho a impressão de que nem os dois filhos que nasceram depois nem seu marido foram realmente aceitos ou honrados por ela. Existe ainda algo que eu deva fazer?
HELLINGER: Não. Você precisa perceber que sua avó, na sua dor, permaneceu vinculada à filhinha e deixou de estar livre para os outros.

Deixar em paz o que passou

HELLINGER (*para Dagmar*): Quero dizer-lhe mais uma coisa. A ordem nas famílias e nos grupos familiares implica que, depois de algum tempo, tudo o que passou tem o direito de ser passado. Isso é de extrema importância. Por exemplo, o que se passou na geração de sua avó precisa agora ser relegado ao passado. Isso vale também para os sintomas, como há pouco no seu caso, Frank. Quando puderem ser relegados ao passado, talvez o deixem em paz. Tudo obedece à lei da impermanência, e nós a reconhecemos e honramos se, no momento devido, também deixamos que algo seja transitório e passado. Quando voltamos ao passado, que seja apenas para resolver o que ainda nos prende ou para buscar força para o futuro. Por essa razão, também não se deve regredir a um passado muito distante, exceto quando algo muito impactante ainda esteja em ação. Por exemplo, voltar à quinta geração é ir longe demais; chega-se até a quarta, no máximo. Nas famílias que se orgulham de suas extensas árvores genealógicas, como acontece com a nobreza, acontecimentos funestos podem perturbar por longo tempo.

DAGMAR: Ficar em paz é uma experiência maravilhosa.

HELLINGER: Encontramos a paz quando deixamos em paz, por exemplo, os mortos. Então eles têm paz. Numa bela passagem das Elegias de Duino, Rilke afirma, sobre os que morreram precocemente: "Os que morrem cedo desabituam-se mansamente das coisas da terra."* Eles necessitam algum tempo para se desacostumarem da vida; encontram-se num outro domínio, onde precisamos deixá-los. No poema "Orfeu, Eurídice, Hermes", também de Rilke, Orfeu quer resgatar Eurídice. Porém ela hesita porque "estava em si, e estar morta a preenchia como uma plenitude".

Mais alguma coisa, Dagmar? Seu olhar também mostra muita lucidez.

Do fogo, as cinzas

DAGMAR: Estou me sentindo muito, muito, muito bem. Mas existe algo que não estou com muita vontade de expor aqui.

HELLINGER: Não exponha. Você precisa primeiro ter clareza sobre se é certo para você, se convém. Quando há dúvida, não convém.

DAGMAR: Para mim está bem. O fato é que notei...

HELLINGER: Não. Minha percepção é que não convém no momento.

HELLINGER (*para o grupo*): É importante que o terapeuta se mantenha a serviço dos segredos e os respeite. O que é forçado a vir à luz sem brilhar por si mesmo se apaga depressa.

IDA: Quando vejo o que acontece aqui compreendo e não compreendo, ambas as coisas ao mesmo tempo.

HELLINGER: O que tem grandeza toca mas não se deixa apreender. Permanece um mistério. Quem tenta analisá-lo para ganhar um conhecimento exato guarda apenas as cinzas do fogo.

Cessaram as dores nas costas

UTE: Estou bem. Estive muito cansada, mas agora estou presente de novo. Sinto uma necessidade de agradecer a todos aqueles que me deram algo e colabo-

---

* "Os mortos precoces não precisam de nós, eles que se desabituam do terrestre, docemente, como de suave seio maternal." (Rainer Maria Rilke, *Elegias de Duino*, "Primeira Elegia", trad. de Dora Ferreira da Silva, Edit. Globo, 1972.) (N. do T.)

raram comigo para colocar minha família. Sim, no momento estou simplesmente bem. E já não tenho dores nas costas. Tinha esquecido de dizer isso.

Constelação de Brigitte: A lei da compensação pela igualdade não respeitada

BRIGITTE: Já que decidi fazer alguma coisa, gostaria de ter minha vez agora.
HELLINGER: Esteja à vontade.
BRIGITTE: Devo configurar minha própria família de origem ou a de minha filha? Pois meu problema é com minha filha.
HELLINGER: Coloque sua família atual: todos os homens, mulheres e filhos.
BRIGITTE: Sou casada pela segunda vez. Meu primeiro marido se separou de nós e posteriormente faleceu.
HELLINGER: Por que vocês se separaram? Aconteceu alguma coisa?
BRIGITTE: Estudei Psicologia e me formei. Não precisava mais dele.
HELLINGER: Aqui atua a lei da compensação. Num casamento, quando um parceiro ainda aprende uma profissão e o outro o sustenta, o que foi sustentado abandona o casamento, porque não pode mais compensar o outro. No casamento não se tolera nenhum desnível: tudo tem que ser compensado. Também quando a mulher paga os estudos do marido durante o casamento, ele a deixa logo que se forma. — Você ainda deve algo a ele.
BRIGITTE: Tenho uma lembrança muito precisa das fraquezas dele. Mas sei que ainda lhe devo alguma coisa.
HELLINGER: As lembranças são intencionais.
BRIGITTE: Ontem e anteontem, procurei fotos dele para colocá-las num quadro de fotos, mas minhas filhas tinham...
HELLINGER: Suas filhas resgatam o que você negligenciou.
BRIGITTE: Elas me furtaram todas as fotos. Não encontrei nenhuma.
— Meu marido casou-se de novo e teve dois filhos com a segunda mulher.
HELLINGER: Precisamos deles também.
BRIGITTE: Meu segundo marido trouxe dois filhos para o casamento. Sua primeira mulher morreu.

HELLINGER (*quando Brigitte começa a colocar sua família*): Vou colocar logo a ordem. Isso é extremamente simples neste caso.

Figura 1

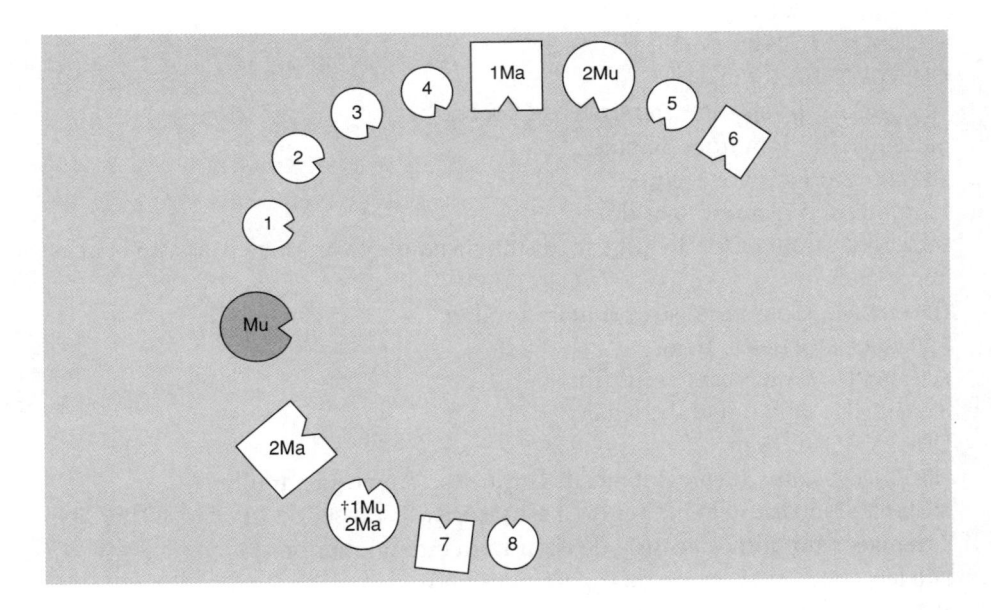

1Ma	Primeiro marido, pai de 1-4 e 5-6
Mu	**Mulher, mãe de 1-4 (=Brigitte)**
1	Primeira filha
2	Segunda filha
3	Terceira filha
4	Quarta filha
2Mu	Segunda mulher do marido, mãe de 5-6
5	Quinta filha
6	Sexto filho
2Ma	Segundo marido, pai de 7-8
†1Mu2Ma	Primeira mulher do segundo marido, mãe de 7-8
7	Sétimo filho
8	Oitava filha

HELLINGER: Como estão as filhas?
PRIMEIRA FILHA (*a criança problemática*): Cercada de força.
SEGUNDA FILHA: Completa.
TERCEIRA FILHA: Impressionada.
QUARTA FILHA: Sinto-me bastante bem.
HELLINGER: Como está o pai?

PRIMEIRO MARIDO: Desde que soube que minhas filhas furtaram as fotos, fiquei muito emocionado. Antes, não sentia nenhuma relação.
HELLINGER: As filhas pertencem ao pai. Aqui a mãe não tem nenhum direito sobre elas. Pertencem à família do pai.
— Como está a segunda mulher?
SEGUNDA MULHER: Bem.
QUINTA FILHA: Bem.
HELLINGER: Todas estas são irmãs de vocês.
SEXTO FILHO: É mulher demais.
HELLINGER: Para você, sim.
Como está o segundo marido?
SEGUNDO MARIDO: Creio que esta distância aqui não é casual. Mas está bem assim.
HELLINGER: Como está sua primeira mulher?
PRIMEIRA MULHER†: Bem.
HELLINGER: Como estão seus filhos?
SÉTIMO FILHO: É um clube legal.
OITAVA FILHA: Bem.
HELLINGER (*para a representante de Brigitte*): Como está a mulher?
MULHER: Não estou bem. Tenho a sensação de estar sendo sufocada. Tudo isso é demais para mim. Gostaria de estar num círculo menor.
PRIMEIRA FILHA: Gostaria de ir para mais perto do pai.
HELLINGER: Justamente.

Hellinger muda a imagem.

Figura 2

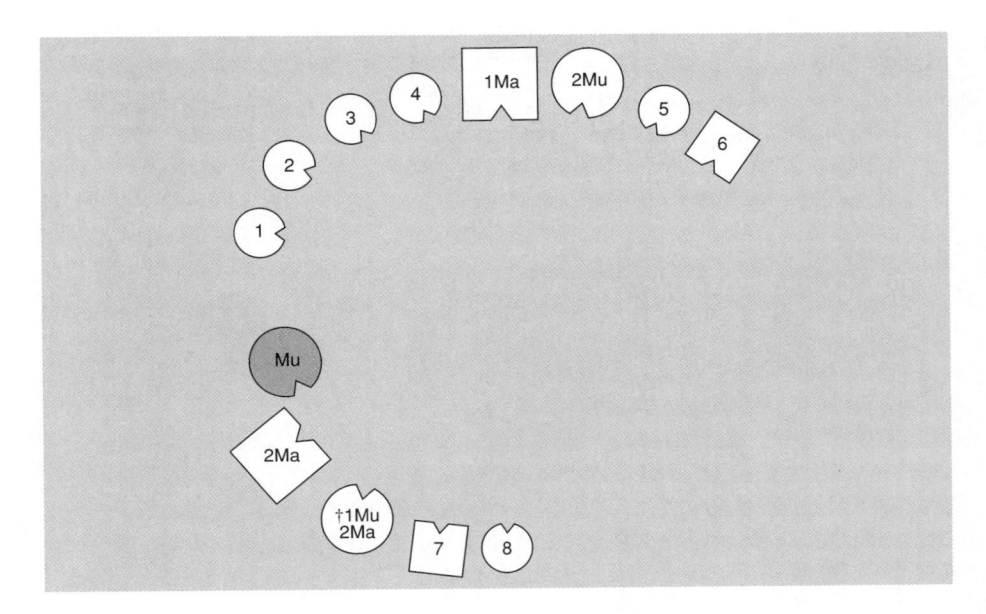

MULHER: Assim é melhor, bem melhor. Só fico um pouco triste por ter perdido as filhas. Tenho um forte sentimento em relação a elas.
HELLINGER: Você as perdeu. Elas pertencem ao seu primeiro marido, ao sistema dele. Você não tem o direito de tirá-las dele. Você as deve a ele.
BRIGITTE: Estou a ponto de separar-me de meu segundo marido.
HELLINGER: Você também não tem lugar no sistema dele. Nem no primeiro, nem no segundo.

Hellinger configura a imagem da solução.

Figura 3

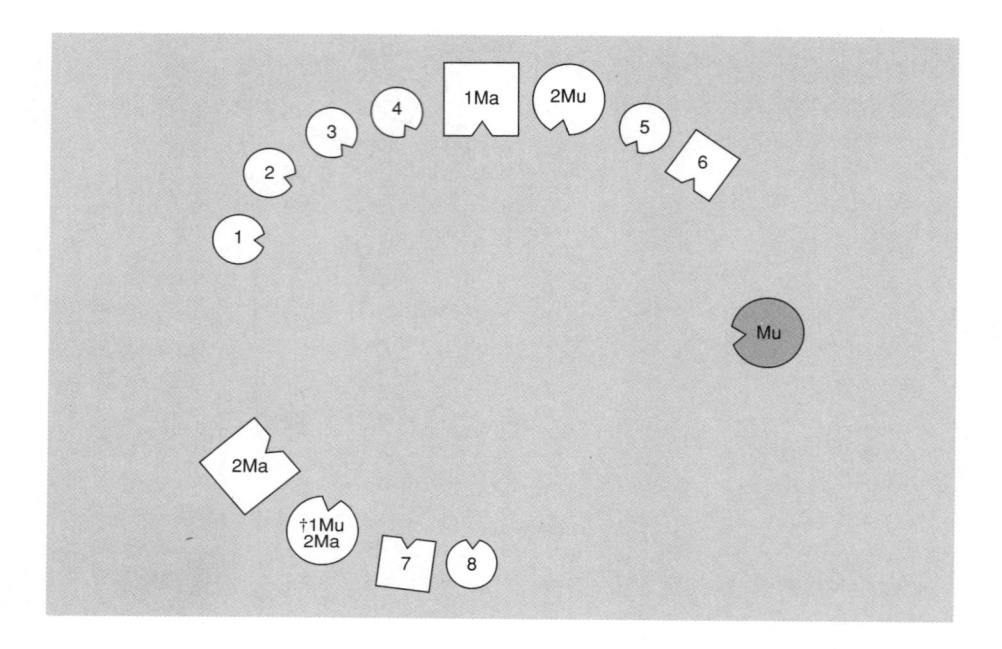

HELLINGER (*para a representante de Brigitte*): Como se sente aí?
MULHER: É bom também.
HELLINGER: É adequado.
MULHER: Também está em ordem. Sim, é melhor. Dá espaço.
SEGUNDA FILHA: É a primeira vez que tenho um sentimento vivo por minha mãe.
PRIMEIRA FILHA: Agora tenho contato com ela.
HELLINGER: Aqui se percebem as conseqüências de uma separação leviana. Assim a gente perde os direitos.
(*para Brigitte*): Você quer colocar-se ali?
HELLINGER (*a Brigitte, quando ela ocupa o seu lugar*): Se você quiser, ainda pode experimentar algo para si.
BRIGITTE: Sim, eu levei a pior.
HELLINGER: Não. Você apenas assume as conseqüências de sua decisão. Caso contrário, são as filhas que as assumem.
BRIGITTE: Tenho que assumir as conseqüências. (*Chora.*)
HELLINGER: Justamente. Mas você ainda não aceitou.
BRIGITTE: Sim, é possível.
HELLINGER: Justamente. Porém essa dor cura. Ela reconcilia as filhas com a mãe. — Está bem assim?

Brigitte faz que sim com a cabeça.

HELLINGER: Bem, foi isso aí.
(*para o grupo*): Aqui se pôde ver que quando alguém faz algo por si mesmo, como ela fez, não pode fugir das conseqüências e precisa aceitá-las. Não se pode fazer injustiça a um homem e, por acréscimo, tirar-lhe também os filhos. Quem vai embora fica sozinho. Os filhos ficam com quem sofreu injustiça. Este é um princípio importante.
BRIGITTE: A razão do início de meus estudos foi que ele tinha um relacionamento de um ano e meio.
HELLINGER: Ele também se tornou culpado. Esse é um aspecto adicional, mas não basta para anular o outro.

Ciúme e compensação

CLAUDIA: Ainda tenho uma pergunta. Ela começou seus estudos e os completou; depois veio a separação. Mas quem foi embora foi ele e não ela. Foi assim que entendi.
HELLINGER: Isso não tem importância aqui, pois a dinâmica está clara e não importa como foi resolvida em detalhe. No caso do ciúme, por exemplo, o parceiro enciumado quer induzir o outro a ir embora e não a ficar. Mas age como se quisesse que ele ficasse.

O ciúme é um recurso para afastar de si a culpa e empurrá-la para o outro. Assim, a pergunta sobre quem foi embora primeiro não tem maior importância para a determinação da culpa e de suas conseqüências. Ir embora pode ser também um favor que se faz ao outro. Mas quando uma pessoa faz no casamento algo que nada tem a ver com ele e o faz à custa do parceiro, que tem de pagar por isso, essa pessoa liquida a relação. É diferente quando ela mesma custeia os próprios estudos.
(*para Brigitte*): Você mesma os custeou?

Brigitte faz que sim com a cabeça.

HELLINGER: Então a dinâmica não é a mesma de quando o marido paga por eles. Quando o marido paga o curso para a mulher, ela sempre vai embora. E quando a mulher o faz para seu marido, ele igualmente vai embora porque não existe mais paridade. Quando a mulher estuda e seus pais pagam, não há conseqüências. Nem quando o homem estuda e seus pais pagam.

No seu caso, porém, ainda atua uma outra dinâmica. Sua formação era uma tentativa de sair do relacionamento. Era a vingança pela relação que seu marido mantinha. Aqui também vigora a lei da compensação. A pergunta é a seguinte: Quem causou ao outro mais dor? Ele a você ou você a ele? Onde estava a vingança maior? Aliás, era esse o tema de sua pergunta anterior sobre a compensação negativa. Você precisa ponderar isso, seja qual for a sua explicação para o caso.

Inocência e vingança

O inocente é o mais perigoso. Ele tem a raiva maior e age de forma mais destrutiva num relacionamento, porque acha que está com razão. Perde o senso de medida. O culpado está sempre mais disposto a ceder e a reparar. Via de regra, a reconciliação fracassa não pelo lado do culpado, mas do inocente. Podemos deixar isso assim?

Fidelidade e infidelidade

THEA: Estou ainda pensando neste assunto, que ela estudou psicologia depois que seu marido teve uma amante durante um ano e meio. Apesar de tudo, resulta da constelação que ela perdeu seu direito sobre as filhas. Isso me atinge como mulher, porque o sinto como injusto.
HELLINGER: É injusto? Você está deixando de ver a culpa dos inocentes. Com efeito, quem fica zangado é o inocente, não o culpado. Este, via de regra, não fica zangado com o parceiro, não tem esse sentimento; mas o inocente o tem, porque se sente com razão. Sua culpa é especialmente perigosa porque vem sob a capa da inocência e do direito.

O que há de tão mau se alguém alguma vez tem uma outra relação? O que realmente se fere com isso? O inocente age como se tivesse o direito de reservar o outro perpetuamente para si. Isso é uma presunção. Persegue o parceiro, em vez de tentar ganhá-lo pelo amor. E então, o outro ainda deve voltar? Isso ele não pode fazer mais. Quando o inocente se vinga além da medida, o culpado já não pode voltar para ele. Assim, defendo o mais humano e o senso de medida.

Tenho um profundo respeito pela fidelidade, mas não por uma fidelidade assim. Ela deve resultar do amor. Muitas vezes se coloca a seguinte reivindicação: "Sou a única pessoa que pode ser significativa para você." Porém, muitas vezes, alguém chega a uma situação em que encontra outras pessoas importantes. O parceiro não tem o direito de persegui-lo por isso. Precisa respeitar a situação como é. Assim, provavelmente haverá uma boa solução para todos. Esta só existe através do amor. Ficou claro?

Trago ainda outra ponderação. A luta de um parceiro para conservar o outro recebe freqüentemente sua energia do medo que a criança sente de perder a mãe. Assim, a exigência de fidelidade não visa tanto à parceira quanto a mãe. Também a fidelidade de um parceiro, principalmente quando envolve abnegação, é a transferência, para o marido ou a mulher, da fidelidade da criança à mãe. Essa fidelidade tem então algo de irreal.

Um exemplo a respeito. Um homem me escreveu que estava noivo, mas sua noiva lhe disse que o amor que sente por ele é apenas uma transferência. Ela deseja ser independente dele e ter também outras relações, porém o rapaz achava que devia ser fiel a ela e aguardar que voltasse para ele. Escrevi-lhe uma carta, mais ou menos nos seguintes termos:

"Você está mostrando à sua parceira uma fidelidade semelhante à que os filhos sentem pela mãe. Por isso o seu sentimento o engana. — Ela não merece você."

Ele me respondeu que se sentiu liberado no ato. Desfez-se imediatamente de sua aliança de noivado e sentiu-se disponível para o novo.

Vingança adotada

UTE: Por um lado, ainda estou às voltas com o sistema de Brigitte, sobretudo com o rigor com que tais princípios de ordem decorrem e obviamente são verdadeiros, embora pareçam ter sido colocados apenas por você. Isso ainda está me mobilizando.

O outro lado tem algo a ver comigo e com minha mãe. No meu casamento — pois fui casada por muito pouco tempo — também fui enganada e abandonei a relação. Senti-me totalmente inocente e isso me faz pensar de novo numa identificação com minha mãe, pois com ela se passou algo semelhante. Meu pai agiu de boa fé quando a mandou para a casa da família dela com meu irmão doente, para que ele se recuperasse. Nesse meio-tempo, aconteceu o relacionamento de meu pai com sua secretária, do qual nasceu a outra criança. Penso que também percebi e adotei algo da vingança de minha mãe contra meu pai. Agora estou sentindo algo de novo que está queimando, mas também posso passar por cima disso.

Reflexão sobre a inocência

KARL: Acabei de olhar o relógio, notei que a jornada de trabalho está terminando e verifiquei como me sinto bem disposto.

Há pouco ficou gravada em mim esta frase sua, que os inocentes são os perigosos. Ela se fixou muito fortemente e está trabalhando dentro de mim.

Presentes para a mãe

CLAUDIA: Estou excitada e pensando em minha mãe, por causa do tema atual. Wolfgang foi embora há pouco porque amanhã é o aniversário de sua mãe e ele vai viajar para lá. Minha mãe também faz anos amanhã e vou fazer o impossível para viajar para lá. Isto começou realmente ontem quando você... *(começa a chorar)*.

HELLINGER: Preste atenção! Você pode imaginar que presentes poderá levar a ela deste curso. Seria uma excelente ocasião. Mas é preciso que você avise antes, para que ela saiba que você lhe levará presentes. Então você poderá se consolar e ficar aqui amanhã. De acordo?
CLAUDIA (ri): Algo assim eu ainda não tentei mas, de certo modo, acho bom.

Crises se resolvem com mais facilidade em seu extremo limite

ROBERT: Estou um pouco inquieto porque tenho de chegar em breve a uma decisão sobre se continuo vivendo com meu filho e entrego minha casa.
HELLINGER: Isso é ainda muito prematuro. É no limite extremo que se supera uma crise.
      Fui, uma vez, diretor de uma grande escola. Lá, de vez em quando, aconteciam crises. Por vários dias eu ficava assistindo como fermentavam até chegar ao seu auge. Então eram rapidamente resolvidas. No auge isso se consegue com muita facilidade.
ROBERT: Preciso tomar uma decisão sobre quando tornarei a procurar minha mulher. Ela me propôs isso, portanto deseja contato. Mas há três meses não mantenho contatos, porque não quis.
HELLINGER: Espere agora, até que possa fazê-lo. A vez é sua. Mas, de qualquer maneira, faça o contato!
ROBERT: Isso já está claro para mim. Só questiono o quando e o como.
HELLINGER: Isso você vai perceber imediatamente, quando chegar o momento. Mesmo quando já sabemos qual é a decisão correta, é preciso deixar primeiro que as forças se concentrem para a execução.
ROBERT: Sinto grande dificuldade em esperar.
HELLINGER: Você realmente não é um guerreiro. Eles fazem isso. Durante a guerra, quando acontecia um ataque, era necessário esperar que o inimigo chegasse a uma distância de cinqüenta metros. Isso é muito difícil. Justamente. É mais fácil atirar quando ele ainda está a um quilômetro. Mas com que resultado?

Constelação de Frank(2): A outra imagem

FRANK: Tenho ainda uma pergunta sobre a minha separação. Chamou-me a atenção o fato de que, quando representei um pai numa constelação familiar, como há pouco na de Brigitte, os filhos sempre ficavam com o pai. Isso tem algum significado para mim?
HELLINGER: Não, isso não tem significado para sua relação com seus filhos, pois se tratava apenas da relação que estava sendo representada. O que acontece com você nós não sabemos. Se quiser investigar, pode colocar sua família.
FRANK: Eu bem que gostaria.
HELLINGER: Então faça-o logo. Ainda temos algum tempo.

FRANK: Bem, fazem parte dela a mulher de quem me divorciei, eu, os dois filhos e Dagmar, minha parceira atual, que está aqui comigo.
HELLINGER: Alguém esteve casado antes?
FRANK: Dagmar foi casada antes.
HELLINGER: Precisamos também do ex-marido dela.

Figura 1

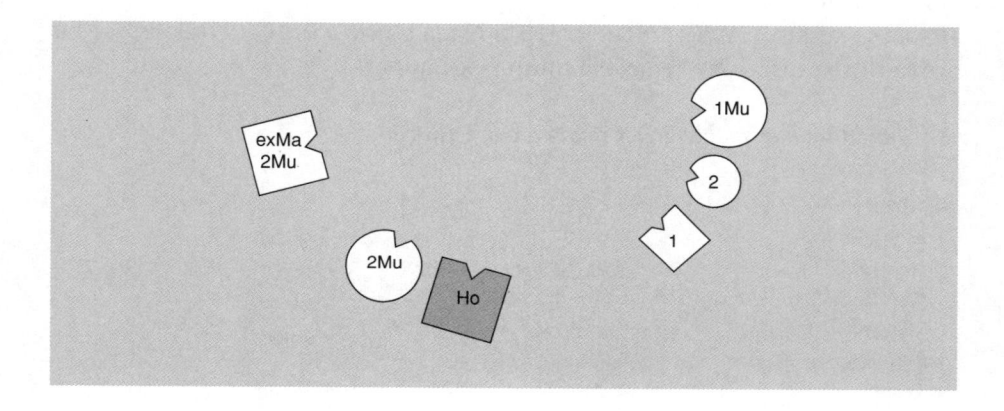

Ho	Homem (=Frank)
1 Mu	Primeira mulher, mãe de 1-2
1	Primeiro filho
2	Segunda filha
2 Mu	Segunda mulher, que não se casou com ele (=Dagmar)
exMa2Mu	Ex-marido da segunda mulher

HELLINGER: Como está o homem?
HOMEM: Quando minha atual parceira veio para perto de mim, isso me aqueceu. Sinto alguma falta de meus filhos.
HELLINGER: Como está a primeira mulher?
PRIMEIRA MULHER: Não sei dizer.
PRIMEIRO FILHO: Na posição em que me encontro, não tenho nenhum contato com meu pai. Tenho também a sensação de que vou perder o contato com minha mãe se me mover na direção dele.
HELLINGER: Chegue mais perto de seu pai, para ver como é.

O filho se coloca ao lado do pai.

PRIMEIRO FILHO: Acho melhor assim, porque também ganho mais contato com minha mãe.

SEGUNDA FILHA: Aqui me sinto bem, mas preferia fazer algo por mim mesma.
PRIMEIRA MULHER: Não estou confiando nos meus próprios olhos.
HELLINGER (*para a filha*): Coloque-se ao lado de seu irmão.
(*para a primeira mulher*): Vire-se para fora. — Como é isso?
PRIMEIRA MULHER: É bom.
HOMEM: Para mim também é muito bom.
HELLINGER (*para a primeira mulher*): Dê mais um passo à frente. Que tal assim?
PRIMEIRA MULHER: É bom.
PRIMEIRO MARIDO DA SEGUNDA MULHER: Nada tenho a ver com tudo isso. Mas ainda sinto tensões em relação à minha ex-mulher.

A segunda mulher ri. Hellinger muda a configuração.

Figura 2

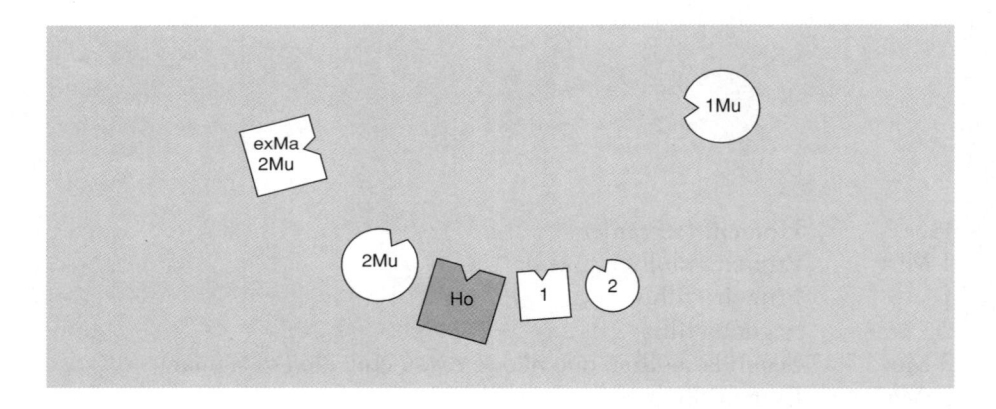

HELLINGER (*para Frank e Dagmar*): Agora coloquem-se em seus respectivos lugares.
(*para a filha*): Você está bem aí?
SEGUNDA FILHA: Estou bem, mas sinto um pouco de irritação contra a segunda mulher.
HELLINGER: Sim, é claro! Naturalmente você representa diante dela a sua mãe.
PRIMEIRO FILHO: Também sinto falta de minha mãe.
PRIMEIRA MULHER: Eu também estava curiosa para ver o que está acontecendo.
(*Ela se virou de novo para a família.*)
HELLINGER: Como é a imagem da família, vista de longe?
PRIMEIRA MULHER: É mais completa.
FRANK: Estou perplexo.
HELLINGER: Esta é uma solução simples e clara.
Está bem, foi isso aí.

FRANK (*depois que se sentou de novo*): Ainda não consigo compreender tudo isso. Subitamente visualizei algumas coisas.
HELLINGER: Alegre-se simplesmente com isso! Se você se alegra, é o bastante.
FRANK: Isso me deixa muito inseguro.
HELLINGER: Alegre-se na insegurança! — Há gente que não acha gosto na sopa enquanto não encontra um cabelo. Apesar disso, pode-se deixá-lo de lado e tomar toda a sopa.
    Está bem, é sempre o mesmo processo em você. A felicidade dá medo e traz responsabilidade.
FRANK: Penso que tenho de esclarecer isso, antes de assumir a responsabilidade.
HELLINGER: Está claro, sua mulher está sendo puxada de volta para a terra e o sistema dela e os filhos pertencem a você. Ela ficou muito aliviada ao perceber isso.
FRANK: Sempre me senti culpado.
HELLINGER: Eu também fiquei aliviado quando percebi isso. Fiquei contente por você. Aqui não há necessidade de falar de culpa. A dinâmica é a responsável. Ela se desenvolve assim e está certa.
(*para o grupo*): Está bem, vamos encerrar por hoje.

Terceiro Dia

A rodada

Uma rodada significa que os participantes tomam sucessivamente a palavra para dizer o que o trabalho produziu neles até o momento, fazer perguntas ou abordar imediatamente o que lhes ocorre. Os demais participantes permanecem centrados, sem interferir nem comentar. Desta maneira, aquele que comunica não precisa levar em conta observações ou objeções dos demais participantes. Não obstante, ele os tem diante de si como um contraponto centrado e atuante. Quando alguém se desvia para algo que mais serve de justificativa ou acusação do que para o crescimento próprio, o grupo fica inquieto. Então o coordenador interrompe o processo e passa a palavra ao participante seguinte. Por outro lado, quando alguém trabalha com algo significativo para si, todos os demais se mantêm atentos e centrados, mesmo quando isso toma mais tempo.

O que é significativo para um indivíduo toca a todos. Quando uma pessoa reconhece ou resolve algo essencial para si, os demais aprendem junto, como num modelo, sem que precisem trabalhar individualmente esse problema no grupo.

No início, as rodadas costumam ser muito rápidas. Perto do final de um curso ficam mais longas, porque para muitos é a última oportunidade de resolver algo não solucionado que os esteja oprimindo. Um exemplo de rodada, um pouco abreviada, é apresentado nas próximas páginas.

Sintomas adotados

ANNE: Estou bem. Noto que para mim muitas coisas começaram a fluir e outras ficaram mais claras. Percebi claramente que estou identificada com uma pessoa, provavelmente até mesmo com várias...

HELLINGER: Não; via de regra, só existe uma identificação. Quando existem várias, a pessoa enlouquece.

ANNE: Uma identificação que presumo, ou me ficou mais clara, é com minha avó, e eu a sinto fisicamente. Tendo a respirar mal, de vez em quando, só com a parte superior do tórax, sem completar a respiração. Já me conscientizei de que a prendo quando estou com medo e em situações de conflito, e nessas ocasiões geralmente me sinto fisicamente pequena. Veio-me agora uma recordação dessa avó. Ela sofria muitos medos de perseguição e eu, quando criança, precisava sempre verificar para ela se havia alguém escondido em algum lugar. Creio que adotei um pouco esse medo, e desde criança prendo a respiração em situações semelhantes.

HELLINGER: O que se faz então em tais situações?

ANNE: Respirar, creio.
HELLINGER: A gente olha a vovó com amor e lhe diz: "Eu prendo a respiração por você." Sim? Entendeu?
ANNE: Vou experimentar.
HELLINGER: Você percebe o amor? Quando ele vem à tona, libera você. Mais alguma coisa, Anne?

Origem judaica

ANNE: Sim. Nesta manhã, falando de meus avós paternos, permiti-me dizer, pela primeira vez, não que morreram ou pereceram, como costumava falar, mas que foram assassinados.
HELLINGER: Por quem?
ANNE: Na época do nazismo. Nasci de uma família judia.
HELLINGER: Isso é sempre extremamente significativo. — Uma mulher judia não pode casar-se com um alemão.
ANNE: Eu me casei com um alemão.
HELLINGER: Isso não dá certo. Uma judia não pode casar-se com um alemão.
ANNE: Pode me dizer por quê?
HELLINGER: Dá errado. Ainda não vi nenhum caso em que tenha dado certo. No sentido inverso, sim: um judeu pode casar-se com uma alemã, mas vice-versa não funciona.
JOHANN: É possível explicar tal coisa ou é simplesmente assim?
HELLINGER: Eu não explico. É assim.
(*para Anne*): Você já viu outros exemplos?
ANNE: Sim.
HELLINGER: Viu mesmo?
ANNE: Vi.
HELLINGER: Está bem, talvez eu precise rever minha afirmação.
ANNE: Mas tenho consciência do problema.
HELLINGER: Quando uma mulher judia se casa com um não-judeu — naturalmente, é ainda mais difícil com alemães —, o casamento só funciona se ela renega o judaísmo. Mas um judeu não consegue isso. Não funciona. A vinculação de destino entre eles é tão mais forte do que em outras etnias que algo assim, via de regra, não funciona.
ANNE: Por que você acha que com um homem judeu é diferente?
HELLINGER: Isto tem a ver com o que eu disse ontem, que a mulher precisa seguir o homem. Uma judia não pode fazer isso sem renegar sua fé. Uma não-judia pode seguir um judeu, mas no sentido inverso não funciona.
GEORG: Não é verdade também que as mulheres transmitem o judaísmo? Com isso, os filhos afastam-se automaticamente da família do pai.
HELLINGER: Isso decorre especialmente do fato de que uma judia não pode des-

posar um não-judeu sem abjurar, ao passo que uma não-judia pode seguir um judeu sem abjurar; neste caso, a regra não se aplica. Mas a vinculação ao sistema de valores que lhe é imposta impede a mulher judia de fazer isso. Mas esta é apenas uma das razões, e aí existe muita coisa interligada. Via de regra, tal relacionamento não funciona e a gente não deve deixar-se iludir.
ANNE: Não obstante, eu escolhi esse homem. E, o que complica mais a coisa: meu marido era candidato ao sacerdócio. É portanto também um teólogo católico. Sua mãe não o destinava ao casamento.
HELLINGER: Está bem, mas isso é mais fácil de resolver e não seria uma razão para deixá-lo. A dificuldade está mais em você, em seus pais e em seu destino. (*Anne vive separada de seu marido.*)
ROBERT: Talvez seja também importante saber qual o percentual da parte judia. A metade, talvez? Um quarto?
HELLINGER: Não quero entrar agora nesses casuísmos. O importante aqui é que sejam percebidas as forças que atuam. Os detalhes podem ser verificados depois. (*para Anne*) A informação que você deu é muito importante. Agora fica mais fácil configurar sua família.

A medida certa

IDA: Estou sentindo alguma palpitação e minha pergunta é a seguinte: Como se encontra a medida certa para as coisas?
HELLINGER: A medida certa?
IDA: Sim, a medida certa.
HELLINGER: Existe uma orientação interna. Quando alguém fica atento a ela e se recolhe ao próprio centro interior, percebe quando atingiu o limite ou qual é a medida certa. Às vezes, estabelecemos a medida por nossa cabeça, e essa medida freqüentemente está errada. Por exemplo, quando alguém tem um sentimento muito forte e autêntico, como aconteceu ontem ou anteontem com Ute em relação à mãe, e se entrega a ele, o próprio sentimento lhe mostra a medida, e a pessoa nunca pode ultrapassá-la.

É bem diferente quando a pessoa fantasia um sentimento, como fez Wilhelm com a idéia de ser uma vítima. Esse era um sentimento falso. Nesse caso, por não estar centrada, a pessoa ultrapassa a medida certa. Mas um sentimento que nasce imediatamente de uma situação já inclui sua medida, mesmo quando o julgamos desmedido. Num relance, percebemos perfeitamente: agora é bom. Assim, é possível encontrar também a medida em outras situações.

Alguns julgam que a medida pequena é mais segura do que a grande. Não, a medida certa é a única segura.
IDA: Então isso quer dizer que também na compensação é preciso primeiro esperar, até que se encontre a medida que convenha a todos quanto ao dar e ao tomar.

HELLINGER: A medida resulta da interação com uma coisa, uma tarefa ou uma pessoa. Não é possível determiná-la de antemão.

Aliviado

WILHELM: Dormi muito bem e, para minha surpresa, tenho agora um tempo enorme.
HELLINGER: Muito bem.
WILHELM: De resto, estou bem.

O preço

HELLINGER: Como está você, Klara?
KLARA: Bem. Razoavelmente exausta.
HELLINGER: Sim, é natural.
KLARA: Gostaria de perguntar-lhe uma coisa. Desde ontem, quando surgiu o tema da compensação, estive sempre pensando no meu acidente. Há nove anos sofri um grave acidente de trânsito e sempre encarei o tema da compensação em relação àquele momento. Sofri o acidente junto com meu marido. De qualquer forma, veio-me ontem à mente esta pergunta: se esse acidente não se relaciona também, de forma muito concreta, com minha família.
HELLINGER: É bem possível que sim.
KLARA: Com a família?
HELLINGER: Sim. — E agora, o que você faz com isso?
KLARA: Não sei.
HELLINGER: Bem, as conseqüências do acidente já não podem ser mudadas e você tem de assumi-las. Mas pode suavizá-las, na medida em que a façam lembrar-se da imagem de ontem, de que você acolhe todos os que lhe pertencem e que isso é bom. O resto você toma como seu destino.
(*para o grupo*): Gostaria de dizer aqui algo sobre traumas, acidentes e destinos cruéis. Muitos que tiveram um destino cruel, por exemplo, que foram torturados ou escaparam de campos de concentração, freqüentemente deixam de ver o mais importante de tudo.
— O que é o mais importante?
KLARA: Que sobreviveram.
HELLINGER: Que a situação terminou bem. Assumir isso é o mais difícil de tudo.

Certa vez um homem me ligou. Ela saíra de viagem para Rodes com um grupo de turistas, e lá penetraram num velho e estreito aqueduto. No meio do caminho ele teve um acesso de pânico. Saiu a custo e retornou ao hotel, onde teve novo acesso de pânico. Regressou imediatamente para casa e lá, à noite, teve outro acesso semelhante.

Quando me contou isso, eu lhe disse: "Isso é uma lembrança de seu nascimento. Quando houver vaga em algum curso meu, receberei você; então poderemos resolver isso."

Quando vagou um lugar, ele veio e reviveu seu nascimento. Mas isso não resolveu seu problema. Perguntei-lhe: "O que aconteceu em seu nascimento?" Ele respondeu: "Minha mãe quase morreu de hemorragia." Retruquei: "Está bem, ajoelhe-se, olhe para a parede, imagine sua mãe presente, olhe para ela e diga-lhe: "Eu tomo a vida pelo preço que lhe custou." Ele não conseguia fazer isso: era demais para ele. Depois de três dias conseguiu finalmente dizê-lo e então se curou. Assim é.

(*para Klara*): Foi este o sentido da reverência em sua constelação: você tomou sua vida pelo preço que seu marido pagou. E todos foram amáveis com você, não foram? É assim também: Quem pagou o preço gosta de ver que isso não foi em vão.

KLARA: Você está dizendo que o acidente foi o preço?

HELLINGER: Não, os outros pagaram o preço por sua vida e gostariam de ver que não o fizeram em vão. Portanto, se você toma sua vida pelo preço que os outros pagaram por ela, e faz dessa vida algo de bom, então eles ficam reconciliados com o preço que lhes custou. Mas se você deixa que sua vida vá mal, esse preço foi pago em vão. Entendeu?

KLARA: Sim.

HELLINGER: Bem. Algo mais?

KLARA: Agradecida.

O sentimento básico e como mudá-lo

SOPHIE: Também dormi bem esta noite, em duas etapas. Depois de uma fase de sono realmente profundo, acordei. No princípio, estava totalmente tranqüila, mas então vieram à tona algumas coisas que me sacudiram. Não tenho diretamente problemas com a família mas percebi de repente, com muita força, que o fato de estar tão bem hoje eu o devo à posição segura que ganhei junto a meu pai, quando minha mãe faleceu.

HELLINGER: Quando faleceu sua mãe?

SOPHIE: Eu tinha completado sete anos. Meus irmãos não ficaram tão bem.

HELLINGER: Quando olhamos as pessoas, podemos avaliar imediatamente o nível de seu sentimento básico. É o estado emocional ao qual se retorna quando se deseja reduzir o próprio *stress* ao mínimo. Quando alguém fica mais feliz, seu *stress* é maior, e o mesmo acontece quando fica infeliz. Quando imaginamos uma escala do sentimento básico a partir de menos cem, isto é, bem de baixo, passando por zero até atingir mais cem, podemos classificar as pessoas de acordo com o seu sentimento básico. O seu está aproximadamente em menos cinqüenta.

As pessoas cujo sentimento básico se situa na zona negativa sentem a falta de um dos pais. Em relação ao sentimento básico Anne, por exemplo, está na zona positiva. Wilhelm está na zona negativa. Klara está mais para o positivo, surpreendentemente. Dizem que não se pode mudar o sentimento básico. — Eu descobri, entretanto, como se pode mudá-lo.
SOPHIE (*rindo*): Espero que você me diga algo a respeito.
HELLINGER: Naturalmente; caso contrário, teria me dispensado essa longa introdução. Bem, quando se consegue integrar o pai ou a mãe que falta ou que se excluiu, o nível do sentimento básico se eleva cerca de setenta e cinco pontos.

Risadas no grupo.

HELLINGER (*para Sophie*): Se você perdeu a mãe aos sete anos, ela lhe faz falta, é evidente. Contudo você pode recuperar isso, de modo que ela retome o seu lugar. Você precisa saber que uma criança que perde prematuramente um dos pais, por ser muito fraca, não pode suportar a dor do luto. Em conseqüência disso, ela reage com raiva: esta é a sua forma de luto. Mais tarde, quando procura sentir a dor, não entra em contato com ela mas sim com a raiva, e então se envergonha. Mas esta é a forma de luto adequada à criança, e os pais sabem disso. Sua mãe compreenderia você. — De que ela morreu?
SOPHIE: Das seqüelas de uma operação. Na verdade, estava psiquicamente doente. Estava sempre doente e simplesmente não se curou mais.
HELLINGER: Gostaria de fazer com você um exercício simples e sem drama, para que você entre em contato com sua mãe e com seu amor por ela. Mas só se você quiser.
SOPHIE: Me dá um pouco de medo.
HELLINGER: Dá sempre medo quando a gente se defronta com algo essencial. Mas é algo benéfico e muito simples.
SOPHIE: Está bem.

Paz através do amor

HELLINGER (*para Klara*): Posso pegar você para ajudar no exercício?
KLARA: Sim.
HELLINGER: Então deite-se de costas no chão, feche os olhos e permaneça simplesmente deitada assim.
(*para Sophie*): Deite-se de costas ao lado dela, a uma pequena distância, de forma que sua cabeça fique mais ou menos na mesma altura que a dela. — Agora, imagine que você está deitada, como criança, ao lado de sua mãe doente e olha para ela com amor. Olhe para ela! Respire fundo, relaxe a boca! Você a vê em sua doença. Olhe-a com amor!

Sophie respira fortemente, sente sua dor e chora com olhos abertos.

HELLINGER: Com amor! — Como você chamava sua mãe quando era criança?
SOPHIE: "Mãezinha."
HELLINGER: Diga: "Querida mãezinha!"
SOPHIE: Querida mãezinha!
HELLINGER: "Querida mãezinha." — Com todo o amor: "Querida mãezinha!"
SOPHIE: Querida mãezinha!
HELLINGER: Diga-o com toda a tranqüilidade!
SOPHIE: Querida mãezinha!
HELLINGER: E diga a ela: "Querida mãezinha, abençoe-me!"
SOPHIE: Querida mãezinha, abençoe-me!
HELLINGER (*depois de algum tempo, quando a dor cede*): Então foi isso aí. (*para o grupo*): Estão vendo como ela brilha? É lindo! — Assim é na psicoterapia. O método básico chama-se: solução através do amor. Quando estamos em sintonia com o amor, podemos ir em frente.

A felicidade secreta

HARTMUT (*para Hellinger*): Como você avalia meu nível básico? *Risadas no grupo.*
HELLINGER: Curiosamente, mais do lado positivo.
HARTMUT: Fico surpreso, mas alegre.
HELLINGER: Cada um sabe imediatamente, por si mesmo, onde está seu nível básico. Pode avaliá-lo em seu próprio sentimento.
HARTMUT: Considero-me uma pessoa muito melancólica e achava que a melancolia leva a pessoa para o lado negativo.
HELLINGER: A melancolia protege a felicidade secreta.
HARTMUT (*ri*): Bem. — Aprendi muita coisa e tenho um sentimento de gratidão. Percebo também a vibração deste ambiente como curativa. É a primeira vez que participo de um curso assim e gostaria de dizer algo que para mim foi absolutamente novo e me trouxe ajuda imediata.
HELLINGER: De acordo.

Um outro tipo de saber

HARTMUT: Foi novo para mim descobrir que existe um saber imediato, um conhecimento espontâneo direto, que está em nós e não foi transmitido por palavras. Foi novo para mim pensar que absolutamente existe um saber desse tipo. Ele ficou imediatamente claro para mim. Caso contrário, tudo o que você disse e colocou, em aberta contradição com a aparente realidade familiar, teria me parecido totalmente paradoxal ou, pelo menos, hipotético. Este foi o primeiro ponto.

Segundo ponto. Como um mensageiro enlouquecido que desmaia pouco antes de entregar a mensagem, procurei, anos a fio, servir de intermediário entre membros da minha família, negligenciando os meus próprios interesses. Com tremenda energia, promovi sempre tentativas de reconciliação para restaurar ordens que, como percebi agora, não existiam dessa forma ou não eram fundamentais. Graças a você e a este trabalho reconheci, pela primeira vez, que não consigo relacionar-me com meu pai sem confronto pessoal. Eu guardava um tremendo ressentimento contra ele, porque sempre evitou o confronto comigo. Ele jamais me deu, em toda a minha vida, qualquer frase de orientação, por mais que eu o provocasse. Ele tinha uma alma encapsulada e isso me fez ficar ressentido com ele. Vejo agora, pela primeira vez, uma possibilidade de me acertar com ele, embora já tenha morrido há cinco anos. É liberador saber isto: que não preciso renunciar eternamente a meu pai, pois sou seguramente a pessoa que mais cuidou dele e de quem ele mais se esquivou.

O terceiro ponto — pois ainda não terminei — é que me reconcilio com o fato de não ter empregado em minha vida a agressão, a raiva e todas essas coisas externas e de ter perdido muitas coisas por não ter lutado por elas. Pensava que ainda teria de resgatar isso, ficar agressivo e lutar, e agora percebo, mesmo que de modo ainda impreciso, uma forma de recuperar interiormente a força e a energia, que ficaram presas em mim devido a esse esforço de repressão.

Dar sem tomar

HELLINGER: A raiva é, com freqüência, um caminho de aproximação sem amor. Por conseguinte, é uma forma barata de aproximação. A aproximação pelo amor, quando atinge seu alvo, é muito mais desafiadora do que pela raiva.
HARTMUT: Atualmente, muitas pessoas que convivem comigo me dizem: "Você nos sufoca, você é insistente com o seu amor; você não nos dá oportunidade de esperar por ele, de exigi-lo..."
HELLINGER: Sobretudo, você não toma. Quem dá sem tomar diz ao outro: "Antes você se sinta devedor do que eu." Então o outro se aborrece com ele, e com razão. Você ouviu falar de um certo Vicente de Paulo?
HARTMUT: Apenas ouvi falar, não estudei.
HELLINGER: Era um santo em Paris, um perito em amor ao próximo, no bom sentido. Ele revelou a um amigo um segredo de sua longa experiência de vida. Ele lhe disse: "Quando quiserem ajudá-lo, tome cuidado!"
HARTMUT: Essa desconfiança eu experimento e sofro com ela.
HELLINGER: Com razão. Quero dizer-lhe uma coisa, um pequeno aforismo: "Muitos ajudantes se assemelham a um escaravelho que pensa que pode virar o mundo com suas patinhas traseiras."

Risadas no grupo.

CLAUDIA: O que é um escaravelho?
HARTMUT: Um besouro do estrume.
HELLINGER: Isso mesmo, o rola-bosta.

Uma nova perspectiva

ROBERT: Ontem me fez bem você ter dito que ainda era muito cedo para tomar todas as decisões. Isso me devolveu a tranqüilidade. E noto que a irritação e a raiva contra minha mulher sumiram desde anteontem. Mesmo quando as busco, não estão mais lá. (*Ele ri.*)
HELLINGER: É terrível!
ROBERT: Sim, uma perspectiva totalmente nova. Ainda não sei o que vai surgir aí. Vou aguardar primeiro. De qualquer forma, estou bem.

Um ideal frustrado de relacionamento

JOHANN: Estou intranqüilo por dentro, um pouco nervoso e minhas mãos estão suando. Ontem, estive o tempo todo como um alienado, meio ausente até a noite. De alguma forma, muita coisa me irritou demais. Reparo que ainda estou um pouco desorientado. Muitas coisas começam a oscilar. Também, todas essas histórias de *scripts* familiares, as constelações: noto que simplesmente não entendo isso. E minhas concepções ideais de parceria e relacionamento se desmoronam.
HELLINGER: Com razão. — Um amigo meu, o psicoterapeuta Hans Jellouschek, acaba de escrever um livro onde trata lindamente dos efeitos dessas concepções ideais. O livro se chama *Die Kunst, als Paar zu leben* (*A arte de viver como um casal*).
JOHANN: Há várias coisas que me afetam, inclusive o que Hartmut acabou de dizer. Eu também me reconheço assim: dou muito amor e sinto muita dificuldade em aceitar alguma coisa. Desejo chegar ao prado verde e também tenho medo disso.

Dar e tomar na relação do casal

HELLINGER: Quem toma é humilde. Precisa conter-se e abrir mão de um pouco de sua força. Então pode receber do outro, não antes. Mas também recebe força e, a partir dela, retribui. Isso envolve modéstia de sua parte, mas ambos permanecem no mesmo nível.
    Na relação do casal, o homem tem algo que falta à mulher e a mulher tem algo que falta ao homem. Eles se equivalem, tanto na capacidade de dar quan-

to na de receber. Nesse nível, são plenamente equivalentes. Do mesmo modo como essa equivalência está claramente estabelecida nesse nível, assim também deve funcionar nos demais níveis.

Quando, num relacionamento, um parceiro dá mais e recebe menos que o outro, o relacionamento fracassa. Portanto, na terapia de casal, a primeira medida é descobrir quem dá mais e quem recebe mais, e então reequilibrar o dar e o tomar. Nesse assunto, cada um sabe de imediato se dá ou recebe mais.

JOHANN: Tenho a fantasia de que então fico totalmente exposto ao outro.

HELLINGER: Isso é o medo. Pois você precisa confiar no outro. Daí resulta também que só devo dar ao outro na medida em que ele possa ou queira retribuir. Se ultrapasso essa medida, ele tem que ir embora. Não devo dar-lhe mais do que ele queira ou possa retribuir. Com isso se estabelece, de antemão, um limite para o dar.

Cada relação começa com a necessidade de renunciar a alguma coisa, porque a medida do dar e do tomar é limitada. Isso vale para qualquer relação. Algumas pessoas buscam uma relação onde a troca seja ilimitada, mas tal relação não existe. Quem abandona essa ilusão expõe-se a uma relação modesta que entretanto, justamente por ser modesta, será também feliz.

JOHANN: Minha namorada também me disse o mesmo que você.

HELLINGER: Está vendo?

JOHANN: Posso compreender isso.

HELLINGER: Você sabe o melhor caminho para lidar com o tomar e o dar numa relação de casal? É fazer pedidos concretos. Portanto, não dizer: "Por favor, me ame mais", pois não é concreto, mas sim: "Por favor, fique mais meia hora e converse comigo." Então, passada a meia hora, o outro sabe que satisfez o seu pedido. Porém, se você disser: "Fique comigo para sempre", ele nunca saberá quando terá satisfeito o seu pedido e se sente excessivamente exigido. São conselhos simples e modestos.

JOHANN: Isso está claro na minha cabeça.

HELLINGER: E deve escorregar de cima para baixo.

Deixar que a pressão reflua

MARTHA: Sinto uma pressão muito forte na cabeça. Tenho a sensação de que são lágrimas ou medo, não sei o quê.

HELLINGER: Traga para cá sua cadeira!

Martha toma sua cadeira e senta-se perto de Hellinger, de frente para ele.

HELLINGER: Fique confortável aqui.

Martha relaxa e ri.

HELLINGER: Feche os olhos. (*Ele puxa a cabeça dela para a frente com suavidade.*) Respire! (*Ele coloca a mão em sua nuca e balança suavemente a cabeça para um lado e para outro.*) Abrace-me!

Martha abraça Hellinger e se balança suavemente para a direita e a esquerda.

HELLINGER: Entregue-se ao movimento como ele vier. — Imagine que o amor flui e em que direção ele flui. — Com força!

Martha respira vigorosamente.

HELLINGER: Expire forte! — Mais rápido! — Expire forte! — Mais rápido!

A dor explode e Martha chora em alta voz.

HELLINGER (*quando a dor passa*): Agora, respire sem som!

Martha respira mais tranqüilamente.

HELLINGER: Como está você agora?
MARTHA: Sim, agora está tudo livre.

A questão religiosa

ROLF: Tenho uma insegurança com relação a meus clientes. Quando ficam mais lúcidos, eles abordam a questão religiosa. Ainda não vi nenhum caso em que isso não tenha acontecido. Tenho mantido sempre uma grande reserva, mas percebo que realmente deveria dizer mais.
HELLINGER: Não abordamos o problema da religião.
ROLF: Mas para onde eles devem direcionar a sua energia, sua criatividade e dedicação?
HELLINGER: Sobre o problema da religião nada sabemos. Seus clientes esbarram em mistérios. Isso é algo diverso. Alguns, porém, ao pretenderem conhecer o mistério, evadem-se dele, privando-o de sua força. Na verdade, é o mistério que se retrai diante deles.

Luto pelas tias que pereceram

CLAUDIA: Estou vivenciando simultaneamente duas coisas, que nem sempre têm a mesma importância: ora surge uma, ora outra. Uma diz respeito à família de meu pai. Não sei se isto ainda tem importância: acabo de me lembrar que duas irmãs dele morreram no campo de concentração. (*Ela começa a chorar.*)

HELLINGER: Isso é importante, e como! — Por que elas foram para um campo de concentração?
CLAUDIA: Depois que perdemos a guerra, foram internadas num campo de concentração polonês. (*Chora.*)
HELLINGER: Olhe para elas com respeito, com respeito diante de seu destino. Está bem. — Voltarei ao assunto quando colocarmos sua família. Essas tias certamente precisam entrar na sua constelação. Então você verá a força que elas lhe passam.

Ajudar os pais de crianças deficientes — com respeito

KARL: Hoje estou pensando muito nas pessoas com quem trabalho e na renúncia que fazem os pais de crianças deficientes. Há pouco, quando você falou das pessoas que se dedicam a ajudar, também senti mais fortemente meu desamparo.
HELLINGER: Tenho o maior respeito por você e por seu trabalho. Muitos se iludem pensando que a vida feliz é a grande. Não é verdade. Nesse desafio e nessa dedicação ao cuidado de crianças deficientes existe uma grandeza e uma riqueza que a pretensa vida feliz jamais alcança. Para os pais de crianças deficientes, esse é um caminho preestabelecido, e dele não podem escapar. Se você os respeita e não lamenta o destino deles — isto é importante! —, mas percebe que estão enfrentando um desafio e os ajuda a superá-lo, então você fez bem o seu serviço.
ROLF: Estou pensando numa cliente difícil e sentindo compaixão por ela.
HELLINGER: Sobre a compaixão trago-lhe um dito: "A compaixão exige a coragem de se expor totalmente ao sofrimento."

A presunção e suas conseqüências

UTE: Estou me sentindo bem, de corpo e de alma. Também não sinto mais medo. Entretanto, sinto uma pressão em meu peito quando se fala de certos temas. Não é uma dor no coração, mas oprime. Isso acontece com o tema que foi tratado ontem, da culpa do inocente. Ele afeta diretamente a minha mãe, mas me atinge também. No que se refere à infidelidade de meu pai, de que resultou o filho extraconjugal, ela me falou, com muita veemência, que estava numa situação extremamente difícil com o filho doente. Disse que meu pai a enganou e abandonou e que ela teria ido embora com as duas crianças se tivesse tido essa possibilidade. Pergunto-me se esse pensamento não está me estorvando agora, porque de fato eu gostaria de fazer uma profunda reverência.
HELLINGER: Um filho não deve imiscuir-se num assunto que diga respeito aos pais. Seja qual for a felicidade ou infelicidade que aconteça entre eles, o filho não deve saber disso. Os pais também não devem dizê-lo ao filho. Se sua mãe lhe disse isso, então você precisa esquecer. E é possível esquecer.

UTE: Ah, sim?
HELLINGER: É uma disciplina espiritual. É possível exercitar o esquecimento, na medida em que interiormente nos retraímos. De repente, aquilo desaparece. Aí você deixa os pais nesse conflito, olha com amor para eles e toma de ambos o que lhe deram.
UTE: Vá lá, está bem.
HELLINGER: Quero dizer-lhe ainda uma coisa: Só os pecadores conhecem a clemência.
UTE: Clemência?
HELLINGER: Sim, a clemência. Os inocentes são duros.
UTE: Hum, estou entendendo.
HELLINGER: Inocência e culpa não são o mesmo que bom e mau. Muitas vezes a relação é antes inversa.
UTE: Percebo que fui dura durante muitos anos de minha vida. Fui dura, sobretudo, em apreciações e no julgamento do que é justo e injusto.
HELLINGER: Não descreva tanto, senão você volta a ficar assim!
UTE: De acordo. Esse era o primeiro tema. O segundo surgiu através de Klara: três meses depois da morte de meu pai tive um gravíssimo acidente de carro. Entre outras coisas, sofri fratura da base do crânio, quebrei três ou quatro vértebras, e desde então...
HELLINGER: Isso me basta. — Qual é a dinâmica?
UTE: Pensei no acidente e na alusão ao túmulo porque depois disso ainda sofri vários acidentes e ainda não estou livre de me acidentar de novo.
HELLINGER: Você sabe qual é a ligação?
UTE: Foi como se eu quisesse criar uma solidariedade com meu pai e me declarar leal a ele.
HELLINGER: Isso por um lado. Por outro, uma coisa assim acontece como expiação pela presunção, a presunção de saber o que se passou entre seus pais.

Quando alguém atenta contra a ordem de origem, quando, por exemplo, um filho se arroga o direito de saber e julgar o que se passa entre os pais, ele se coloca acima deles. Sempre que acontecem processos trágicos em sistemas, como acidentes graves, suicídios e coisas semelhantes, trata-se de conseqüências da transgressão dessa ordem. Alguém em posição posterior colocou-se no lugar de alguém em posição anterior, e conseqüentemente reage com uma necessidade inconsciente de fracassar, ficar infeliz ou morrer.

A solução consiste em que você se retire disso e agradeça, porque tudo terminou bem e você pode aprender com isso e colocá-lo em ordem.
UTE: Percebo que bem gostaria de entender isso, mas estou meio envolvida por uma névoa e absolutamente não vejo você.
HELLINGER: Não importa. Se você não o entende, também não pode ser contra. Então isso mergulha sem barreiras nas profundezas.
UTE: Quando penso em acidentes, vem-me uma sensação indescritível. É realmente nebulosa, e é quente. Não pude deixar de pensar que o irmão de meu

pai, devido a um esgotamento, morreu de acidente aos cinqüenta e quatro anos. Eu também freqüentemente fico esgotada. Não tenho emoções a respeito, mas sinto como se me viesse de baixo uma espécie de calor desagradável.
HELLINGER: Já contei uma vez a história do esquimó, você se lembra? Ele foi ao Caribe para as férias de verão e depois de duas semanas se acostumou. A que se acostumou ele?
UTE: Ao calor. — Certo, entendi.

A metade do caminho

FRANK: Continuo pensando na constelação de ontem à noite. Existe algo relativo ao meu papel que ainda não entendi totalmente.
HELLINGER: Isso não se pode entender totalmente. Você apenas percebe os efeitos e vê uma solução. Quando continua a procurar e finalmente acredita que encontrou todas as causas, apenas imagina que possui alguma coisa, pois todas essas causas acabam se perdendo na obscuridade. Você já viu tudo que necessita para a solução, e tornará a perdê-la se continuar pesquisando.

O bom conhecimento está direcionado para uma realização. Quando quero saber mais do que necessito para ela, o conhecimento atua destrutivamente, tornando-se um substitutivo da ação.
FRANK: A pergunta básica que me ocorre é propriamente a seguinte: se essa constelação está certa, seria correto que os filhos ficassem comigo?
HELLINGER: Naturalmente, é correto.
FRANK: Isso contradiz o que vejo no momento, pois eles parecem estar felizes com a mãe.
HELLINGER: Naturalmente. Sua mulher é, sem dúvida, uma boa mãe. Por conseguinte, você não precisa decidir agora coisa alguma. Precisa apenas levar consigo a imagem de que isso é acertado, e então deixar que ela trabalhe por você.
FRANK: Está bom assim.
HELLINGER: A imagem faz isso por você. Você deve esperar, até que ela produza seu efeito. OK?
FRANK: Mais ou menos.
HELLINGER: Isso é meio caminho para a felicidade, não acha?
FRANK: A metade do caminho.

Ter um filho com o companheiro: sim ou não?

DAGMAR: A imagem final da constelação de Frank, ontem à noite, teve uma importância especial para mim. Para mim é difícil dizê-lo, mas foi o que sempre desejei. Não obstante, minha primeira reação foi esta: não está certo que os filhos fiquem com Frank sem que eu tenha um filho com ele. Este é um ponto que vem me preocupando há anos e seguramente tem algo a ver com um aborto voluntário e outro espontâneo, mais recente. Portanto, estou muito incerta se quero ter um filho com Frank, ou se juntos construímos algo diferente no futuro.

A posição da segunda mulher

HELLINGER: Quero dizer-lhe mais uma coisa sobre a constelação de Frank, de ontem à noite. Caso aquela imagem venha a se realizar da forma como se configurou, vale para você o princípio: em relação aos filhos de Frank, você não tem direitos nem deveres. Esse assunto diz respeito apenas a ele e à sua primeira mulher.
DAGMAR: Totalmente de acordo.
HELLINGER: Você é apenas mulher de Frank, nada mais. Isto você também pode dizer aos filhos dele: "Sou apenas a mulher de Frank; tudo o mais, quem resolve é ele e a mãe de vocês." Se você for cordial para com eles, Frank lhe fica devendo algo, porque você está fazendo uma coisa a que não está obrigada.
DAGMAR: Sou cordial com as crianças.
HELLINGER: Cordial a gente também é com outras pessoas. Não é bem disso que se trata, mas de fazer algo especial, por exemplo, cozinhar para eles quando estão em casa. Isso merece um reconhecimento especial. Frank deve, portanto, reconhecer que você faz algo especial. Naturalmente, isso também envolve amor a ele. Mas é algo especial e ele deve prestar-lhe reconhecimento por isso.
DAGMAR: Eu lhes dei presentes, fui amável. No Natal...
HELLINGER: Isso é demais. Assim você ocupa o lugar da mãe e isso você não deve fazer. Pode ser amável, mas sem excesso. À segunda mulher convém manter a máxima reserva. Frank faz o que deve ser feito para os filhos. Você o apóia nisso, mas permanece em segundo plano. É importante observar este ponto.
Há outra coisa a ser observada numa segunda relação. Aqui também vale a ordem de origem. Numa primeira parceria, a relação entre o homem e a mulher ocupa sempre o primeiro lugar, e tem precedência sobre todas as outras. Quando o casal tem filhos, é comum acontecer que o cuidado dos filhos ganhe prioridade sobre o amor entre os parceiros. Mas isso é uma perturbação da ordem, e os filhos o sentem como opressivo; então a ordem precisa ser restabelecida. A relação do casal tem precedência sobre o cuidado dos filhos. É mau quando os pais se sacrificam por eles. Isso precisa ficar claro para todos.

Quando porém, como no caso de vocês, o homem já tem filhos de uma primeira relação, então ele é, em primeiro lugar, pai de seus filhos e apenas, em segundo lugar, o seu parceiro. Portanto, neste caso, o cuidado e o amor pelos filhos tem precedência sobre o amor a você. Você precisa reconhecer isso. Se surgisse algum conflito, se você dissesse: "Eu tenho prioridade, depois vêm os

seus filhos", isso estaria contra a ordem e teria conseqüências danosas para o relacionamento de vocês.
DAGMAR: Essa é uma boa dica para mim.
HELLINGER: Mais alguma coisa?

Sim e não ao fumo

DAGMAR: Isto agora não tem relação com o que veio antes. O que me preocupa é que quero parar de fumar, abandonando este comportamento que me prejudica. Peço o seu apoio nisso, já que você costuma fazê-lo com poucas palavras.
HELLINGER (*depois de uma pausa*): Vou dar-lhe uma sugestão. Quando você pegar o cigarro, embale nos braços a criança abortada.

O que alivia dores de cabeça

ULLA: Não estou bem. Tive dores de cabeça muito fortes e por isso não pude chegar mais cedo hoje de manhã.
HELLINGER: Que tipo de dores de cabeça?
ULLA: Na parte de trás da cabeça e na nuca. — Não tive a sensação de ser um resfriado.
HELLINGER: Você sabe o que significam dores de cabeça? Amor represado. — Para onde deve ser dirigido o amor?

Ulla suspira fundo.

HELLINGER: Expire! Então você já tem um caminho para deixá-lo refluir. E olhar com amabilidade é também um caminho. Sim, olhe para cá com mais amabilidade! Bom dia!
ULLA: Bom dia!
HELLINGER: Um outro caminho é através das mãos. Abra as mãos para cima! Exatamente assim! Assim também ele reflui: pela expiração, pelo olhar cordial e pelas mãos.
ULLA: Tenho muitas vezes a sensação de que não amo bastante bem o meu marido.
HELLINGER: Sim, isso realmente você não faz.
ULLA: Essa sensação vai embora quando me coloco conscientemente ao lado dele.
HELLINGER: Exatamente.
ULLA: Mas isso não flui de maneira espontânea e preciso estar sempre repetindo conscientemente.
HELLINGER: Não importa. O importante é que ajuda. E ao lado de quem você ainda precisa colocar-se conscientemente? — No próximo intervalo, você po-

de perguntar à Sophie quem é essa pessoa e como se faz isso. Ela pode dizer-lhe. *(Veja p.189.)* — Mais alguma coisa?
ULLA: Mais tarde.

Honrar o pai — e, atrás dele, a Deus

HELLINGER: Existe algo a acrescentar?
HARTMUT: Sim, fiquei eletrizado quando Ute contou a história com os pais e você disse, em seguida, que essa intromissão e essa presunção são compensadas através de um desejo de ser aniquilado. Isso me esclarece de um só golpe muitas coisas. Aos treze anos, em minha puberdade, minha mãe passou noites a fio contando-me coisas negativas de meu pai, de uma forma realmente grosseira, sem que eu pudesse me esquivar. Isso seguramente perturbou minha relação com ele. A única relação que tive com meu pai mais tarde foi o riso homérico. Isso me ocorreu agora. Eu só me sentia ligado a ele quando, por ocasião de qualquer piada boba, caíamos ao mesmo tempo numa risada homérica. Jamais tornei a rir com alguém dessa maneira.
HELLINGER: O que significa exatamente uma risada homérica?
HARTMUT: É uma espécie de... — Também nunca consegui descobrir. *(Risadas no grupo)*: Bem, de qualquer modo, uma risada como jamais experimentei com mais ninguém. *(A risada homérica é uma ruidosa gargalhada, uma alusão à "inextinguível risada dos deuses bem-aventurados".)* Talvez esteja em conexão com esse conhecimento dos segredos dos pais o fato de que eu freqüentemente me lancei em altos riscos. Por exemplo, assumi enormes riscos com os bens.....
HELLINGER: Não, não, não. Toda descrição reforça o problema. É preciso parar imediatamente quando se disse o essencial.
HARTMUT: Bem.
HELLINGER: E qual é agora a solução?
HARTMUT: Esse exercício espiritual do esquecimento.
HELLINGER: O exercício para você é a reverência profunda diante do seu pai. — E veja Deus atrás dele!

Alívio recusado

JAN: Gostaria de perguntar uma coisa. Quando, num relacionamento, alguém magoou gravemente o parceiro e este recusa uma conversa de reparação e diz: "Não, não quero ter mais nada com você", o que pode fazer o ofensor?
HELLINGER: Nada. O que ele poderia fazer nesse caso? Tem que assumir as conseqüências de seu procedimento; então fica livre de novo. Senão aconteceria o seguinte: primeiro, faço mal ao outro e depois, ele ainda precisa se preocupar com que eu fique bem de novo. Isso não pode ser.

Aqui termina a rodada.

Constelação de Ruth: Filha mais jovem identificada com a mãe de sua mãe

RUTH: Senti-me pilhada na frase da melancolia, que é uma proteção para a felicidade secreta. Mas agora estou enjoada disso. Gostaria de colocar minha família de origem e tomar meu lugar nela. Tenho a impressão de que...
HELLINGER: Não precisa explicar. Você está querendo e então vamos colocar. Quem pertence à sua família de origem?
RUTH: Meu pai, minha mãe, as irmãs gêmeas mais velhas e eu. A mais velha das gêmeas morreu com quatro semanas de vida.
HELLINGER: O que aconteceu com elas?
RUTH: Nasceram prematuras e permaneceram por mais tempo na clínica. Depois minha mãe foi autorizada a levar para casa a filha mais nova. A mais velha ficou na clínica e morreu lá.
HELLINGER: Existe mais alguém que pertença à família?
RUTH: A irmã de meu pai morreu no parto e, pouco mais tarde, um irmão dele se enforcou.
HELLINGER: Aconteceu algo de especial com os pais de seu pai?
RUTH: Depois do suicídio do filho deve ter havido fortes recriminações de parte a parte.
HELLINGER: Isso serve de defesa contra o luto e a dor. — Certo, agora coloque a família!

Figura 1

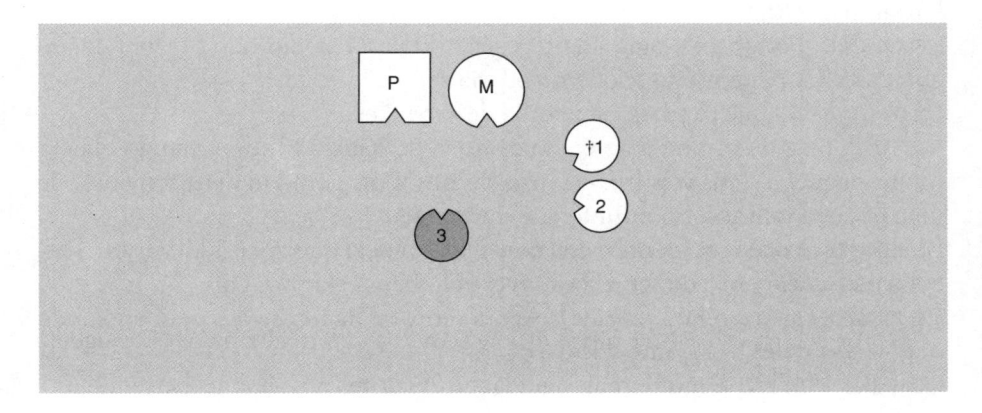

P   Pai
M   Mãe
†1   Primeira filha, irmã gêmea mais velha, falecida após o nascimento
2   Segunda filha, irmã gêmea mais nova
3   **Terceira filha (=Ruth)**

HELLINGER: Há recriminações entre os pais pela morte da criança?
RUTH: Sim. Há recriminações contra a clínica e auto-recriminações da mãe. Ela se deixou persuadir de que seria melhor levar somente uma filha para casa, para se acostumar a ter uma criança em casa. E há recriminações contra o pai, que eu também faço. Penso que, se ele tivesse imposto sua autoridade em casa, minha mãe também teria levado para casa a outra criança.
HELLINGER: Como está o pai?
PAI: De início, eu estava muito bem com minha mulher e tinha um bom contato. Quando as crianças foram colocadas ao lado, o contato se perdeu. Agora sinto uma distância. À minha direita sinto um vazio. Falta alguma coisa aí. A filha mais nova está diante de mim, como uma professora que me recrimina e quer me corrigir.
MÃE: Sinto-me diante de minha filha mais nova como se estivesse no banco dos réus. Ela me olha muito severa e zangada, em atitude de acusação.
PRIMEIRA FILHA†: Meu ombro esquerdo dói muito. É a única coisa que sinto: o ombro doendo e o braço esquerdo pesado e comprido.
SEGUNDA FILHA: Senti um verdadeiro calafrio quando minha irmã mais nova se postou diante de mim, uma autêntica raiva. Senti-me agredida. Isso só passou quando olhei para outra pessoa. Sinto que preciso do apoio de minha irmã gêmea mais velha. Ela é extremamente importante para mim. Meus pais estão muito longe.
HELLINGER (*para a representante de Ruth*): Como está a irmã mais nova?
TERCEIRA FILHA: O que aconteceu primeiro foi que pensei: "Tenho que levantar o ânimo da família." Depois pensei: "Preciso ensinar aos pais a conviver em harmonia." (*Ri.*)
HELLINGER: Portanto, é uma identificação. Ela está assumindo o papel de um antepassado. A pergunta é: quem poderia ser?
(*para Ruth*): O que se passa na família de sua mãe?
RUTH: A mãe de minha mãe é a mais nova de quatro filhos. Quando ela era muito pequena, seus três irmãos mais velhos morreram em duas semanas, de uma doença infantil. Só minha mãe sobreviveu.
HELLINGER: Você está identificada com ela. Foi dela que você adotou a melancolia e o sentimento de ser responsável pelo bem-estar dos pais.
HELLINGER (*para a gêmea falecida*): Agora sente-se na frente dos pais, apoiando suas costas neles. — Como é isso?
PRIMEIRA FILHA †: É muito mais agradável. As dores nos ombros cessam.

Hellinger modifica a figura.

Figura 2

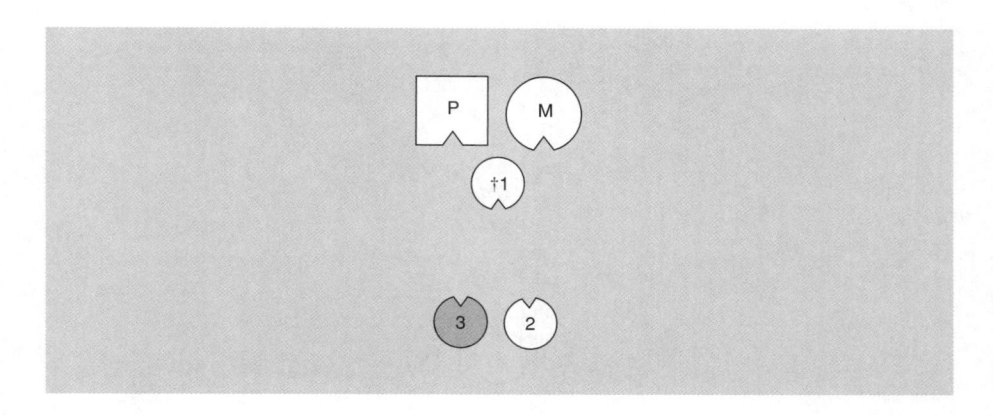

HELLINGER: Como é isso para os pais?
PAI: É bom. Sinto um bom contato com minha mulher. As filhas estão presentes. Está equilibrado.
MÃE: É bom.
HELLINGER (*para os pais*): Cada um de vocês coloque uma mão sobre a cabeça da criança morta, num gesto de abençoá-la com amor.
HELLINGER: Como está agora a irmã mais nova?
TERCEIRA FILHA: Senti um alívio imediato quando fui colocada no mesmo nível com minha irmã.
SEGUNDA FILHA: Foi péssimo quando você levou embora a irmã gêmea. Ela me faz falta. Mas posso me acostumar a isso. Com o passar do tempo vai ficando melhor.
PRIMEIRA FILHA†: Está bem.

HELLINGER: Quando você já tiver recebido o bastante de seus pais, pode colocar-se ao lado de suas irmãs.

Figura 3

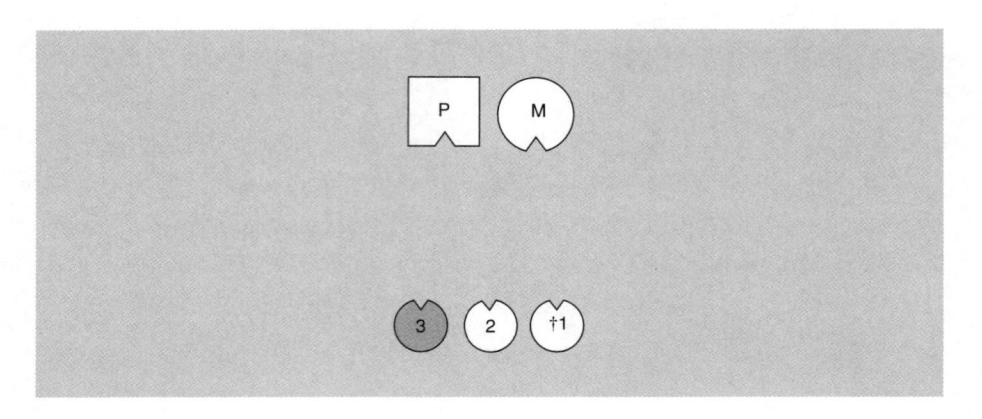

HELLINGER: Como é agora?
PRIMEIRA FILHA†: Está em ordem.
TERCEIRA FILHA: É bom. Com isso, naturalmente, fico um pouco menos importante. (*As três irmãs riem.*)
PAI: É bom.
MÃE: Sim, é bom.
HELLINGER (*para Ruth*): Você quer colocar-se em seu lugar?

Ruth coloca-se em seu lugar e olha em torno. Então Hellinger coloca do lado da mãe a mãe dela e do lado do pai a irmã dele, que morreu de parto, e o irmão que se enforcou.

Figura 4

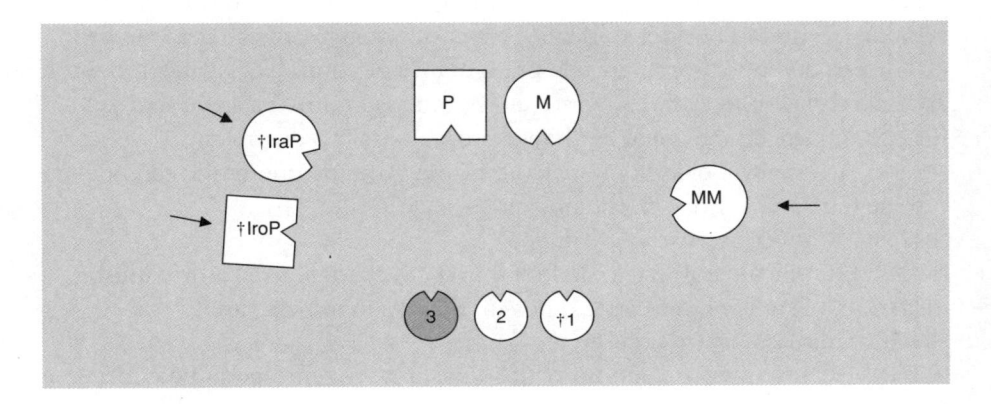

†IraP Irmã do pai: morreu no parto
†IroP Irmão do pai: suicidou-se
MM mãe da mãe

HELLINGER (*para Ruth*): Como é para você quando a avó está ali? Você ainda precisa ver ao lado dela os irmãos mortos, embora eu não os tenha colocado aqui — os três irmãos dela.
RUTH: Quando ela fica nesse lugar, é bom. Quando fica mais perto, é muito triste.
HELLINGER: Como está a avó?
MÃE DA MÃE: Bem.
HELLINGER: Esse é um lugar de honra.
HELLINGER: Como é para o pai quando seus irmãos mortos estão aí?
PAI: É bom. Agora esse vazio foi preenchido.
RUTH: Para mim é bom assim.
HELLINGER: Está bem, foi isso aí.

Heranças com e sem preço

RUTH: Herdei uns talheres de prata da falecida irmã de meu pai. Nosso monograma é o mesmo.
HELLINGER: Você precisa devolvê-los.
RUTH: E como faço isso?

HELLINGER: Não sei quem pode ser cogitado. Mas você precisa devolvê-los. Está claro para você?
RUTH: Sim.
HELLINGER: Caso contrário, você tira proveito da desgraça dela. Isso não pode ser; tem conseqüências funestas.
REPRESENTANTE DA MÃE: Eu estava sentindo uma pressão no peito. Quando você falou em desfazer-se dos talheres e ela concordou, a pressão desapareceu.
RUTH: Estou vendo as colheres de prata diante de mim. Curioso, como estou apegada a elas! Elas têm realmente um significado muito especial. (Ri.)
HELLINGER: Você sabe como se chama isso? — Amor à desgraça.
FRANK: A respeito de desfazer-se, lembrei-me agora de que tenho um anel de rubi de meu padrinho, o tio homossexual.
HELLINGER: Eu conservaria esse anel.
FRANK: Eu nunca o coloco no dedo. Fica na gaveta de minha escrivaninha.
HELLINGER: Está bem, mas você o possui. Eu respeitaria esse anel.
FRANK: Simplesmente deixar lá?
HELLINGER: Justamente. Não há regras fixas, mas a gente pode perceber se é certo ou não. Nessas coisas se impregna algo que produz efeitos. Elas participam da vida; não são simplesmente inanimadas e mortas. Isso a gente precisa saber.
(para Ruth): As colheres de prata devem ser dadas a alguém que tenha mais relação com elas.
RUTH: Não me ocorre ninguém.
HELLINGER: Está certo, guarde consigo a imagem.
WILHELM: Tenho ainda uma pergunta a respeito. Você disse que ela devia devolver ou desfazer-se da herança. Como é o caso inverso? Pode haver também uma exigência a respeito de uma herança, de modo que tenhamos de aceitá-la ou de exigi-la?
HELLINGER: Às vezes existe uma obrigação de assumir alguma coisa.
WILHELM: De assumir algo que se recebe como herança?
HELLINGER: Não, nem sempre. Mas, às vezes, a lealdade exige que, por exemplo, assumamos um negócio.
WILHELM: Que assumamos o negócio do pai?
HELLINGER: Sim, e quem recusa essa responsabilidade talvez fracasse no que tenha escolhido. Depende das circunstâncias.
WILHELM: Tenho outra pergunta mais concreta. O que acontece quando os pais de dois filhos dizem a um deles que nada irá receber e ao outro que receberá tudo?
HELLINGER: Nesse caso, o filho contemplado recebe tudo e posteriormente dá ao outro a metade. Então se faz justiça a todos.
WILHELM: Isso responde totalmente à minha pergunta.
DAGMAR: Tenho ainda uma pergunta a respeito. Suponhamos que a mãe dei-

xe em herança à sua filha algo que gerenciou de tal forma que irá causar à filha enormes dificuldades com impostos, e ela provavelmente terá de pagar mais do que terá recebido. É necessário, neste caso, que a filha assuma a herança, apesar de tudo?
HELLINGER: Um filho não precisa assumir as dívidas de seus pais. Isso é assunto pessoal dos pais e não diz respeito aos filhos.
DAGMAR: Quer dizer que ela pode decidir-se de antemão a não assumir isso?
HELLINGER: Tem toda a liberdade de fazê-lo. Deve agir, porém, de maneira a ficar em paz com os pais. Por isso, pode dizer tranqüilamente que assumirá, mas depois da partilha não precisará fazê-lo. E ainda, se uma herança estiver gravada por outra circunstância, por exemplo, por uma injustiça, será melhor que o filho se abstenha de recebê-la. Caso contrário, ficará enredado na fatalidade alheia.

Constelação de Claudia: Destino que continua atuando

CLAUDIA: Gostaria de colocar agora minha família.
HELLINGER: Está bem. Quem pertence a ela?
CLAUDIA: Meu pai, minha mãe, três filhas. Doze anos depois nasceu ainda um irmão, de outro homem. Então meus pais se separaram e minha mãe se casou com esse homem. Nesse meio-tempo, também se separou dele.
HELLINGER: Por que seus pais se separaram?
CLAUDIA: Por muito tempo acreditamos que foi devido ao alcoolismo de meu pai, que bebia bastante. Mas, de fato, eles se distanciaram bem cedo.
HELLINGER: E de onde vieram essas tias que morreram?
CLAUDIA: Eram meias-irmãs de meu pai, filhas da primeira mulher de meu avô. Ela morreu ao dar à luz sua sexta ou sétima criança.
CLAUDIA (*para a representante de sua irmã mais nova, quando estava escolhendo as pessoas para representar sua família*): Você emigrou para o Canadá.

HELLINGER: Dando-lhe esta informação, você a impediu de ter um sentimento espontâneo. Se ela sentir vontade de partir, não poderá mais distinguir se esse sentimento foi espontâneo ou induzido por suas palavras.

Figura 1

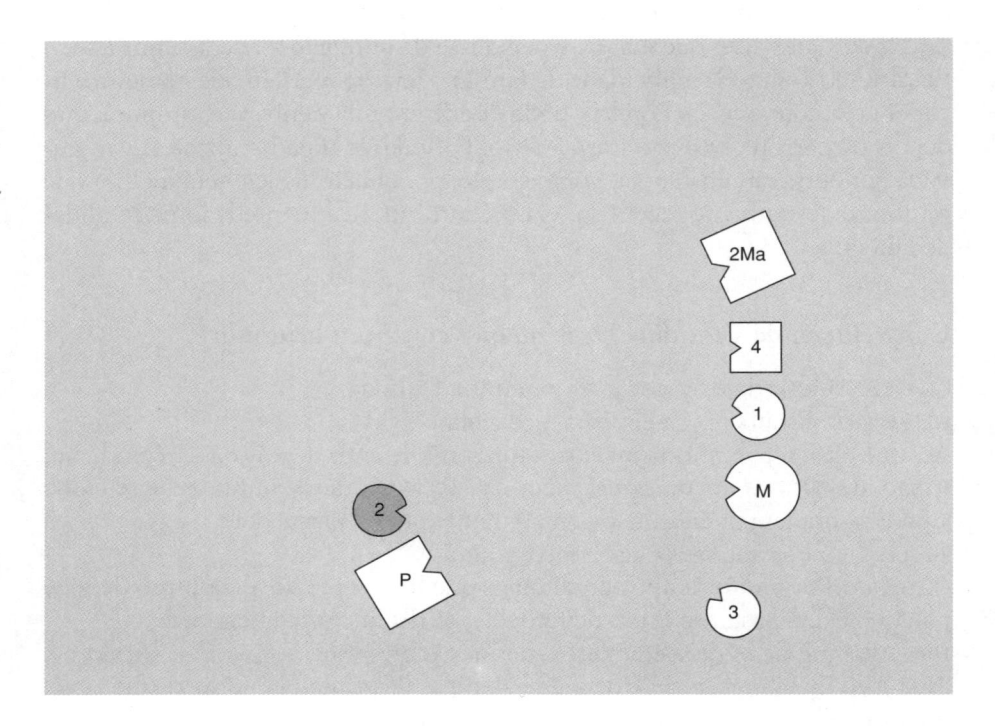

P	Pai
M	Mãe
1	Primeira filha
2	**Segunda filha (=Claudia)**
3	Terceira filha
2Ma	Segundo marido da mãe, pai de 4
4	Quarto filho (da mãe)

HELLINGER: Como está o pai?
PAI: Tenho que me controlar para não tomar minha filha nos braços. Noto que algo não está em ordem. Sinto-me como se tivesse cometido algo de mau. (*Pai e filha trocam sorrisos.*)
HELLINGER (*para Claudia*): Como se sente o seu pai? Com quem está identificado?
CLAUDIA: Com o pai dele.

HELLINGER: E como ele vê a filha? — Como a primeira mulher. Os dois espelham, portanto, a relação de seu avô com sua primeira mulher. Por isso vamos colocar logo essas duas pessoas.

Figura 2

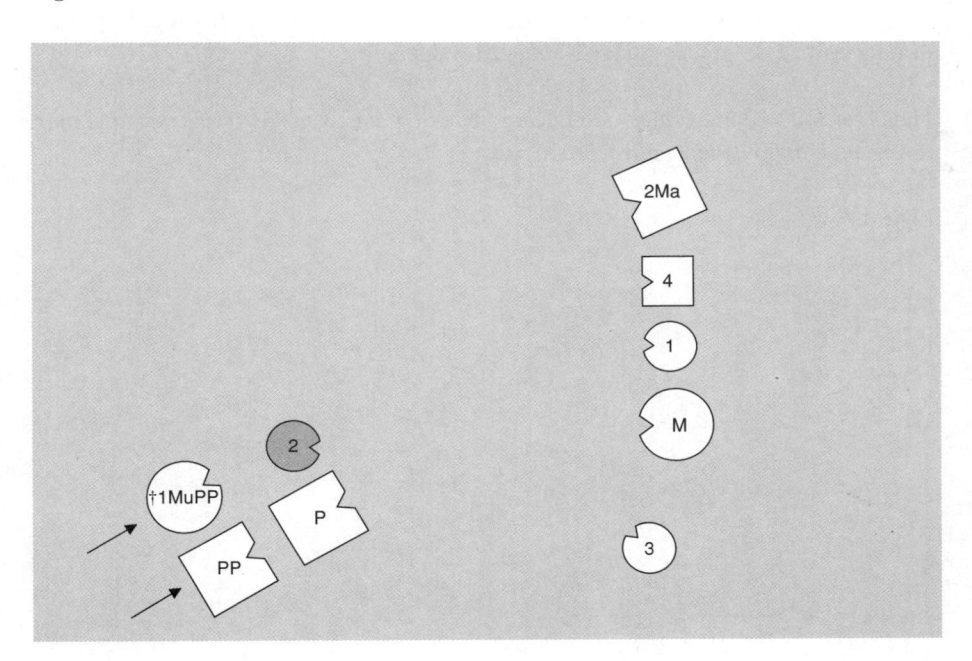

PP   Pai do pai
†1MuPP   Primeira mulher do pai do pai, morta no parto

HELLINGER: Como se sente o pai agora?
PAI: Percebo de onde venho, mas não para onde quero ir.
HELLINGER: É melhor ou pior do que antes?
PAI: Melhorou setenta por cento.
HELLINGER: Já é alguma coisa. E em relação à sua segunda filha, algo mudou?
PAI: Muito pouco.
HELLINGER (*para a representante de Claudia*): Como está a segunda filha?
SEGUNDA FILHA: Agora, já posso estar aqui um pouco melhor. Antes, o lado de lá não me interessava, em absoluto. Mas eu bem gostaria de ir embora daqui. Mal consigo olhar para minha mãe.
HELLINGER: Como está a mãe?
MÃE: Durante a colocação, quando você levou embora o marido, eu senti: agora posso respirar. E, quando a filha mais nova foi embora, pensei: "Graças a Deus, também estou livre dela." Não tenho relação com nenhum dos dois. Só

estou um pouco aborrecida com a filha mais velha, não sei por quê. Quando o avô apareceu, com sua primeira mulher, meu marido e a segunda filha ganharam peso para mim. Ficaram interessantes: a menina bem mais, o marido nem tanto.
HELLINGER (*para Claudia*): O que acontece na família da mãe?
CLAUDIA: O irmão que a precedeu morreu com seis semanas de vida. O pai dela não voltou da guerra quando ela tinha dez anos.

Hellinger muda a imagem e inclui nela a mãe do pai e as meias-irmãs dele que morreram no campo de concentração.

Figura 3

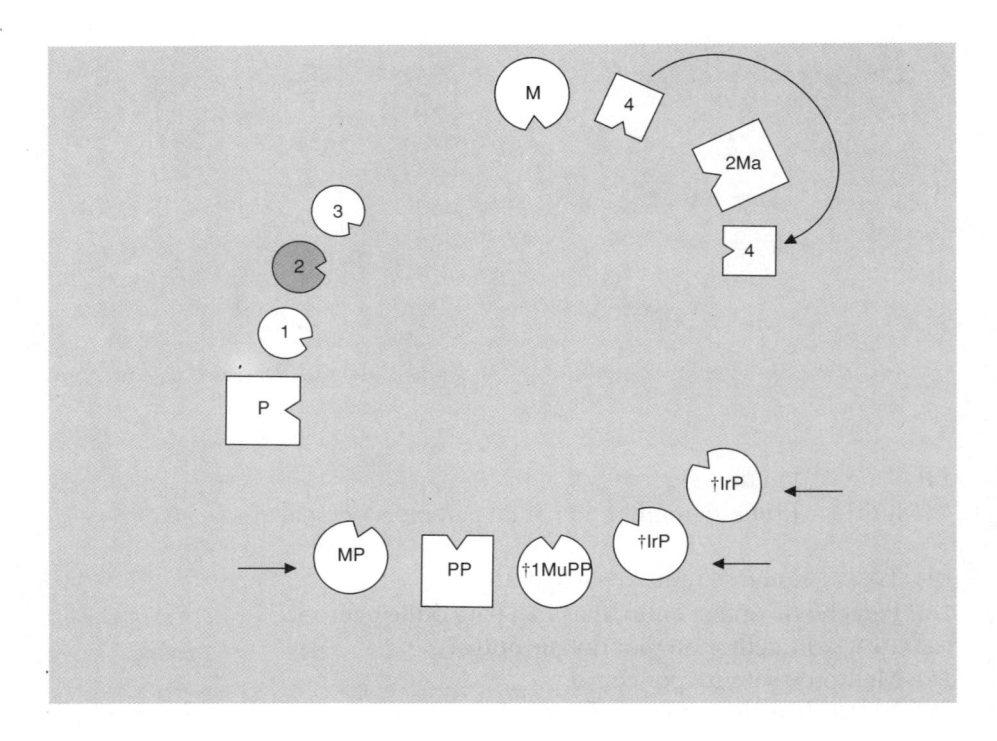

MP   Mãe do pai
†IrP   Irmãs do pai, mortas num campo de concentração polonês

HELLINGER: E agora, o que acontece com o pai?
PAI: É muito melhor.
PRIMEIRA FILHA: Desde que estou junto do pai, já não estou tão fixada nele e tão dependente.

SEGUNDA FILHA: Não consigo me decidir se olho para a família do pai ou se desvio o meu olhar. Eu estava sentindo uma necessidade irresistível de desviá-lo, mas agora já consigo olhar para lá.
HELLINGER: Como aconteceu a mudança?
SEGUNDA FILHA: Foi quando a primeira mulher do avô entrou em meu campo de visão.
PRIMEIRA MULHER DO PAI DO PAI †: Isso eu percebi.
HELLINGER: De todas as figuras, ela é a mais importante.
TERCEIRA FILHA: Eu me sinto bem.
MÃE: Não me sinto bem, em absoluto. Sinto-me indisposta aqui. E nem tomo conhecimento destas pessoas à minha esquerda.
QUARTO FILHO: Quando fiquei de frente para o primeiro marido de minha mãe, senti muita agressividade. Isso mudou, de repente, quando o seu pai foi colocado atrás dele. Agora, ao lado de minha mãe, fico agressivo com ela. Sinto-me mal aqui.
HELLINGER: Coloque-se do outro lado do pai. — Como se sente aí?
QUARTO FILHO: É bem melhor assim.
HELLINGER (*para a mãe*): Como está você agora?
MÃE: Não estou bem.
HELLINGER (*para Claudia*): A mãe quer ir embora. Ela já tentou o suicídio?

Claudia chora.

HELLINGER: Ela quis?
CLAUDIA: Às vezes, penso que o fará.
HELLINGER: Sim, ela quer ir embora. — Agora também vamos colocar o irmão dela que morreu.

Hellinger coloca o falecido irmão da mãe junto a ela, do lado direito.

Figura 4

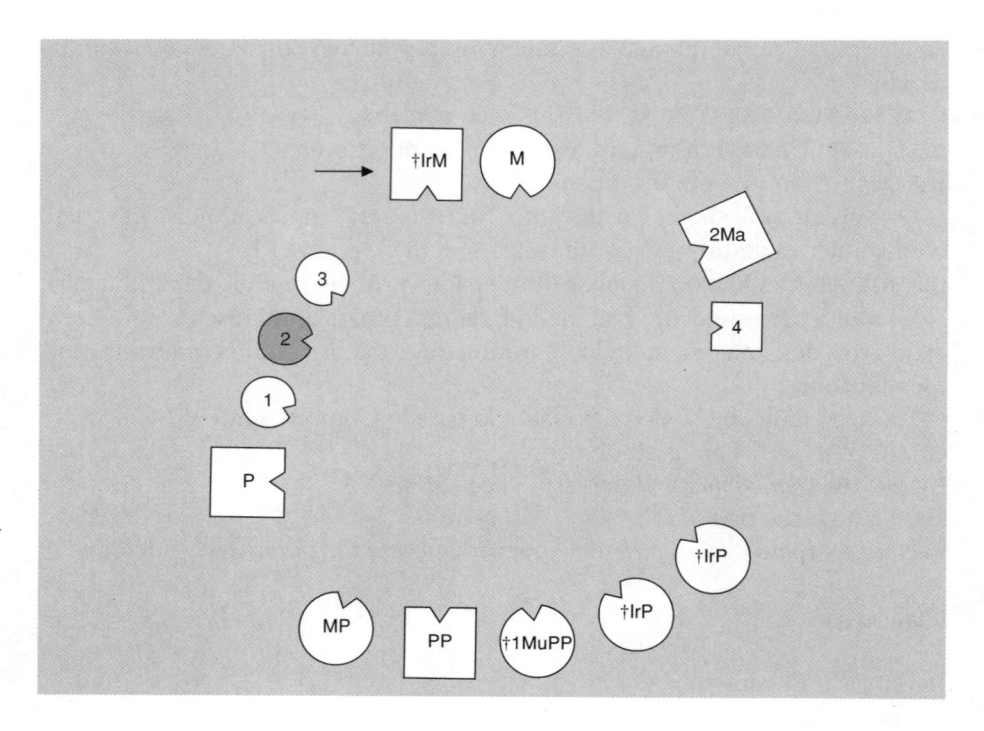

†IrM   Irmão da mãe, falecido na infância

MÃE: Assim é melhor.
QUARTO FILHO: Para mim também.
HELLINGER: Talvez você esteja identificado com ele.
HELLINGER (*para a mãe*): É bom assim? Agora está melhor para você?
MÃE: Senti um calafrio passando por toda a cabeça e pelas costas. Foi bom e bonito, mas também muito frio.

Hellinger coloca também o pai da mãe, que morreu na guerra.

Figura 5

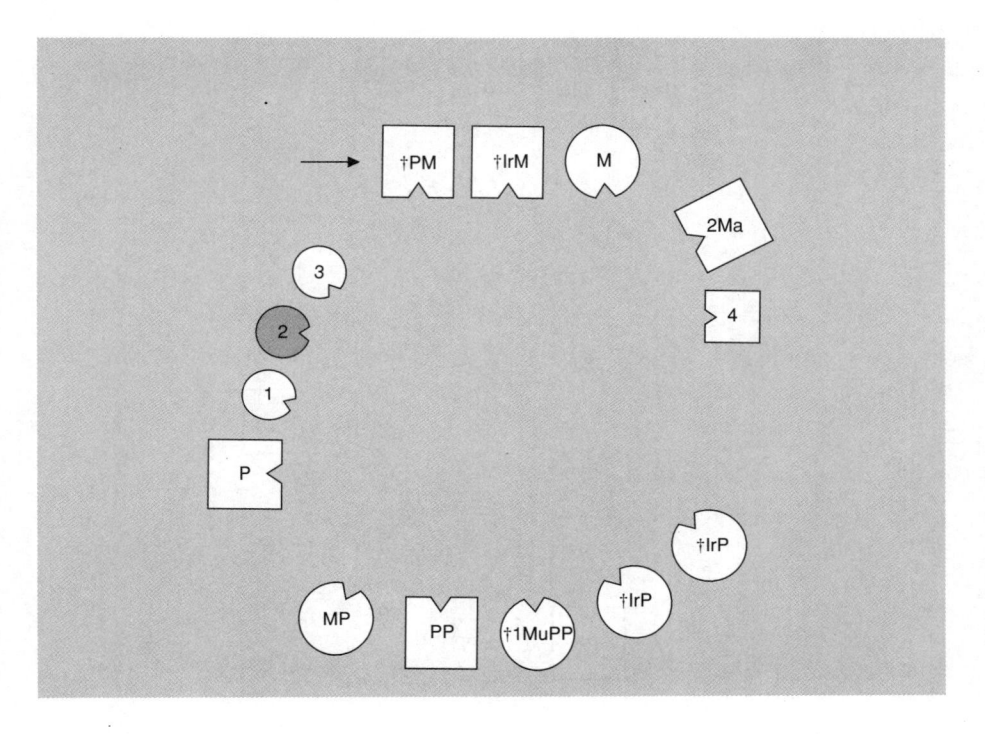

†PM   Pai da mãe, morto na guerra

HELLINGER: O que acontece com o irmão da mãe?
IRMÃO DA MÃE†: Fico aliviado com a presença de meu pai.
MÃE: Eu me sinto fazendo parte da família.
HELLINGER *(para o grupo)*: A imagem que faço é que, se ela ficasse ali por algum tempo, poderia voltar para sua família atual e nela tomar o seu lugar.

Hellinger afasta um pouco para trás o pai da mãe e o irmão dela.

Figura 6

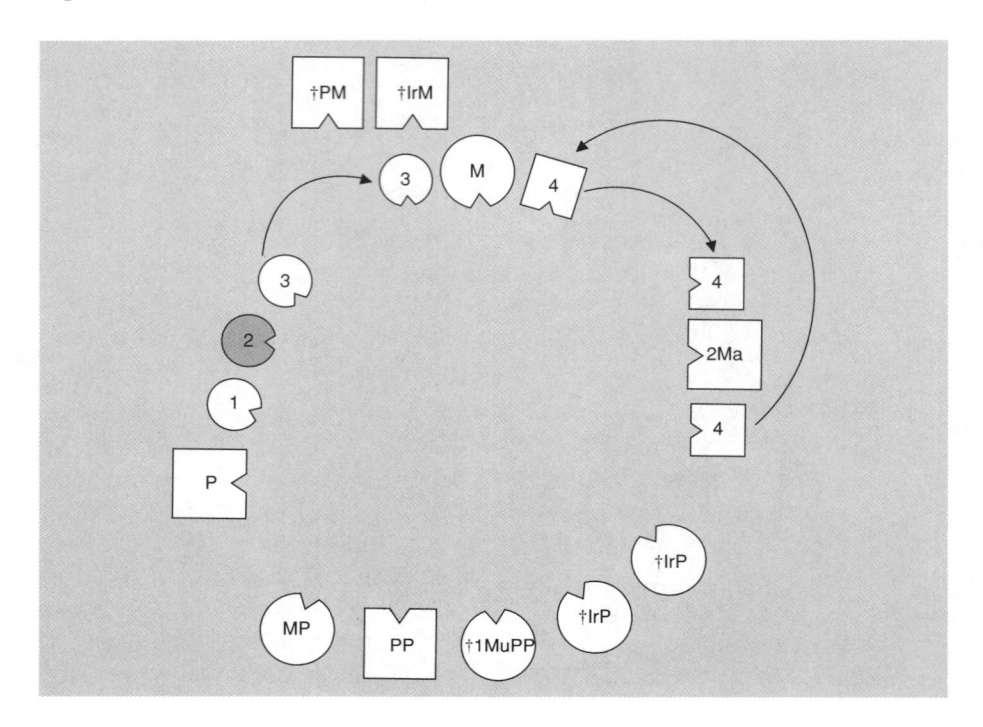

HELLINGER (*para a mãe*): Como se sente agora?
MÃE: Melhor, pela presença de meu irmão e de meu pai. Desde que eles chegaram, passou minha indisposição. Agora já posso olhar. Ao mesmo tempo, sinto-me isolada. À minha esquerda, na direção de meu segundo marido e do filho, a situação ainda não está em ordem.
SEGUNDO MARIDO: Acho que ela me enganou. Sinto falta de alguém a meu lado.

Hellinger coloca o filho ao lado da mãe.

QUARTO FILHO: Aqui minhas mãos ficam úmidas. Gostaria de olhar para ele (*o falecido irmão da mãe*).

Hellinger coloca o filho do lado direito de seu pai.

QUARTO FILHO: Aqui é melhor.
TERCEIRA FILHA: Não me sinto assim tão bem.

HELLINGER: Coloque-se ao lado de sua mãe!
(*para o grupo*): Esta filha está dizendo: "Antes vá eu do que você, querida mamãe."
HELLINGER (*para Claudia*): Agora entre em seu lugar!
(*quando ela fica lá*): Está bom assim?
(*quando ela hesita em responder*): Fique ao lado de sua irmã mais nova!

Claudia faz que não com a cabeça.

HELLINGER: Experimente uma vez!
(*quando ela se recusa e chora*): Assim você nunca saberá como teria sido.

Ela se coloca ao lado da irmã mais nova.

CLAUDIA: Não confio em minha mãe.
MÃE: Eu me preocupo com ela. Quando veio mais perto de mim, eu gostei dela.

Claudia chora. Hellinger coloca o irmão da mãe junto dela, do lado esquerdo.

HELLINGER (*para Claudia*): Como é isso agora? É melhor?

Ela confirma com a cabeça.

PRIMEIRA FILHA (*para Claudia*): Quando você se colocou a meu lado, como minha irmã, de repente fiquei enjoada e tonta.
HELLINGER (*para a primeira filha*): Coloque-se também ao lado de suas irmãs. Como é isso?
PRIMEIRA FILHA: Sim, assim é melhor.
PAI: Gostaria de saber aos poucos o que foi que aprontei.

HELLINGER: Essa é a pergunta de seu pai. Esse sentimento é dele. Foi dele que você o tomou. — Coloque-se ao lado de suas filhas.
PAI: Assim me ajeito.

Figura 7

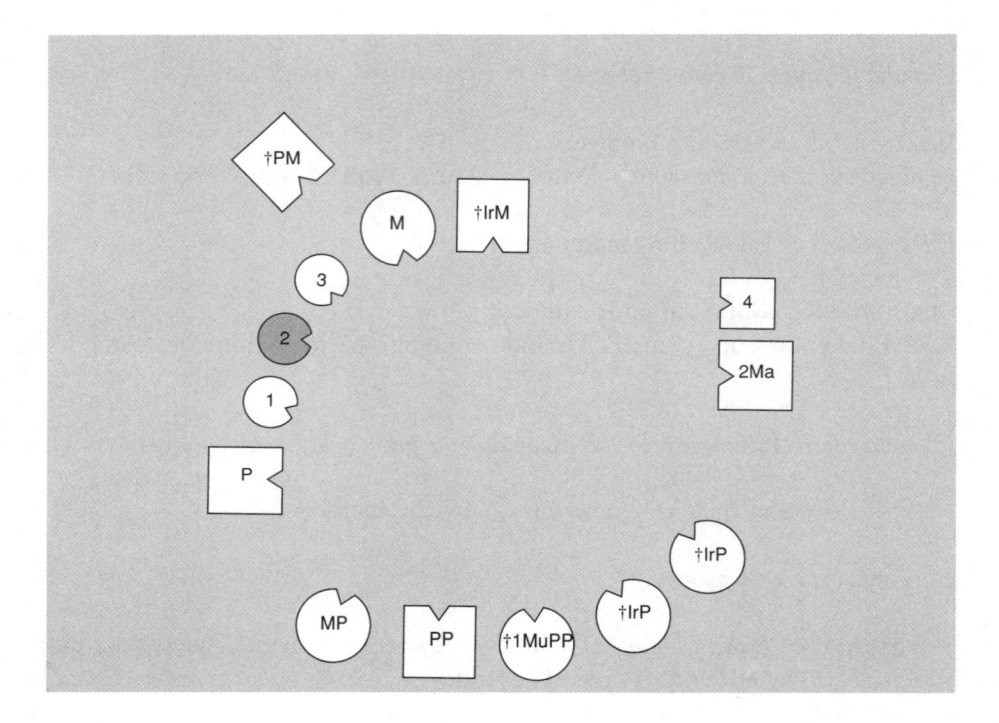

SEGUNDO MARIDO: Sinto uma leve tensão nos ombros. Desde que o irmão apareceu ao lado da mulher, também senti vontade de ficar com ela.
HELLINGER: Através dele, você a vê numa outra luz.
(*para Claudia*): Agora está bem?

Claudia ri e confirma com a cabeça.

HELLINGER: Está bem, foi isso aí.

Rodada rápida

Segue-se agora uma rodada rápida. Seu efeito é semelhante ao de uma sesta após uma boa refeição. Permite que o grupo se tranqüilize e concentre forças para a continuação do trabalho. Um por um, os participantes têm a oportunidade de comentar os efeitos do trabalho, fazer perguntas e trabalhar o que ficou pendente. Assim, todos tomam conhecimento do que mobilizou cada participante, captam o que ficou pendente e ainda deve ser trabalhado no indivíduo e no grupo, percebem o que tem prioridade e o que ainda precisa esperar.

Sobre ambos os pés

ANNE: Desde hoje pela manhã, tenho a sensação de que posso ficar melhor sobre ambos os pés. Pois costumo ficar num pé só, usando o outro apenas como apoio. Minha respiração também ficou mais fácil a partir do que você me sugeriu. Fazendo assim, posso apoiar-me sobre ambas as pernas.

Fugindo da plenitude

IDA: Nesta manhã, no trabalho de Sophie, comentei comigo mesma: não posso agüentar isso, toda essa felicidade e toda essa desgraça. Senti uma necessidade premente de ir embora, mas fiquei aqui.
HELLINGER: É difícil suportar simultaneamente a felicidade e a desgraça em sua plenitude.
IDA: Sim, é difícil suportar.
HELLINGER: Por causa disso, alguns se retraem e preferem ficar depressivos. É mais confortável. A depressão é a maneira mais fácil de viver. — Olhe nos olhos da felicidade como você olha para alguém que a desafia.

Plenitude e completude

WILHELM: Estou bem. Durante a manhã me ocorreu um pensamento singular: na verdade, já estou razoavelmente completo. Já não preciso de tanta coisa.
HELLINGER: Exatamente. — Quero dizer-lhe algo sobre a sensação de estar completo e sua origem. Essa sensação nasce em mim quando alguém que pertence ao meu sistema ganha seu lugar em meu coração. É isso que realmente significa "estar completo". Só a partir dessa plenitude é que você está livre para se desenvolver. Enquanto estiver faltando alguém que pertença ao sistema, você se sentirá incompleto.
(*para Claudia*): Isso também está acontecendo com você, com certeza: sente-se completa desde que todos os seus familiares compareceram diante de você.

Claudia confirma com a cabeça.

HELLINGER: Exatamente.
SOPHIE: Estou bem. Sinto-me presente em tudo o que acontece aqui. Um pouco cansada, mas em forma.
HELLINGER: Algo assim pode realmente cansar.

Sophie ri.

KLARA: Sinto-me tremendamente aliviada desde esta manhã, quando lhe fiz aquela pergunta e você me respondeu.

HELLINGER: Ao configurar sua constelação, você mostrou maravilhosamente como é que uma pessoa se completa.
(*para o grupo*): Sobre a maneira de se completar contarei outra história. Se vocês se confiarem a ela, talvez ela possa produzir o efeito que descreve, ainda enquanto a estiverem ouvindo.

A festa

Uma pessoa se põe a caminho. Olhando à sua frente, vê ao longe a casa que lhe pertence. Caminha até lá e, ao chegar, abre a porta e entra num espaço preparado para uma festa.

A essa festa comparecem todos aqueles que foram importantes em sua vida. Cada um que vem traz algo, permanece algum tempo — e parte.

Assim vêm para a festa, e cada um deles traz um presente cujo preço integral já pagou, de uma forma ou de outra: a mãe — o pai — os irmãos — um avô — uma avó — o outro avô — a outra avó — os tios e as tias — todos os que cederam lugar para você — todos os que cuidaram de você — vizinhos, talvez — amigos — professores — parceiros — filhos; todos os que foram importantes em sua vida e os que ainda são importantes. E cada um que vem traz algo, permanece algum tempo — e parte. Assim como os pensamentos vêm, trazem algo, permanecem algum tempo — e partem. Assim como os desejos ou o sofrimento vêm, trazem algo, permanecem algum tempo — e partem. Assim como a vida vem, nos traz algo, permanece algum tempo — e parte.

Terminada a festa, aquela pessoa fica em casa, cumulada de presentes, e com ela só permanecem aqueles a quem convém ficar ainda algum tempo. Ela vai à janela, olha para fora e vê outras casas. Sabe que um dia haverá nelas também uma festa: ela comparecerá, levará algo, ficará algum tempo — e partirá.

Nós também estamos aqui numa festa: trouxemos algo, tomamos algo, ficamos ainda algum tempo — e partimos.

Gostar e respeitar

HARTMUT: Sinto muita alegria por todos, muito mais alegria do que compaixão. Quando vejo assim as soluções, tenho um sentimento quase avassalador de alegria compartilhada.

Na noite de anteontem, quando fui embora, não tinha considerado os parentes que faleceram e que não conheci. Incluem-se entre eles os dois únicos

irmãos de meu pai, um tio e uma tia. Eram ocultistas e sobre eles nunca me disseram nada. Eram um autêntico tabu. Essa minha única tia eu ainda conheci em seus tempos de espiritismo. Era uma médium que fazia escrita automática e manifestava todos os tipos de possessão. Porém esse tio eu jamais conheci. Também nunca era mencionado, exceto por essa tia. No dizer de todas as testemunhas, ele...
HELLINGER: Não precisamos dos detalhes. Basta que você saiba que eles fazem parte de você e que lhes dê um lugar de honra. Você falou deles de um modo muito depreciativo.
HARTMUT: Deu para perceber?

Risadas no grupo.

HELLINGER: Uma coisa assim não dá para esconder.
HARTMUT: Os sentimentos que prevalecem são positivos. Eu gostava dessa tia.
HELLINGER: Não se trata de gostar, mas de respeitar, o que significa muito mais.

Em pé de igualdade

THEA: Estou com a mente bem clara. É uma sensação muito boa.
HELLINGER: Quando a inocência se retira, aparece a clareza.
THEA (*ri*): Pode ser. Muita coisa me passou pela cabeça. Foi muito importante para mim a distinção entre "aceitar algo" e "respeitá-lo". Até agora eu não a fazia, mas agora ficou totalmente claro para mim que há uma diferença, e que o respeito é o passo seguinte, depois da aceitação. É o que estou sentindo no momento.
HELLINGER: "Aceitar" não cabe aqui. Quando você "aceita" uma coisa, você se comporta como se pudesse ao mesmo tempo rejeitar a maneira como ela é.
THEA: Eu já estava contente por ter chegado tão longe.
HELLINGER: Isso não basta, absolutamente não basta.
THEA: Também percebi isso.
HELLINGER: O essencial é assentir, sem lamentar e sem outros pensamentos. Respeitar uma coisa significa dizer sim a ela como ela é. E respeitar uma pessoa significa: digo sim a ela como ela é, digo sim a seu destino como ele é, e digo sim a seus envolvimentos como eles são. Essa atitude é muito humilde e mantém o distanciamento. Contudo, é justamente no distanciamento que existe dedicação e uma força que atua ocultamente. Somente a pessoa que está em sintonia com o destino pode receber dele, às vezes, a força para revertê-lo.
THEA: Sim, creio ser este um ponto importante. Misturo tão facilmente o meu próprio destino com o dos outros...
HELLINGER: Sua auto-recriminação não a ajuda em nada. Quem se deprecia, com uma interpretação ou um comentário assim, apenas se prejudica. Não co-

nheço casos em que tenha resultado disso algo de bom. O que você está dizendo é o seguinte: "Aceite-me, por favor, porque sou tão pequena!" Essa atitude aborrece o outro, porque você o coloca numa posição superior e lhe tira a liberdade de ficar em pé de igualdade com você.

Clareza reconciliadora

ROBERT: Estou muito impressionado pela maneira como vai se consolidando o efeito do que trabalhei anteontem. Tenho diante dos olhos as imagens que coloquei: minha filha e, atrás dela, minha falecida irmãzinha. Percebo com clareza que, chorando loucamente por ela, deixei de ver outras pessoas e cometi injustiça contra elas, principalmente contra minha mulher.

Robert está muito emocionado.

HELLINGER: Você precisa dizer isso a ela. Isso reconcilia.

Permanecer alerta

CLAUDIA: Ainda guardo a nova imagem de minha família e só agora começo a entender tudo o que significa essa imagem.
HELLINGER: Ela pode continuar atuando por longo tempo.
CLAUDIA: Falei da possibilidade de suicídio de minha mãe, porque alguma vez já pensei que ela poderia fazer isso algum dia. Agora o compreendo. Creio que vou deixar que essa imagem faça efeito, por enquanto.
HELLINGER: Conte isso à sua mãe. Mostre a imagem a ela e conte-lhe o efeito que todos sentiram quando o irmão ficou ao lado dela. Você não queria levar-lhe um presente de aniversário deste curso?
CLAUDIA (*ri*): O que achei melhor ontem foi que não precisei ir lá.
HELLINGER: Agora você estragou tudo. Está percebendo?
CLAUDIA: Tentei estragar.
HELLINGER: Você o estragou e isso já não pode ser desfeito. Muita gente pensa que permanece livre depois do ato. Ninguém é livre depois do ato. Só somos livres antes de cometê-lo.

Conter-se: alerta e com força

LEO: Sinto-me um pouco mais integrado à família. No que se refere a meu lar, estou curioso para saber o que farei.
HELLINGER: Você precisa estar curioso e deixar-se surpreender pelo que venha a mudar espontaneamente, sem atuação e sem intenção de sua parte. Isso requer uma grande força, a força para conter-se. Mas a força que isso lhe custa

flui na direção dos outros.

FRANK: Algo está se mudando em mim, e é uma boa imagem para mim simplesmente aguardar até que algo aconteça por si mesmo; não afastando essa imagem, mas mantendo-a.

HELLINGER: ... aguardar encarando.

Os limites da inocência

JONAS: Uma coisa está me mobilizando, e eu gostaria de ouvir de você algo a respeito. Nos últimos dez anos fui me aproximando de meu pai e descobri um amor maravilhoso. A partir dessa confiança ele me contou que durante a guerra, quando tinha vinte anos, deixou-se colocar, durante três semanas, como vigia diante de um campo de concentração. Pensar nisso é para mim o mesmo que caminhar sobre o fio de uma espada, e quero fugir desse pensamento.

HELLINGER: Não é verdade que ele "deixou-se colocar".

JONAS: Ele se colocou?

HELLINGER: Teve de colocar-se.

JONAS: Não posso aceitar meu pai nesse lugar.

HELLINGER: Você não tem direito de julgar isso.

Há algum tempo, assisti a uma reportagem pela televisão. Uma poeta iugoslava queria, de qualquer maneira, que se levantasse um monumento a um soldado alemão. Ele tinha sido destacado para um pelotão de fuzilamento para executar um grupo de combatentes da resistência, mas recusou-se a apontar sua arma, passou para o lado dos combatentes e deixou-se fuzilar com eles.

Agora, o que se pode dizer dele? Seu gesto foi bom ou foi mau? O que foi que ele fez? — Esquivou-se ao próprio destino. Ele poderia ter atirado, dizendo a si mesmo: "Estou enredado no meu grupo e eles no seu. O destino dispôs de forma que sou eu que tenho de fuzilá-los e não eles a mim. Eu digo sim a esse destino, sejam quais forem as conseqüências." Essa atitude teria grandeza. Imaginar que escolhendo morrer posso escapar de meu destino, é uma solução fácil. Ficou claro para você?

Você precisa levar em conta que seu pai estava numa situação semelhante, e isso não diz respeito a você. Você não tem o direito de achar isso bom nem mau. Nem uma coisa nem outra.

JONAS: Estou vendo mais claro.

HELLINGER: Então você também tem grandeza e respeito pelos poderes do destino.

Permanecer no presente alivia

ULLA: Sinto um movimento constante entre a cabeça e as mãos. Quando estou totalmente presente, minhas mãos ficam quentes e cheias de energia.

Quando penso como fui idiota por não ter vindo de manhã, fico com dor de cabeça.
HELLINGER: Você precisa dizer: "Fui idiota, e agora agüento as conseqüências." Então ficará bem de novo.

Ulla ri.

Estar atento à realização interna

DAGMAR: Estou cheia de impressões. O mais importante para mim, no momento, é o que está se realizando no meu íntimo. Estou constantemente reverenciando minha mãe e reconhecendo meu sistema de origem e minha família. Isso me faz muito bem. O que ainda desejo para mim tem mais a ver com a profissão. Gostaria de saber melhor como lidar com clientes que sofreram abuso sexual em casos de transgressão de limites.

O que ajuda as vítimas de incesto

HELLINGER: O abuso sexual de crianças no incesto freqüentemente resulta de um desequilíbrio entre o dar e o tomar. Uma constelação usual, nesses casos, é aquela em que uma mulher, que tem uma filha de um matrimônio anterior, se casa com um homem sem filhos. Isso gera um desnível, pois o marido precisa cuidar da menina, embora não seja sua filha. Portanto, deve dar mais do que recebe. Talvez a mulher ainda exija isso dele expressamente. Com isso, aumenta mais a diferença entre o dar e o receber, entre ganhos e perdas. O sistema passa a ser dominado por uma irresistível necessidade de compensação, e a maneira mais fácil de obtê-la é que a mulher leve a filha ao marido, para compensar. Esta é a dinâmica familiar que freqüentemente está por trás de um incesto. Não é, porém, uma regra geral, pois também existem outras dinâmicas.

Aqui, de maneira bem clara quando existe desequilíbrio entre o dar e o tomar, mas também em outras formas de abuso sexual de filhos, quase sempre ambos os pais estão envolvidos, a mãe num segundo plano e o pai no primeiro. Só poderá haver solução quando a situação for encarada em sua totalidade.

Qual seria então a solução? Em primeiro lugar, nesses casos, parto do princípio de que tenho de lidar com a vítima e meu interesse é ajudá-la. Meu interesse como terapeuta não pode ser o de perseguir os autores, porque isso absolutamente não ajuda a vítima.

Quando, por exemplo, uma mulher conta num grupo que sofreu abuso sexual por parte do pai ou do padrasto, digo-lhe que imagine sua mãe e lhe diga: "Mamãe, por você faço isso de boa vontade." De repente surge um novo contexto. E digo-lhe que imagine seu pai e lhe diga: "Papai, pela mamãe faço isso de boa vontade." Subitamente, vem à luz a dinâmica oculta e ninguém consegue mais comportar-se como antes.

Quando uma situação ainda é atual e, portanto, tenho de trabalhar com um dos pais, por exemplo com a mãe, eu lhe digo, na presença da criança: "A filha faz isso pela mamãe", e faço com que a criança diga à mãe: "Por você faço isso de boa vontade." Então termina o incesto: ele não tem condições de prosseguir. Quando o marido está presente, faço com que a criança lhe diga: "Eu faço isso por mamãe, para compensar." De repente, a criança se vê e se reconhece como inocente. Já não precisa sentir-se culpada.

O segundo ponto é que ajudo a criança a recuperar a própria dignidade, porque o incesto é também vivido por ela — falando sem meias-palavras — como uma desonra. Então conto uma pequena história de Johann Wolfgang Goethe. Ele escreveu um poema chamado *"Sah ein Knab ein Röslein stehn"* (*Um rapaz viu uma rosinha*), que termina com estas palavras: "O selvagem rapaz arrancou a rosinha do prado. Ela se defendeu e o espetou, mas de nada lhe adiantou chorar pois teve de sofrer. Rosinha, rosinha, rosinha vermelha, rosinha do prado!"

E então conto um segredo: a rosa conservou seu perfume!

Terceiro ponto: para muitas crianças, a experiência é também prazerosa. Entretanto, elas não podem confiar em sua percepção de que é ou foi prazeroso, porque é dito à sua consciência, principalmente pela mãe, que isso é mau. Então elas ficam desorientadas. A criança deve poder dizer que a experiência foi prazerosa, se foi o caso. Ao mesmo tempo, precisa certificar-se de que é sempre inocente, mesmo que a experiência tenha sido prazerosa. Uma criança procede infantilmente quando é curiosa e deseja fazer essa experiência; não obstante, permanece inocente. Quando o prazer é condenado nesse contexto, o sexo aparece sob uma luz estranha, como se fosse algo terrível. Nesse contexto, o incesto apenas antecipa uma experiência necessária. Falando com uma certa frivolidade: algo que faz parte do desenvolvimento humano acontece prematuramente à criança. Quando lhe digo isso, ela se sente aliviada.

Em quarto lugar, existe a idéia de que a criança ficará inibida em seu desenvolvimento posterior. Isso é verdade. A criança é inibida em seu desenvolvimento porque através da experiência sexual (seria excessivo falar, neste caso, de consumação sexual) nasce um vínculo entre a menina e o autor do abuso. A criança não poderá ter mais tarde nenhum novo parceiro, se não reconhecer e honrar o seu primeiro vínculo. Isso se torna difícil para a criança quando essa experiência é condenada e seu autor é perseguido. Quando, porém, a criança assume essa primeira experiência e esse primeiro vínculo, ela os integra numa nova relação, superando e resolvendo a primeira experiência. A atitude de indignação ao lidar com esse assunto impede a solução e prejudica a vítima.

CLAUDIA: O que acontece com o vínculo quando a experiência não foi prazerosa nem bela para a criança?

HELLINGER: O vínculo se cria, apesar de tudo. Entretanto, após a experiência, quer tenha sido dolorosa ou prazerosa, a criança sempre tem o direito de estar zangada com o autor, pois em qualquer caso sofreu injustiça. Ela precisa dizer a ele: "Você cometeu injustiça comigo e isso eu nunca lhe perdoarei." Agindo assim, ela empurra a culpa para o autor, toma distância e se retira. Mas não precisa envolver-se emocionalmente em sua zanga quando o recrimina, pois essa emoção a ligaria ainda mais fortemente a ele. Estabelecendo limites claros, ela se livra dele. Brigas e recriminações não trazem solução. "Solução" é um termo de duplo sentido. A solução consiste sempre em soltar-se de algo. Na briga não existe solução, porque ela prende.

Existe outra coisa muito importante, em termos de sistema. Do ponto de vista sistêmico, o terapeuta deve conectar-se sempre com a pessoa que está sendo condenada. Você precisa, portanto, desde que comece a trabalhar com isso, dar ao autor do abuso um lugar em seu coração.

DAGMAR: No meu?

HELLINGER: Sim, no seu coração. Do contrário você não poderá encontrar solução, nem mesmo para a vítima. Você precisa pressupor que o autor está enredado, embora ainda não saiba de que maneira. Se você pudesse ver esse envolvimento, poderia entender totalmente essa pessoa. Com essa atitude, você tem um acesso totalmente diverso para lidar bem com o assunto. É mais ou menos assim. Deixei claro?

JOHANN: Me surpreende que a criança, ou a vítima, não perdoe o autor. Mesmo assim ela poderá desprender-se?

HELLINGER: Perdoar é uma presunção. Isso não compete à criança. Quando ela perdoa, é como se também pudesse tomar a culpa para si. Ninguém pode perdoar, exceto quando a culpa é recíproca. Nesse caso, perdoando-se reciprocamente, as pessoas se permitem um novo começo. Mas a criança deve dizer: "Isso foi mau, eu deixo com você as conseqüências mas, apesar disso, faço algo de bom com minha vida." Quando uma criança que sofreu abuso sexual começa mais tarde um relacionamento feliz, isso também é um alívio para o autor do abuso. Quando, ao contrário, a vítima se deixa ficar mal, isso representa também uma vingança contra o autor. As coisas são totalmente diversas conforme sejam vistas no fundo ou na superfície.

CLAUDIA: Quando o abuso foi muito prazeroso para a criança, freqüentemente se nota que ela passa a abordar outros adultos da mesma forma. Com isso, volta a ser recriminada, provocando uma avalanche de "isso não pode ser" e "isso é mau".

HELLINGER: Quando a criança aborda outros adultos dessa maneira, está dizendo aos pais: "Sou uma prostituta. Sou eu a culpada pelo abuso. Vocês não precisam ficar com a consciência pesada." O que provoca essa atitude é, mais uma vez, o amor da criança. Quando digo isso à criança, ela se sente boa, mesmo nesse contexto. É preciso procurar sempre pelo amor. É lá que se encontra também a solução.

DAGMAR: Onde jamais encontro amor é no domínio da pornografia infantil.

HELLINGER: Esse tipo de objeção lhe tira a possibilidade de compreender.

DAGMAR: Agora não entendi isso.

HELLINGER: Deve-se contar com o amor como pressuposto em qualquer situação. Posso vivenciar algo como muito mau sem condenar ninguém. Preciso buscar sempre como resolver um envolvimento; antes de tudo, como resolvê-lo para a vítima. Quando a vítima se retira de tudo e deixa com os perpetradores a culpa e as conseqüências de suas ações, e quando faz disso algo de bom para si — o que está em suas mãos —, então o que passou é deixado para trás e fica resolvido para ela. Entretanto, quando sobrevém qualquer emoção do tipo "Agora precisamos entregar o autor à justiça", fecha-se para a vítima o caminho da solução. Um terapeuta que se permite tal emoção prejudica muito o cliente.

Menciono um exemplo. Certa vez, num grupo para psiquiatras, uma psiquiatra contou, cheia de indignação, que uma de suas clientes foi violentada pelo próprio pai. Então eu lhe disse que configurasse o sistema familiar da cliente, colocando-se, como terapeuta, no lugar que julgasse correto para si mesma. Ela imediatamente colocou-se ao lado da cliente. Todos os integrantes do sistema ficaram zangados com ela e nenhum deles confiou nela. Então coloquei-a ao lado do pai. Todos no sistema ficaram tranqüilos e tiveram confiança nela, e a cliente ficou muito aliviada.

Imagem dessa constelação

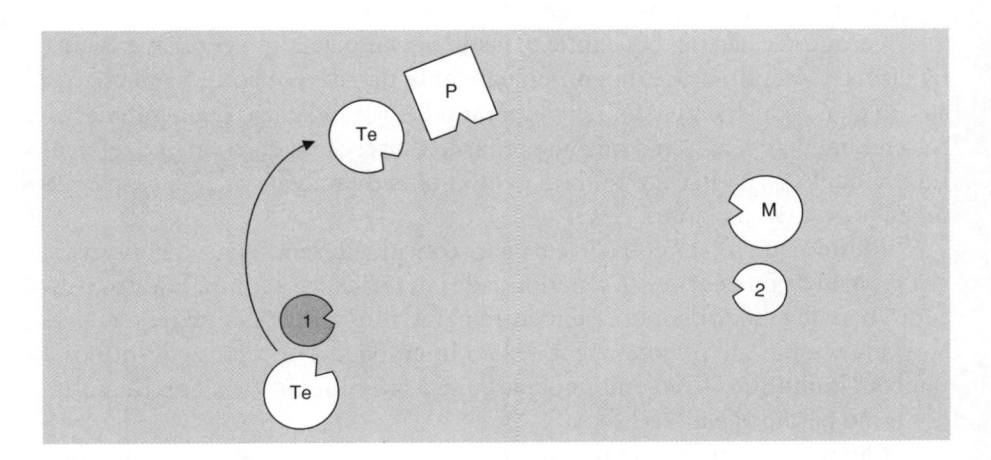

Te	Terapeuta
P	Pai
M	Mãe
1	**Primeira filha (cliente)**
2	Segunda filha

HELLINGER: Não se pode excluir ninguém de um sistema, exceto em casos de crimes muito graves, e o incesto raramente se inclui entre eles. A solução consiste em acolher de novo todos os que foram excluídos. Isso se consegue melhor quando dirigimos nosso olhar não apenas para o pai, como o autor manifesto, mas também para a mãe, como a autora secreta e "eminência parda" do incesto. Quando o terapeuta se conecta apenas com a vítima e não com o sistema como um todo, trabalha de uma forma que apenas piora toda a situação. Esta é a conseqüência, e ela vai bem longe.

O que ajuda os perpetradores

BRIGITTE: E o que faz você quando trabalha com os perpetradores?
HELLINGER: Falaria com eles apenas individualmente e num local protegido. Em primeiro lugar, eu lhes perguntaria se eles vêem um caminho que ajude a vítima a libertar-se do que aconteceu e do autor do abuso, e a direcionar para o próprio bem a dor que sofreu e suas conseqüências. Nesse momento, eles não precisam defender-se e ganho a sua colaboração. Um primeiro passo adicional seria que eles sentissem a dor. Essa dor é, basicamente, um processo interno. Às vezes, contudo, é acertado que também digam à criança: "Sinto muito pelo que fiz com você." Isso alivia a criança e a ajuda mais do que quando se persegue o autor do abuso. Isso, porém, já é suficiente.

Os autores não devem explicar, justificar, embelezar ou condenar diante da vítima o próprio procedimento. Igualmente não devem confessar à criança sua culpa e pedir-lhe perdão, nem esperar ou exigir dela algo que os alivie. Isto seria uma nova agressão que aumentaria a sobrecarga da criança e reforçaria o vínculo que a liga aos autores do abuso. Isso também vale, aliás, para as mães que estavam cientes.

Mesmo que sejam culpados, os pais continuam sendo pais e conservam sua posição de precedência e superioridade em relação aos filhos. Por isso o assunto não deve ser discutido, nem entre pais e filhos, nem diante de terceiros — por exemplo, de psicoterapeutas. Isso humilha os pais diante dos filhos e também humilha os filhos, mesmo que pareça fazer-lhes justiça. Pais humilhados estão perdidos para os filhos.

Quando acontece um processo judicial, aconselho os réus a aceitarem a pena sem tentar diminui-la com apelos a subterfúgios ou perícias. Então recuperam mais cedo a sua dignidade.

Muitas vezes os perpetradores, além de receberem uma justa pena, tornam-se alvos de uma campanha. Ou acontece ainda que uma suspeita seja lançada sobre uma pessoa inocente sem que ela possa se defender, pois a simples suspeita cai como uma fagulha sobre um campo de capim seco.

Vou contar-lhes então uma breve história:

O silêncio

Num congresso de psicoterapia, um psicólogo muito conhecido fez uma conferência sobre o feminino. Nos debates foi duramente atacado por algumas mulheres jovens. Elas achavam que as mulheres ainda eram muito injustiçadas e que era uma presunção dele falar desse tema na presença de mulheres.

O psicólogo, que parecia ter falado com a melhor das intenções, viu-se acusado de injusto e colocado contra a parede, tanto mais que aparentemente pouco tinha a contrapor aos argumentos das jovens mulheres.

Quando tudo terminou, ele refletiu sobre o que talvez tivesse feito de errado. Conversou com seus colegas e procurou um homem sábio para pedir conselho.

O homem lhe disse: "As mulheres têm razão. Realmente, como você pôde notar, elas próprias não têm dificuldade em impor-se aos homens, e provavelmente não sofreram pessoalmente nenhuma injustiça grave. Porém tomam sobre si a injustiça que outras mulheres sofreram, como se a tivessem sofrido elas mesmas. Como plantas parasitas, alimentam-se de um tronco alheio. De fato, elas não têm um grande peso próprio e no amor se relacionam apenas com pessoas de sua própria condição. Entretanto, ajudam as que vêm depois delas: uma pessoa semeia e a outra colhe."

"Não estou interessado nisso", respondeu o psicólogo. "Gostaria de saber o que devo fazer quando estiver numa situação semelhante."

"Faça como aquele que, no campo aberto, é surpreendido pelo temporal. Ele busca um abrigo e aguarda que passe a chuva. Então volta ao ar livre e curte o ar fresco."

Quando o psicólogo voltou para o meio de seus colegas, estes lhe perguntaram qual tinha sido o conselho do homem sábio. "Ah", disse ele, "não me recordo exatamente, mas acho que foi de opinião que eu deveria sair mais vezes ao ar livre, mesmo com temporais."

A indignação

HELLINGER: Também se tornam, por vezes, alvos da indignação os ajudantes que, em vez de perseguir, olham para o futuro e orientam as vítimas e os perpetradores, para que revertam ao próprio bem o sofrimento e a culpa. Os indignados acreditam estar a serviço de uma lei coercitiva, seja ela a lei de Moisés, a lei de Cristo, a lei do céu, a "moral natural", a lei de um grupo ou apenas o ditado de um cego espírito da época. Essa lei, seja qual for o seu nome, confere aos indignados poder sobre perpetradores e vítimas e justifica o mal que lhes fazem. A questão é a seguinte: como podem os ajudantes defrontar-se com tal indignação sem prejudicar as vítimas, os perpetradores, a si mesmos e a ordem justa? Para ilustrar o assunto, contarei uma história bem conhecida.

A adúltera

Certa vez, em Jerusalém, um homem desceu do Monte das Oliveiras em direção ao templo. Quando penetrou no recinto, alguns eruditos "justos" arrastavam uma jovem mulher. Cercando o homem, eles a colocaram diante dele e lhe disseram: "Esta mulher foi apanhada em adultério. Moisés nos ordenou na lei que seja apedrejada. O que diz você a respeito?"

Na verdade, não estavam interessados na mulher nem na ação dela. O que lhes interessava era preparar uma armadilha para um ajudante que era conhecido por sua brandura. Eles se indignavam com sua indulgência e, em nome da lei, julgavam-se autorizados a destruir tanto aquela mulher quanto este homem — que nada tinha a ver com a ação dela — caso não compartilhasse de sua indignação.

Vemos diante de nós dois grupos de perpetradores. A um deles pertencia a mulher: era uma adúltera e os indignados a chamavam de pecadora. Ao outro grupo pertenciam os indignados: por sua intenção eram assassinos, porém chamavam-se justos.

Sobre ambos os grupos pesava a mesma lei implacável, com a única diferença de que chamava de injusta uma ação má e de justa uma outra, na verdade, muito pior.

Porém o homem que tentavam apanhar na armadilha esquivou-se de todos eles: da adúltera, dos assassinos, da lei, do ofício de juiz e da tentação de grandeza. Ele se curvou e começou a escrever com o dedo na areia. Diante de todos eles curvou-se para a terra. Quando os indignados não entenderam os sinais que escrevia com o dedo e continuaram a espreitá-lo e pressioná-lo, ele se ergueu e disse: "Quem estiver sem pecado, que seja o primeiro a atirar a pedra." Então curvou-se de novo para a terra e continuou escrevendo na areia.

De repente tudo mudou — pois o coração sabe mais do que a lei lhe permite ou ordena. Os indignados esvaziaram o local da cena e se retiraram, um depois do outro, começando pelos mais velhos.

O homem, porém, respeitou a vergonha deles e permaneceu curvado, escrevendo na areia. Apenas quando todos partiram, ele se ergueu de novo e perguntou à mulher: "Onde estão eles? Ninguém te condenou?" — "Não, senhor", respondeu ela. Então, como se partilhasse o sentimento dos indignados, disse à mulher: "Eu também não te condeno."

Aqui termina a história. No texto que nos foi transmitido ainda foi acrescentado: "Não peques mais!" Esta frase, como demonstrou a ciência bíblica, foi um acréscimo posterior, provavelmente de autoria de alguém que não suportou mais a grandeza e a força dessa história.

Mais alguns comentários. Os indignados e a história ignoraram a vítima real — o marido daquela mulher. Se tivessem apedrejado a mulher, ele teria sido duplamente vitimado. Agora porém, como os indignados não se intrometem mais entre eles, eles têm a possibilidade de encontrar amorosamente a forma de se compensarem e reconciliarem, começando de novo. Se os indignados se intrometessem entre eles, essa solução lhes seria vedada e a situação ficaria pior, tanto para a acusada quanto para sua vítima.

É o que às vezes acontece com crianças que sofreram abuso, quando não caem nas mãos de pessoas amorosas, mas de pessoas indignadas. Estas pouco se importam com elas. As medidas que propõem e impõem, nascidas de seus sentimentos de indignação, apenas tornam a situação mais difícil para as vítimas.

Mesmo depois de vitimada, a criança permanece ligada e fiel ao autor do abuso. Assim, quando o pai é perseguido e destruído, moral e fisicamente, a criança também morre, moral e fisicamente; ou então, mais tarde, um de seus filhos expiará por esse fato. Esta é a maldição da indignação e a maldição da lei que a justifica.

O que, portanto, deveriam fazer os ajudantes que agem a partir do amor? Eles renunciam a fazer dramas e buscam caminhos simples que possibilitem um novo começo às vítimas e aos autores do abuso, de forma mais consciente e suave. Em vez de dirigir o olhar para uma pretensa lei superior, vêem apenas seres humanos, sejam perpetradores ou vítimas, e se incluem entre eles. Sabem que somente a lei se apresenta como se fosse de bronze e eterna. Na terra, tudo é passageiro e cada fim é seguido por um novo princípio. Sua ajuda é humilde e tem amor por todos: pelas vítimas, pelos perpetradores, pelos incitadores ocultos e pelos vingadores, entre os quais eles próprios já figuraram alguma vez.

— Deixei claro o assunto?
PARTICIPANTE: Sim.

Constelação de Thomas: O que tira o poder das mulheres que aparecem como Deus

HELLINGER: Vamos começar agora a rodada final. É a última oportunidade para se resolver algo aqui. Thomas?
THOMAS: Gostaria de colocar meu sistema de origem e olhar para meus avós.
HELLINGER: Quem pertence à família?
THOMAS: Meu pai, minha mãe, eu, que sou o mais velho, e minhas quatro irmãs.
HELLINGER: Algum dos pais foi casado ou noivo anteriormente?
THOMAS: Antes de se casar, minha mãe tinha um namorado, que era casado, com quem tinha uma afinidade de alma. Porém, quando encontrou meu pai, ela disse: "Este homem foi determinado para mim", e casou-se com ele. Quando meu pai morreu, ela retomou o relacionamento com aquele homem.
HELLINGER: Seu pai teve anteriormente alguma ligação com alguém?
THOMAS: Não, ele foi um teólogo frustrado.

HELLINGER: O que quer dizer um teólogo frustrado?
THOMAS: Ele entrou para uma ordem religiosa e, pelo que me contou, quis fazer cento e cinqüenta por cento. Mortificava-se muito e era extremamente rigoroso consigo mesmo. Mas então teve um esgotamento nervoso e deixou a ordem religiosa.
HELLINGER: O que foi que seu pai não agradeceu? Qual foi a graça pela qual não foi grato? — O esgotamento nervoso. Pois isso foi uma graça.
THOMAS: Seu caminho foi totalmente marcado pelo fracasso.
HELLINGER: A razão disso foi não ter agradecido por aquela graça. — Vou contar-lhe uma pequena história a respeito.

A graça passa

Numa inundação, causada por um longo temporal, um rabino subiu ao telhado de sua casa e pediu a Deus que o salvasse. Pouco depois, um homem remou ao seu encontro para salvá-lo num barco. Mas o rabino disse: "Deus me salvará", e o dispensou.

Então chegou um helicóptero para resgatá-lo, mas ele igualmente o dispensou. Finalmente afogou-se.

Quando o rabino chegou ao trono de Deus no céu e se queixou de que Ele não o tinha ajudado, Deus respondeu: "Eu lhe mandei um barco e lhe mandei um helicóptero."

HELLINGER (*para Thomas*): Bem, agora coloque sua família!

Figura 1

P   Pai
M   Mãe
1   **Primeiro filho (=Thomas)**
2   Segunda filha
3   Terceira filha
4   Quarta filha
5   Quinta filha

HELLINGER (*para os representantes da família*): Vocês todos estão zangados com quem?
SEGUNDA FILHA: Com o pai?
HELLINGER: Não.
(*para Thomas*): Com Deus. — Este Deus aqui é um homem ou uma mulher?
THOMAS: Não estou seguro. Isso não é palpável para mim.
HELLINGER: Quando Deus aparece num sistema, ele na verdade é sempre uma pessoa do sistema.
THOMAS: Então é um homem.
HELLINGER: Não estou tão seguro. Bem, vamos começar. Como está o pai?
PAI: Numa pior. Estou fixando o vazio e nada tenho a ver com essas pessoas.
HELLINGER: Exato; a graça não serviu de nada.

HELLINGER: Como está a mãe?
MÃE: Numa palavra: impossível! Absolutamente impossível!
HELLINGER (*para o representante de Thomas*): Como está o filho?
PRIMEIRO FILHO: Não estou bem. Quero sair daqui.
SEGUNDA FILHA: Sinto-me sobrecarregada, como uma mãe que cuida sozinha dos filhos.
TERCEIRA FILHA: Tenho a sensação de estar num canto totalmente abrigado.
QUARTA FILHA: Só estou bem porque não sinto nada. Não tenho mais nada a dizer.
HELLINGER (*para Thomas*): Conte-me algo sobre a família de seu pai.
THOMAS: Meu pai é o filho mais velho e teve sete irmãos. Tinha uma casa de comércio — que na verdade pertencia ao pai de minha mãe —, à qual meu pai se associou pelo casamento. Minha mãe era e ainda é a pessoa mais importante ali.
HELLINGER: Houve acontecimentos incisivos, além dos numerosos filhos?
THOMAS: Uma irmã de meu pai morreu tuberculosa. Seus irmãos mais novos eram gêmeos. Um deles rolou de uma escada e morreu. Meu avô tinha sido destinado ao sacerdócio por sua mãe, mas o pai de seu pai o impediu.
HELLINGER: O pai de seu pai o impediu?
THOMAS: O pai de meu pai estava destinado ao sacerdócio, assim como meu pai e eu também, mas o pai dele o impediu. O desejo de ter sacerdotes era aparentemente transmitido através das mães e os pais o impediram — ou esse pai.
HELLINGER: Está bem. — Deus é então um homem ou uma mulher? — Vamos colocá-lo.
THOMAS: Quem?
HELLINGER: Esse Deus. Quem pode ser?
THOMAS: Agora eu escolheria uma mulher.

HELLINGER: Sim, escolha uma mulher para Deus.
(*para o grupo*): Vocês não precisam ter medo. Aqui os papéis são sempre humanos.

Figura 2

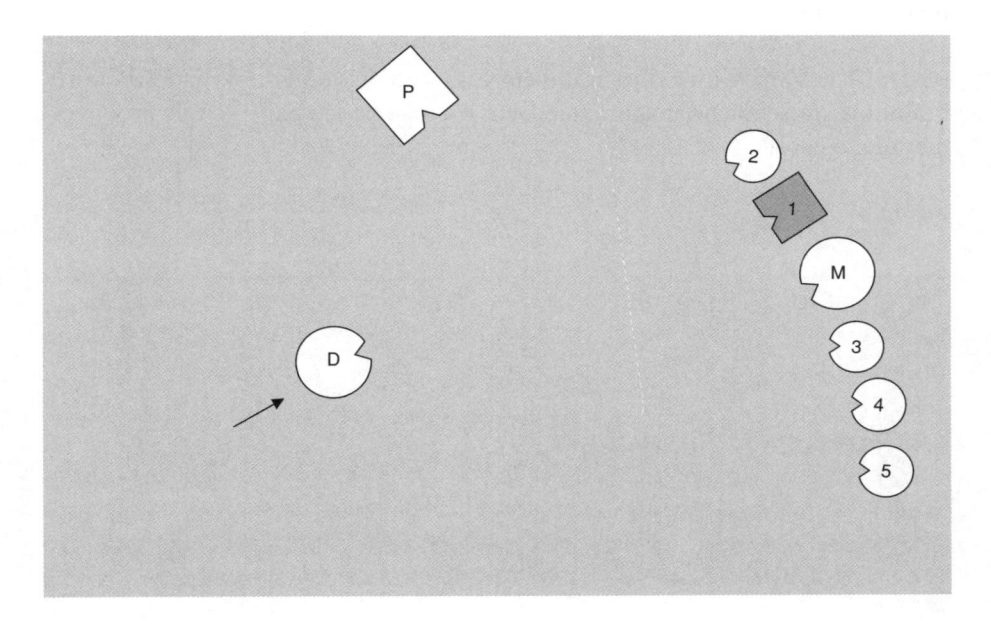

D   Deus

HELLINGER: O que mudou?
PRIMEIRO FILHO: Fiquei um pouco aliviado.
TERCEIRA FILHA: Não sei o que essa mulher está fazendo aí; além do mais, ela não olha para mim.
HELLINGER: Mas o nível de energia subiu. — Como está o pai?
PAI: Com esse Deus não quero ter nada a ver.
HELLINGER: Sim, quando ele aparece poucos querem ter algo a ver com ele.
PAI: Isto me angustia e me deixa muito intranqüilo. Gostaria de ir embora.
MÃE: Eu gostaria de torcer o pescoço dela.
REPRESENTANTE DE DEUS (THEA): Eu sabia que Thomas ia me escolher para isto, pois parecer ameaçadora é um papel que assumo com muita freqüência.
HELLINGER: Não precisa se desculpar. — Como se sente nesse papel?
REPRESENTANTE DE DEUS: Nada bem.
HELLINGER: Para onde vai a energia?
REPRESENTANTE DE DEUS: Para o vazio, lá na frente.

HELLINGER (*para Thomas*): Que mulher é esta, concretamente, e para onde ela está olhando?
THOMAS: Pensei agora na outra avó, que morou conosco em nossa casa.
HELLINGER: A mãe de sua mãe? — O que sucedeu a ela?
THOMAS: Teve uma criança que nasceu morta; depois, quase morreu e então teve minha mãe.

HELLINGER: Vamos introduzir também essa avó. Coloque-a ao lado da outra mulher. Vamos imaginar agora que Deus é a mãe de seu pai — o que provavelmente é o caso.

Figura 3

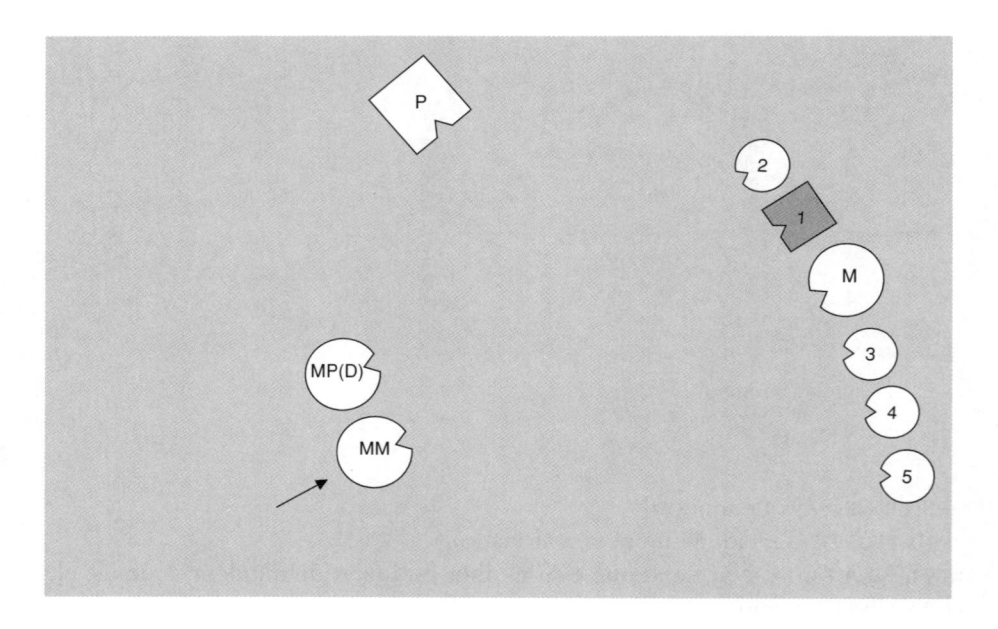

MP(D)   Mãe do pai (Deus)
MM   Mãe da mãe

SEGUNDA FILHA: A energia aumenta incrivelmente.
PRIMEIRO FILHO: Eu também sinto algo assim, mas não é o certo.

HELLINGER (*para Thomas*): Como se tira o poder de Deus? — Através dos dois maridos. Vamos colocar também os dois avôs? Coloque-os simplesmente, cada um ao lado de sua mulher, cujo poder ele tira.

Figura 4

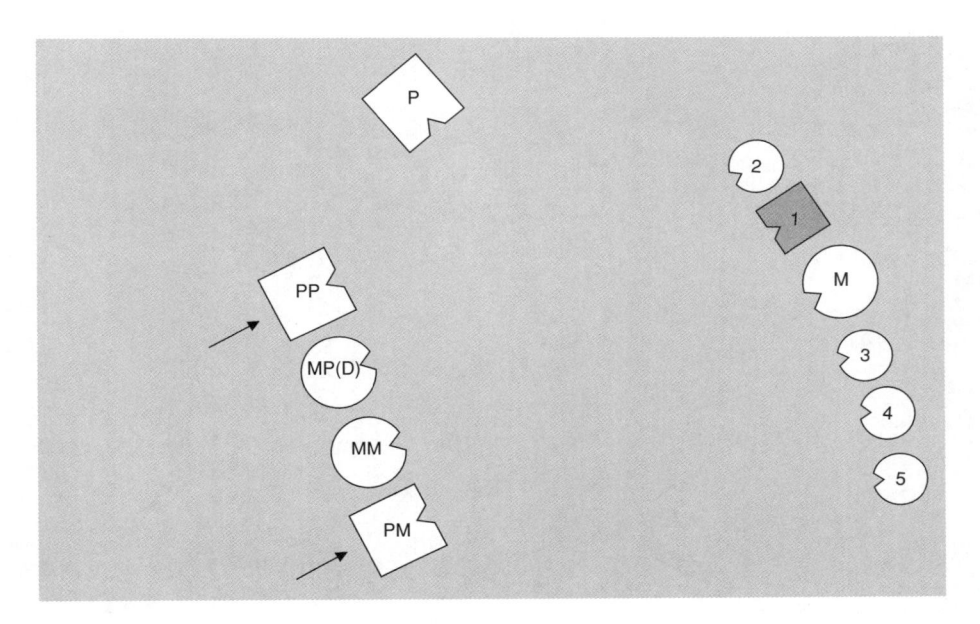

PP   Pai do pai
PM   Pai da mãe

PRIMEIRO FILHO: Está ficando cada vez melhor.
PAI: Está muito mais fácil.
SEGUNDA FILHA: Está muito menos perigoso.
HELLINGER: Sim, exatamente. Porque as mulheres são perigosas. Os homens, em contraposição, representam a vida e a terra.
SEGUNDA FILHA: A terra?
HELLINGER: A terra, por estranho que pareça. Quando os filhos estão em perigo, em risco de suicídio por exemplo, quase sempre ficam mais seguros junto do pai.
PAI: Sinto um grande alívio, desde que os avôs estão presentes.

HELLINGER: Busque agora a sua mulher!

Ele bate palmas, vai até sua mulher, coloca o braço em torno dela e a coloca a seu lado. Ela o acompanha, rindo. Nesse meio-tempo, a irmã mais velha se coloca à esquerda, junto de seu irmão.

Figura 5

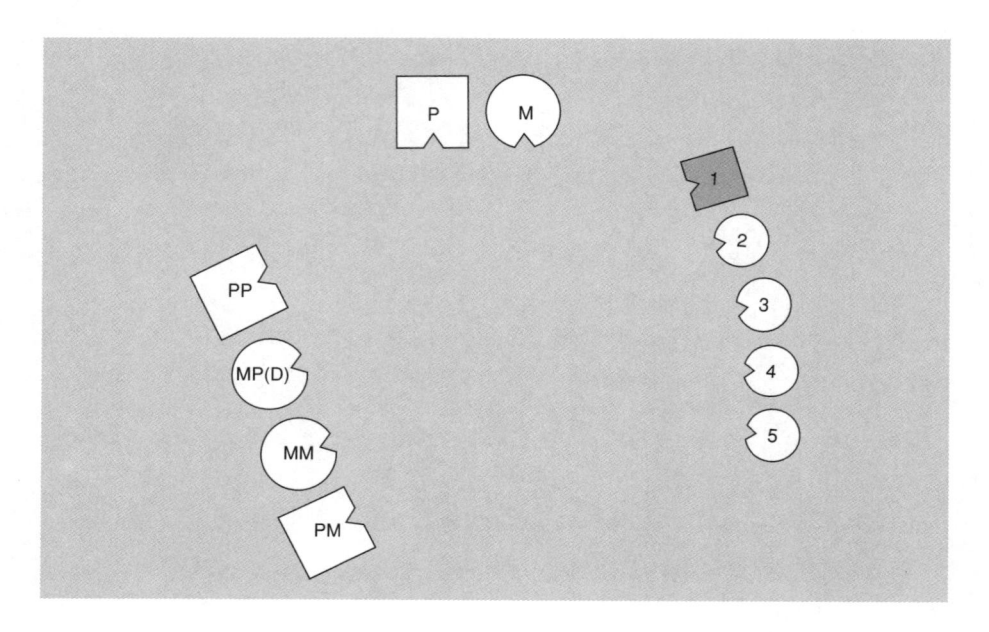

HELLINGER (*para os pais do pai e da mãe*): Como estão vocês?
MÃE DO PAI: Agora, já estou bem.
PAI DO PAI: Neutro, tudo em ordem.
MÃE DA MÃE: Agora me sinto bem.
PAI DA MÃE: Eles têm a minha bênção.
MÃE: Quando os avós apareceram, acabou o tremor de minhas mãos. Agora estão muito quentes.
HELLINGER: Certa vez, coloquei o sistema de uma mulher cujo pai era um pastor evangélico. Em famílias de sacerdotes é sempre preciso incluir Deus na representação. O roteiro da constelação era "A Visita da Velha Senhora".* Quando a mulher colocou os personagens, ficaram de um lado a mulher com os filhos e as babás, enquanto o pai ficou sozinho do outro lado.

---

* Alusão à peça de mesmo nome, de Friedrich Dürrenmatt. (N.T.)

Exemplo: Figura 1

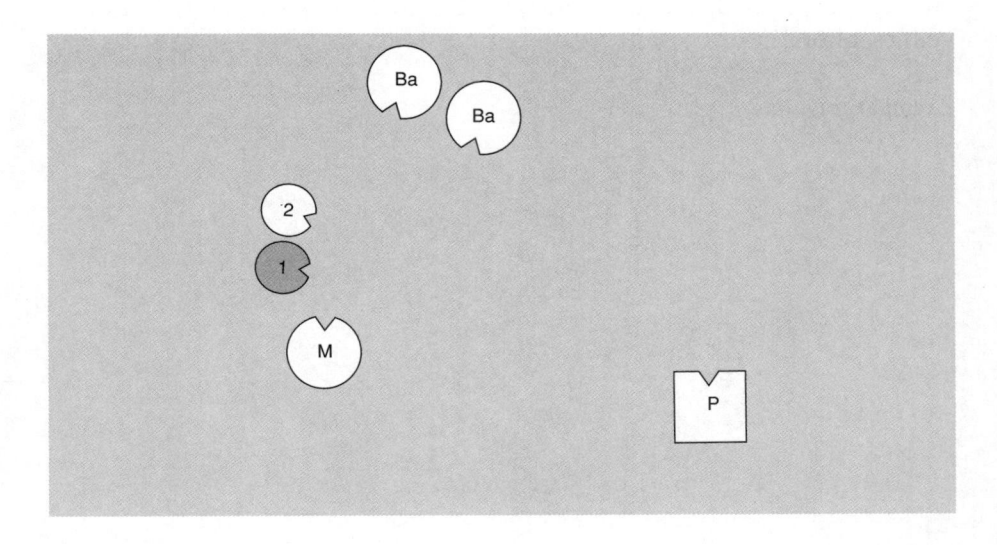

P   Pai
M   Mãe
1   Primeira filha (cliente)
2   Segunda filha
Ba   Babá

HELLINGER: Então perguntei a eles: Deus, nessa família, é um homem ou uma mulher? Ela respondeu: Uma mulher. Então a incluímos, e isso foi a "Visita da velha senhora".

Exemplo: Figura 2

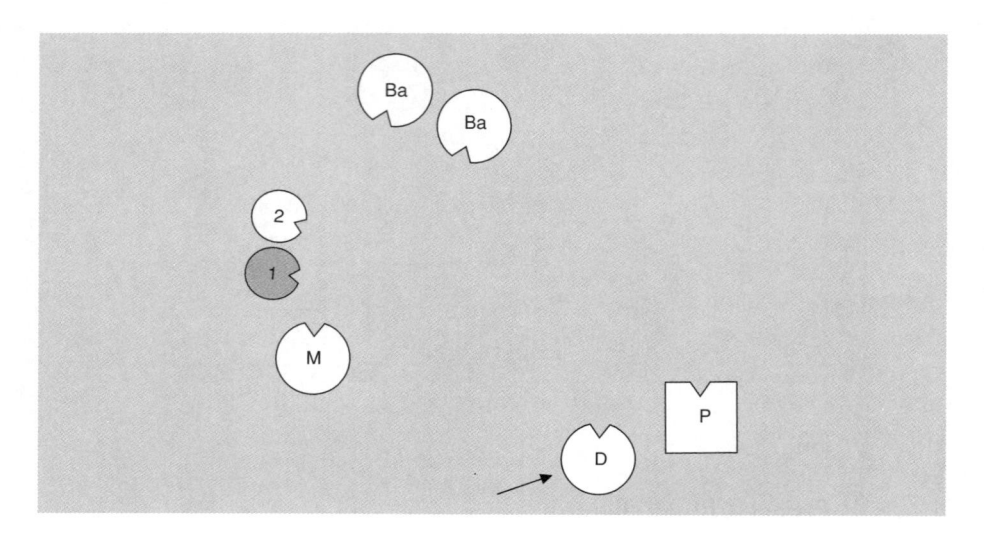

D   Deus

HELLINGER: É sempre terrível quando Deus aparece numa família assim. É um inimigo da vida nessas famílias e quase sempre é uma mulher. Quando aparece como um homem, não é um inimigo da vida.
MÃE DO PAI (DEUS): Quando fiquei aqui sozinha, tive de repente a sensação de que todas as agressões e tudo o que estava neste espaço, se concentravam em mim.
HELLINGER: Veja como é bom haver homens!
(*para Thomas*): Creio que deixei a coisa bem clara. Você quer tomar seu lugar pessoalmente?

Thomas toma seu lugar e olha em volta, com um gesto de aprovação.

HELLINGER: Nesta constelação eu me limitei ao mais importante, pois isto basta aqui. Está bem?

Thomas concorda com a cabeça.

HELLINGER: Bem, foi isso aí.

O homem e a mulher

HELLINGER *(para o grupo)*: Mais alguma pergunta a respeito?
ANNE: Ainda tenho uma pergunta a respeito: por que a terra é algo masculino? Sempre ouvi dizer o contrário e gostaria de saber.
HELLINGER: Está certo, a terra é feminina.
ANNE: A terra é feminina, mas você disse que a mulher...? Não entendi bem.
HELLINGER: A terra é feminina, mas o homem, com o seu trabalho, faz com que ela floresça. Vamos dizer assim, porque as imagens têm muitas camadas. O que acontece é que a mulher dificilmente distingue entre si mesma e seus filhos. O homem sempre faz essa distinção, a não ser quando está muito doente. Por isso, é junto do pai que as crianças estão mais seguras em sua individualidade.
ANNE: Isso eu posso entender.
HELLINGER: É assim. Não há nisso nada de mau, é algo que faz parte da natureza. Por isso cabe aos homens — ainda! — um papel bem determinado.
THOMAS: Eu me coloco esta pergunta: como lidar com meu lado destrutivo, com minha inquietação destrutiva?
HELLINGER: Você precisa passar para a esfera dos homens. É o que sempre lhe tenho dito. Um homem que tem barba, como você, deve passar para o lado dos homens, sobretudo dos pais. Precisa passar da esfera da mãe para a esfera do pai.

(Homens que usam barba cheia provêm de famílias nas quais, tanto na própria família como também na linha paterna, por várias gerações, os homens foram depreciados e privados de poder por suas mulheres.)

Renegando Deus

HELLINGER *(para Thomas)*: Você já terminou? Conseguiu tudo o que queria?
THOMAS: Ainda me interessa o problema da identificação. Com quem eu estava identificado?
HELLINGER: Não creio que identificação seja o termo correto neste caso. Aqui se transmite simultaneamente uma obrigação e a necessidade de ir contra ela. Ambas as coisas.
THOMAS: Eu também sinto isso.
HELLINGER: Ambas as coisas estão incluídas aí. A imitação exige que você simultaneamente assuma a obrigação e a rejeite.
THOMAS: Correto. É exatamente isso.
HELLINGER: E onde está a solução? — Na renegação de Deus. Pois esse é um Deus muito pequeno. Despeça-se dele com dignidade e volte-se para algo maior. Então você estará na trilha certa. O Deus maior enviou a seu pai o esgotamento nervoso, mas seu pai não o reconheceu.
THOMAS: O problema é este: o que posso reconhecer como sendo de Deus?

HELLINGER: Nada. Permaneça no amor à terra. Quem representa o papel de Deus em sua família apresenta-se como inimigo da terra. Entretanto, a terra é a única e maior realidade que conhecemos. É a terra, e não o céu, que encerra o maior mistério.
THOMAS: Dedicar-me à terra é o que tenho feito ultimamente.
HELLINGER: Justamente. É importante que você também encaminhe a isso a criança que existe dentro de você, simplesmente colocando-se ao lado dos homens ou então na frente deles, de maneira que o apóiem pelas costas. Isso é tudo. Está bem?

Eu gostaria ainda de dizer alguma coisa sobre as vocações, as vocações divinas, como sempre são chamadas. Via de regra, elas provêm somente do Deus que aparece na família, que é geralmente a mãe. Quando alguém não segue tal vocação, por exemplo, ao sacerdócio, e age em sentido contrário, como aconteceu em sua família, ele só consegue isso por meio de um abandono e de uma conversão. Caso contrário, acaba vivendo de forma mais limitada do que se tivesse seguido a missão. Alguém só pode escapar de tal vocação, para usarmos uma expressão drástica, se amaldiçoar esse Deus. Só alguém que tenha uma grande fé e muita força pode fazer isso. Quem não o consegue também não consegue a solução.

Vou contar a vocês uma pequena história que serve de ilustração. Ela poderia chamar-se A apostasia ou A fé ou O amor. Nesta história, essas palavras têm o mesmo significado.

A fé maior

Certa noite, um homem sonhou que ouvia a voz de Deus que lhe dizia: "Levanta-te, toma teu filho, teu único e querido filho, leva-o à montanha que eu te mostrarei e ali me oferece esse filho em sacrifício!"

De manhã, o homem se levantou, olhou para seu filho, seu único e querido filho, olhou para sua mulher, a mãe da criança, olhou para seu Deus. Tomou o filho, levou-o à montanha, construiu um altar, amarrou as mãos do filho e puxou a faca para sacrificá-lo. Mas então ouviu uma outra voz e, em vez de seu filho, sacrificou uma ovelha.

Como o filho olha para o pai?
Como o pai olha para o filho?
Como a mulher olha para o homem?
Como o homem olha para a mulher?
Como eles olham para Deus?
E como Deus — se existe — olha para eles?

Um outro homem sonhou, à noite, que ouvia a voz de Deus que lhe dizia: "Levanta-te, toma teu filho, teu único e querido filho, leva-o à montanha que eu te mostrarei e ali me oferece esse filho em sacrifício!"

De manhã, o homem se levantou, olhou para seu filho, seu único e querido filho, olhou para sua mulher, a mãe da criança, olhou para seu Deus. E lhe respondeu, encarando-o: "Isso eu não faço!"
Como o filho olha para o pai?
Como o pai olha para o filho?
Como a mulher olha para o homem?
Como o homem olha para a mulher?
Como eles olham para Deus?
E como Deus — se existe — olha para eles?

Deixei isso claro?
HARTMUT: Totalmente.
HELLINGER: Isso significa que esclareci a questão. Deixei claro o que significa a apostasia, que força de fé e de amor essa atitude requer, e como é mesquinha a fé dos crentes que sacrificam seus filhos e os entregam à justiça desse Deus.

Constelação de Anne: Os pais do pai foram assassinados num campo de concentração e os pais da mãe sobreviveram escondidos

ANNE: Gostaria de colocar minha família de origem.
HELLINGER: Vá em frente.
ANNE: Pertencem a ela: meu pai, minha mãe, uma irmã, dois anos mais velha, e eu.
HELLINGER: Que aconteceu com os pais do seu pai e com sua família?
ANNE: Os pais dele foram presos muito cedo e assassinados num campo de concentração. Meu pai e sua irmã foram separados deles e sobreviveram. Emigraram para a Inglaterra em 1937.
HELLINGER: E o que aconteceu com os pais da sua mãe?
ANNE: O pai de minha mãe era um cristão que se tornou judeu para casar-se com minha avó. Os dois, juntamente com minha mãe, foram escondidos por uma irmã de meu avô e assim sobreviveram.
HELLINGER: O avô que se tornou judeu é muito significativo. Nesse caso, um casamento entre você e um alemão poderia dar certo, como compensação. — Sim, justamente.
— Vocês notam que seria uma compensação? Vou ilustrar isso com um exemplo:
— Uma pessoa contou que seu avô, quando solteiro, mudou-se para uma pequena aldeia e ali casou-se com a filha única dos camponeses mais ricos do lugar. Ela era evangélica, ele católico. Entretanto, na manhã do casamento, para horror dos pais dela, não repicaram os sinos da igreja evangélica, mas sim os da católica. Os pais dela tinham sido enganados. Assim, os avós do narrador se casaram na igreja católica e todos os filhos deles se tornaram católicos.

— Certo dia, ele perguntou à sua irmã: "Por que sua filha se chama Karin?" "Ah", respondeu ela, "ela devia chamar-se Katharina, mas nós adotamos a forma moderna e a chamamos de Karin." Então ele teve um lampejo e disse: "Mas Katharina era o nome de nossa avó evangélica!" Sua irmã absolutamente não tinha percebido a conexão. Ela própria tinha se casado na igreja católica com um homem evangélico e ficou acertado que todos os filhos seriam católicos. Entretanto, de um modo totalmente misterioso, que ninguém chegou a entender — porém manifestamente por iniciativa de sua irmã e sem o seu conhecimento —, essa Karin foi batizada na igreja evangélica. Foi esta a compensação.

ANNE: Meu marido, de quem me separei, é católico, e meus filhos também são batizados.

HELLINGER: Isso está certo. Está bem. — Agora coloque primeiro os seus pais, você e sua irmã, e depois também as outras pessoas importantes: os pais de seu pai e os pais de sua mãe, juntamente com a irmã que os escondeu.

Figura 1

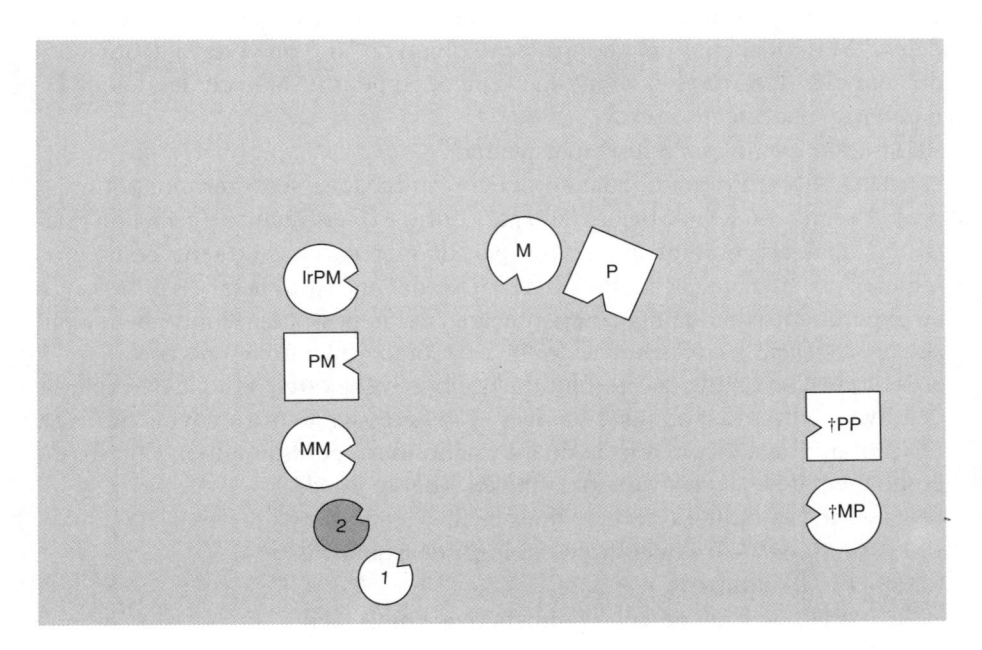

P   Pai
M   Mãe
1   Primeira filha
2   **Segunda filha (=Anne)**
†PP   Pai do pai, assassinado no campo de concentração
†MP   Mãe do pai, assassinada no campo de concentração
PM   Pai da mãe, tornou-se judeu e sobreviveu
MM   Mãe da mãe, sobreviveu escondida como judia
IrPM   Irmã do pai da mãe, escondeu os pais da mãe

HELLINGER: Como está a mãe?
MÃE: Agora estou bem. Há pouco, durante a colocação, perdi de vista as duas filhas e senti muito essa perda.
HELLINGER: Como está o pai?
PAI: Sinto muita energia, um pouco opressiva também. Quando ouvi, há pouco, que meus pais morreram no campo de concentração, pensei: "Não cuidei deles." Mas foi apenas uma constatação objetiva. Vi o que estava acontecendo com eles. É terrível e, ao mesmo tempo, eu penso: "Não cuidei deles." Finalmente, pude aceitar isso.
HELLINGER: Como está a irmã mais velha?
PRIMEIRA FILHA: Primeiro, quando fiquei sozinha aqui, senti ternura por meus pais. A seguir, fui levada de um lado para outro e o sentimento esfriou um pouco. Aí, apareceram também os avós, pais do meu pai. Isso eu senti como uma atração, por sinal ameaçadora. Com minha irmã me sinto bem. Os outros avós eu experimento como uma compensação. Assim, posso ficar muito bem aqui.
HELLINGER (*para a representante de Anne*): Como está a irmã mais nova?
SEGUNDA FILHA: Sinto-me absolutamente horrível e estou a pique de explodir de raiva. Acho todos aqui tão amáveis, tão opressivamente amáveis. A única ligação, mínima, é com a irmã do avô; acho incrível essa mulher. O resto do grupo me parece excessivamente amável. (*Ela se sacode.*)
HELLINGER: Explodir é o recurso mais fácil.
SEGUNDA FILHA: Você quer dizer, em lugar de assumir isso?
HELLINGER: Exatamente.
SEGUNDA FILHA: Sim, percebo também que é mais fácil.
PAI DO PAI†: É estranho. Sinto-me crescendo com as pernas para dentro do chão e ao mesmo tempo me elevando no espaço. Uma onda de calor flui para meu filho e sua família, e uma energia muito amiga vai na direção dos outros avós e da irmã, que contudo só me aparecem como um grupo e não se distinguem uns dos outros. Isso está misturado com afeição.
MÃE DO PAI †: Sinto-me estranhamente distante, como se nada disso me interessasse.

Hellinger muda a imagem, colocando as filhas de frente para os pais e afastando mais para o fundo os avós paternos assassinados.

Figura 2

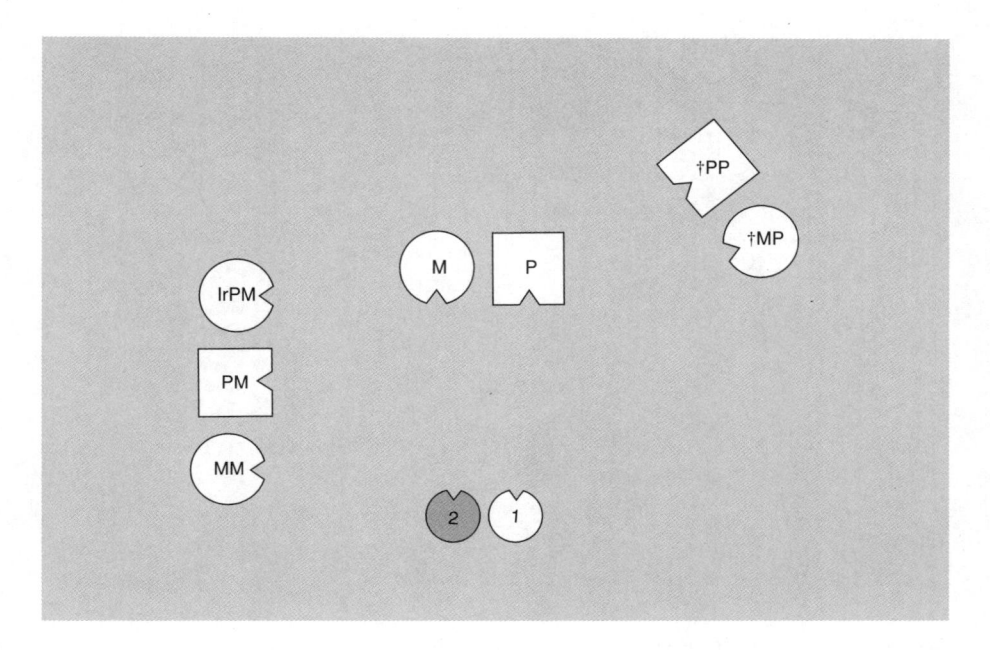

MÃE DO PAI †: Assim é muito melhor.
HELLINGER (*para o pai*): Que tal para você?
PAI: Sinto mais força.
HELLINGER: Os mortos também precisam ceder lugar.
PAI DA MÃE: Agora estou bem. Antes, quando os dois outros avós estavam na minha frente, havia entre nós um poderoso campo energético que me fez bem, e me senti forte. Quando se afastaram, essa sensação passou. Quanto às duas netas, eu as sentia muito distantes. Desde que vieram para a minha frente, ficou bem.
MÃE DA MÃE: Antes, eu me sentia como se fosse a mãe de todo o bando. Agora posso centrar-me mais em meu marido.
IRMÃ DO PAI DA MÃE: Estou sentindo uma palpitação muito forte, mas também sei que assim está em ordem.

Hellinger afasta, mais para o fundo, também os pais da mãe e a tia.

Figura 3

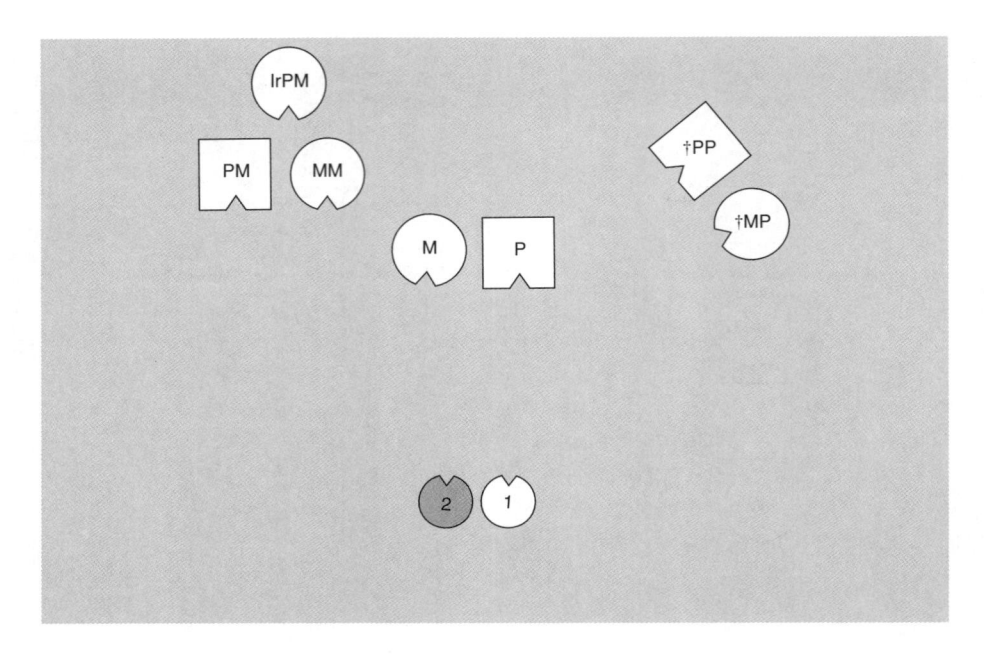

[Figura 3: diagrama com IrPM ao fundo, PM e MM à esquerda, †PP e †MP à direita, M e P ao centro, e 2 e 1 à frente.]

IRMÃ DO PAI DA MÃE: É melhor assim. Este lugar é o mais tranqüilo.
SEGUNDA FILHA: No que toca aos pais, eles agora estão mais firmes no chão e eu também posso discutir com eles. Vejo-os e posso me relacionar bem com eles. A relação com os avós, de qualquer modo, é boa. Apenas já não vejo tão bem a tia-avó.
HELLINGER (*para a mãe*): Como você se sente quando seus pais e a tia ficam mais atrás de você?
MÃE: Bem.
HELLINGER: É muito diferente lidar com pessoas que foram excluídas ou com pessoas que são poderosas. As poderosas vão mais para o fundo e as excluídas precisam vir mais para a frente. Todas as pessoas que se encontram aqui já são reconhecidas e honradas, e a vida prossegue com as outras. Desta maneira, os acontecimentos funestos já podem ser relegados ao passado.
(*para Anne*): Está bem, agora entre em seu lugar.

Anne coloca-se em seu lugar e começa a chorar.

HELLINGER: Mantenha os olhos abertos e olhe amorosamente para todos.

Anne confirma com a cabeça e olha para todos.

HELLINGER: Bem, foi isso aí.

A graça da vida

IDA: Sinto-me centrada e percebo um ardor em mim. (*Está emocionada e as lágrimas começam a correr.*) Gostaria de ouvir um pouco mais a voz interior. Ela está presente, isto eu sinto às vezes e cada vez com mais freqüência. Mas gostaria de ganhar mais confiança nessa voz.
HELLINGER: Houve, certa vez, um judeu piedoso que toda noite pedia a Deus que o fizesse ganhar na loteria. Passados muitos anos, ouviu a voz de Deus que lhe dizia: "Dê-me finalmente uma chance, compre um bilhete!"
IDA: Já experimentei a graça da vida em muitas ocasiões. (*Continua muito emocionada.*)
HELLINGER: Olhe para seu pai e deixe-o lá, onde está. Olhe com amor para ele e para a família dele. Deixe-os simplesmente onde estão e olhe-os com amor. Tome sua bênção, e acolha dentro de si o irmão de seu pai, que foi assassinado. — Eles o eliminaram?
IDA: Não. (*Suspira aliviada.*)
HELLINGER: Isso não é possível. Está sendo mantido em algum lugar — Deixe-o lá. — Você pode deixá-lo lá?

Ida faz que sim com a cabeça.

HELLINGER: Temos em alemão uma bela palavra para designar o cemitério: "campo de paz" (*Friedhof*). É um lugar onde deve e pode haver paz. Os mortos também precisam ter sua paz. Está bem assim?

Ida concorda com a cabeça.

HELLINGER: Está vendo? agora encontramos a pessoa melhor de quem você precisava. (*Veja p.43 — Em pé de guerra.*)
WILHELM: Já não tenho muita coisa a dizer. Estou muito emocionado.
SOPHIE: Eu também me sinto bem e estou tranqüila. Meu nível de energia voltou a subir, está um pouco mais alto que nas duas sessões da manhã. Não tenho mais nada a trabalhar.
HELLINGER: Agora você está em boas mãos, com sua mãe.
KLARA: Também estou bem. Sinto-me ricamente presenteada.

Constelação de Jan: Encontrar e tomar o pai, prematuramente falecido

JAN: Gostaria de colocar minha família.
HELLINGER: Está bem.
JAN: Meu pai foi casado antes, divorciou-se e teve um filho desse primeiro casamento.
HELLINGER: Com quem foi criado esse filho?
JAN: Ficou conosco nos dois primeiros anos, até a morte de meu pai; em seguida, ficou quatro anos com sua avó paterna. Então foi levado pela mãe para a Itália, onde ficou. Meu pai era viciado em comprimidos e morreu de insuficiência renal.
HELLINGER: Por que se desfez o primeiro casamento de seu pai? Você sabe?
JAN: Presumo que tenha sido por causa do vício dele. Eles se desentenderam.
HELLINGER: Havia algo de especial na família de seu pai?
JAN: O pai dele bebia.

Figura 1

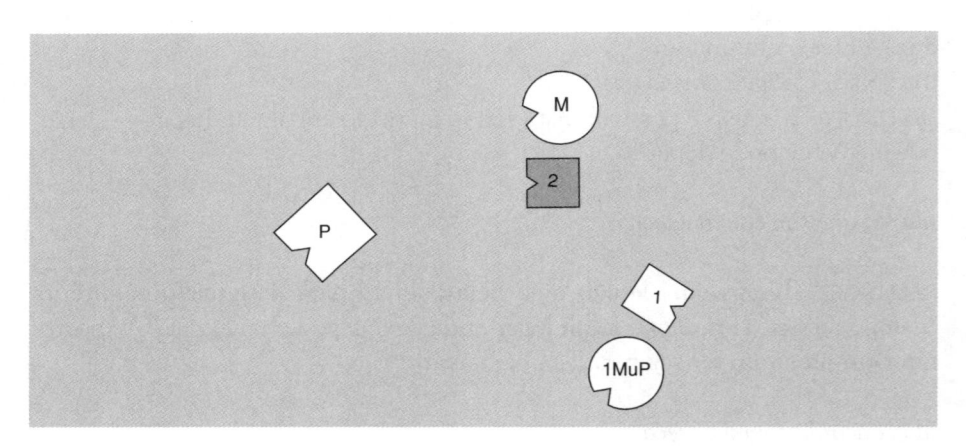

P	Pai
1MuP	Primeira mulher do pai, mãe de 1
1	Primeiro filho
M	Mãe
2	**Segundo filho (=Jan)**

HELLINGER: Como se sente o pai?
PAI: Muito triste.
HELLINGER: Como está a primeira mulher?
PRIMEIRA MULHER DO PAI: Estou muito insatisfeita nesta posição. Sei que tenho

um filho, mas fico irritada porque não tenho relação com ninguém. Não tenho contato com ninguém e quero ficar com meu filho. Isso é o mínimo.
HELLINGER: Como está o filho?
PRIMEIRO FILHO: A situação é tão irreal que eu preferia filosofar.
HELLINGER: Sim, é verdade.

Hellinger introduz o avô paterno e o coloca diante do pai; eles trocam sorrisos e então o pai dá um passo para trás. O filho da primeira mulher é virado em direção à família. A primeira mulher é colocada ao lado dele e respira aliviada.

Figura 2

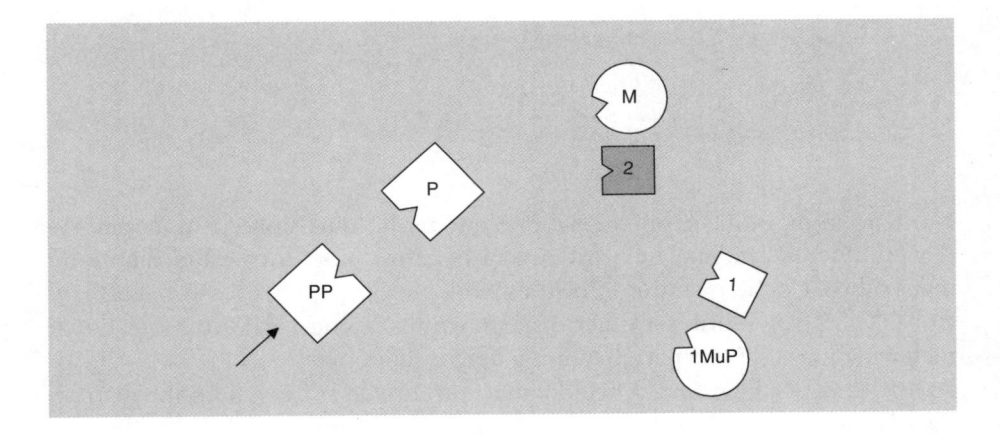

PP   Pai do pai

HELLINGER *(para o pai)*: Como é isto?
PAI: É maravilhoso.
HELLINGER: Como está a mãe?
MÃE: Antes de aparecer o pai de meu marido, eu estava pensando em me virar e ir embora com meu filho. No momento em que entrou meu sogro, meu marido voltou a ficar interessante e atraente.
SEGUNDO FILHO: No início, quando meu pai estava ali sozinho, eu pensei: "Deve ser um homem interessante. Gostaria de olhar mais o seu rosto." Minha mãe me apóia, e eu me alegro com sua presença. Quando apareceu o avô, notei que meu pai ficou bem e isso também foi bom para mim. Agora, estou melhor do que antes.

Hellinger altera a imagem.

Figura 3

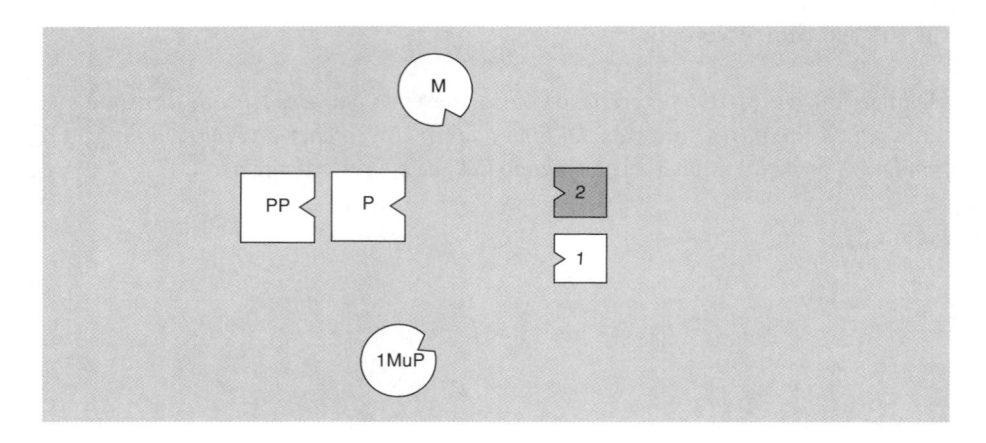

PAI: Para mim, o que acontece agora é que tenho uma visão bem ampla. As duas mulheres irradiam uma influência benéfica. Os filhos estão diante de meus olhos, e acho o conjunto bem estável.
PRIMEIRO FILHO: Tenho sentimentos cambiantes. Acho legal estar ao lado de meu irmão mas sei que pertencemos a berços diferentes.
SEGUNDO FILHO: Eu estava sentindo uma corrente de ar frio em minha mão esquerda, mas passou quando o avô apareceu. Isso é bom.
HELLINGER (*para Jan*): Agora ocupe o seu lugar.
Jan ocupa o seu lugar, olha em torno e confirma com a cabeça.

HELLINGER: Agora quero fazer uma pequena experiência, para que você sinta o que são os homens. Está bem?

Hellinger coloca Jan com as costas apoiadas em seu pai.

Figura 4

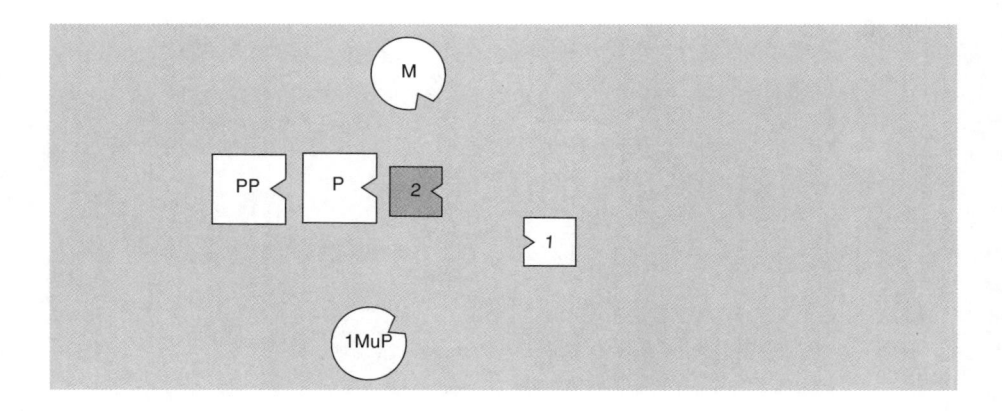

JAN (*depois de algum tempo*): Isso me dá um pouco de medo.
HELLINGER: Fique aí, por enquanto.
(*depois de uma longa pausa*): Siga seu impulso e vire-se para seu pai.

Jan se vira e cai nos braços de seu pai. Eles se abraçam e Jan soluça em alta voz.

Figura 5

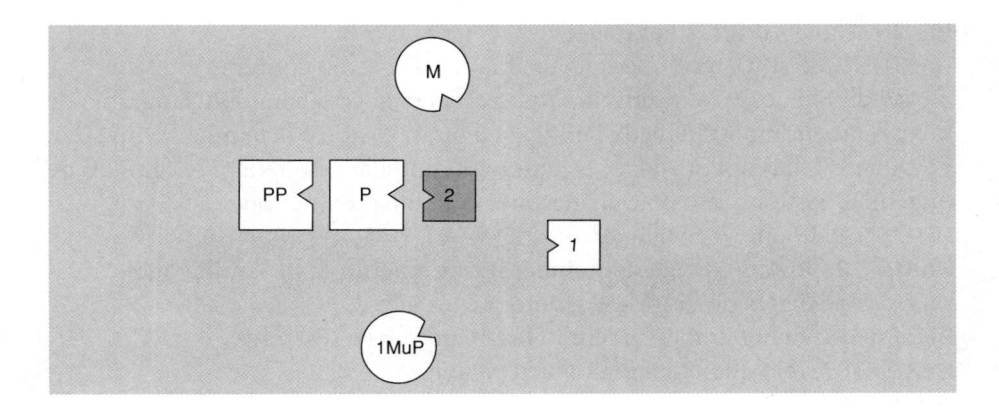

HELLINGER (*para Jan*): Respire fundo, com a boca aberta! Respire sem som, inspirando e expirando! Inspire e expire profundamente! Com força! Fique na força! Pegue a força!
HELLINGER (*para o avô*): Você pode tranqüilamente tomar ambos nos braços.

Ele os abraça.

HELLINGER (*para Jan, quando este se acalma*): Volte ao seu lugar e olhe para todos.

Figura 6

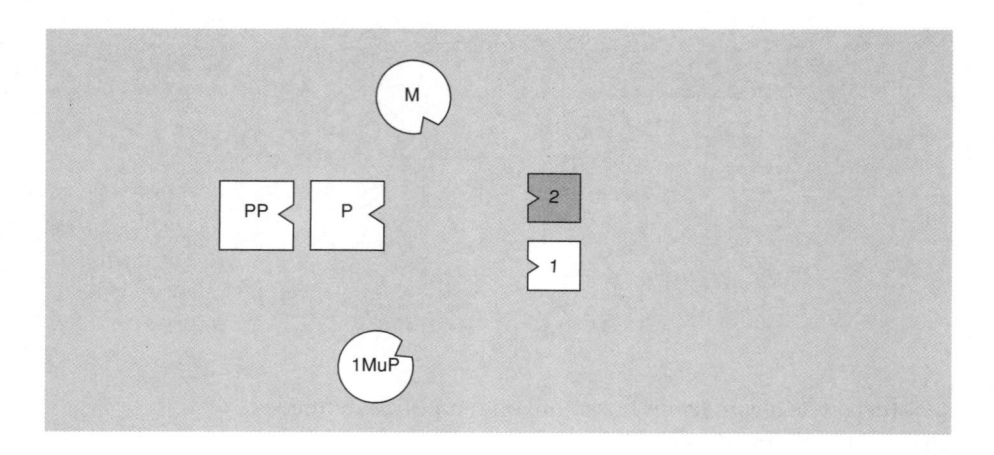

HELLINGER (*para Jan*): Está bem assim?
JAN: Está bem.

Constelação de Hartmut(2): Separação conveniente

HELLINGER: Hartmut, a vez é sua.
HARTMUT: Só sinto uma coisa: levei uma surra, e estou contente em saber que o passado já não pode interferir. Ainda está em aberto para mim a questão de saber qual é a importância da família que fundei, isto é, da família secundária, pois quase todas as constelações aqui representadas se referiam às famílias de origem. Questiono isto porque me casei com uma mulher que...
HELLINGER: O que você deseja?
HARTMUT: Gostaria de me desprender interiormente dessa família que constituí e que se desfez há vinte anos, porque até agora...
HELLINGER: Vamos colocá-la, então resolvemos logo o assunto.
HARTMUT: Creio que basta uma única palavra.
HELLINGER: Faça!
UMA PARTICIPANTE: Faça!
HELLINGER: Não, não o pressione!
HARTMUT: Faço-o de boa vontade, mas respeito o pouco tempo que resta e sei que às vezes você saca de imediato a palavra que resolve.
HELLINGER: Quem pertence à sua família?

HARTMUT: Minha primeira mulher, eu e as duas filhas. E também minha segunda mulher, com quem não tenho filhos.
HELLINGER: Por que você se separou de sua primeira mulher?
HARTMUT: Ela quis ir embora.

Figura 1

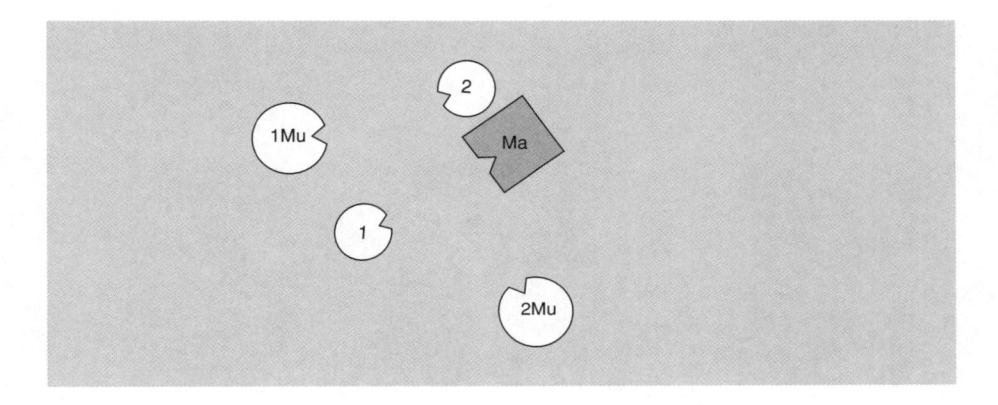

Ma	Marido (=Hartmut)
1Mu	Primeira mulher, mãe de 1 e 2
1	Primeira filha
2	Segunda filha
2Mu	Segunda mulher

HELLINGER: Como está o marido?
MARIDO: Meu primeiro impulso foi intensamente sexual e dirigido às filhas. Pedi a Hartmut para corrigir minha posição porque eu não estava seguro e queria saber se essa sensação diminuiria. Mas ela ainda está presente. Dos outros membros da família não tomo conhecimento.
HELLINGER: Como está a primeira mulher?
PRIMEIRA MULHER: Estou morrendo de raiva, principalmente quando minha filha mais nova ainda fica sorrindo para mim. Tenho a sensação de que ela se coloca entre nós. O lugar dela não é ali.

O pai sorri para a filha mais velha.

HELLINGER: Como está a filha mais velha?
PRIMEIRA FILHA: Minha atenção se concentra principalmente no pai. Preciso acertar as contas com ele. Tenho também a impressão de estar representando minha mãe. Preciso dizer a ele poucas e boas.

SEGUNDA FILHA: Sinto-me totalmente fora de lugar. Se o pai se aproximar mais um centímetro, começarei a bater para todos os lados. E não sei se estou com mais raiva da mãe ou do pai.
PRIMEIRA FILHA: Eu estava pensando: O que pretende minha irmã ali?
SEGUNDA MULHER: Estou com muita raiva dele; a raiva é tanta que me contrai o pescoço. Sinto-me descartada. Usada e descartada.

Hellinger muda a imagem.

Figura 2

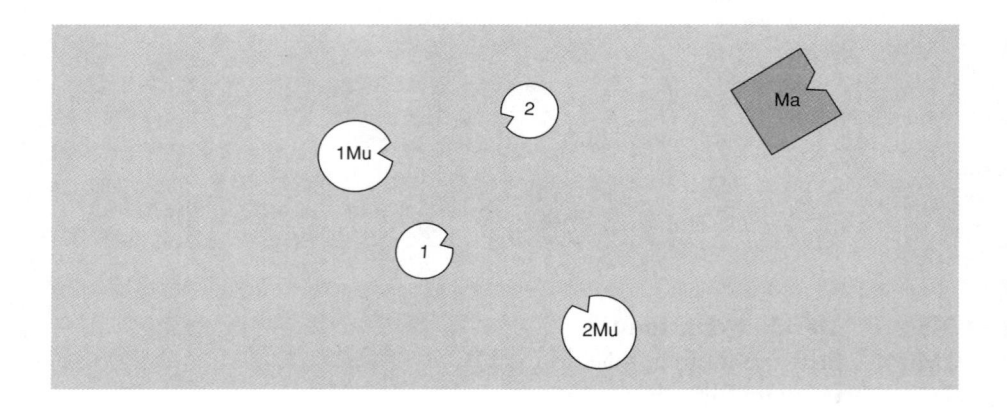

HELLINGER (*para o representante de Hartmut*): O que se passa agora?
MARIDO: Vejo a catedral pela janela.
HELLINGER: Como você se sente com isso?
MARIDO: Ela me atrai. Falo sério, não é brincadeira. Isso é bom. Posso ir até lá. Realmente, não estou mais sentindo as pessoas que estão atrás de mim.
HELLINGER: Como se sente a primeira mulher?
PRIMEIRA MULHER: Acho que está bem. Tenho a sensação de que tenho algo a esclarecer com as filhas.
PRIMEIRA FILHA: Eu estava aqui meio mal-humorada. Antes eu tinha um acerto de contas a fazer com o pai e agora ele simplesmente se manda. Me dá vontade de estrangulá-lo pelas costas.

Hellinger altera a imagem mais uma vez.

Figura 3

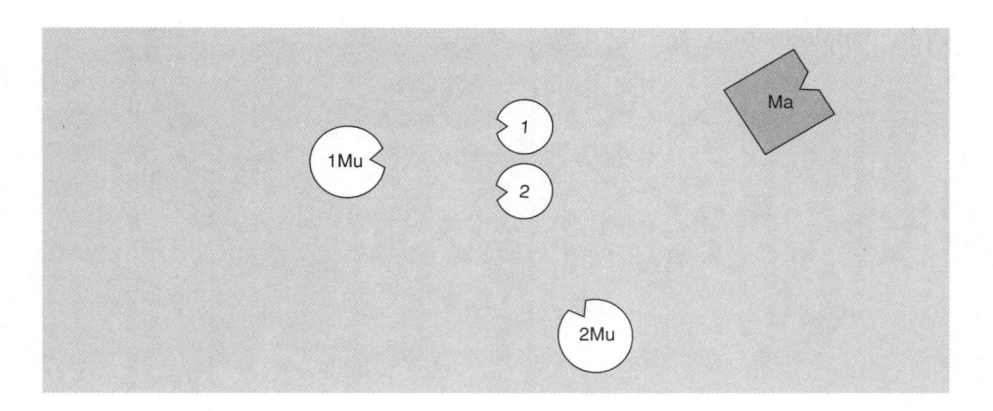

HELLINGER: Que tal assim?

Mãe e filhas trocam sorrisos.

SEGUNDA FILHA: Há pouco o ambiente já ficou mais claro quando o pai foi embora, e ainda mais quando a mãe disse que tem algo a esclarecer conosco.
SEGUNDA MULHER: Sinto-me livre de novo e gostaria de ir embora.
HELLINGER (*para Hartmut*): As separações são convenientes.
MARIDO: Veio-me uma nova sensação, depois da primeira: a de estar paralisado, pregado no chão.
HELLINGER (*para Hartmut*): O que houve de especial em seu sistema de origem?
HARTMUT: O que houve no sistema de origem foi que minha mãe se casou com meu pai sem amor e eu fiquei identificado com meu tio, com quem ela queria viver. Minha primeira mulher não queria casar-se nem ter filhos. Precisei de muito tempo para convencê-la de ambas as coisas.
HELLINGER: Devido ao envolvimento em seu sistema original, você não tinha o direito de fazer isso. Por isso é conveniente que você vá embora e deixe sua família.
HARTMUT: E o que posso fazer?
HELLINGER: Eu apenas configuro o que fica visível aqui. Não me compete decidir sobre outras coisas. Você quer colocar-se em seu lugar?

Hartmut toma o seu lugar e Hellinger coloca o pai a seu lado.

Figura 4

PMa   Pai do marido

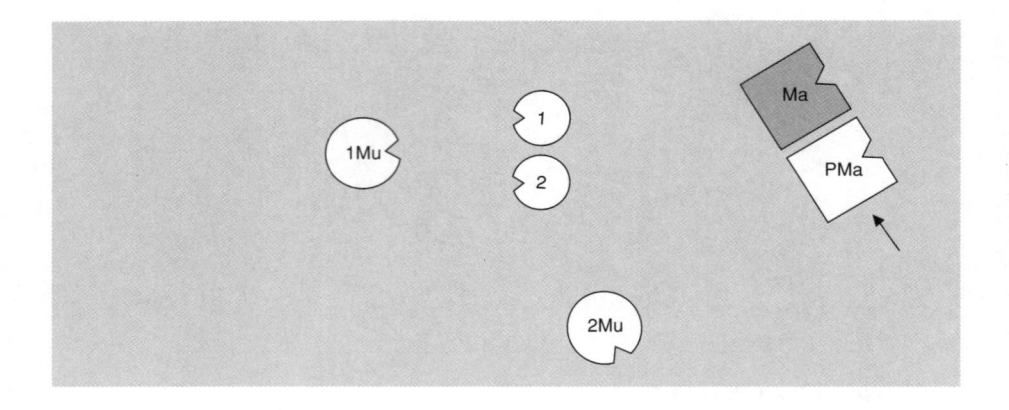

HARTMUT: Sinto-me livre e estou bem perto de meu pai. Reconciliei-me com ele. Seu destino foi também o meu.
HELLINGER: Está bem, foi isso aí.

A bênção do difícil

FRANK: Sinto uma agitação interior sempre que me lembro de como comecei minha vida conjugal. A alternativa estava bem clara para mim: se me caso com ela, faço algo errado, porque não a amo bastante — era esta a minha impressão —; se não me caso, continuo na mesma situação destrutiva.
— Então resolvemos em comum: vamos nos casar; se não der certo, nos separaremos. Isso foi naturalmente um erro; assim não deu certo. Então eu ficava sempre querendo sair e recuperar minha liberdade; mas assim também não deu certo. Agi sempre errado, sem estar consciente disso. Fiquei furioso e histérico e tentei as coisas mais impossíveis, mas não resultou em nada. Por isso, sempre tive este sentimento: sou culpado.
HELLINGER: Existe uma solução simples. Um certo Le Bon escreveu um livro chamado...
FRANK: ... A *Psicologia das Massas*.
HELLINGER: Exatamente: escreveu A *Psicologia das Massas*. O mesmo Le Bon, pelo que fui informado, escreveu um outro livro sobre a psicologia da elite. Não o li mas, lendo uma recensão, soube que para o autor as elites se distinguem das massas por um único traço...

FRANK: Acreditam que são a elite.
HELLINGER: Não. Elas não procuram culpados mas assumem logo as conseqüências dos próprios atos. Com isso, guardam sempre a capacidade de agir. Infelizmente, poucos pertencem à elite.

Risadas no grupo.

FRANK: Especialmente quanto ao que você sempre repete: o máximo que se pode alcançar é o comum.
HELLINGER: Para você, portanto, a solução consiste em dizer: Agi mal e agüento as conseqüências. Então você imediatamente readquire a capacidade de agir. Sem falar do grande número de experiências que acumulou através desse processo. Este é o outro lado da questão. Não existe nada difícil que também não envolva uma bênção.

O passo seguinte

UTE: Sinto-me com dificuldade para decidir, mas não sei exatamente por quê. Meu desejo é deixar trabalhar o que recebi de você, mas não estou tão tranqüila como antes e ignoro a razão disso.
HELLINGER: É porque o passo seguinte já está aguardando a vez. Ele a tranqüilizará.

A estreiteza

UTE: Na maioria das constelações a que assisti, notei que os membros das famílias ficavam relativamente distantes entre si. Sei, por experiência própria, que para mim foi extremamente importante colocar as pessoas bem juntas e próximas. Pode-se concluir daí que nessas famílias havia um excesso de estreiteza e de proximidade?
HELLINGER: Sim. É preciso que haja espaços livres para todos.
UTE: E lá eles não eram concedidos?
HELLINGER: Certo. A estreiteza é uma recusa do desenvolvimento.

Mãe e filho

JOHANN: De repente, veio-me a idéia de que deveria ir visitar minha mãe e tomá-la nos braços.
HELLINGER: Não, não. Isso seria pretensioso. Deixe sua velha mãe em paz. Mas você pode pedir-lhe que o abençoe. E pode dizer-lhe que entende como foi difícil para ela quando você esteve hospitalizado. Caso contrário, você começará de novo a dar, em vez de permanecer no nível inferior, recebendo como um

filho. Diga-lhe que você se conscientizou do que ela fez por você e que lhe é reconhecido por isso. Diga-lhe que você honra o que ela fez e que ela pode se alegrar com isso.

Fazer pelos pais idosos o que for correto

LEO: Há pouco fraquejei e agora estou outra vez preocupado em me conter. Eu estava pensando: o que acontecerá se meu pai voltar a proceder como uma criança? Então tudo vai mudar de novo. Mas aí me ocorreu que finalmente minha mãe será forçada a impor sua autoridade. Ela precisa persuadir seu marido de que pelo menos se deixe tratar decentemente, quando for preciso.
HELLINGER: Essa tarefa cabe a ela, não a você. Quando sua mãe faltar, você poderá cuidar de seu pai, como é adequado.
— A dificuldade consiste em que, quando os filhos vêem seus pais, imediatamente se convertem em crianças de cinco a sete anos. Da mesma forma, por mais idade que tenham, são vistos e tratados por seus pais como se tivessem essa idade. Por isso é tão difícil para muitos filhos a idéia de que deveriam cuidar de seus pais idosos. Pois pensam nisso como se fossem as crianças de então.
— A solução está em dizer aos pais: "Quando vocês precisarem de mim, eu cuidarei de vocês — como for correto." Esta frase fornece a chave. Então o filho se situa num outro nível, o do adulto. É nesse nível que ele é exigido, em relação a seus pais. Nesse nível, pode respeitá-los como filho e, não obstante, fazer o que é correto.
— O filho adulto não vive apenas em função dos pais; por essa razão, não pode fazer sempre o que eles querem. Mas, na maioria dos casos, o que é correto também é viável.

Ousar o que convém

ROLF: Sinto-me centrado e algo em mim borbulha e jorra, ainda não sei para onde. Busco minha alegria e vejo muita coisa pela frente.
HELLINGER: Ousar o que convém — este é o próximo passo.
ROLF: Eu sabia que ainda viria algo de bom.

A perspectiva

MARTHA: Estou bem. Sinto que estou no caminho certo. No entanto, ainda preciso esperar para que o processo iniciado chegue a seu termo.
HELLINGER: Aqui colocamos um início e apontamos a direção. Então, geralmente demora ainda um ano ou dois, até que a semente se desenvolva e o trem chegue ao seu destino.

THEA: Isso que você acabou de dizer, que o que acontece aqui precisa de um a dois anos para se desenvolver plenamente, eu o observei em mim desde que estive com você, um ano atrás. O que experimentei então realmente continuou a atuar durante todo o ano.
DAGMAR: Sinto, neste momento, uma grande gratidão. Estou cheia de impressões. Tantas sementes realmente necessitam de tempo para germinar. Esta reserva me é extremamente importante na profissão: não investir em excesso e ficar atenta ao equilíbrio entre o dar e o tomar. Isso é muito bonito e estou levando muita coisa. Ainda tenho uma questão. Soa um pouco estranho, mas tenho um anseio profundo de exatidão. O que me acontece é que começo algo com entusiasmo e interesse e então deixo isso de lado e faço outra coisa.
HELLINGER: Vou dizer-lhe uma coisa a respeito, no que toca à psicoterapia. A exatidão na psicoterapia se limita a vinte por cento. O que passa disso é exato demais e cria infelicidade.
KARL: Em relação ao objetivo com que vim aqui, tenho um sentimento de liberdade. No momento, estou pensando principalmente na força da contenção. Isto eu levo comigo.
ULLA: Ainda estou cheia de energia e minhas mãos estão fervendo. Gostei quando Leo contou como, depois de uma discussão interior, pôde reverenciar sua mãe. Pensei que meu caso é semelhante, mas eu não poderia realizar isso da mesma maneira.
HELLINGER: Você pode fazê-lo a sós. Assim o efeito é maior.
ULLA: Sim? (*Ri.*) Portanto, o que acredito é que não honrei adequadamente minha mãe. Sempre me coloquei um pouquinho acima dela. Gostaria de reverenciá-la.
HELLINGER: Sim, e como se faz isso? É melhor que eu conte uma pequena história a respeito.

O ciclo da vida

Um zangão voou para a flor da cerejeira, bebeu o néctar, ficou saciado e satisfeito e voou para longe.

Mas então veio o remorso e ele sentiu-se como alguém que tinha recebido sem retribuir.

"O que faço agora?", perguntava ele. Mas não conseguia decidir-se, e assim se passaram semanas e meses.

Não conseguindo ficar tranqüilo, finalmente disse a si mesmo: "Preciso voltar àquela flor da cerejeira e agradecer-lhe de coração!" Levantou vôo, achou a árvore, o galho, o ramo, o lugar exato, mas a flor não estava mais lá. Só encontrou uma fruta madura, de um vermelho escuro.

Então o zangão ficou triste e disse a si mesmo: "Nunca mais poderei agradecer à flor da cerejeira; a boa oportunidade se perdeu para sempre. Mas isso me servirá de lição!"

Enquanto ainda pensava nisso, chegou a suas narinas um doce perfume; uma flor lhe acenou com sua corola rosada e com volúpia o zangão se atirou numa nova aventura.

Honrar o que havia

MARKUS: Sempre que faço um curso com você, fico confuso com meus papéis, pelo menos durante uma semana. Você não tem uma história para me ajudar?

HELLINGER: Posso contar-lhe uma história que aconteceu comigo. Certa vez, fiz um curso de formação em terapia familiar e em seguida pensei: "Isto é o certo; a terapia familiar é a única terapia verdadeira." Então examinei o que vinha fazendo até então e vi que era um bom trabalho. Assim, resolvi continuar no trabalho que sempre tinha feito. Um ano depois, ele se converteu numa terapia familiar, só que de um tipo especial.

Fim do curso.

VÍNCULOS FAMILIARES DE CRIANÇAS ADOTADAS
(de um curso para profissionais de orientação familiar)

O desprendimento como um ato religioso

RITA: Há anos que me sinto enredada. Faço esforço para me desprender, mas noto que, quando me solto por um lado, surge um gancho do outro lado e me puxa para dentro de novo.

HELLINGER: Desprender-se de um envolvimento sistêmico é coisa que poucos conseguem. Digo isso com toda a seriedade. Existem luzes sobre os envolvimentos mas, na hora de tomar a sério uma decisão, a tendência de voltar ao que era atua com uma tal força que a maioria continua presa. A passagem do envolvimento ao desprendimento é também um ato existencial: coloco-me num outro nível, num nível superior, e isso está associado a uma despedida radical do que houve anteriormente. Esse ato nos torna solitários.

Se, por exemplo, moro numa pequena aldeia, numa região montanhosa, sinto-me estreitamente ligado a todos. Quando subo a um monte elevado, eu me afasto, vejo muitas coisas que antes não via, posso sentir-me ligado a muitas outras coisas e pessoas, mas nunca da mesma maneira estreita e segura como lá embaixo, no vale. Assim, o que é amplo e grande também leva sempre à solidão. Por outro lado, a criança que existe dentro de nós também experimenta essa passagem do estreito ao amplo como uma culpa, como o abandono de um vínculo seguro, da inocência e da sensação de ser acolhida.

Por conseguinte, só obtemos êxito na passagem do problema à solução quando nos confiamos, não mais ao que conhecemos de longa data, mas a algo desconhecido, que permanece imprevisível e obscuro. Isso, porém, é basicamente — caso vocês queiram chamá-lo assim — um ato religioso. Por esta razão, como terapeuta, não tenho o direito de cair na ilusão de que algo assim seja factível ou manipulável. É verdade que podemos facilitar muita coisa no caminho que leva até lá. Contudo, no caso de envolvimentos muito profundos, quando o desprendimento e a purificação, apesar de tudo, chegam a bom termo, eles são experimentados como um presente e uma graça, tanto pelo terapeuta quanto pelo cliente. Por isso o desprendimento e a purificação exigem a mesma atitude e a mesma realização interior, tanto por parte do terapeuta quanto do cliente.

RITA: Estou envolvida com o tema das irmãs. (*Começa a chorar.*)
HELLINGER: O que há com você em relação a irmãs?
RITA: Minha irmã foi assassinada. Seu namorado a apunhalou porque ela o deixou, e agora eu carrego tudo isso.
HELLINGER: Sua irmã fica melhor quando você carrega isso?
RITA: Não. Racionalmente sei disso.

Constelação de Rita: Não teve filhos e adotou uma criança

HELLINGER (*para Rita, depois de um intervalo entre as sessões*): Vou colocar agora sua família de origem.
(*para o grupo*): Deve-se trabalhar onde estiver, no momento, a energia maior. Há pouco, a energia maior estava com ela. Por isso, começo com ela.
HELLINGER (*para Rita*): Você é casada?
RITA: Sim.
HELLINGER: Tem filhos?
RITA: Uma filha adotiva.
HELLINGER: Uma filha adotiva? Por quê?
RITA: Porque não posso ter filhos e porque ambos o quisemos, meu marido e eu.
HELLINGER: A criança também queria?
RITA: Acredito que sim.
HELLINGER: Qual era a idade dela quando você a acolheu?
RITA: Quando veio para nossa família, tinha cinco dias de idade.
HELLINGER: Por que ela chegou a vocês?
RITA: Porque a mãe entregou a criança para ser adotada. Ela esteve no hospital e lá esperou por mim.
HELLINGER: E o pai da criança?
RITA: Não foi declarado pela mãe e para os documentos civis, etc., é inexistente.
HELLINGER (*para o grupo*): É curioso! Os homens nada valem em nossa sociedade. E ainda se fala de patriarcado!
(*para Rita*): Já se sabia, antes do casamento, que você não pode ter filhos?
RITA: Não.
HELLINGER: Por conseguinte, isso só foi descoberto dentro do casamento?
RITA: Sim.
HELLINGER: Como reagiu seu marido?
RITA: Para ele, não foi problema eu não poder ter filhos. Isso nunca o levou a questionar seu relacionamento comigo.

HELLINGER (*para o grupo*): Quando um dos parceiros não pode ter filhos, não tem nenhum direito de reter o outro. E se o outro resolve, apesar disso, permanecer com ele, isso precisa ser expressamente honrado. Isso é importante. Então a situação fica clara e em ordem.
RITA: Sou muito agradecida a ele por isso.
HELLINGER: "Agradecida" é uma palavra ambivalente.
RITA: Sim, reconheço isso.
HELLINGER: Honrar é a palavra certa. Então a situação está em ordem. Por essa razão, você tem menos direitos que ele. É simplesmente assim.
OUTRA PARTICIPANTE: Se, como você também diz, a relação do casal tem precedência sobre a relação de paternidade ou maternidade, então não compreendo isso. Pois trata-se da relação de amor entre ambos.
HELLINGER: Sua objeção traz alguma coisa?
PARTICIPANTE: Sim, acho que traz alguma coisa.
HELLINGER: Não, ela só tira alguma coisa.
(*para o grupo*): Ela ajudou a Rita? — Ela tirou a seriedade. É o que se consegue com tais objeções: são muito arriscadas. Algumas pessoas fazem terapia na forma de objeções. Quando alguém lhes traz um problema, limitam-se a fazer uma objeção, do tipo: "Mas isso não é tão mau assim!"
PARTICIPANTE: Não fiz objeção às perguntas ou às declarações da Rita, mas à interpretação que você deu sobre o assunto.
HELLINGER: Esta foi mais uma objeção.

Ela ri.

HELLINGER (*para Rita*): Vamos colocar primeiro sua família atual. Algum dos dois, você ou seu marido, esteve anteriormente casado ou numa relação estável?
RITA: Meu marido foi casado.
HELLINGER: Teve filhos desse casamento?
RITA: Não.
HELLINGER: Por que se separou?
RITA: Bem, a declaração que ouvi foi a seguinte: "Nós realmente não combinamos." Da parte de meu marido — a única que conheço — o casamento resultou de um sentimento de dever.
HELLINGER: Ah, sim?
RITA: É o que ele diz.
HELLINGER: Sim, ele diz.

Risos no grupo.

HELLINGER: Vamos precisar portanto da primeira mulher, do seu marido, de você, da criança adotiva e dos pais dela. Este é o sistema. Que idade tem a criança?
RITA: Cinco anos.

Rita começa a colocar a família.

HELLINGER (*para o grupo*): Comprovem consigo mesmos se ela coloca as pessoas estando interiormente centrada ou se apenas segue uma idéia preconcebida. É preciso reparar bem se a pessoa está agindo com seriedade; se não estiver, deve-se interromper. Aqui não se admitem meias medidas. É um assunto muito sério e só funciona quando é feito com seriedade. Pode-se ver imediatamente como cada pessoa o faz.
HELLINGER (*para Rita*): Agora coloque de novo, mas com seriedade e consciência.

Figura 1

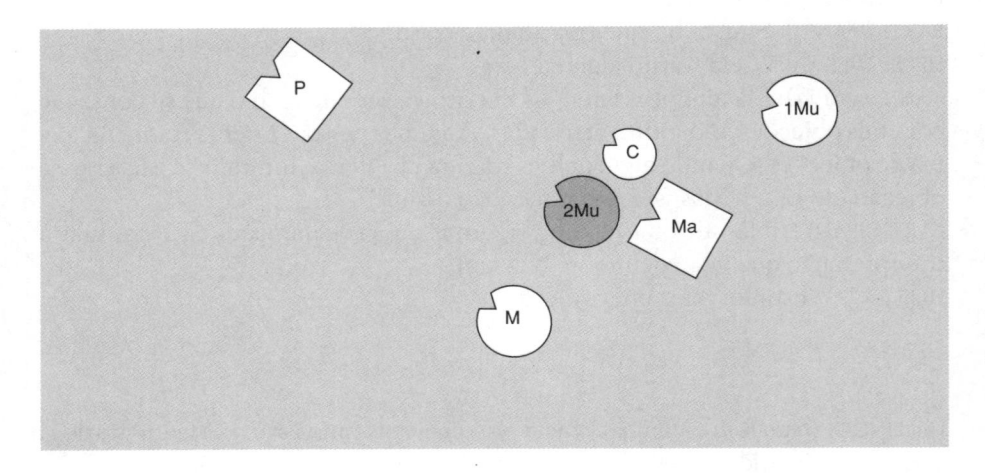

Ma	Marido
1Mu	Primeira mulher
2Mu	**Segunda mulher (=Rita)**
C	Criança adotada, menina
P	Pai da criança
M	Mãe da criança

HELLINGER (*para o grupo*): Vocês notam para onde se volta o olhar das pessoas colocadas? Todas olham para o pai excluído. Ali está a chave da solução.
HELLINGER: Como está o marido?
MARIDO: Sinto uma tensão na direção de minha primeira mulher. Tenho a sensação de que ela deveria ficar aqui, na minha frente.

HELLINGER: Você também pode colocar-se ao lado dela. Experimente ir para lá.

Figura 2

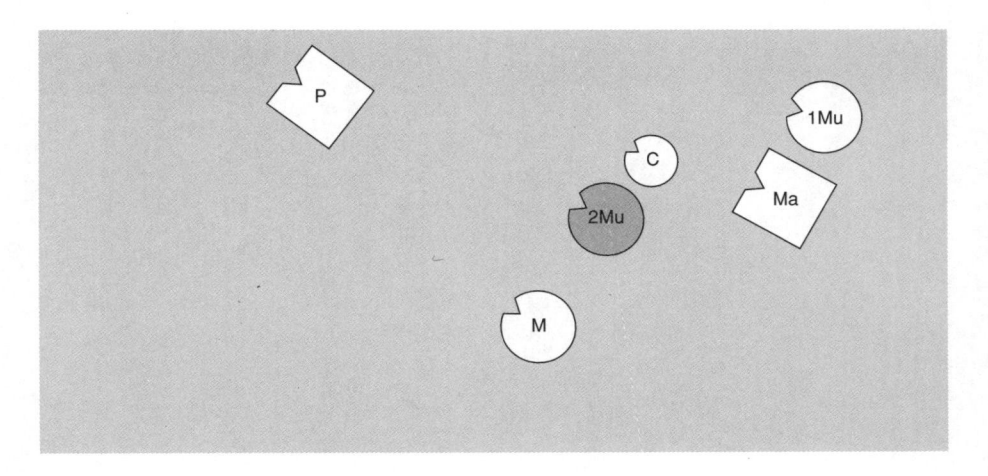

HELLINGER (*para o marido*): Que tal assim?
MARIDO: É melhor. Na outra posição eu estava excessivamente próximo.
HELLINGER: Como está a primeira mulher?
PRIMEIRA MULHER: Estou melhor. Antes sentia muita irritação contra esta família.
HELLINGER (*para a representante de Rita*): Como está a segunda mulher?
SEGUNDA MULHER: Bem, estou totalmente enfeitiçada por aquela pessoa ali. (*Aponta para o pai da criança.*) Existe algo atrás de mim, mas não percebo o que é. Estranho, não me desagrada que meu marido fique lá atrás agora.
HELLINGER: Como está a criança adotada?
CRIANÇA: Meio apática. Com pouca energia.
HELLINGER: Como está a mãe da criança?
MÃE: Tenho o impulso de me afastar, de querer ir embora, mas não me sinto liberada. Sinto-me presa.

Hellinger modifica a imagem.

Figura 3

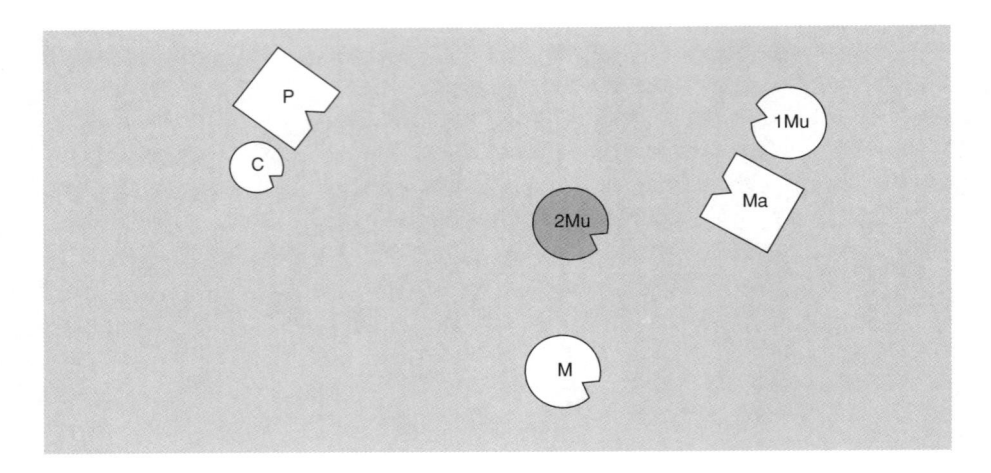

HELLINGER: Esta é a solução.
HELLINGER: Como está o pai da criança?
PAI: Logo no início, tive a sensação de que não faço parte disto. Quando o outro homem recuou, senti uma ligação com a mulher que adotou a criança. Só agora, quando a criança veio para cá, é que me dei conta de que é minha filha.
HELLINGER: Como está agora a mãe da criança?
MÃE: Sinto-me muito melhor e gostaria de afastar-me um pouco mais.
HELLINGER: Vá tranqüila.

Ela caminha um pouco para a frente, afastando-se dos demais.

HELLINGER (*para o grupo*): Essa mulher perdeu seus direitos. A mãe que entrega uma criança para ser adotada perde seus direitos. Direitos sobre a criança possuem aqui apenas o pai e a família do pai. Pois a criança não pertence somente ao pai, mas também à família dele: a seus pais, irmãos e irmãs. A criança pertence à família, não apenas ao pai. É preciso levar isso em conta. Não basta procurar o pai da criança, é preciso procurar também os pais e os irmãos do pai. Com eles a criança estará acolhida. Então pertencerá a um sistema e não apenas ao pai. Mas este sistema aqui (*apontando para a mãe*), o sistema materno, perdeu seus direitos.

Vocês também estão vendo que o marido de Rita não está livre. Isto está muito claro: ele não está livre. Não se separou de sua primeira mulher.
PRIMEIRA MULHER: Quando a segunda mulher se virou para fora, tive esta sensação: não faço mais parte disto aqui. Não é o lugar certo para mim.

HELLINGER (*para o marido*): Como está você nesse lugar?
MARIDO: Dos três, este é o melhor lugar para mim. Estou muito bem. No lugar onde fiquei primeiro, o contato com minha segunda mulher foi mínimo. Aqui, ao lado de minha primeira mulher, já era sensivelmente melhor. Agora, que minha segunda mulher se virou, posso entrar em contato direto com ela. Estou bem assim. Mas principalmente estou bem com a criança. Alivia-me tremendamente que ela esteja assim, ao lado de seu pai.
HELLINGER: Ela pertence à esfera dele, isso é claro. Agora coloque-se ao lado da segunda mulher.

Figura 4

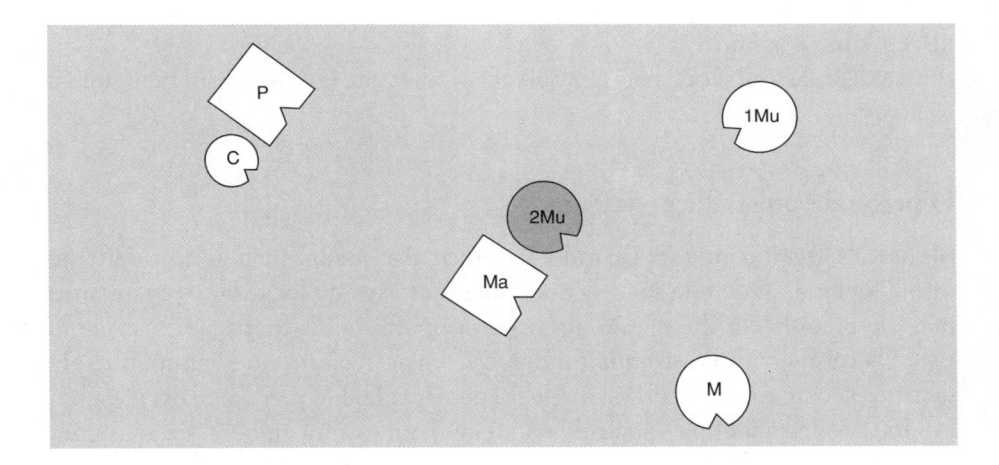

HELLINGER (*para a representante de Rita*): Como está você?
SEGUNDA MULHER: Muito melhor, desde que meu marido veio para cá. Só me irrita a presença da primeira mulher.
HELLINGER (*para a primeira mulher*): Quando ele ficou junto da segunda mulher, você se afastou. Experimente agora qual é o lugar certo para você.
PRIMEIRA MULHER: Gostaria de me afastar mais um pouco.
HELLINGER (*para o grupo*): Quando existe uma nova relação e o homem tem uma segunda mulher, como acontece aqui, ela deve colocar-se entre o homem e sua primeira mulher. Isso exige coragem. Só quando ela se coloca assim no meio, a outra se solta. Quando, porém, o homem fica entre as duas mulheres, ele se sente atraído pela primeira.
HELLINGER: Como está a criança agora?
CRIANÇA: Bem. Estou surpresa porque não me incomoda nem um pouco ficar tão longe. Aqui estou melhor do que antes.
HELLINGER (*para Rita*): Portanto: a adoção não foi uma boa tentativa.

RITA: O que significa isso?

HELLINGER: Vimos o que isso significa. Para colocar o assunto em ordem, é preciso fazer o que você viu aqui. Agora você ainda pode entrar em seu lugar, se quiser.

RITA (*depois de colocar-se ali*): Não me sinto bem neste lugar.

HELLINGER: Não?

RITA: Porque não tenho contato com a criança.

HELLINGER: Você não tem salvação.

Longa pausa.

HELLINGER: É assim.

RITA: Como é assim?

HELLINGER: Assim! Você não tem salvação, foi o que eu disse. Está bem, foi isso aí.

O preço de uma adoção leviana

HELLINGER (*para o grupo*): Quando acontece algo assim, uma adoção feita de forma leviana, onde não se fez sequer uma tentativa de localizar o pai, quanto mais de reconhecer-lhe algum direito ou responsabilidade, paga-se caro com isso. Da forma como o sistema foi colocado, vocês viram imediatamente: ela sacrifica seu marido pela criança. Ele foi descartado. É o preço que ela paga pela adoção. Nesta família, o marido não tem chances e irá embora. Paga-se com um parceiro ou com um filho próprio. Isso acontece também. Pode existir, por exemplo, a situação perversa em que um casal adota levianamente uma criança e, quando a mulher engravida, ela provoca o aborto. Esta é a forma de expiar pela adoção. Ou ainda pode ser que um filho próprio morra ou se suicide, como expiação.

A hierarquia da competência

HELLINGER: Uma adoção só é admissível quando a criança necessita dela, porque não tem mais ninguém. Mas quando uma criança nasce, ela não tem somente um pai e uma mãe. No caso presente, procedeu-se como se a criança só tivesse mãe; mas ela tem ainda avós, tios e tias, e estes devem ser considerados em primeiro lugar. Só quando realmente não há mais ninguém da família é que outras pessoas podem ser levadas em consideração. Só então a adoção é correta e tem grandeza; fora disso, não. Entretanto, mesmo neste caso, é melhor limitar-se à criação. A adoção, via de regra, vai longe demais. Ela também não é absolutamente necessária à criança. O que lhe traz a adoção, comparada com a criação? Nesta, tudo é mais modesto e as dificuldades que surgem podem ser resolvidas muito mais facilmente.

Objeções

HELLINGER: Quando essa criança crescer, irá vingar-se de seus pais adotivos — e com razão —, pelo fato de a terem tirado de seus próprios pais e de seu grupo familiar.

UMA PARTICIPANTE: Não consigo ouvir estas profecias. Pois suas afirmações são profecias, e são extremamente perigosas.

HELLINGER: Vou contar-lhe uma história:

> *Duas pessoas entraram num quarto onde havia um quadro torto. Então disse a primeira: "Aquele quadro está torto." A segunda contestou: "O quadro está torto porque você o afirmou." Replicou a primeira: "Se está torto por causa disso, você pode endireitá-lo."*

Esta é uma história que confunde um pouco, mas não faz mal.

A PARTICIPANTE: A mãe perdeu o direito sobre essa criança. Isso eu entendo. Por que não perdeu também esse direito o pai que não assumiu a criança, abandonou a mãe sozinha e nem sequer deixou o seu nome? Em minha opinião, nesse sistema, o pai também perdeu seu direito. Por conseguinte, a criança estava totalmente só. Então apareceu a Rita e acolheu a criança.

HELLINGER (*para o grupo*): Ela traz informações que nós não recebemos. As informações que tivemos da Rita foram diferentes. Por isso não vou entrar na discussão, pois trata-se de algo puramente hipotético. Rita disse que a mãe não revelou o nome do pai. Isso é algo muito diferente. Naturalmente, posso fazer de conta que ignoro isso; então engano a pessoa que fez a objeção. Isso eu também posso fazer. Quando alguém o deseja, posso fazer. Quando realmente quero enganar alguém, aceito suas objeções.

OUTRA PARTICIPANTE: Pode ser que a ordem tenha sido perturbada, mas isso não significa que deva ficar sempre assim. Que possibilidades existem de restabelecer a ordem agora?

HELLINGER: Isso eu já mostrei. Esta seria a possibilidade.

A PARTICIPANTE: Mas deve haver ainda outras possibilidades.

HELLINGER: Não. A ordem não se deixa manipular.

OUTRA PARTICIPANTE: Não entendi o que você falou sobre enganar. Quando eu cedo...?

HELLINGER: Quando cedo à pessoa que faz uma tal objeção, então estou enganando-a, da mesma maneira como o alfaiatinho valente enganou o unicórnio, tirando o corpo.*

UM PARTICIPANTE: Você acha possível que a criança procure o pai quando tiver condições para isso?

---

* Alusão ao conto popular alemão "João Mata Sete". (N.T.).

HELLINGER: Ela não terá condições para isso se os pais adotivos se opuserem.
O PARTICIPANTE: Nem quando ela tiver quinze ou vinte anos?
HELLINGER: Não. Assim os adultos empurram para a criança algo que só eles podem fazer.
PARTICIPANTE: Você acha então que é tarefa dos pais adotivos procurar o pai?
HELLINGER: Sim, não apenas procurá-lo, mas levar a criança para ele e para sua família.
UMA PARTICIPANTE: E se eles não a quiserem?
HELLINGER: Isso se verá. Então se poderá tomar outro rumo.
OUTRA PARTICIPANTE: Era isso que eu queria dizer, que agora ainda deve haver uma outra possibilidade de restabelecer a ordem.
HELLINGER (*para o grupo*): Dizer isso agora é a mesma espécie de hipótese com que ela me recriminou antes. Isso é realmente uma hipótese. A gente não sabe de nada, porém diz: "O que será, se..." Mas que o pai foi excluído, disso eu sei. Que ele não é desejado, isso eu vi.

O direito da criança a seus pais

UMA PARTICIPANTE: Portanto, pelos dados que temos, o motivo pelo qual a mãe não revela o nome do pai não é importante para a solução?
HELLINGER: Não tem a menor importância. Não existe razão alguma que justifique o segredo. Se existem direitos básicos, então existe um direito básico da criança a seus pais e a seu grupo familiar. Na Alemanha, este direito é assegurado por lei: a criança tem o direito de saber quem é seu pai. A mãe precisa revelar à criança o nome do pai. Ela tem direito a isso.

Que espécie de ordem legal é esta, quando alguém se arroga o direito de privar a criança de seus próprios pais e se coloca no lugar deles? Ou quando se dá a uma mãe em necessidade o conselho "bem-intencionado" de entregar a criança à adoção? ou quando um casal sem filhos alegremente espera que uma criança seja liberada para adoção? Isso é perverso, mas muitos o consideram normal.

Assim como a criança tem direito aos seus pais, ela tem também direito ao seu grupo familiar.

Olhar para as vítimas, não para os perpetradores

UMA PARTICIPANTE: Do meu ponto de vista, a constelação da Rita foi um primeiro passo, seja qual for o próximo. A informação foi de que a mãe não quis dizer o nome do pai e penso comigo que algo se esconde por trás disso. A partir daquela época já houve um desenvolvimento e uma dinâmica e quem sabe o que espera essa criança quando for para o pai.

HELLINGER: Gostaria de adverti-la. O perigo consiste em que, com tais ponderações, poupamos os adultos e colocamos o peso sobre a criança, que é a parte mais fraca, em vez de deixá-lo com os verdadeiros responsáveis, e exigir que o carreguem.

Quando procuro desculpas para a mãe, não posso confrontá-la com toda a seriedade da situação. Quando ajo na intenção de lhe proporcionar desculpas ou alívio, posso talvez conversar longamente com ela, mas sem qualquer resultado. Só quando ela é totalmente confrontada com sua responsabilidade é que percebe o que o caso requer e então talvez faça algo com isso. Você mesma precisa levar consigo essa seriedade. Então você poderá deixar que as pessoas fortes assumam o peso da responsabilidade, em vez de onerar com ele a criança, como também fazem muitos terapeutas e serviços de assistência a menores.

Quero comentar ainda sua pergunta sobre as conseqüências da constelação de Rita. Você não tem o direito de fazer objeções contra a constelação. Ela mostrou a realidade. Não fui eu que a coloquei, foi a Rita; eu apenas busquei a solução. Quando você diz agora que poderia ser diferente, que é preciso fazer algo diferente, você tira o impacto da dinâmica e se arroga o direito de saber mais do que a Rita.

A realidade só pode continuar a atuar quando você a reconhece plenamente, tal como ela se revelou. Então o próximo passo nasce dessa realidade. Mas, quando você diz que algo diferente poderá suceder mais tarde, você tira dela a seriedade e a força. Por isso, quando monto uma constelação, vou sempre até o seu limite extremo.

Coloquei abertamente diante dos olhos de Rita o lado mau de seu envolvimento, para que ela percebesse a sua seriedade. Só então se torna possível fazer algo diferente mais tarde. O grave e sério é o que realmente atua. Quando o suavizamos, tiramos sua força. Meu olhar estava sempre dirigido para a criança e para o pai. Eu estava unido a eles pois eles carregam o peso, são as vítimas. Quando mantenho ambos diante dos olhos, encontro a solução. Quando, porém, me afasto deles e olho para a mãe e para o casal que se une contra o pai da criança, a solução me escapa. Então justifico o problema e os perpetradores, em vez de ajudar as vítimas.

O passo seguinte

RITA: Quando a criança chegou à nossa casa, eu quis fazer alguma coisa. (*Chora.*) Fui à igreja e lá coloquei um ramo de flores e rezei pela mãe da criança. Nunca tive a sensação de que havia algo entre nós. No pai absolutamente não pensei. Mas já sabia então que teria de fazer alguma coisa.

HELLINGER: Um dos principais problemas na psicoterapia é que muitas mulheres agem como se os homens e os pais não tivessem direitos. Não são, nem ao menos, levados em conta, como se tudo o que diz respeito às crianças fosse um assunto exclusivo das mulheres. Chama a atenção o fato de que muitos terapeu-

tas homens também mostram pouco sentimento pelos homens. Confiam no que dizem as mulheres quando condenam os homens, e tomam o partido delas. Então não existe mais solução. O terapeuta só tem força quando dá ao excluído um lugar em seu coração. Eu tenho força para a solução porque o pai da criança tem um lugar em meu coração. Ele o ganhou imediatamente. Por isso também sei e encontro a solução.
(*para Rita*): Isso ainda pode ser consertado. De acordo?

Rita concorda com a cabeça.

HELLINGER: Seu rosto já está clareando um pouco.
RITA: Está ficando mais fácil.
UMA PARTICIPANTE: Por uma parte, estou muito impressionada com as suas palavras. Existe nelas uma incrível sabedoria que me toca e comove. Percebo que está sendo satisfeito um desejo que tenho, e que seguramente é o de muitos de nós: Aqui está finalmente alguém que nos diz qual é o caminho, que sabe o que é certo e o que é errado. Ao mesmo tempo, porém, cresce dentro de mim um enorme desconforto, porque percebo isso como perigoso. De vez em quando, misturadas com as verdades que você diz, reaparecem afirmações muito generalizantes que experimento como destrutivas, por exemplo, essa profecia de há pouco, de que tudo está confuso, de que tudo é mau. Agora você retirou alguma coisa e deu a Rita a possibilidade de encontrar a solução.
HELLINGER: Esse foi o meu passo seguinte.
A PARTICIPANTE: Sim, eu só queria dizer agora que me sinto confusa.
HELLINGER: Sem o primeiro passo o segundo não funciona. Quero dizer-lhe, porém, como se lida com a confusão e o mal-estar. Quando você está tão atingida e experimenta essa resistência, olhe para isso, em vez de ficar em seus pensamentos. Olhe para a coisa e sinta em que medida está certo o que eu digo a respeito e em que medida não está. Se você então o percebe de outra forma e o diz para mim, isso é para mim uma correção. Então eu sei: Ah, existe um aspecto que eu não vi. Aí entramos num diálogo. Pois você viu que, quando alguém seriamente me disse algo a partir de sua percepção, isso entrou muito em mim. Também a Rita acrescentou agora algo de importante, a partir de sua própria percepção. Mas quando você faz objeções apenas a partir de idéias, não conseguimos entrar num diálogo. Se você tivesse, há pouco, olhado o tempo todo para Rita, teria visto o que nela foi colocado em movimento e os efeitos e as alterações daí resultantes.

Quando alguém tem uma objeção justificada, é importante que olhe para a pessoa a que se refere. Então, encarando essa pessoa, pode perguntar a si mesmo: que efeito fará esta objeção, se ela for feita? Irá fortalecer a pessoa ou enfraquecê-la, nutri-la ou envenená-la? Com isto, obtém imediatamente um corretivo e percebe se a objeção ajuda ou atrapalha. — Certo?
A PARTICIPANTE: Sim.

A solução pelo desprendimento

UM PARTICIPANTE: Em mim algo começou a fazer efeito. Durante a colocação, olhei para a mãe da criança e notei como ela constantemente sorria para si mesma, sobretudo com a idéia de se afastar mais e se despedir.

O que me dá muito que pensar é a ligação com um grupo familiar, ao qual, segundo você afirma, pertence a criança adotada, para além dos limites jurídicos. Até agora eu encarava como uma grande ação os pais adotarem uma criança, e considerava isso como um ato de humanidade. Só depois que meu pai se afastou para muito longe, depois de se divorciar de minha mãe, é que me ficou claro como foi importante para mim procurá-lo e achá-lo, apesar de tudo de mau que minha mãe disse dele. Posso imaginar que tal encontro seria um alívio para a criança. Mas isso ainda não me permite concretizar muita coisa, porque creio que isso não é uma solução definitiva.

HELLINGER: Essa agora eu não entendi.

O PARTICIPANTE: Não sei o que exatamente você entende por solução. Isto aqui não pode ser uma solução, no sentido de ponto final.

HELLINGER: É uma solução no sentido de ponto final — exatamente isto!

O PARTICIPANTE: Como?

HELLINGER: A solução aqui é definitiva.

O PARTICIPANTE: É mesmo?

HELLINGER: Solução é uma palavra de duplo sentido. A solução pelo desprendimento.

O PARTICIPANTE: No sentido de uma dissolução?

HELLINGER: Eu disse: solução pelo desprendimento.*

(*para o grupo*): Ele o minimizou de novo.

Longa pausa.

HELLINGER: O que eu disse aqui foi dito exatamente com esta intenção. Não foi um jogo nem alguma intervenção paradoxal ou algo semelhante.

Encarar o horrível

RAIMUND: Agora estou mais tranqüilo. Antes, eu me senti mal. Tive uma sensação de que muitas coisas se acumulavam em minha barriga, e continua dentro de mim o susto que me atingiu com suas palavras: "Você não tem salvação." Isso me soou muito peremptório, como se você dissesse: "Agora eu abandono você, não quero ter mais nada que ver com você." Essa impressão se diluiu em seguida, no transcorrer da rodada.

---

* No original: *Losüng dunch Losüng*. Hellinger joga com o duplo sentido da palavra alemã. Daí o pedido de esclarecimento do participante. (N.T.).

HELLINGER: O horror só pode dominá-lo quando você desvia o olhar. Se você tivesse mantido a Rita e a mim diante dos olhos, teria percebido outra coisa. Mas algumas pessoas imediatamente fecham os olhos quando ouvem algo assim, e começam a criar suas próprias imagens, que então são terríveis.
RAIMUND: Eu ainda criei uma segunda imagem, que era horrível. Imaginei...
HELLINGER: Você reparou como acabou de desviar o olhar?
RAIMUND: Sim, é verdade.
HELLINGER: Experimente se você pode dizer o que queria, olhando-me nos olhos. Isso é muito difícil. Está vendo? "Grandes" idéias nós só podemos ter de olhos fechados.

Risos no grupo.

HELLINGER (*para o grupo*): Agora mesmo ele tornou a desviar o olhar.
(*para Raimund*): Foi possível perceber imediatamente se você estava em contato ou não. Manter-se em contato e limitar-se à percepção imediata é algo muito difícil. É uma tremenda renúncia à liberdade em face do horrível.
RAIMUND: Você é simplesmente muito forte.
HELLINGER: Sim, eu sou. Sabe por quê? Para mim o mundo é certo como ele é, mesmo o assustador. Posso dizer sim a isso, tal como é. Assim também posso dizer essas coisas, porque digo sim a isso. Tudo o que é grande tira sua força do assustador. Quem desvia o olhar constrói castelos nas nuvens.
RAIMUND: Quando desvio o olhar, creio estar buscando interiormente um impulso para dizer mais alguma coisa.
HELLINGER: Com isso você se enfraquece, pois então não é um oponente para o outro. Você só é forte como um oponente. Como está você agora?
RAIMUND: Tenho mais energia.
HELLINGER: Vou dizer-lhe ainda um segredo. O terapeuta é um guerreiro e precisa da coragem de um guerreiro. O guerreiro vai até o limite extremo, pois a decisão só é tomada no último limite. Suas chances parecem ser de cinqüenta contra cinqüenta, mas para quem ousa chegar ao limite extremo são, na prática, de noventa e nove contra uma. Pois a realidade que é tomada a sério é amigável. Quando é tomada a sério, ela compensa. Quando não é tomada a sério e é minimizada, ela se vinga.

Pertencem à realidade as conseqüências dos próprios atos. Por isso, o terapeuta ajuda os que buscam conselho a enfrentá-las — mesmo quando isso exija deles ir ao extremo —, porque então se segue algo de bom. Ele evita agir como se os clientes pudessem escapar levianamente dessas conseqüências, porque então elas produzem efeitos funestos, sobretudo para outras pessoas, totalmente inocentes.

Compaixão e esquecimento

UMA PARTICIPANTE: Isso me dá muito que pensar porque, de um lado, dei-me conta de como se lida impensadamente com isso no agenciamento de adoções. Este foi o primeiro ponto. O outro é que também vi as reações de Rita e não posso imaginar que a solução seja esta, separar-se da criança.

HELLINGER: Vou contar-lhe uma história sobre a compaixão.

Houve uma vez um certo Jó, que ficava sentado num monte de esterco, tinha perdido tudo e estava coberto de chagas. Quando seus amigos souberam disso, vieram consolá-lo. Sabe o que fizeram? Sentaram-se a uma certa distância e durante oito dias não pronunciaram uma única palavra. Eram amigos dotados de força.

Terapeutas o teriam provavelmente visitado e lhe teriam dito: "Isso não é tão mau, logo vai melhorar" — ou coisas semelhantes. Isso não faz justiça à grandeza da dor. A tentativa de suavizar com palavras não faz justiça à grandeza da dor. Além disso, há um outro ponto importante a saber: cada um tem a força para seu problema e para sua solução. Somente ele e mais ninguém. Todos os pensamentos que você cria em torno de Rita a enfraquecem.

Dou-lhe um exemplo de como lidar com isso. Eu esqueci Rita — completamente. Somente quando voltar a lidar com ela é que pensarei nela outra vez. Fora disso, não.

Certa vez uma mulher, que participava de um grupo meu, saiu precipitadamente no segundo dia, com grave risco de suicídio, e muitos temeram que ela fosse se matar. Eu a esqueci e não pensei mais nela — simplesmente a esqueci. No último dia do curso, algumas pessoas disseram que a viram entrar no bosque com um cobertor. Muitos voltaram a ter a fantasia de que ela ia suicidar-se. Mas eu a esqueci. Para mim, ela não tinha se desligado do grupo. Dez minutos antes do encerramento, entrou porta adentro e resolveu rapidamente tudo o que tinha que ser resolvido. Ela teve a força para isso porque eu a esqueci.

Cada preocupação que eu tivesse alimentado teria tirado sua força. Entretanto, eu estava em sintonia com ela. O respeito maior por ela consistiu em tê-la esquecido. Pois quando a esqueço, confio-a à sua alma. Nada é melhor que isso — mas requer grande força. Preocupar-se com outros é mais fácil. Às vezes, o peito incha — de puro ar.

Ouvir e ver

OUTRA PARTICIPANTE: Eu estava dividida entre o horror e o assombro, e não conseguia estabelecer uma conexão entre ambos. Creio que agora está um pouco mais claro para mim: o horror se refere às palavras que ouvi e o assombro se refere àquilo que vi. E sinto que preciso confiar mais no que vejo do que no que ouço.

HELLINGER: São as palavras que colocam isso em movimento. As palavras certas.

Culpas iguais produzem efeitos iguais

UMA PARTICIPANTE: Você disse que a mulher que entrega os seus filhos perde seu direito a eles. Estou de acordo com isso. Entretanto, o que acontece quando um homem faz o mesmo? Existe alguma diferença?
HELLINGER: É exatamente o mesmo; não há diferença nenhuma.

A solução exige a renúncia às objeções

UM PARTICIPANTE: Continuo ainda com a imagem de que a saída para Rita está em aberto e que a constelação só mostrou o próximo passo. Pois pode ser que o pai tenha entregado a criança, da mesma forma que a mãe.
HELLINGER: Quero dizer-lhe algo a respeito. Quando eu lhe disse que ela não tinha salvação, estava totalmente claro para mim que era assim. Não fiz nenhuma objeção, e entreguei-me totalmente à minha percepção. Se agora a situação mudou, foi porque eu a tomei com toda a seriedade. Renunciei a perguntas hipotéticas e a objeções. Se a evolução tivesse sido outra, também estaria bem para mim. Esta é a diferença. A renúncia a esse tipo de pensamento é a verdadeira disciplina mental. Ela exige que se dê o passo no escuro.
O PARTICIPANTE: Não obstante, essa imagem me apareceu e eu quis dizê-la a você.
HELLINGER: Pelo fato de lhe ter aparecido não se segue que esteja correta. Algumas pessoas julgam que as imagens e os sentimentos que lhes ocorrem são automaticamente corretos. Isso não é verdade. Existem, porém, imagens que surgem quando, interiormente recolhidos, olhamos para a obscuridade sem intenções, sem objeções e sem medo. Então aparece subitamente uma imagem da solução. Ela é qualitativamente distinta das imagens que eu próprio crio ou que simplesmente me ocorrem. Quando uma imagem correta aparece e é comunicada, permanece.

A compreensão e a execução

RITA: Ganhei um monte de coisas que há muito tempo já me preocupavam e, se puder, gostaria de descrevê-las. Estou fazendo uma terapia individual...
HELLINGER: Gostaria de interrompê-la.
(*para o grupo*): Estão vendo como ela tem muito mais força do que antes? Estão vendo como está centrada? Desapareceu o choro e tudo o mais. Por aí se vê o efeito da intervenção. É pelo efeito que se avalia a qualidade da intervenção.

Rita ri.

HELLINGER (*para Rita*): Está vendo? Justamente! Esta é a força boa. Está bem, continue a falar!
RITA: Sim, sei, a partir de minha terapia, que o tema que me toca é o do desprendimento, e vejo de maneira sobretudo simbólica o que você me disse. No momento em que me aparto da criança e me volto para meu marido, dou à criança a possibilidade de ficar livre de mim e acredito que esse é o conflito que temos entre nós e que também pesa muito sobre mim. Tenho um conceito para descrever simplesmente o que é a solução: co-autêntica.
HELLINGER: Abandone o conceito. O que você descreveu estava claríssimo.
RITA: Creio que a solução é permitir à criança que ela seja livre. Se eu tiver êxito nisso...
HELLINGER: Não, não, a criança não é livre. Ela pertence a seus pais e deve ser levada aonde ela pertence. E você precisa ajudá-la nisso e levá-la a seu pai e à família dele; então ela poderá crescer. Logo que você der esses passos, a criança se dirigirá a você com gratidão. Esse é o outro lado; pois ela foi respeitada.
RITA: Ainda tenho dificuldades com a execução e me pergunto como poderia acontecer isso.
HELLINGER: Você tem agora uma imagem e ela atua por você. Você não deve agir imediatamente. Precisa esperar até que essa imagem interior faça fluir a força sobre você. De repente, quando chegar o momento adequado, tudo acontecerá com muita rapidez e simplicidade. A compreensão e a execução estão freqüentemente separadas. Quando alguém age logo após a compreensão, faz muitas vezes o contrário do que ela exige dele. Freqüentemente não se pode e não se deve agir imediatamente após a compreensão, mesmo que ela seja correta. Isso também acontece aqui. Agora você ainda fica com a imagem e se deixa engravidar por ela, até que nasça a força. Certo?
RITA: O que ainda me traz dificuldades é que não consigo concordar com as palavras que você pronunciou, que foi uma decisão leviana, uma adoção leviana. Sinto muito, mas lidei durante anos com essas perguntas e não facilitei com esse assunto, em absoluto.
HELLINGER: Tome minhas palavras como uma descrição objetiva, isto é, subjetivamente você agiu com toda a seriedade mas, vista pelo exterior, a adoção foi leviana. Naturalmente é verdade que, do ponto de vista de seu nível de conhecimento, você não teve nenhuma outra possibilidade. Por isso você não precisa lamentar o seu ato. Isso não ajuda em nada. Mesmo que tenha sido errado, e justamente porque o foi, flui daí uma força que não havia antes. O desvio não foi um desvio. Foi um caminho onde você acumulou uma rica experiência que mais tarde a beneficiará. Portanto não foi em vão, mesmo para a criança. Você pode tomá-lo assim?
RITA: Sim, se bem que ainda não consigo descobrir o sentido; mas isso vai acontecer.
HELLINGER: Nos livros de Carlos Castañeda sobre o xamã Dom Juan, existe uma passagem maravilhosa sobre os inimigos do saber. O primeiro inimigo do saber

é o medo. Quem supera o medo obtém clareza, e a clareza torna-se o próximo inimigo. Quem supera também a clareza obtém poder, e aí o poder torna-se o próximo inimigo. Quem supera também o poder está quase atingindo o alvo, e então vem o inimigo mais difícil de vencer, que é a necessidade de descanso. Este inimigo jamais se deixa superar. Porém, no final, existe um olhar claro sobre o saber, e esse momento compensa todo o esforço. De acordo?
RITA: Sim.

Crianças herdadas

ALBERT: Tenho três filhos próprios, estou numa relação há vinte anos e agora me foram formalmente confiadas, por testamento, quatro crianças cujos pais morreram. Trata-se de saber como resolvo isso.
HELLINGER: Você não deve assumi-las. Isso não pode ser. Isso compete aos parentes. Só quando não houvesse mais ninguém você poderia se apresentar; em outro caso, não. Crianças não podem ser herdadas. Onde é que já se viu isso? Pelo menos você recebeu dinheiro deles?
ALBERT: Não, não recebi.
HELLINGER: Só as crianças? Eles acham que você é um idiota.
ALBERT: É bem possível.
HELLINGER: Você não deve assumi-las. É algo que você deve à sua dignidade.
ALBERT: Existem ainda problemas que me preocupam neste particular. Antes que os parentes soubessem da existência desse testamento, eles imediatamente repartiram entre si as crianças, e nisso aconteceram coisas a que faço reparos.
HELLINGER: Deixe que eles façam como quiserem. Você precisa manter sua alma livre de qualquer pensamento sobre o que se passa lá. Você nem mesmo deve saber disso. Algo mais, Albert?
ALBERT: Fico dividido para acompanhar suas palavras. Por um lado...
HELLINGER: Não, não, não.
(*para o grupo*): Agora vou testar a percepção de vocês. O que traz bênção: as minhas palavras ou a objeção dele? Isso vocês podem perceber imediatamente quando olham para ele.

Quando alguém, com uma pergunta, coloca em questão aquilo que percebeu, essa percepção retira-se imediatamente dele, com sua força. Ela se vinga pela objeção.

Constelação de Raimund: Consentiu na adoção de sua filha extraconjugal pelo segundo marido da mãe

RAIMUND: Sou psicólogo, casado, dois filhos. De uma relação anterior tenho uma filha extraconjugal, que agora vive num outro continente.
HELLINGER: Ela foi para muito longe. Qual a idade dela?

RAIMUND: Vai completar dezesseis anos. Sua mãe emigrou para lá com um namorado.
HELLINGER: Como é o seu relacionamento com essa filha?
RAIMUND: Há seis anos ela voltou à Alemanha, onde ficou por dois anos, e então tivemos um excelente relacionamento. Agora o relacionamento é o adequado à idade. Recebo cartas de agradecimento pelos presentes de Natal e de aniversário. De vez em quando a gente se troca vídeos. Gostaria de colocar agora a família.
HELLINGER: Bem, então coloque-a.
RAIMUND: Começo com minha ex-namorada.
HELLINGER: Como? Com quem você começa?
RAIMUND: Com minha ex-namorada.
HELLINGER: Você começa com sua primeira mulher.
RAIMUND: Não éramos casados.
HELLINGER: Você começa com sua primeira mulher.
RAIMUND: Está bem, compreendo e me inclino com humildade.
HELLINGER: Tomei a defesa da pessoa desconsiderada. Quem mais faz parte da família?
RAIMUND: A filha que tive com essa primeira mulher. A seguir, minha segunda mulher, com a qual tenho ainda dois filhos, um casal.
HELLINGER: Alguém esteve antes casado ou numa relação estável?
RAIMUND: Minha primeira mulher. Eu fui o motivo pelo qual ela se separou.
HELLINGER: Ela teve filhos nesse casamento?
RAIMUND: Não. Esta foi outra razão pela qual o casamento foi desfeito. O marido não podia ter filhos.
HELLINGER: Esta é uma informação importante, pois com isso não houve um vínculo estável. O aspecto legal, neste caso, não importa muito.
RAIMUND: Quando nos conhecemos, minha atual mulher estava há dois anos numa relação que estava terminando e se desfez de uma forma bastante caótica.
HELLINGER: Quando a segunda mulher também foi casada, o casamento funciona melhor do que quando alguém que já foi casado toma alguém que ainda não foi.
RAIMUND: Minha primeira mulher tem um novo marido.
HELLINGER: Eles têm filhos?
RAIMUND: Não, mas o marido adotou minha filha. Isso é importante?
HELLINGER: É importante. Ela se vingará seriamente dele por esse fato. Não se tem jamais o direito de fazer isso. E você não protestou?
RAIMUND: Não, eu concordei.

HELLINGER: Concordou? Pelo amor de Deus! A filha fica zangada com você. Você precisa dizer-lhe que revoga isso e que ela permanece sua filha, com todos os direitos. Você não pode jamais confiá-la a outro homem!

Figura 1

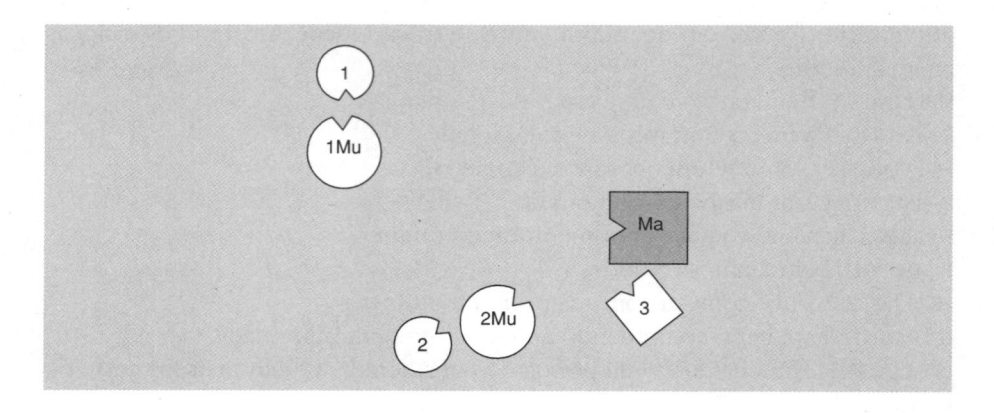

Ma	Marido (=Raimund)
1Mu	Primeira mulher, mãe de 1
1	Primeira filha
2Mu	Segunda mulher, mãe de 2 e 3
2	Segunda filha
3	Terceiro filho

HELLINGER (*para Raimund*): O que você sonhou nesta manhã?
RAIMUND: Sonhei que meu filho estava diante da porta.
HELLINGER: Naturalmente, isso significa que você está diante da porta. — Como está a primeira mulher?
PRIMEIRA MULHER: Tenho dores nas costas. Por trás tenho uma sensação muito estranha, como um puxão. Ao mesmo tempo, não posso me voltar nessa direção. Muito estranho.
HELLINGER: Como está a primeira filha?
PRIMEIRA FILHA: No início, quando fiquei sozinha com minha mãe, foi bom para mim. Agora começo a sentir uma dor de estômago. Alguma coisa se agita lá dentro, como um formigamento. É desagradável, mas não ameaçador.
HELLINGER (*para o representante de Raimund*): Como está o marido?
MARIDO: Com minha família atual me sinto muito bem. Mas é desagradável aquela imagem lá fora, de minha primeira mulher com minha primeira filha. As outras duas crianças protegem o espaço aqui.
HELLINGER: Como está a segunda mulher?

SEGUNDA MULHER: Não muito bem. De certo modo não percebo o marido como um oponente, mas antes como um adversário.
HELLINGER: É isso também.
SEGUNDA MULHER: Sim, e minha relação com os filhos também não está em ordem. Tenho a sensação de que minha filha não deve ficar assim de lado, atrás de mim. Com o filho a situação é melhor porque existe um contato de olhar. Mas, para ter contato com minha filha, eu me arrisco a um torcicolo.
HELLINGER (*para a primeira mulher, quando se agrava a dor nas costas*): Vire-se para se sentir melhor. Não tenho o direito de deixá-la nisso, com tais reações.

Hellinger coloca a primeira mulher ao lado de sua filha.

Figura 2

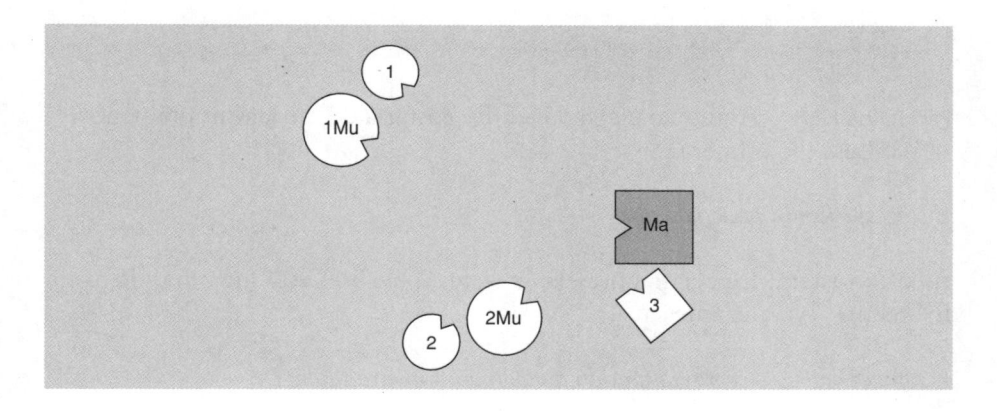

HELLINGER: Como está a segunda filha?
SEGUNDA FILHA: Não estou bem. Sinto-me abandonada, sem abrigo e proteção.
HELLINGER (*para Raimund*): Ela tem os sentimentos da primeira filha.
RAIMUND: Espantoso. Elas se escrevem muito.
HELLINGER: Ela tem os sentimentos da outra.
HELLINGER: Como está o filho?
TERCEIRO FILHO: Tenho a sensação de que preciso apoiar meu pai. Sinto-me usado.
HELLINGER (*para Raimund*): Ambos estão diante da porta, você e seu filho. Ambos.
HELLINGER: Agora vamos fazer a primeira alteração importante.

Hellinger coloca a primeira filha ao lado de seu pai.

Figura 3

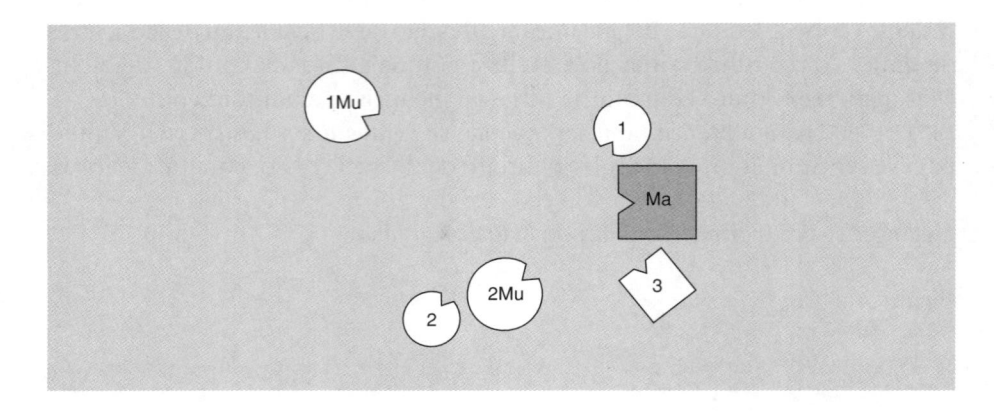

PRIMEIRA FILHA: Aqui não é agradável. Eu gostaria de me afastar um pouco.
HELLINGER: Experimente.

Ela se afasta um pouco do pai.

PRIMEIRA FILHA: Especialmente ela *(a segunda mulher)* está me olhando assim fixamente. Isso me ameaça.

Hellinger coloca o segundo marido ao lado da primeira mulher.

Figura 4

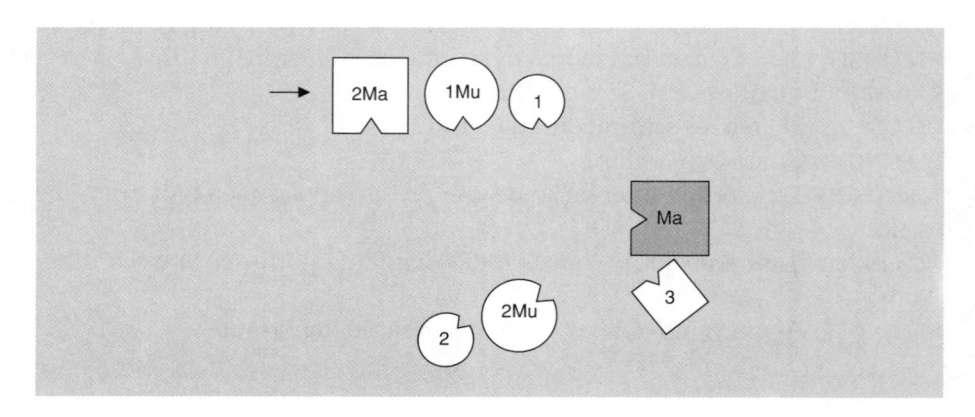

2Ma   Segundo marido da primeira mulher

HELLINGER: Como é isto agora para a primeira filha?
PRIMEIRA FILHA: É muito mais agradável quando a mãe está a meu lado.
HELLINGER (*para o representante de Raimund*): O que mudou agora para o marido?
MARIDO: A vinda de minha primeira filha foi agradável para mim. Mas então minha mulher me pareceu perigosa. Sinto-me atraído por minha primeira filha, mas não gostaria de me afastar de minha atual família. Assim, sinto-me dividido entre ambos os lados.
HELLINGER: O que mudou para a segunda filha?
SEGUNDA FILHA: Sinto-me entre os dois lados. Na direção do pai não sinto nada. Lá continuo a sentir-me desprotegida. Preferia voltar-me para minha irmã mais velha. Não sei para onde vou. Quanto menos me sinto atraída pelo pai, tanto mais atraente se torna a irmã mais velha.
HELLINGER (*para Raimund*): Ela se sente como a irmã mais velha. Ela também se sente entre os dois lados.

Hellinger coloca a imagem da solução. Os dois filhos do casamento ficam primeiro diante dos pais e, depois, mais perto da mãe.

Figura 5

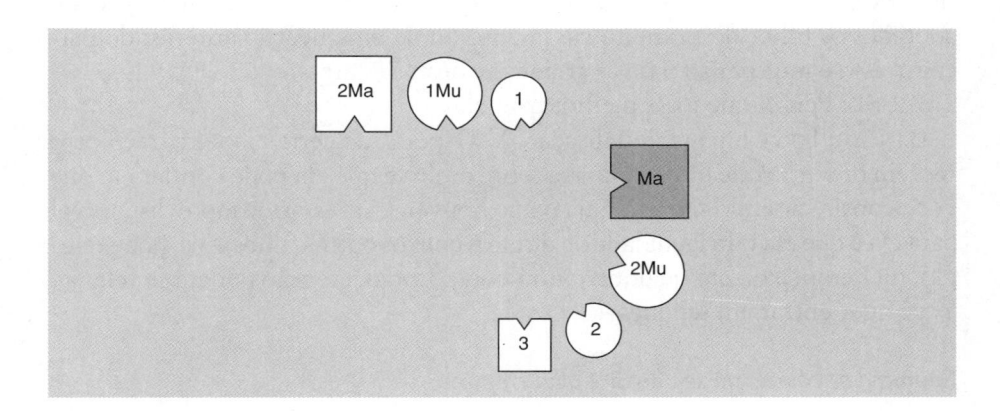

HELLINGER: Como está agora a segunda mulher?
SEGUNDA MULHER: Quando os filhos estavam na minha frente, não estava bom para mim. Agora, que estão mais a meu lado, sinto-me melhor.
HELLINGER: Como é isto agora para a segunda filha?
SEGUNDA FILHA: Melhor. Mais protegida.
TERCEIRO FILHO: Para mim também é melhor.
HELLINGER (*para Raimund*): As crianças não confiam em você. Elas confiam mais na mãe.
TERCEIRO FILHO: Quando veio a primeira filha, senti-me aliviado. De repente, desapareceu uma pressão que eu sentia. Agora está muito agradável para mim.

HELLINGER (*para a primeira filha*): Agora experimente a que proximidade do pai você se atreve a ficar.

Ela vai para mais perto do pai, e então volta para junto da mãe.

PRIMEIRA FILHA: Não me atrevo a ficar perto. Prefiro ficar aqui ao lado da mãe. Acho agradável ver os dois irmãos. O engraçado foi que, quando a irmã recuou, fiquei triste por um lado, porque ela foi embora. Ao mesmo tempo, fiquei também alegre por ver o irmão. Ele é totalmente novo para mim. Não estou mal. Além do pai, preciso ver também os dois. Isso é importante para mim.
HELLINGER: Como está agora a primeira mulher?
PRIMEIRA MULHER: Maravilhosamente. Pela primeira vez, não tenho diante dos olhos a outra família. Eu olhava fixamente para a sua segunda filha, mais fortemente do que para a minha própria filha.
HELLINGER: Como está o segundo marido?
SEGUNDO MARIDO: Aqui está conveniente.
HELLINGER (*para Raimund*): Você perdeu os direitos sobre a filha quando a liberou para a adoção. Ela reage de forma proporcional.
RAIMUND: Sim.
HELLINGER: Isso jamais deve acontecer, que num segundo casamento sejam adotados os filhos do primeiro casamento ou de uma ligação anterior do parceiro. Isso é muito mau para as crianças e destrói a ordem.
RAIMUND: Pensei que fosse melhor para ela.
HELLINGER: Isso é uma racionalização. Você pode, de certa maneira, recolocar isso em ordem. Pode dizer a ela que sente muito e que ela pode confiar em que você continua sendo seu pai, haja o que houver. Que estará sempre disponível para ela e que ela terá igualdade de direitos com os outros filhos seus, por exemplo, na herança ou em qualquer outra coisa. Então a tensão poderá se relaxar. Você quer entrar em seu lugar?

Raimund se coloca em seu lugar e olha em torno.

RAIMUND: Pacífico, é totalmente pacífico.
HELLINGER: Quando existe ordem, é pacífico. Então cada um tem seu lugar. Chegue um pouco mais perto de sua filha mais velha e veja como é isso.
HELLINGER: (*para a filha mais velha*): Você estará reconciliada quando ele chegar mais perto?
PRIMEIRA CRIANÇA: Ó sim! Isso eu bem posso imaginar. (*Ela ri.*)
HELLINGER (*para Raimund*): Esse seria o próximo passo.

A filha mais velha de Raimund foi representada por Rita.

HELLINGER (*para o grupo*): Sobre o tema da adoção vou lhes contar ainda uma história. Ela é um pouco cifrada e é assim:

A volta ao lar

Um lenhador vivia com sua mulher junto a uma grande floresta. Tinham somente uma filha, de três anos de idade, mas eram tão pobres que muitas vezes não sabiam o que lhe poderiam dar para comer. Certo dia, a Virgem Maria os visitou e lhes disse: "Vocês são tão pobres para cuidar da criança. Entreguem-na a mim. Eu a levarei comigo para o céu, serei sua mãe e cuidarei dela." Eles sentiram um peso no coração, porém se disseram: "O que podemos fazer contra a Virgem Maria?" Assim obedeceram, buscaram a menina e a entregaram à Virgem Maria.

Esta a levou consigo para o céu. Lá ela comia pão doce, bebia leite com açúcar e podia brincar com os anjos. Secretamente, porém, sentia saudades de seus pais e da bela terra.

Quando a menina completara quatorze anos, a Virgem Maria saiu de novo em viagem, pois também sentia muitas vezes saudades da terra. Chamou a menina e falou: "Tome conta das chaves das treze portas do céu. Você pode abrir doze portas e contemplar a glória que reside em cada sala, mas a décima terceira, à qual pertence esta chave pequena, é proibida a você. Cuide de não abri-la, caso contrário haverá uma desgraça!" Mas a menina prometeu: "Jamais entrarei na décima terceira sala!"

Quando a Virgem Maria partiu, a menina olhou as moradas do céu. Cada dia ela abria uma porta, até que todas foram abertas. Por trás de cada uma se assentava um homem, um apóstolo, cercado de grande esplendor, e a menina a cada vez se alegrava com a bela visão.

Só a porta proibida ainda estava trancada e a menina sentiu uma grande vontade de saber o que estava escondido por trás dela. Quando ficou sozinha, pensou: "Agora estou completamente só e posso entrar, pois ninguém saberá o que eu fiz." Tomou a pequena chave, colocou-a na fechadura e a virou. Então a porta se escancarou e a menina foi atraída por um brilho dourado e resplandecente. Este devia ser o santuário mais interior. A própria menina ficou entusiasmada, penetrou lá dentro, tocou o ouro com o dedo e estremeceu de gozo, como ainda nunca lhe tinha acontecido. De repente, lembrou-se da proibição da Virgem Maria. Tirou o dedo, precipitou-se para fora da porta e a fechou de novo. Porém seu dedo tinha ficado como se fosse feito de ouro. Ela quis lavar o ouro mas, por mais que tentasse, não conseguiu tirá-lo. E assim esperou, com muito medo, a volta da Virgem Maria.

Esta, porém, demorou a voltar, pois gostava da terra. Quando regressou ao céu, estava muito contente. Chamou os anjos e a menina e contou-lhes as novidades da terra. Lá as pessoas tinham estranhas caixas. Bastava apertarem um botão e já podiam ver o que acontecia na terra.

Um dia, contou ela, ela viu dessa maneira uma mulher que ousou procurar os gorilas da montanha. Isso era muito perigoso, pois os gorilas das montanhas eram oito vezes mais fortes do que um ser humano. Entretanto, os gorilas a deixaram aproximar-se deles, e um dia um filhote de gorila se aproximou tanto que ela pôde acariciar suas costas com o dedo. Ele era muito manso e deixou que ela o agradasse.

Depois os nativos lhe trouxeram um bebê gorila, que tinha perdido seus pais e já estava totalmente sem forças. Ela o tomou como se fosse sua mãe, deu-lhe leite açucarado para beber e o tratou tão bem que ele logo se recuperou. Entretanto, por mais que amasse o bebê alheio, notou que ele sentia falta dos outros gorilas. Quando foi procurar novamente os gorilas, levou consigo o bebê e, quando encontrou o bando, apresentou-lhes o bebê. O gorila mais velho, quando o viu, pulou imediatamente com grande alarido na direção da mulher, arrancou-lhe o bebê das mãos, correu com ele de volta para o bando e o entregou a uma pequena fêmea, que imediatamente o amamentou em seu peito. O macho não fez nenhum mal à mulher, e ela viu que a criança gorila estava bem com seus iguais.

A Virgem Maria ainda contou muitas histórias e assim se esqueceu completamente de perguntar pelas chaves.

Porém, na manhã seguinte, chamou a menina para que lhe trouxesse as chaves. Para sondá-la, perguntou: "Você realmente não esteve na décima terceira sala?" — "Não", respondeu a menina, "você o proibiu". — "Então por que é que você está escondendo uma mão atrás das costas?" E ordenou: "Mostre-me também a outra mão!" A menina se envergonhou mas, como não adiantava negar, puxou a outra mão de trás das costas e mostrou o dedo dourado. Então a Virgem Maria suspirou e disse: "Uma vez tinha que acontecer." Então tirou sua luva branca, e eis que também tinha um dedo dourado.

Então disse à menina: "Como você já conhece uma coisa, vai conhecer também todas as outras. Volte para a terra, onde existem pais e irmãos, homens, mulheres e filhos." A menina se alegrou e lhe agradeceu. A Virgem Maria ajudou-a a amarrar sua trouxa e ainda lhe deu, na despedida, um par de luvas brancas, para protegê-la da comprovação do seu saber.

O QUE FAZ ADOECER NAS FAMÍLIAS E O QUE CURA

(de um curso para enfermos, terapeutas e médicos durante um congresso internacional sobre Medicina e Religião)

Céu e Terra

O que se diz aqui sobre o céu descreve o que leva a doenças graves, acidentes ou suicídios na comunidade de destino constituída pela família e pelo grupo familiar. E o que se diz sobre a terra descreve o que, às vezes, consegue reverter tais destinos.

Doenças graves, acidentes e suicídios na família e no grupo familiar são ocasionados por atos associados a imagens do céu, de sofrimento e de expiação por outras pessoas, de reencontro após a morte e de imortalidade pessoal. Essas imagens conduzem a formas mágicas de pensar, desejar e agir, fazendo acreditar ao enfermo ou moribundo que, assumindo voluntariamente um sofrimento, poderá salvar outros dos sofrimentos deles, embora lhes tenham sido impostos pelo destino.

A comunidade de destino

Pertencem a essa comunidade, onde este pensamento atua de modo nefasto, os irmãos, os pais e seus irmãos, os avós, eventualmente também algum bisavô, e todos os que cederam lugar a alguma dessas pessoas. Entre os que cederam lugar, incluem-se ex-cônjuges, ex-noivos ou ex-parceiros dos pais e dos avós, e ainda todos aqueles cujo desaparecimento ou desgraça propiciou a alguém ingressar no grupo familiar ou obter alguma outra vantagem.

O vínculo e suas conseqüências

Nessa comunidade de destino, todos se ligam a todos. Os mais fortes vínculos de destino são os que ligam os filhos aos pais, os irmãos entre si e os parceiros entre si. Um vínculo especial de destino liga também os membros subseqüentes aos que lhes cederam lugar, principalmente se estes tiveram um destino funesto: por exemplo, os filhos de um segundo casamento à primeira mulher de seu pai, que morreu no parto. O vínculo liga menos fortemente os pais aos filhos e, com menos força ainda, os que cederam lugar aos que o obtiveram: por exemplo, uma ex-noiva do marido à sua mulher atual.

Semelhança e compensação

Por efeito do vínculo, os membros subseqüentes e mais fracos da família querem segurar os antecedentes e mais fortes para que não se vão, ou pretendem segui-los se já partiram.

Também por efeito do vínculo, os membros que obtiveram vantagem querem assemelhar-se aos que ficaram em desvantagem. Assim, filhos saudáveis querem assemelhar-se a pais doentes e filhos inocentes a pais culpados. O vínculo faz ainda com que membros da família com boa saúde se sintam responsáveis por membros doentes, inocentes por culpados, felizes por infelizes e vivos por mortos.

Assim, pessoas que se sentem em vantagem se dispõem também a arriscar e oferecer sua saúde, inocência, vida ou felicidade pela saúde, inocência, vida ou felicidade dos outros. Pois alimentam a esperança de que, renunciando à própria vida e à própria felicidade, poderão assegurar ou salvar a vida e a felicidade de outros membros dessa comunidade de destino, restituindo e recuperando a vida e a felicidade deles, mesmo que tenham sido perdidas.

Na comunidade de destino, constituída pela família e pelo grupo familiar, reina portanto, em razão do vínculo e do amor que lhe corresponde, uma necessidade irresistível de compensação entre a vantagem de uns e a desvantagem de outros, entre a inocência e a sorte de uns e a culpa e a desgraça de outros, entre a saúde de uns e a doença de outros, e entre a vida de uns e a morte de outros. Em razão dessa necessidade, se uma pessoa foi infeliz, uma outra também quer ser infeliz; se uma ficou doente ou se sente culpada, uma outra, saudável ou inocente, também fica doente ou se sente culpada; e se uma morreu, outra, próxima a ela, também deseja morrer.

Dessa maneira, no interior dessa estreita comunidade de destino, o vínculo e a necessidade de compensação levam ao equilíbrio e à participação na culpa e na doença, no destino e na morte de outros. Com isso, tenta-se pagar a salvação do outro com a própria desgraça, a cura do outro com a própria doença, a inocência do outro com a própria culpa ou expiação, e a vida do outro com a própria morte.

A doença segue a alma

Como essa necessidade de equiparação e compensação anseia pela doença e pela morte, a doença segue a alma. Por essa razão, a cura requer ainda, ao lado da assistência médica no sentido estrito, uma assistência versada nas necessidades da alma, quer seja prestada pelo próprio médico, quer por outra pessoa em apoio ao tratamento médico. Entretanto, enquanto o médico se esforça por curar a doença pelo tratamento ativo, o assistente da alma tende a manter-se numa atitude de reserva, pois com assombro se defronta com forças com as quais não tem a presunção de medir-se. Assim, mantendo-se em sintonia com essas forças e agindo mais como seu aliado do que como adversário, ele se esforça por reverter o destino fatal. Vou dar um exemplo.

"Antes eu do que você"

Numa sessão de hipnoterapia em grupo, uma mulher jovem, que sofria de esclerose múltipla, viu a si mesma, como criança, ajoelhando-se diante da cama de sua mãe paralítica e formulando este propósito: "Querida mamãe, antes eu do que você." Os participantes do grupo se emocionaram ao testemunhar o grande amor que uma criança sente por seus pais, e a mulher sentiu-se em paz consigo mesma e com seu destino. Uma participante, porém, não conseguindo suportar esse amor que se dispunha a assumir, em lugar da mãe, a doença, as dores e a morte, disse ao dirigente do grupo: "Gostaria tanto que você pudesse ajudá-la." O dirigente do grupo ficou consternado, como se, com estas palavras, ela tivesse anulado tudo.

Pois como ousaria alguém tratar o amor da filha como se fosse algo de mau? Não iria com isso molestar sua alma, agravando seus sofrimentos ao invés de mitigá-los? Não iria a filha ocultar ainda mais seu amor pela mãe e apegar-se com mais força ainda à sua esperança e à decisão que tinha tomado, de salvar a mãe querida através de seu próprio sofrimento?

Mais um exemplo. Uma mulher jovem, que sofria igualmente de esclerose múltipla, colocou num grupo, com a ajuda de outros participantes, sua família de origem e a rede de relações que nela atuava. Assim, foram colocados ali a mãe e, à sua esquerda, o pai. Diante deles ficou a paciente, que era a filha mais velha; à sua esquerda seu irmão seguinte, que morreu aos quatorze anos, de insuficiência cardíaca, e mais à esquerda, um pouco mais afastado, o irmão mais novo.

Figura 1

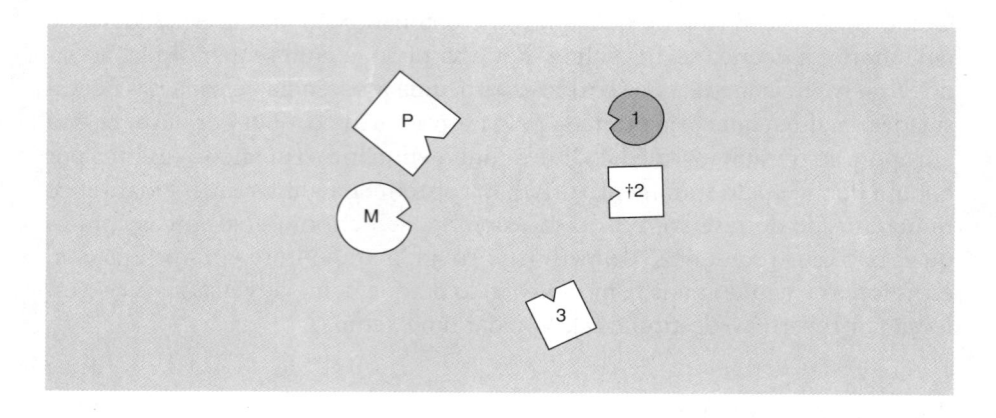

P	Pai
M	Mãe
1	**Primeira filha (=paciente)**
†2	Segundo filho, morto aos 14 anos por insuficiência cardíaca
3	Terceiro filho

O terapeuta pediu ao representante do irmão morto que saísse pela porta, o que numa constelação familiar simboliza a morte. Quando ele saiu, a fisionomia da filha se abriu de repente e também a mãe ficou bem melhor. Então o dirigente do grupo fez com que saíssem também o irmão mais novo e em seguida o pai, pois notou que ambos se sentiam também atraídos para fora. Quando todos os homens saíram — significando que estavam mortos —, a mãe se aprumou triunfante. Ficou claro que ela se sabia destinada à morte — fossem quais fossem seus motivos —, e se sentia aliviada porque outros estavam prontos e desejosos de abraçar a morte em seu lugar.

Figura 2

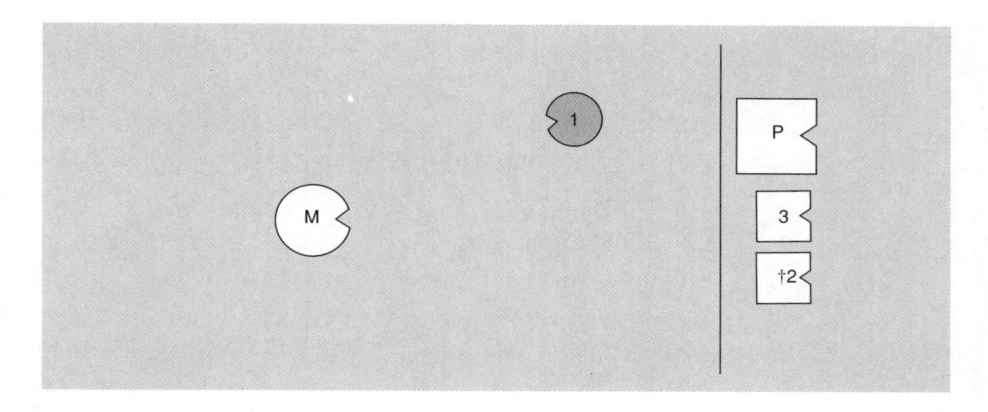

Então o dirigente do grupo chamou os homens de volta e fez com que a mulher saísse. De repente, todos se sentiram livres da obrigação de participar do destino da mãe e ficaram bem.

Figura 3

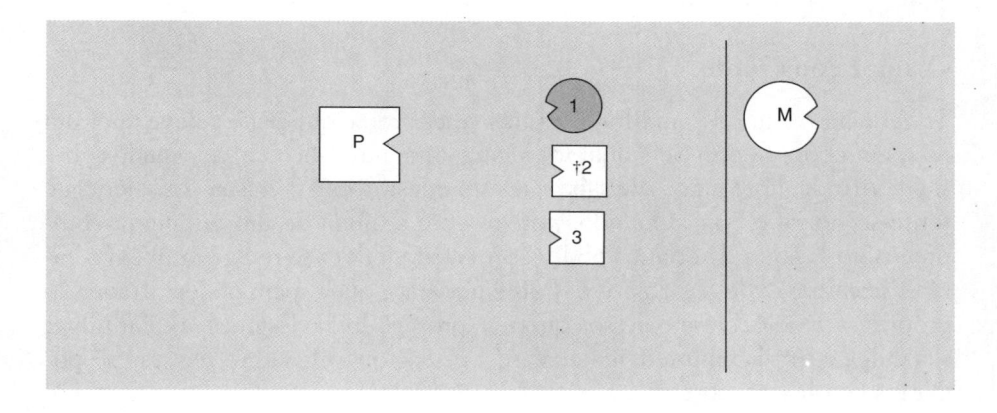

Entretanto, o dirigente do grupo tinha a suspeita de que a esclerose múltipla da filha também estava associada à obrigação de morrer que a mãe sentia. Por isso chamou a mãe de volta, colocou-a do lado esquerdo do pai e a filha ao lado da mãe.

Figura 4

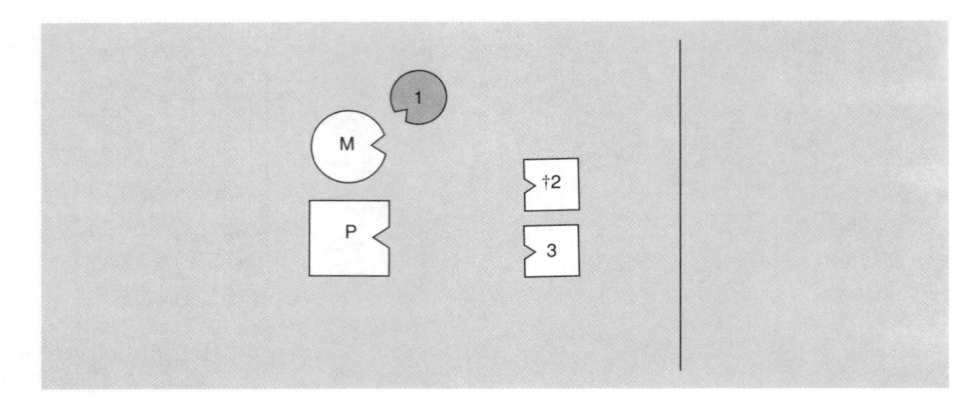

Então o dirigente do grupo disse à filha que encarasse a mãe com amor e lhe dissesse, olhando-a nos olhos: "Mamãe, eu faço isso por você!" Quando ela disse isso, todo o seu rosto se iluminou e o sentido e a finalidade de sua doença ficaram claros para todos os envolvidos.

Portanto, o que o médico ou um assistente da alma tem o direito de fazer aqui, e o que deve evitar?

O amor consciente

Trazer à luz o amor de um filho é muitas vezes tudo o que pode e deve fazer um terapeuta consciente. Seja qual for a carga que um filho tenha tomado sobre si em virtude desse amor, ele sabe que está em sintonia com sua consciência e sente-se nobre e bom. Quando, porém, com a ajuda de um terapeuta compreensivo, o amor da criança pode ser revelado, talvez se revele também o caráter irrealizável de seu objetivo. Pois é um amor que espera poder, através do próprio sacrifício, curar a pessoa querida, protegê-la da desgraça, expiar talvez sua culpa e tirá-la da infelicidade; e, se a pessoa querida já morreu, espera poder resgatá-la dos mortos.

Entretanto, quando se manifesta, junto com o amor infantil, também o caráter infantil de seus objetivos, a criança, agora já crescida, percebe, embora dolorosamente, que com seu amor e com seus sacrifícios não supera a doença, o destino e a morte dos outros, e que necessita aceitá-los impotente mas corajosamente, dizendo sim a eles como são.

Os objetivos do amor infantil e os meios usados para alcançá-los são assim "des-enganados" quando revelados, pois fazem parte de uma representação mágica do mundo que não subsiste diante do saber de um adulto. Porém o amor subsiste. Trazido à luz, ele procura caminhos que também sejam à prova da luz. O mesmo amor que causou a doença busca, quando se associa à compreensão, uma outra solução, uma solução consciente, neutralizando assim, se ainda for possível, o agente causador da doença. Nesse particular, o médico e outros terapeutas talvez possam apontar direções. Isso só será possível se reconhecerem o amor da criança, para que ele possa ficar em evidência, e o honrarem, para que possa dirigir-se a algo novo e maior.

"Compulsão de desaparecer"

Como fator condicionante de uma doença mortal, reconhecemos com freqüência o propósito de um filho ou uma filha, diante de uma pessoa amada: "Antes desapareça eu do que você."

Na anorexia, o propósito é o seguinte: "Antes desapareça eu do que você, querido papai."

Na esclerose múltipla, o propósito foi, no exemplo que vimos: "Antes desapareça eu do que você, querida mamãe."

Uma dinâmica semelhante acontecia antigamente com a tuberculose, que talvez por causa disto era denominada entre nós "compulsão de desaparecer" (*Schwindsucht*). A mesma dinâmica está presente também no suicídio e no acidente fatal.

"Mesmo que você vá, eu fico"

Quando essa dinâmica se revela numa conversa com o enfermo, qual será a solução que ajuda e cura? Como acontece com toda boa descrição de um problema, a solução já está contida na descrição e atua através dela. A solução começa quando se traz à luz a frase que faz adoecer e o paciente, com toda a força do amor que o move, a diz com ênfase, colocando-se diante da pessoa amada: "Antes desapareça eu do que você!" Nesse passo, é importante que se repita a frase tantas vezes quantas forem necessárias, até que a pessoa amada seja percebida e reconhecida pelo paciente como alguém que está diante dele e que portanto, apesar de todo o amor, é uma pessoa autônoma e separada dele. Caso contrário, permanecem a simbiose e a identificação, fracassando a diferenciação e a separação, responsáveis pela cura.

Quando se consegue dizer amorosamente essa frase, ela circunscreve os limites, tanto da pessoa querida quanto do próprio eu, separando o próprio destino do destino da pessoa amada. Essa frase obriga a perceber não só o próprio amor mas também o amor daquela pessoa. E obriga a reconhecer que aquilo que se deseja fazer em lugar da pessoa amada é para ela mais um peso do que uma ajuda.

Então é o momento de dizer à pessoa amada uma segunda frase: "Querido pai, querida mãe, querido irmão, querida irmã — ou quem quer que seja — mesmo que você vá, eu fico." Às vezes, especialmente quando a frase se dirige ao pai ou à mãe, o paciente ainda acrescenta: "Querido pai, querida mãe, abençoe-me, mesmo que você vá e eu ainda fique."

Darei um exemplo a respeito.

O pai de uma mulher tinha dois irmãos deficientes: um era surdo e o outro psicótico. Ele se sentia atraído por seus irmãos e, por fidelidade a eles, desejava partilhar seu destino, pois não suportava a própria felicidade em face da desgraça deles. Mas sua filha percebeu o perigo e saltou na brecha. Ela colocou-se no lugar do pai, ao lado dos irmãos dele, e em seu coração disse ao pai: "Querido papai, antes desapareça eu, e me junte aos seus irmãos, do que você" e "Querido papai, antes partilhe eu a desgraça com eles do que você." E tornou-se anoréxica.

Qual seria a solução para ela? Ela precisaria pedir aos irmãos do pai, mesmo que só interiormente: "Por favor, abençoem meu pai se ele fica conosco; e abençoem-me, se fico com meu pai."

"Eu sigo você"

Por trás do desejo de desaparecer do pai ou da mãe, que o filho procura impedir com a frase "Antes eu do que você", existe freqüentemente nos pais uma outra frase. Eles a dizem, como filhos, a seus pais ou irmãos, quando estes morreram cedo, contraíram uma longa doença ou ficaram inválidos. A frase é: "Eu sigo você" ou, mais exatamente: "Eu sigo você em sua doença", ou: "Eu sigo você para a morte."

Na família, a frase que atua primeiro é "Eu sigo você", que é também uma frase infantil. Mais tarde, porém, quando essas crianças, por sua vez, se tornam pais, seus filhos impedem que a executem, e então dizem: "Antes eu do que você."

"Eu vivo ainda algum tempo"

Quando a frase "Eu sigo você" se revela como o quadro de fundo de doenças graves, acidentes ou tentativas de suicídio, a solução que ajuda e cura consiste em que o filho, com toda a força do amor que o move, diga com ênfase, encarando a pessoa amada: "Querido pai, querida mãe, querida irmã — ou seja quem for —, eu sigo você." Aqui também é importante fazer com que a frase seja repetida tantas vezes quantas forem necessárias, até que a pessoa amada seja percebida e reconhecida como uma pessoa autônoma que, apesar de todo o amor, é separada do próprio eu.

Então o filho reconhece que seu amor não ultrapassa os limites que o separam do ente querido e que precisa deter-se diante desses limites. Aqui também a frase o obriga a reconhecer tanto o próprio amor quanto o da pessoa amada, e a entender que essa pessoa carrega e realiza melhor o seu destino quando ninguém a segue nele, muito menos o seu próprio filho.

Então o filho pode dizer ao morto querido também uma segunda frase, que realmente dispensa e libera da obrigação do seguimento funesto: "Querido pai, querida mãe, querida irmã — ou seja quem for —, você morreu, eu vivo ainda algum tempo e então também morrerei." Ou ainda: "Eu realizo a vida que me foi dada, enquanto durar, e então também morrerei."

Quando o filho vê que um de seus pais quer seguir na doença e na morte alguém de sua família de origem, ele precisa dizer: "Querido pai, querida mãe, mesmo que você vá, eu fico" ou então: "Mesmo que você vá, eu lhe dou um lugar de honra, e você sempre continuará sendo meu pai (minha mãe)" ou, se algum dos pais cometeu suicídio: "Eu me curvo diante da sua decisão e diante de seu destino. Você sempre continuará sendo meu pai (minha mãe), e eu sempre continuarei sendo seu filho (sua filha)."

A fé que faz adoecer

As duas frases "Antes eu que você" e "Eu sigo você" são ditas e realizadas com a consciência tranqüila e com a certeza da inocência. Ao mesmo tempo, correspondem à mensagem cristã e ao modelo cristão, por exemplo, à palavra de Jesus no Evangelho de São João: "Ninguém tem maior amor do que quem dá a vida por seus amigos", e o apelo a seus discípulos para segui-lo, no caminho da cruz, até a morte.

A doutrina cristã da redenção através do sofrimento e da morte e o exemplo dos santos e heróis cristãos confirmam a fé e a esperança da criança em que ela pode substituir outras pessoas, assumindo em seu lugar a doença, a desgraça ou a morte. Ou ainda que pode, pagando a Deus e ao destino o mesmo preço, salvar outras pessoas da doença e do sofrimento através da sua própria doença e do seu próprio sofrimento, e arrancá-las da morte através de sua própria morte. Ou ainda que pode, se não conseguir na terra uma salvação para as pessoas queridas, reencontrá-las através de sua própria morte.

O amor que cura

Quando existe tal envolvimento, a cura e a salvação ultrapassam os limites da simples intervenção médica e terapêutica. Elas exigem uma realização religiosa, uma conversão a algo maior que vá além do pensamento mágico e do desejo mágico e que os neutralize. Esse algo maior seria — em oposição à promessa enganosa do céu — a terra. Quem diz sim à terra, diz sim tanto à sua plenitude quanto ao fato de ter princípio e fim. Às vezes, o médico ou outro ajudante pode preparar e apoiar um tal ato. Mas este não está em seu poder e não resulta de um método da mesma forma como um efeito resulta de uma causa. Este ato, quando é bem-sucedido, exige o extremo e é experimentado como uma graça.

Como exemplo dessa conversão a algo maior, trago aqui uma história que, com o título de "A fé maior", já foi reproduzida na página 240, num contexto semelhante.

Fé e amor

Certa noite, um homem sonhou que ouvia a voz de Deus que lhe dizia: "Levanta-te, toma teu filho, teu único e querido filho, leva-o à montanha que eu te mostrarei e ali me oferece esse filho em sacrifício!"

De manhã, o homem se levantou, olhou para seu filho, seu único e querido filho, olhou para sua mulher, a mãe da criança, olhou para seu Deus. Tomou o filho, levou-o à montanha, construiu um altar, amarrou as mãos do filho, puxou a faca e queria sacrificá-lo. Mas então ouviu uma outra voz e, em vez de seu filho, sacrificou uma ovelha.

Como o filho olha para o pai?
Como o pai olha para o filho?
Como a mulher olha para o homem?
Como o homem olha para a mulher?
Como eles olham para Deus?
E como Deus — se existe — olha para eles?

Um outro homem sonhou, à noite, que ouvia a voz de Deus que lhe dizia: "Levanta-te, toma teu filho, teu único e querido filho, leva-o à montanha que eu te mostrarei e ali me oferece esse filho em sacrifício!"

De manhã, o homem se levantou, olhou para seu filho, seu único e querido filho, olhou para sua mulher, a mãe da criança, olhou para seu Deus. E lhe respondeu, encarando-o: "Isso eu não faço!"

Como o filho olha para o pai?
Como o pai olha para o filho?
Como a mulher olha para o homem?
Como o homem olha para a mulher?
Como eles olham para Deus?
E como Deus — se existe — olha para eles?

Doença como expiação

Uma outra dinâmica que provoca doenças, suicídios, acidentes e mortes, é o desejo de expiar uma culpa.

Encara-se como culpa, às vezes, o que foi obra do destino sem possibilidade de interferência, por exemplo, um aborto espontâneo, uma doença, deficiência ou morte prematura de uma criança. O que ajuda, nesse caso, é olhar os mortos com amor, expor-se à dor e deixar em paz o que passou.

Se, por obra do destino, acontece alguma coisa que causa dano a outros e proporciona a alguém alguma vantagem ou a salvação e a vida, isso é experimentado também como culpa; por exemplo, a morte da mãe no nascimento de uma criança.

Mas existe também a culpa verdadeira, de responsabilidade pessoal, por exemplo, quando alguém, sem necessidade, entregou ou abortou um filho ou quando exigiu de outros ou lhes causou algo de grave.

Para apagar uma culpa, quer resulte do destino ou de ato pessoal, recorre-se freqüentemente à expiação, pagando com danos próprios pelos prejuízos infligidos a outros. Assim, pretende-se "abater" a culpa com a expiação e restituir o equilíbrio.

Esses processos expiatórios, por mais danosos que sejam para todos os envolvidos, são também incentivados por doutrinas e exemplos religiosos, por exemplo, pela fé na redenção, através do sofrimento e da morte, e na purificação do pecado e da culpa, através da autopunição e do sofrimento externo.

Compensar pela expiação duplica o sofrimento

A expiação satisfaz a nossa necessidade de compensação. Mas o que realmente se consegue quando a compensação é buscada através da doença, de um acidente ou da morte? Nesse caso, haverá dois prejudicados ao invés de um, ou dois mortos e não apenas um. Pior ainda: para as vítimas da culpa, a expiação duplica o dano e a infelicidade, porque sua desgraça alimentará uma outra desgraça, seu dano provocará novos danos e sua morte acarretará outra morte.

Há outra coisa a considerar. A expiação é um recurso barato, como o pensamento mágico e a ação mágica. Nessa ótica, a salvação do outro resulta exclusivamente da própria desgraça e o sofrimento assumido basta para que o outro se salve. Acredita-se que o sofrimento e a morte serão suficientes, sem que se encare a relação e se sinta a outra pessoa; sem que, com ela diante dos olhos, se sinta a dor pela sua desgraça; e sem que precise fazer, com o consentimento e a bênção dessa pessoa, algo de bom pelos outros.

Na expiação, paga-se também com a mesma moeda. A ação é substituída pelo sofrimento, a vida pela morte e a culpa pela expiação, e acredita-se que o sofrimento e a morte são suficientes, sem ação e sem realização. E assim como as frases "Antes eu do que você" e "Eu sigo você", ao serem executadas, apenas aumentam a desgraça, o sofrimento e a morte, assim também a expiação, quando consumada, produz os mesmos efeitos.

Um filho cuja mãe faleceu no parto sente-se permanentemente culpado diante dela, porque ela pagou pela vida dele com a própria morte. Ora, quando o filho expia por isso, deixando-se ficar mal, isto é, quando se recusa a tomar sua vida, apesar de ela ter custado a morte da mãe, ou quando chega a suicidar-se em ato de expiação, então a desgraça é duplamente funesta para a mãe, pois o filho não tomou a vida que ela lhe deu, não respeitou o amor da mãe e sua disposição de lhe dar tudo. Portanto, a morte dela foi inútil; pior ainda, em vez da vida e da felicidade trouxe uma nova desgraça, pois, ao invés de uma morte, aconteceram duas.

Se quisermos ajudar um filho nessa situação, devemos ter em mente que, além do desejo de expiação, ele tem também um outro desejo: "Antes eu do que você" ou "Eu sigo você". Assim, só poderemos lidar positivamente com o desejo funesto de expiação, curando-o, se conseguirmos também a solução positiva com essas duas frases.

A compensação através do tomar e da ação reconciliadora

Qual é para esse filho a solução que convém a ele e à sua mãe? Ele precisa dizer: "Querida mamãe, se você já pagou um preço tão alto por minha vida, que isso não tenha sido em vão: farei dela algo de bom, em sua memória e em sua homenagem."

Mas então o filho precisa agir, produzir e viver, em vez de sofrer, fracassar e morrer. Agindo assim, estará ligado à mãe de uma forma muito diversa do que seguindo-a na desgraça e na morte.

Quando o filho desaparece, em simbiose com a mãe, está ligado a ela apenas de forma cega e inconsciente. Quando porém, em memória da mãe e de sua morte, produz algo que promova a vida, quando toma sua vida e dela dá a outros, então liga-se à mãe de uma forma totalmente diversa e vê-se amando na presença dela. Pois, quando recebe e preenche sua vida dessa maneira, tem a mãe diante dos olhos e a leva no coração. Então fluem para o filho as bênçãos e a força da mãe porque, a partir do amor a ela, ele faz de sua vida algo de especial.

À diferença da compensação pela expiação, que é uma compensação pela fatalidade, pelo dano e pela morte, esta seria uma compensação pelo bem. Diversamente da compensação pela expiação, que é um recurso barato, que tira e prejudica sem reconciliar, a compensação pelo bem é muito cara. Porém traz bênção e tem mais condições de fazer com que a mãe e os filhos se reconciliem com seus próprios destinos. Pois o bem que esse filho realiza em memória de sua mãe acontece através dela. Através do filho ela tem parte nisso e assim continua a viver e a atuar.

Esta seria, à diferença de uma compensação mágica, uma compensação adequada à Terra. Ela segue a compreensão de que nossa vida é única e que, ao extinguir-se, abre um lugar para quem chega; mesmo depois de extinta, ela nutre a vida presente.

A expiação é um substitutivo para a relação

A expiação é um recurso para não encarar a relação, pois através dela tratamos a culpa como uma coisa, pagando por um dano com algo que também nos custa. Porém, se fiz injustiça a alguém, causei sua infelicidade e lhe infligi um dano irreparável ao corpo e à vida, o que pode produzir essa expiação? Buscar alívio pela expiação, prejudicando a mim mesmo, é algo que só posso fazer quando perco de vista a outra pessoa. Pois, quando a tenho diante dos olhos, sou forçado a reconhecer que pretendo anular pela expiação algo que necessariamente permanece.

Isso deve ser igualmente levado em conta no caso de uma culpa que envolva responsabilidade pessoal. Freqüentemente, para expiar por um aborto ou pela perda de um filho, uma mãe contrai uma doença grave ou abre mão da relação com o pai da criança, renunciando a um novo relacionamento. A expiação por uma culpa pessoal também se realiza de uma forma inconsciente, mesmo que seja conscientemente negada ou explicada.

Junto com a necessidade de expiar, aparece ainda nas mães, de vez em quando, o desejo de seguir a criança morta, da mesma forma como um filho deseja seguir a mãe morta. Entretanto, talvez possamos supor que uma criança que morra por culpa da mãe também esteja dizendo a ela: "Antes eu do que você." Nesse caso, se a mãe adoece e morre como expiação, a morte da criança por amor a ela terá sido inútil.

Também no caso da culpa pessoal, a solução consiste em substituir a expiação pela ação reconciliadora. Isso acontece quando se olha nos olhos a pessoa a quem se fez algo de injusto ou de quem se exigiu algo de mau — por exemplo, quando a mãe olha nos olhos uma criança abortada, negada ou abandonada e lhe diz: "Sinto muito", e "Agora eu lhe dou um lugar em meu coração", e "Eu reparo isso, na medida em que posso repará-lo", e ainda "Você terá parte no bem que eu fizer em sua memória e com você diante dos meus olhos". Então a culpa não terá sido em vão, pois o bem que a mãe — ou a pessoa de quem se trate — realiza em memória dessa criança, acontece com a criança e através dela. Ela toma parte nisso e permanece por algum tempo em ligação com a mãe e com as suas ações.

Na Terra, a culpa passa

A respeito da culpa, é preciso ter em vista mais uma coisa: ela passa, e precisa ter o direito de passar. Uma culpa eterna só existe na perspectiva do céu. Na Terra, a culpa é passageira. Como tudo nela, também passa, depois de algum tempo.

Doença como expiação em lugar de outros

A culpa e a expiação também são freqüentemente assumidas na família e no grupo familiar. Um filho ou um parceiro também pode dizer: "Antes eu do que você" no que tange à culpa e à expiação, assumindo a culpa e suas conseqüências quando outros se recusam a isso.

Num grupo, uma mãe contou que se recusara a acolher sua mãe idosa e a deixara num asilo de velhos. Na mesma semana, uma de suas filhas ficou anoréxica, vestiu-se de preto e passou a visitar um asilo, duas vezes por semana, para cuidar de pessoas idosas. Entretanto ninguém, nem sequer a própria filha, percebera a conexão com o ato da mãe.

Doença como conseqüência da recusa de tomar os pais

Uma outra atitude que leva a doenças graves é a recusa do filho em tomar amorosamente seus pais e em honrá-los como seus pais. Esses filhos se elevam acima da terra porque, diante de um céu ou de uma outra coisa elevada, consideram-se melhores e escolhidos. Há doentes de câncer, por exemplo, que preferem morrer a se inclinar diante de sua mãe ou de seu pai.

Honrar os pais é honrar a terra

Quem crê no céu talvez acredite que pode, com sua ajuda, elevar-se acima da terra e acima dos pais. Porém honrar os pais é honrar a terra. Honrar os pais significa tomá-los e amá-los como eles são. E honrar a terra significa tomá-la e amá-la como ela é: com a vida e a morte, a saúde e a doença, o início e o fim. Isso, porém, constitui propriamente o ato religioso, denominado antigamente devoção e adoração. É experimentado como o despojamento extremo, que tudo toma e tudo dá — com amor.

Vou ilustrar isso com uma história. Poderia chamar-se "Dois tipos de felicidade", mas aqui recebe outro nome.

O *não-ser*

Um monge que andava buscando
pediu a um mercador
uma esmola.

O mercador se deteve por um momento
e, ao dar-lhe o que pedia,
perguntou ao monge:
"Como é possível que você me peça

o que lhe falta para viver
e, no entanto, precise menosprezar
a mim e ao meu modo de vida,
que lhe proporcionamos isso?

O monge lhe respondeu:
"Em comparação com o Último
que busco,
o resto parece desprezível."

Mas o mercador perguntou ainda:
"Se existe um Último,
como pode ser algo
que alguém possa buscar e encontrar
como se estivesse no fim de um caminho?

Como poderia alguém sair ao seu encontro
como se fosse uma coisa entre outras e muitas,
e apossar-se dele
mais do que outros e muitos?

E inversamente, como poderia alguém
afastar-se desse Último,
ser menos conduzido por ele
ou estar menos a seu serviço
do que as outras pessoas?"

O monge retrucou:
"Encontra o Último
quem renuncia ao próximo e ao presente."

Mas o mercador ainda ponderou:
"Se existe o Último,
ele está perto de cada pessoa,
mesmo que esteja oculto
no que nos aparece e no que permanece,
assim como em cada ser se oculta um não-ser
e em cada agora, um antes e um depois.

Comparado ao ser,
que experimentamos como fugaz e limitado,
o não-ser nos parece infinito,

como o de onde e o para onde,
comparados ao agora.
Porém o não-ser se revela a nós
no ser,
assim como o de onde e o para onde
se revelam no agora.

O não-ser, como a noite
e como a morte,
é um início desconhecido
e só por um breve instante,
como um raio,
nos abre seu olho
no ser.

Assim também, o Último
só se aproxima de nós
no que está perto
e brilha
agora."

Então o monge perguntou, por sua vez:
"Se o que você diz fosse a verdade,
o que restaria ainda
a mim e a você?"

O mercador respondeu:
"Ainda nos restaria
por algum tempo
a terra."

(Veja também "O ser e o não-ser", na página 42.)

Constelação de Astrid — Diabetes: "Eu sigo você"

HELLINGER: Em consonância com o tema deste curso, nas três tardes destinadas à ilustração de minha conferência sobre "Céu e Terra", trabalharei principalmente com participantes que tenham uma doença grave ou corram risco de suicídio.
(*Para Astrid, na cadeira de rodas*): Venha para perto de mim! Pode vir tranqüilamente em sua cadeira de rodas. Qual é a sua doença?
ASTRID: Sou diabética. Por causa do diabetes, fiquei dependente da hemodiálise e fiz um transplante renal.

HELLINGER: Vou colocar agora à sua disposição o que sei. Se você trabalhar comigo, com a sua boa alma e com a boa alma de sua mãe e de seu pai, talvez encontremos ajuda para você. De acordo? Bem. — Então diga-me algo sobre sua situação familiar. Houve em sua família acontecimentos marcantes? Por exemplo, alguém morreu cedo, alguém cometeu suicídio?
ASTRID: Depois de mim, nasceu ainda uma terceira criança que morreu com três dias de vida.
HELLINGER: Isso é importante. É um acontecimento ao qual os irmãos reagem com muita intensidade. Passou-se algo mais em sua família?
ASTRID: Meu diabetes se manifestou quando meu avô, que morava conosco, morreu de câncer.
HELLINGER: Ele era pai de quem?
ASTRID: De minha mãe.
HELLINGER: Houve mais alguma coisa especial na família de sua mãe? Por exemplo, alguém morreu prematuramente?
ASTRID: O irmão de minha mãe morreu na guerra, aos 14 anos, com difteria.
HELLINGER: Algum de seus pais ou avós esteve antes casado ou numa relação estável?
ASTRID: Não.
HELLINGER: Vamos representar agora o seu sistema, com participantes deste grupo. Escolha-os primeiro. Precisamos de alguém que represente o seu pai e alguém para sua mãe. Dos filhos, quem foi o primeiro?
ASTRID: Meu irmão.
HELLINGER: O segundo?
ASTRID: Sou eu.
HELLINGER: Também tomaremos alguém para representá-la.
— A criança morta era...?
ASTRID: Uma menina.
HELLINGER: Também para ela escolheremos uma representante. — De que morreu a criança?
ASTRID: Não ficou esclarecido.
HELLINGER: O que significa não esclarecido?
ASTRID: Bem, minha mãe me contou que ela não mamava. Outra causa de morte eu não conheço.
HELLINGER: Ela morreu de inanição?
ASTRID: Foi essa a única explicação que recebi. De resto, sobre essa criança se fez um absoluto silêncio.
HELLINGER: Houve alguma recriminação entre os pais pela morte da criança?
ASTRID: Sobre a criança jamais se conversou.
HELLINGER: Bem, vamos colocar os representantes. Você pode andar o suficiente para colocá-los?
ASTRID: Posso.

HELLINGER: Sabe como se faz uma constelação familiar?
ASTRID: Não.
HELLINGER: Tome com ambas as mãos cada uma das pessoas escolhidas e coloque-a em seu lugar, em relação com as demais, de acordo com o que você estiver sentindo no momento. Quando reconhecer que o posicionamento está certo, pare. — Faça isso absolutamente de acordo com o que você estiver sentindo no momento. Em seguida, verifique mais uma vez se está certo assim, e então sente-se.

Figura 1

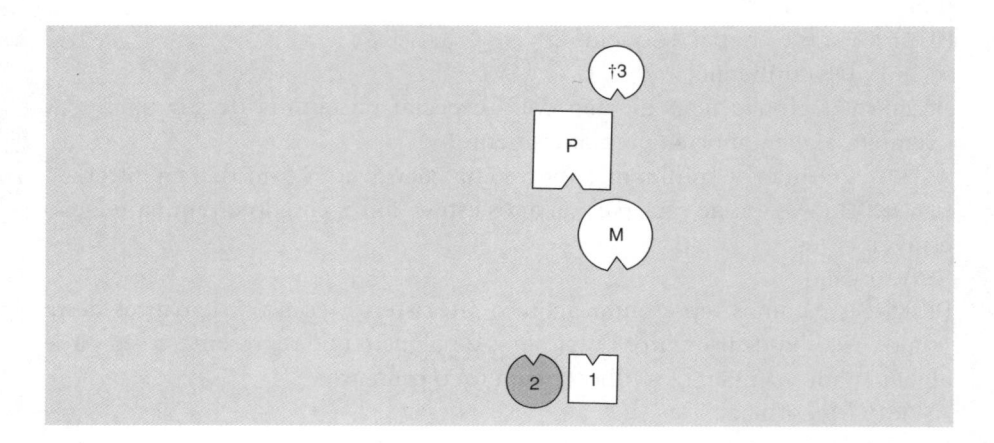

P   Pai
M   Mãe
1   Primeiro filho
2   **Segunda filha (=Astrid)**
†3 Terceira filha, morreu três dias após o nascimento

HELLINGER: Como está o pai?
PAI: Bem, sinto-me preso entre as duas e ameaçado pelas costas. O que está atrás de mim me inquieta e sinto o impulso de me virar para vê-lo.
HELLINGER: Como está a mãe?
MÃE: Sinto atrás de mim muita coisa invisível; algo muito pesado atrás de mim.
HELLINGER: Como está o filho?
PRMEIRO FILHO: Sinto-me muito ligado à minha irmã e muito distante de meus pais.
HELLINGER (*para a representante de Astrid*): Como está a filha mais velha?
SEGUNDA FILHA: Sinto-me muito observada por meus pais. Acho bom estar distante.

HELLINGER: Como está a filha falecida?
TERCEIRA FILHA†: Não reconheço ninguém e não me sinto como integrante da família.
HELLINGER: Agora coloco a menina morta à vista de todos.

Figura 2

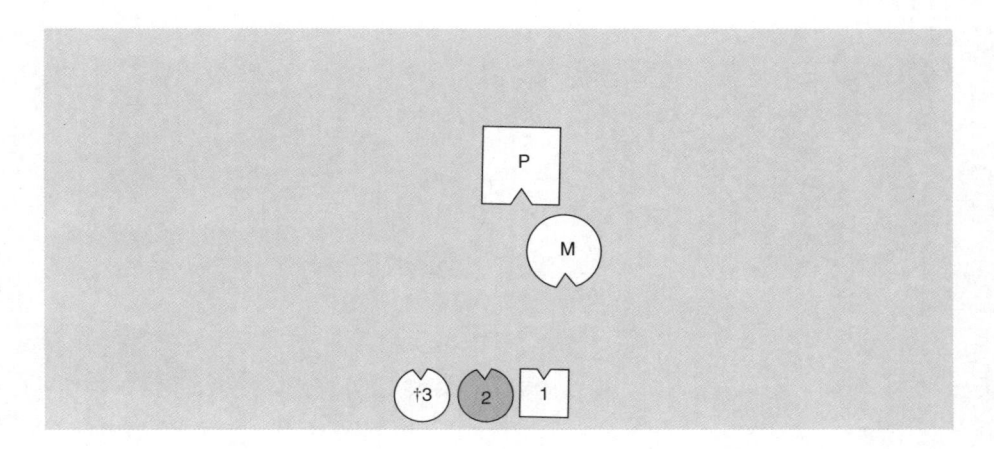

HELLINGER: O que mudou para os pais?
PAI: Sinto-me muito mais livre, apesar de sentir o espaço estreito em relação à minha mulher. Posso respirar muito melhor.
HELLINGER: Como está agora a mãe?
MÃE: Sinto-me aliviada.
SEGUNDA FILHA: Também estou melhor.

As duas irmãs trocam sorrisos.

HELLINGER: O que houve agora entre vocês duas?
SEGUNDA FILHA: É bom ter mais alguém assim.
HELLINGER (*para o grupo*): Tenho várias imagens desta família. A primeira é que a mãe quer deixar a família; quer seguir a filha morta. A segunda imagem é que a filha mais velha quer partir, para impedir que a mãe o faça. A terceira imagem é que a filha mais velha também quer seguir a irmã morta. Vocês viram o entendimento e o amor entre ambas?

As duas irmãs trocam sorrisos de novo.

HELLINGER: Estão vendo? Elas não conseguem escondê-lo.

Risos no grupo.

HELLINGER: Exatamente. — Agora vou colocar a mãe ao lado do pai.

Figura 3

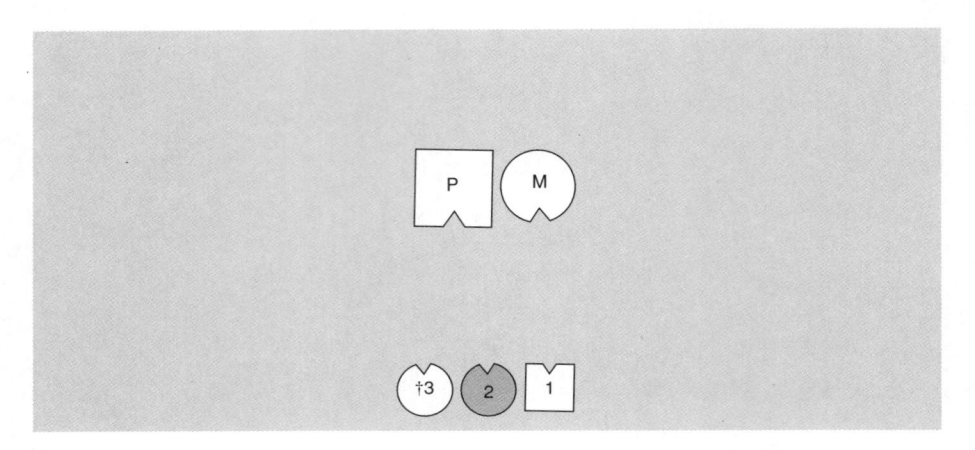

HELLINGER: Que tal agora?
PAI: Sinto-me puxado para a direita.
HELLINGER: Pode ser que o pai queira desaparecer. Ele se sente puxado para fora. (*para o pai*): Fique do lado da filha morta e veja como é isto.
PAI: Sim, é bom.
HELLINGER (*para Astrid*): O que acontece na família de seu pai?
ASTRID: Um irmão mais novo de meu pai morreu de repente, por causa de uma pneumonia.

HELLINGER (*para o pai*): Volte para junto de sua mulher. — Vou colocar agora também seu falecido irmão mais novo.

Figura 4

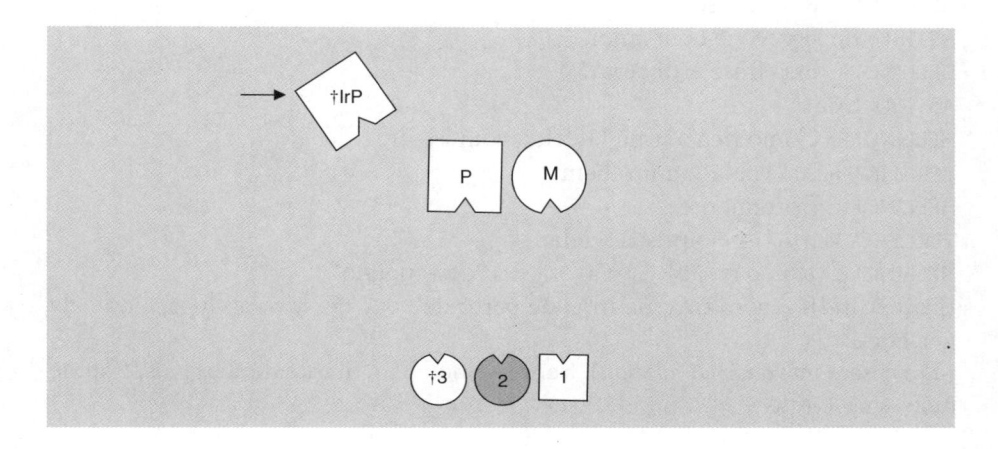

†IrP   Irmão do pai, morreu aos 14 anos

HELLINGER: O que mudou?
PAI: Isto é bom. Não sinto mais o puxão para a direita.

Para os outros membros da família nada mudou.

HELLINGER (*para o grupo*): O pai tem provavelmente a tendência de dizer ao irmão morto: "Eu sigo você."
HELLINGER: O que se passa agora com a mãe?
MÃE: Acho que alguma coisa mudou quando chegou o irmão dele. Até então essa distância excessiva não era adequada. Isso agora mudou. Mas o irmão não deve ficar perto demais.
HELLINGER: Sim, senão a mulher perde o marido.
(*para Astrid*): Você quer agora colocar-se pessoalmente em seu lugar? — Como se chamava sua irmã falecida?
ASTRID: Maria.
HELLINGER: Olhe para ela e diga: "Querida Maria!"
ASTRID: Querida Maria!
HELLINGER: Repita!
ASTRID: Querida Maria!

Longa pausa.

HELLINGER: Diga a ela: "Eu sigo você."
ASTRID: Eu sigo você.
HELLINGER: "Com amor."
ASTRID: Com amor.
HELLINGER: Repita isso!
ASTRID: Eu sigo você com amor.
HELLINGER: Essa frase está certa?
ASTRID: Sim.
HELLINGER: Como fica a irmã falecida com isso?
TERCEIRA FILHA†: Não muito bem.
HELLINGER: Exatamente.
TERCEIRA FILHA†: Não preciso dela.
HELLINGER *(para o grupo)*: Isto agora é o "des-engano".
(para Astrid): Agora tiro sua irmã de perto de você e a levo ao lugar onde ela pertence.
(à representante da irmã falecida): Sente-se no chão, diante de seus pais, e apóie neles suas costas!

Figura 5

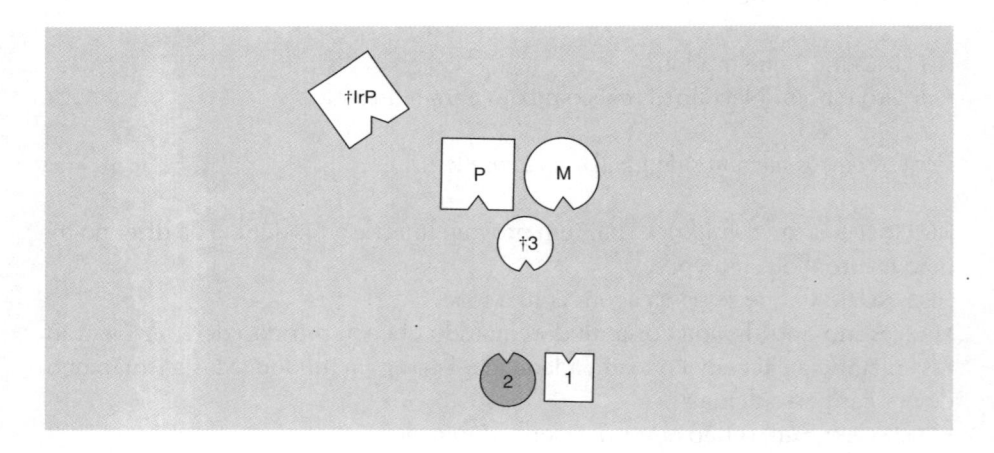

HELLINGER *(para os pais)*: Coloquem suavemente uma das mãos sobre a cabeça dela. Ambos os pais!
HELLINGER: Como está a filha falecida aí?
TERCEIRA FILHA†: Estou melhor.
HELLINGER: Como estão os pais?

Ambos os pais trocam sorrisos e balançam a cabeça afirmativamente.

HELLINGER (*para Astrid*): Diga à irmã: "Querida Maria."
ASTRID: Querida Maria!
HELLINGER: "Esse é o seu lugar."
ASTRID: Esse é o seu lugar.
HELLINGER: "E eu fico aqui." — Abra os olhos!
ASTRID: E eu fico aqui.

Longa pausa.

HELLINGER: Respire profundamente! Olhe para a mãe e diga a ela — Como você a chamava?
ASTRID: Mamãe.
HELLINGER: Diga-lhe: "Querida mamãe!"
ASTRID: Querida mamãe!
HELLINGER: "Eu fico aqui."
ASTRID: Eu fico aqui. (*Chora com emoção.*)
HELLINGER: Sim. Olhe para ela e diga com amor: "Querida mamãe!"

Astrid hesita.

ASTRID: Querida mamãe! (*Soluça.*)
HELLINGER: "Eu fico aqui."
ASTRID: Eu... eu... eu...
HELLINGER: "Eu fico aqui."
ASTRID: Eu fico aqui.
HELLINGER: Repita muito simplesmente: "Querida mamãe!"
ASTRID: Querida mamãe, eu fico aqui.
HELLINGER: Agora olhe para o seu pai! Como você o chamava?
ASTRID: Papai.
HELLINGER: Diga: "Querido papai!"
ASTRID: Querido papai!
HELLINGER: "Eu fico aqui."
ASTRID: Eu fico aqui.

HELLINGER: Com ele é mais fácil. Agora olhe de novo para sua mãe! — Agora vou levar você também. Coloque-se ao lado de sua mãe! Assim, bem perto!

Figura 6

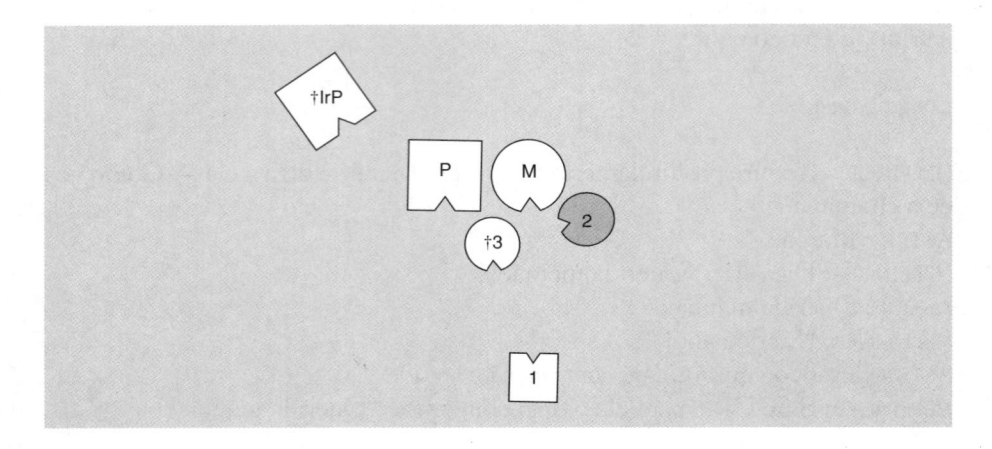

HELLINGER: Olhe para ela! Olhe-a nos olhos e diga: "Querida mamãe!"
ASTRID: Querida mamãe!
HELLINGER: "Eu fico."
ASTRID: Eu fico. (*Diz isso com firmeza.*)
HELLINGER: Exatamente! Repita isso!
ASTRID: Querida mamãe, eu fico.
HELLINGER (*para a mãe*): Abrace-a! Com ambos os braços!
(*para Astrid*): Diga: "Querida mamãe, eu fico."
ASTRID: Querida mamãe, eu fico. (*Ela o diz em alta voz.*)
HELLINGER: Exatamente. "Querida mamãe, eu fico."
ASTRID: Querida mamãe, eu fico. (*Soluça.*)
HELLINGER: Respire! Respire profundamente! Com a boca aberta! Inspire e expire, profundamente! Assim. E repita, com toda a tranqüilidade: "Querida mamãe!"
ASTRID: Querida mamãe!
HELLINGER: "Eu fico."
ASTRID: Eu fico.
HELLINGER (*para o grupo*): Agora o tom está totalmente tranqüilo. Só agora está certo. Só agora está presente a força total.
(*para Astrid*): "Querida mamãe, eu fico."
ASTRID: Querida mamãe, eu fico.
HELLINGER: Agora você o fez bem. Vai executá-lo também? Olhe para a mãe! Olhe-a nos olhos e diga: "Sim, eu assumo isso."

ASTRID: Sim, eu assumo isto.
HELLINGER: Bem, foi isso aí.
Hellinger a conduz de volta ao seu lugar. Quando uma mulher, ao lado dela, faz menção de abraçá-la, Hellinger lhe diz:
HELLINGER: Não, não! Isso iria prejudicar a alma dela. Consigo mesma ela está nas melhores mãos. Seu consolo só a distrairia.
HELLINGER (*para o grupo*): Agora preciso respirar profundamente, depois de um trabalho assim. Mas creio que pudemos ver que forças atuam levando à doença, e que força é necessária para encontrar a passagem para a cura. E pudemos ver que o mesmo amor que leva à doença, também faz sair dela. A diferença é que agora ele tem um outro objetivo, porém o amor em si permanece inalterado.
— Se alguém quer dizer ou perguntar algo que ainda não esteja claro, aproveite esta oportunidade.
UM PARTICIPANTE: Não ficou ainda algo a ser tratado no pai? Pois ele também queria buscar a morte.
HELLINGER: Um princípio importante neste trabalho é o seguinte: fazemos apenas o que é necessário para o cliente. Para ela não era preciso mais, estava bem claro. Então eu também me detenho para não tirar a força. Quando o trabalho atinge o auge paramos imediatamente. Portanto, nada de querer aprofundá-lo ou de querer investigar, perguntando: "Como está você agora?", ou coisas semelhantes. Você percebe isso?
O PARTICIPANTE: Sim.

Quatro meses depois desse evento, recebi dessa paciente a seguinte carta:

"... há semanas e dias, luto interiormente entre o desejo honesto de contar-lhe as mudanças que nosso encontro desencadeou em minha vida, e uma timidez e inibição que me impedem de colocar isso em prática.

O resultado mais evidente e palpável se manifestou na cessação imediata de uma série de infecções dos rins e canais urinários, que já vinha durando três anos, sem interrupção. Isso significa, para mim, essencialmente mais do que parece à primeira vista. Essas infecções não só estavam comprometendo o êxito de meu transplante renal, mas já me tinham levado a admitir interiormente outra intervenção cirúrgica que, devido a várias circunstâncias, seria complicada e onerosa, e cujo desfecho seria muito problemático.

O "Eu fico", que já perdeu, de há muito, o tom inicial de teimosia diante de minha mãe, tornou-se para mim uma certeza liberadora de que tenho o direito de viver.

Os envolvimentos que se manifestaram: "Eu sigo você" e "Antes eu do que você", que em nossa família se entrelaçam como uma rede, foram, pelo menos em relação à minha irmã falecida, claramente aliviados e desfeitos. Tive, de repente, a liberdade de encerrar uma "carreira de doença" e uma escalada de sintomas quase tão longa quanto minha vida. A constante e indireta tentativa de suicídio perdeu sua mola impulsionadora e sua legitimação..."

Constelação de Bruno: Mãe segue filha deficiente para a morte

HELLINGER (*para Bruno*): O que deseja você?
BRUNO: Sinto-me sem liberdade, e não tenho clareza sobre para onde posso mover-me.
HELLINGER: Aconteceu algo de especial em sua família?
BRUNO: Minha mãe morreu há quatro anos, quando fazia montanhismo em companhia de meu pai.
HELLINGER: Foi um acidente? Um acidente na montanha?
BRUNO: Ela escorregou. Algum tempo depois — e também se relaciona com isto — eu soube, através de meu pai, o que realmente já devia ter sabido há mais tempo, que ele mantinha há muito tempo uma relação extraconjugal com uma mulher que, na época, trabalhava na mesma localidade.
HELLINGER: Isso ele não deveria ter contado a você. Algo assim não diz respeito aos filhos. Pertence a um nível superior do sistema, ao nível anterior, que é o dos pais. Os filhos, por estarem num nível inferior, não têm o direito de saber nada disso: nada que pertença aos segredos dos pais. Por isso, protejo na terapia os segredos dos pais. Essa informação também não é importante para você. Alguém tinha morrido antes na família?
BRUNO: Minha irmã morreu antes.
HELLINGER: Que idade ela tinha?
BRUNO: Tinha dezoito anos, eu sou dois anos mais velho. Era mongolóide.
HELLINGER: Mongolóide? Esta é uma informação importante. Quando, numa família, um filho é deficiente, os filhos saudáveis se sentem em vantagem sem merecimento. Pois eles nada fizeram para estar em vantagem, da mesma forma como o deficiente está em desvantagem sem culpa. Então os saudáveis freqüentemente se impõem limites, pois diante de um irmão deficiente não ousam tomar a própria vida como ela é. Portanto é preciso procurar aqui, antes de tudo, o que afeta você.
(*para o grupo*): Quando identificamos uma conexão desse tipo, como vocês vêem, não há ninguém que seja mau. É destino. Aqui atuam forças que vão além da inocência e da culpa. Por isso não procuramos culpados, mas olhamos para essas forças e, em sintonia com elas, buscamos a solução.
(*para Bruno*): Houve mais alguma coisa importante na família? Quantos irmãos vocês eram?
BRUNO: Só nós dois.
HELLINGER: Só vocês dois? Então isso naturalmente é mais intenso. Algum dos pais foi casado antes ou teve uma relação estável?

BRUNO: Não.
HELLINGER: Houve alguma recriminação entre os pais pela deficiência de sua irmã? Alguém acusou o outro de ter sido talvez culpado pelo fato?
BRUNO: Minha mãe já tinha uma certa idade.
HELLINGER: Que idade ela tinha?
BRUNO: Quarenta anos.
HELLINGER: Quarenta? Houve por causa disso uma acusação do pai à mãe ou vice-versa? Qual é sua impressão?
BRUNO: Por parte do pai, não. Mas creio que minha mãe sentiu-se culpada e procurou uma razão.
HELLINGER: Isso basta. Vamos colocar agora sua família de origem, apenas com seu pai, sua mãe e sua irmã.

Figura 1

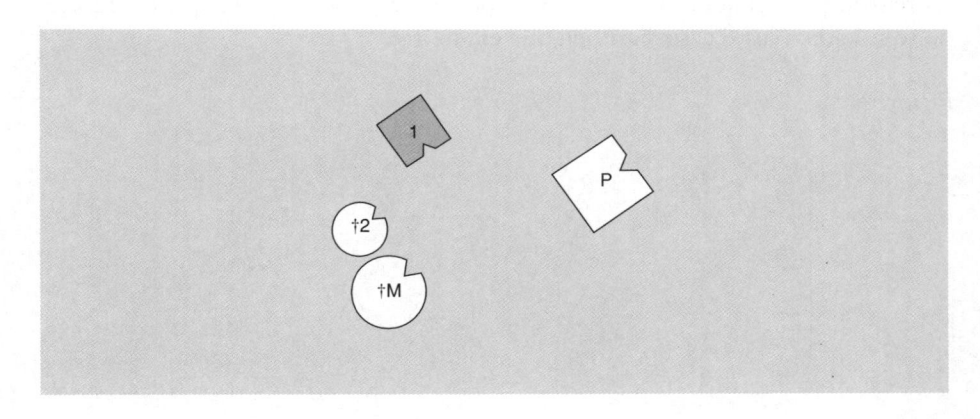

P   Pai
†M   Mãe, falecida em acidente
1   **Primeiro filho (=Bruno)**
2   Segunda filha, mongolóide, falecida aos 18 anos

HELLINGER: Como está o pai? Qual é a sua sensação?
PAI: Um pouco pesado.
HELLINGER: Pesado? Pode esclarecer um pouco?
PAI: Estou afastado de minha família, e isso é um tanto desagradável.
HELLINGER: Como está a mãe?
MÃE†: Sinto-me muito agoniada. Não tenho chances de entrar em relação, nem com o marido, nem com o filho. Tenho a sensação de que não há nenhuma possibilidade.
HELLINGER: Sim. Exatamente.

HELLINGER (*para o representante de Bruno*): Como está o filho?
PRIMEIRO FILHO: Sinto-me dividido. Minha irmã me toma a mãe.
HELLINGER (*para o grupo*): Gostaria de chamar a atenção para um ponto. Algumas pessoas, quando estão colocadas, interpretam a partir da imagem qual deveria ser o sentimento. O que ele disse sobre a irmã veio de uma interpretação desse tipo.
(*ao representante de Bruno*): É melhor que você se concentre e simplesmente observe o que se passa em você no momento, independentemente da imagem externa.
PRIMEIRO FILHO: Sinto-me dividido.
HELLINGER: Como está a irmã?
SEGUNDA FILHA†: Sinto-me muito desconfortável, sem espaço e muito dependente.
HELLINGER: Saia pela porta e feche-a atrás de você.
(*para o grupo*): Quando uma pessoa sai pela porta, isso significa que ela morre ou se suicida. Neste caso significa que ela morre.

Figura 2

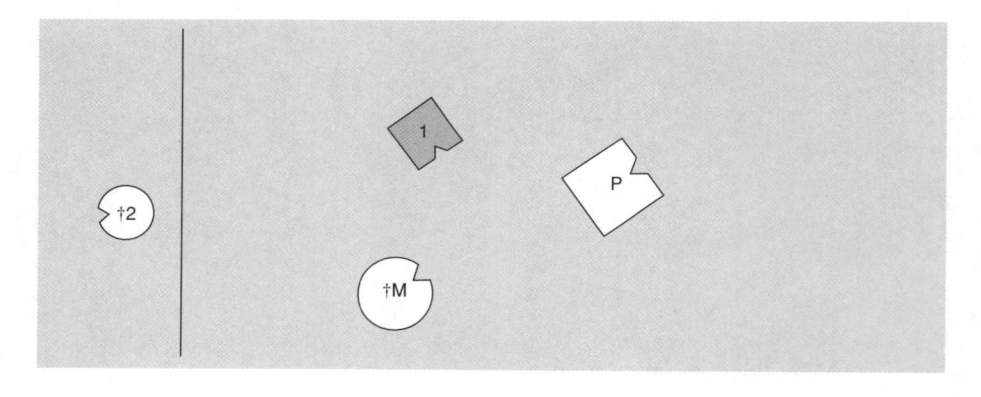

HELLINGER: O que mudou para a mãe? Está melhor ou pior?
MÃE†: Sinto-me pior, muito só.
HELLINGER: O que acontece com o pai? É melhor ou pior?
PAI: Pior.
HELLINGER: Como é com o irmão? Melhor ou pior?
PRIMEIRO FILHO: Tem ambas as coisas. De um lado, vejo melhor a mãe. Isso é um alívio...
HELLINGER (*para o grupo*): Esta é uma afirmação que dificilmente fazemos, que nos sentimos aliviados quando morre alguém. Contudo, é o que acontece com freqüência. Quando ele diz: "de um lado, de outro", isso para mim quer dizer que ele se sente aliviado.

PRIMEIRO FILHO: Sim.
HELLINGER: Esta é a verdade. É assim, e isso não tem nada de mau, nem torna uma pessoa má.
HELLINGER (*para a mãe*): Agora saia você pela porta! Pois você é a próxima a morrer. Saia pela porta e feche-a atrás de si!

Figura 3

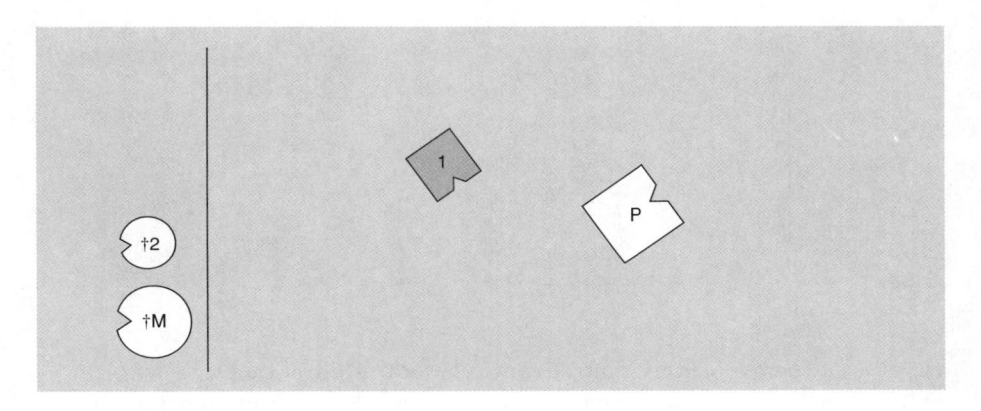

HELLINGER: Como está o pai agora?
PAI: Péssimo.
HELLINGER (*para o grupo*): Qual é a impressão de vocês? Está certo o que ele disse?

O representante do pai ri.

HELLINGER: Ha! Estão vendo? Este é o sentimento proibido. Ele se sente melhor. Assim é. Nessa família ele não tinha chances. O que poderia ele fazer nessa posição, a não ser procurar alguma namorada? Você poderia censurá-lo, se ele tem que ficar assim? Não poderia.
HELLINGER (*para o filho*): Como está você agora?
PRIMEIRO FILHO: Mal. Sinto-me só.
HELLINGER: Agora você se sente só.
(*para o grupo*): Naturalmente, a solução que estamos vendo não é boa, mas foi a que o sistema procurou. Vejamos agora se podemos encontrar uma solução melhor.

HELLINGER (*para a irmã e para a mãe diante da porta*): Vocês podem voltar agora. Coloquem-se de novo em seus lugares.

Figura 4

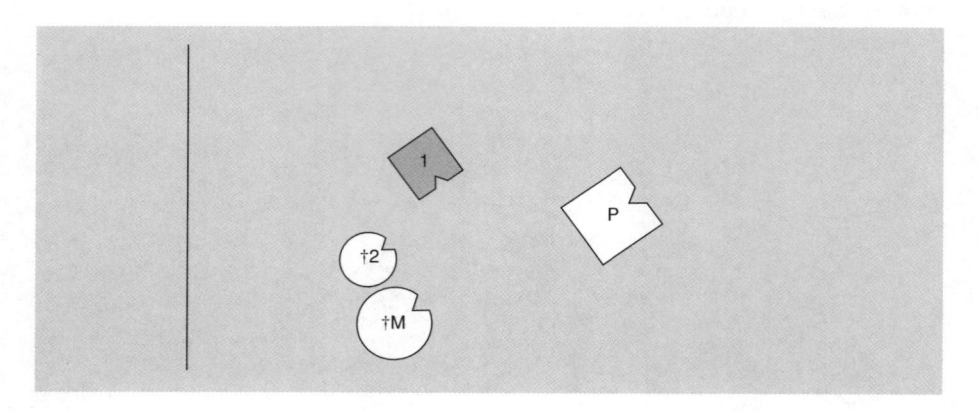

HELLINGER (*para a filha*): Como se sentiu lá fora? Melhor ou pior?
SEGUNDA FILHA†: Primeiro tive de respirar fundo e depois me senti melhor.
HELLINGER (*para a mãe*): E você, como se sentiu lá fora? Melhor ou pior?
MÃE†: Melhor. Fiquei contente por encontrá-la.

Mãe e filha trocam sorrisos.

HELLINGER (*para Bruno*): Ela ficou contente por encontrá-la. Está vendo agora a dinâmica por trás da morte de sua mãe? Ela seguiu a filha. É uma dinâmica honrosa, mas não é boa.

Figura 5

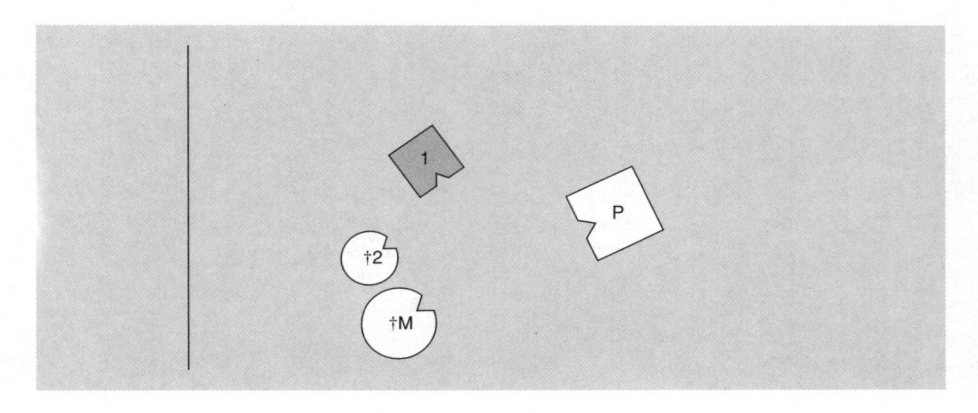

HELLINGER (*para o pai*): Como você está agora?
PAI: Melhor.
HELLINGER (*para Bruno*): Seus pais abandonaram a relação quando sua irmã nasceu. Quem teve a iniciativa? Quem abandonou a relação?
BRUNO: Minha mãe.

HELLINGER: A mãe abandonou a relação. Por conseguinte, ela teria tido também a chave para a mudança. Agora vejamos o que acontece quando a colocamos ao lado do marido.

Figura 6

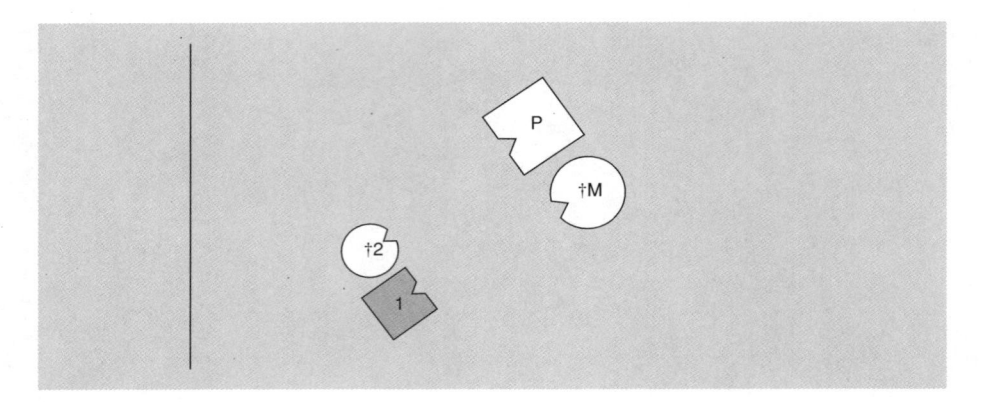

HELLINGER (*para o pai*): Que tal assim? Como está você agora?
PAI: Realmente muito bem. Sim.
HELLINGER (*para a filha*): Como está você? Melhor ou pior?
SEGUNDA FILHA†: Melhor. Sinto alegria de viver e espaço livre em volta de mim.
HELLINGER (*para o grupo*): É curioso. Justamente quando os pais são um casal e já não se preocupam tanto com os filhos, estes ficam melhor, mesmo que sejam deficientes.
HELLINGER (*para o filho*): Como está você?
PRIMEIRO FILHO: Estou melhor.
HELLINGER: E como está a filha?
SEGUNDA FILHA†: Melhor, também.
HELLINGER: Como está a mãe?
MÃE†: Muito aliviada.
HELLINGER: Exatamente. Esta teria sido a boa solução. Porém o que a mãe e o pai não reconheceram foi que, ao gerarem a criança, eles o fizeram com a consciência do risco. Mas não reconheceram a dignidade desse ato; caso contrário, teriam enfrentado a fatalidade de sua filha ter nascido deficiente. Se tivessem permanecido juntos, ao invés de abandonar a relação, a filha talvez ainda estivesse viva; de qualquer maneira, teria sido melhor para ela.
HELLINGER (*para Bruno*): Quando você vê seus pais assim juntos, você pode também tomar deles sua vida. Coloque-se em seu lugar para sentir como é isso.

(*quando Bruno toma o seu lugar*): Agora olhe para sua irmã. Olhe para ela e diga: "Querida irmã! Eu sou seu irmão mais velho." Diga isso a ela! Como ela se chamava?
BRUNO: Maria.
HELLINGER: Diga: "Querida Maria, sou seu irmão mais velho." Diga isso a ela!
BRUNO: Querida Maria, sou seu irmão mais velho.
SEGUNDA FILHA†: Eu gosto de você.
HELLINGER (*para Bruno*): E diga a ela: "Eu respeito o seu destino."
BRUNO: Eu respeito o seu destino.
HELLINGER: "E estou a seu lado, seja qual for seu destino."
BRUNO: E estou a seu lado, seja qual for o seu destino.
HELLINGER: "E assumo também meu destino."
BRUNO: E assumo também o meu destino.
HELLINGER: Agora ainda vou fazer com você um exercício que é difícil mas também salutar. Vocês dois, você e sua irmã, cheguem um pouco mais perto e inclinem-se diante de seus pais, seguindo o próprio sentimento. Com amor! Reverenciem os seus pais e aquilo que eles tomaram sobre si por vocês! Inclinem-se!

Eles se inclinam e Bruno começa a soluçar.

HELLINGER (*para Bruno*): Este é o sentimento que cura. Exatamente. Diga: "Querido papai e querida mamãe", ou da maneira como você falava em criança. Respire fundo!
BRUNO: Querido paizinho.
HELLINGER: "Eu presto homenagem a você." Diga-o assim!
BRUNO: Eu presto homenagem a você.
HELLINGER: E diga: "Querida mamãe", ou... como você dizia em criança?
BRUNO: Mãezinha.
HELLINGER: "Querida mãezinha!"
BRUNO: Querida mãezinha!
HELLINGER: "Eu presto homenagem a você."
BRUNO: Eu presto homenagem a você.
HELLINGER: Agora levante-se, e encare-os abertamente: sua mãe e seu pai.
HELLINGER (*para os pais*): Como vocês se sentem com isso?

Ambos balançam a cabeça, em aprovação.

HELLINGER: Justamente. Agora vocês podem reconhecer a própria dignidade. (*para Bruno*): Você também pode agora reconhecer a própria dignidade. E pode reconhecê-la, como pai, em face de seus filhos.
Está bem, foi isso aí.

(*para o grupo*): Como vocês vêem, nossa maneira de proceder é muito respeitosa e tem muito respeito por todos os participantes. E sempre se dirige para a solução. Não se deve remexer no passado sem necessidade, mas atuar no sentido de uma solução que traga força para o cliente e também produza efeitos em sua família atual.

UM PARTICIPANTE: Ainda me pergunto por que você não o deixou contar mais detalhes e estruturou fortemente a comunicação dele. Ficou para você imediatamente claro que se devia trabalhar com a família de origem?

HELLINGER: Não. Procurei saber se havia algo em que ele pudesse estar enredado. Logo que mencionou a irmã mongolóide, ficou claro para mim: É isso. A existência de um filho deficiente numa família tem sempre muita importância. Minha impressão ganhou mais força quando ele mencionou que a irmã morreu cedo e que a mãe também morreu mais tarde, de um acidente. Estas foram as informações importantes para mim e foi com elas que trabalhei. Se tivesse havido algo mais, nós o teríamos descoberto depois. Começo com aquilo que salta aos olhos, e sempre são acontecimentos. A mãe morreu: é um acontecimento. A irmã morreu: outro acontecimento. Era mongolóide: mais um acontecimento. Para encontrar a solução, isso basta.

    Quando deixamos que o cliente ainda nos conte um monte de coisas, em vez de buscar logo a solução, ficamos confusos. Quando vocês deixam que esses acontecimentos atuem sobre vocês, percebem logo que neles existe força. Basta que nos perguntemos: Nisso existe força ou não? Quando ele falou desses eventos, todos puderam perceber que há neles força e energia. É com essa força que trabalho.

REPRESENTANTE DA IRMÃ: Ainda estou profundamente impressionada com a intensidade deste trabalho.

HELLINGER: Você naturalmente estava participando e pôde vivenciar diretamente como isso atua e como nos sentimos diferentes com a mudança de posições. A razão desse fato não sei explicar. Em representações como essa, cada pessoa participa de um destino que lhe é estranho, e ignoramos a razão disso. Agora imaginem vocês: se nós, como representantes, já sentimos isso, quanto mais estreita é a ligação de uma criança à sua família e aos sentimentos e destinos dos outros membros.

OUTRO PARTICIPANTE: Me espanta a segurança com que você capta as coisas importantes, sem se deixar confundir pelas outras.

HELLINGER: Posso dizer-lhe como se aprende isso.

O PARTICIPANTE: Eu bem gostaria de sabê-lo.

HELLINGER: Você precisa esquecer tudo o que aprendeu antes. Este é o primeiro ponto. A seguir, deve olhar com amor e respeito para todos os envolvidos. Por conseguinte, deve olhar com amor e respeito para Bruno, sua mãe e sua irmã, que eram as figuras principais. Aí você aguarda até que se manifeste uma solução. Quando temos essa atitude básica, muitas vezes se mostra com muita rapidez onde está a solução. É claro que é possível também aprender algumas técnicas. Por exemplo, numa tal situação, é importante testar o que se passa no sistema quando alguém morre. Para testá-lo, fazemos com que essa pessoa saia pela porta. A morte de membros foi a solução tentada por essa família; mas não foi uma boa solução. Por isso procuramos uma solução melhor.

Bruno mostrou-nos a solução tentada pela família. Ele possuía uma imagem interior das relações em sua família. A solução tentada pela família ocasionou desgraças, provocando a morte da irmã e da mãe. Bruno exteriorizou sua imagem interna, que ficou visível para nós; com isso, ela pôde ser modificada, no sentido de uma solução melhor. Para que essa nova solução se torne eficaz para Bruno, não é absolutamente necessário que algo mude em sua família. O pai dele não precisa mudar, nem mesmo precisa saber do que aconteceu aqui. As pessoas mortas permanecem mortas. Mas Bruno pode acolher agora em sua alma, com amor, esta imagem nova e melhor, e então ela atuará para o bem dele.

(*para Bruno*): Agora, quando você chegar em casa com sua nova imagem interior, seus filhos ficarão radiantes. É assim que acontece aqui, com muita simplicidade e bem perto do essencial.

OUTRO PARTICIPANTE: Num nível prático eu gostaria de perguntar: se Bruno o procurasse em particular, você trabalharia assim já na primeira sessão? E nesse caso, ainda lhe proporia outras sessões?

HELLINGER: Eu já trabalharia assim na primeira sessão, mas não lhe proporia outras. Pois vocês viram que tudo o que era necessário para Bruno já aconteceu nesta sessão. Entretanto, como eu lhe disse no intervalo, ele ainda precisa estar atento a uma coisa. Em termos de dinâmica sistêmica, é de supor que sua filha estivesse emaranhada com o destino de sua irmã e viesse a imitá-la, pois a irmã ainda não tinha sido plenamente honrada. Agora, quando Bruno voltar para casa, poderá ver o que mudou em sua família e em sua filha, pelo fato de sua irmã deficiente ter sido plenamente reconhecida por ele. Sua filha estará melhor, simplesmente porque agora ele assumiu com amor sua própria irmã.

O decurso de uma terapia se assemelha a uma curva balística. No início, o nível da energia sobe rapidamente até atingir o auge, e depois torna a baixar. É justamente nesse ponto, no auge, que se deve interromper. Tudo o que venha a acontecer depois consome força. Então a energia flui para o saber, não para o agir.

O MESMO PARTICIPANTE: Então você já trabalharia assim na primeira sessão?

HELLINGER: Sim. E nada faria com Bruno, além disso. Naturalmente, confio na força dele e na força de seus pais, que ele agora tomou para si. Com seu pai, sua mãe e sua irmã, está agora nas melhores mãos. Mãos melhores que estas, não existem. Desde que o entreguei a elas, eu me retiro.

HELLINGER: Na antiga China viveu um certo Lao Tsé, que escreveu um livrinho chamado *Tao Te King*. Nele há uma frase que pode servir de máxima aos terapeutas: "Assim procede aquele que foi chamado: terminada a obra, não fica apegado a ela." Como terapeuta, também procedo assim. Nada de comentários ou de análises posteriores. Quando acabou, acabou.

REPRESENTANTE DO PAI: Para mim foi um tanto estressante, principalmente no final.

HELLINGER: Gostaria de chamar a atenção para uma coisa importante. Em primeiro lugar, quando alguém se dispõe a colaborar na constelação de uma família, está prestando um serviço à pessoa que a coloca. Foi assim que você fez. Por amor a ele você o fez, embora tenha sido estressante.

O segundo ponto é que, numa situação dessas, você está experimentando sentimentos alheios e não deve referi-los a si mesmo. Isso é muito importante. Portanto, não deve dizer: "Ah, se eu senti isso é porque muita coisa está rolando comigo." Do contrário tudo fica louco. Por isso, terminada a constelação, você precisa sair completamente desse sistema e regressar ao seu próprio.

E afinal de contas, o que foi estressante? Foi quando ele se inclinou diante de você?

REPRESENTANTE DO PAI: Sim, creio que sim.

HELLINGER: Vou arriscar uma interpretação sobre o motivo dessa dificuldade. Às vezes alguém tem dificuldade de receber a homenagem que lhe é devida. Se, por exemplo, no papel de pai, você tivesse se adiantado para o seu filho, quando ele se inclinou diante de você, e o tivesse erguido, teria causado um curto-circuito, pois teria sido demasiado cedo para ele. Você deve permitir que ele o honre e só então poderá fluir o amor entre os dois.

(*para Bruno*): A partir dos sentimentos do representante, eu concluiria que seu pai tem dificuldade em receber homenagem. É verdade?

Bruno confirma com a cabeça.

HELLINGER: Ele sentiu isso.

(*para o representante do pai*): Contudo, suportar isso foi também um bom exercício para você. Por estranho que pareça, é também um gesto de humildade receber a homenagem que lhe é prestada e permitir ao filho que o honre, como lhe é devido como pai. Pois não somos pais por mérito pessoal, mas em virtude de um ato. Alguém não se torna pai porque é bom ou mau mas porque assume esse ato, com todos os seus riscos. Eu trato e considero isso com muito respeito.

UMA PARTICIPANTE: Inicialmente eu esperava que a pergunta viesse depois do problema: então, qual é o problema? E me maravilhei ao ver que isso absolutamente não foi necessário.

HELLINGER: Quero contar-lhe um segredo: a compreensão só funciona quando olho para a solução. Quem olha para o problema ganha uma visão muito estreita e fica aprisionado. Enquanto observa os detalhes, o todo lhe escapa. Quem olha para a solução tem sempre o todo diante dos olhos e então vê em algum lugar a saída, que fica piscando para ele. Logo que a vê, parte imediatamente para ela. Tudo o mais ele pode esquecer, pois não precisa mais disso. Certo?

OUTRA PARTICIPANTE: Me impressionou muito aquela frase, que a relação entre os pais acabou quando nasceu a filha deficiente e, por causa disso, a mulher sacrificou o relacionamento, como expiação por sua suposta culpa. Perguntei a mim mesma se eu chegaria a uma semelhante conclusão, ou se ela seria apenas uma hipótese. Contudo, isso foi confirmado pela constelação.

HELLINGER: Como vimos, não foi preciso perguntar mais nada. Não havia mais nenhuma relação entre o casal, e isso estava associado ao nascimento da filha. Seja como for que a mãe tenha elaborado isso, ela não pôde agir de outro modo. Faltou-lhe a ajuda. Faltou-lhe também reconhecer que tinha assumido o risco e o tinha suportado, com todas as suas conseqüências.

A PARTICIPANTE: Isso me impressionou muito.

Constelação de Hermann — Câncer da medula óssea: Antes morrer do que fazer uma profunda reverência ao pai

HELLINGER: Para aproveitar o tempo, vou passar imediatamente à pessoa seguinte, alguém que esteja realmente doente. É isso que mais nos ajuda e ensina.

HERMANN: Eu gostaria de ser o próximo. Tenho câncer da medula óssea.

HELLINGER: Então vou trabalhar com você, pois trata-se de um caso agudo. Sente-se aqui ao meu lado. Há quanto tempo você sofre disso?

HERMANN: Há um ano.

HELLINGER: E o que foi feito desde então?

HERMANN: Quimioterapia, e também freqüentei vários grupos de psicoterapia.

HELLINGER: Você é casado?

HERMANN: Sim.

HELLINGER: Tem filhos?

HERMANN: Não.

HELLINGER: Existe uma razão especial para vocês não terem filhos?

HERMANN: Nós quisemos, mas não aconteceu.

HELLINGER: Existe algo especial em sua família de origem?

HERMANN: A única coisa que me ocorre é que meu pai tem um péssimo relacionamento com seus irmãos. Estiveram juntos numa empresa, separaram-se e nunca mais retomaram o contato entre si.

HELLINGER: O que houve com o pai do seu pai?
HERMANN: Eu nunca o conheci. Meu pai também não conta muita coisa. Isso é muito obscuro para mim.
HELLINGER: É estranho que seu pai nada conte a respeito. Vamos colocar agora seu sistema de origem, portanto: seu pai, sua mãe, você e seus irmãos. Quantos irmãos você tem?
HERMANN: Apenas uma irmã mais nova.
HELLINGER: Algum de seus pais esteve anteriormente casado ou numa relação estável?
HERMANN: Não sei de nada. Creio que não.
HELLINGER: Algum filho morreu ou nasceu morto?
HERMANN: Não.

Figura 1

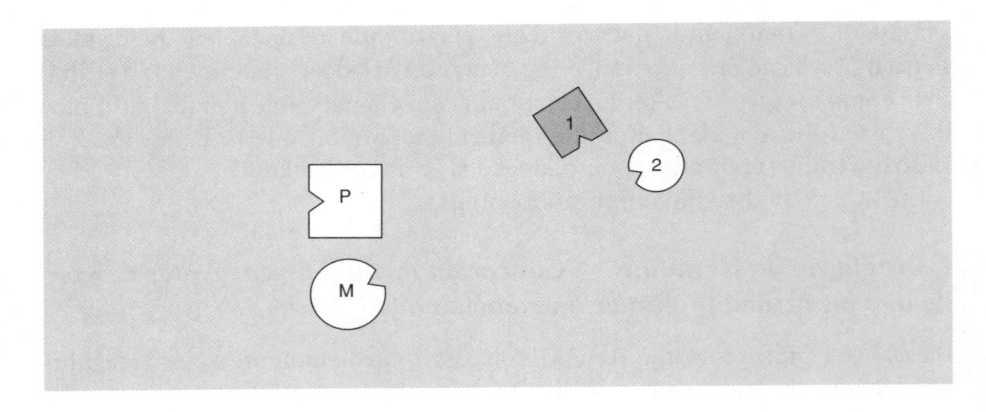

P	Pai
M	Mãe
1	**Primeiro filho (=Hermann)**
2	Segunda filha

HELLINGER: Como está o pai?
PAI: Dizem que estou vivendo.

Risadas no grupo.

HELLINGER: Como você se sente?
PAI: Muito descomprometido, muito... (*Suspira.*)
HELLINGER (*para o grupo*): Ele sente necessidade de ir embora. Estão vendo? Ele precisa ir embora. A pergunta é a seguinte: Quem é que ele precisa seguir? — Como está a mãe?

MÃE: Estou encantada com meus belos filhos, apenas me sinto um tanto afastada deles. Meu marido pode ficar aí, mas também pode ir embora.
HELLINGER (*para o grupo*): Não há nenhum amor, estão vendo? Absolutamente nenhum. Quando a situação é esta, suspeito que a mãe precisa ir e o pai vai em lugar dela. Isto acontece muito: realmente é a mãe que precisa ir e o marido faz isso por ela. É o que se chama amor ou coisa parecida. Sim? Estão vendo a expressão no rosto dela? É absolutamente má. Ela triunfa quando ele se vai: isso ela não consegue esconder. — Naturalmente, sua representante é uma mulher bondosa e nada tem a ver com isso; aqui, porém, está representando uma pessoa má. Numa representação como esta, ela não consegue controlar isso quando se entrega ao que acontece.
PAI: E como é possível que eu não sinta nada aqui?
HELLINGER: Vamos virar vocês dois, você na direção da família e sua mulher na direção oposta, para ver o que acontece.

Figura 2

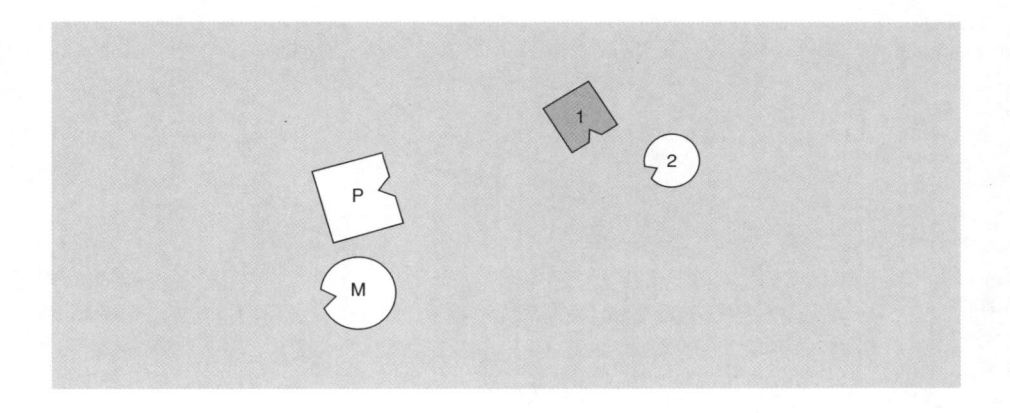

PAI (*para a mãe*): Vamos nos desvirar (*voltando à posição anterior.*)
HELLINGER: Fique sério, caso contrário não poderemos ajudá-lo.
— O que acontece agora com os filhos?
PRIMEIRO FILHO: Se ele se desvirar, eu protesto.
HELLINGER: Exatamente. — Como está a filha?
SEGUNDA FILHA: No início, tive a sensação de que o verdadeiro par éramos eu e meu irmão.
HELLINGER: Como ficou agora para a mulher? Melhor ou pior?
MÃE: Eu gostaria que não me mandassem embora ainda. Gostaria de ficar com meus filhos e me virar para eles.
HELLINGER: Para onde você olhou agora?
MÃE: Na direção de meu marido.

HELLINGER: Não, não! O que estava diante de você? Quem está aí? Para quem você está olhando?
MÃE: Para a minha própria vida, a minha história.
HELLINGER: Isso é blablablá.
(*para Hermann*): Para quem sua mãe olha quando quer ir embora? Quem é que ela quer seguir?
HERMANN: A irmã dela morreu há três anos, mas...
HELLINGER: Não, isso é muito pouco.
HERMANN: A mãe dela morreu há alguns anos.
HELLINGER: Não. Tem que ser algo pesado.

Hellinger afasta da família a mãe.

Figura 3

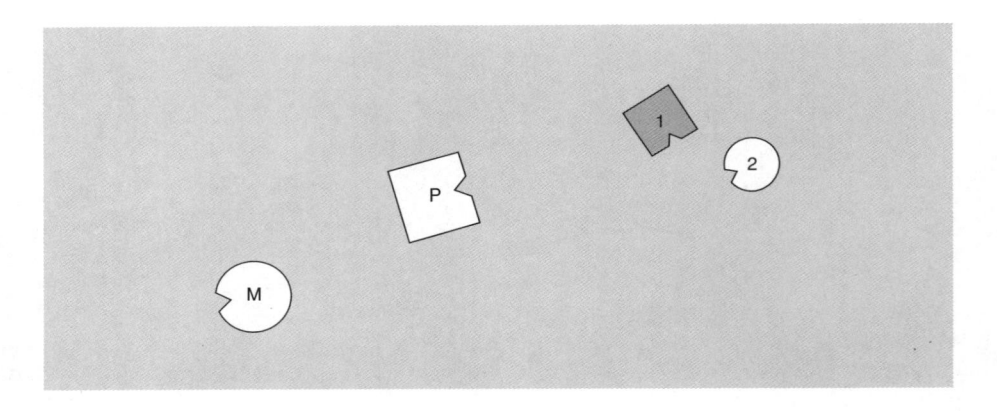

HELLINGER: Como é isso para você? Melhor ou pior?
MÃE: Melhor.
HELLINGER: Justamente. Isto agora é verdade. — Como está agora o marido?
PAI: Quando me virei para a família, senti muito peso e muita dor.

HELLINGER: Coloque-se diante dos filhos e os filhos fiquem diante do pai.

Figura 4

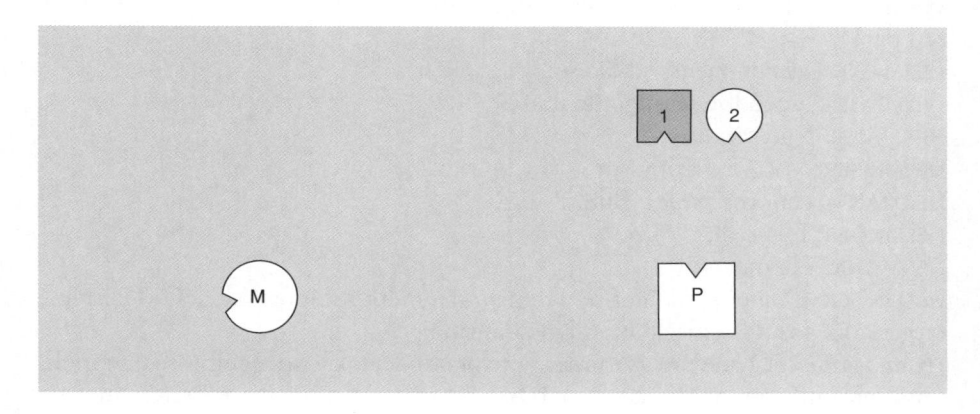

HELLINGER (*para Hermann*): Entre agora pessoalmente na imagem, em seu próprio lugar.
— Como é isso para você?
HERMANN: É fora do comum. Muito fora do comum.
HELLINGER: Fique junto de seu pai, à esquerda dele, e o contemple com amor. Vire a cabeça e olhe para ele. Como é que você o tratava?
HERMANN: Paizinho.
HELLINGER: Diga: "Querido paizinho!"
HERMANN: Querido paizinho!
HELLINGER: "Fique, por favor!"
HERMANN: Fique, por favor!
HELLINGER: "E abençoe-me, se fico com você."
HERMANN: Abençoe-me, se fico com você.

Longa pausa.

HELLINGER: Qual seria a frase correta?
HERMANN: Que estou com raiva.
HELLINGER: Diga a ele: "Eu faço isso por você."
HERMANN: Eu faço isso por você.
HELLINGER: Mais alto.
HERMANN: Eu faço isso por você. (*Diz isto com raiva.*)
HELLINGER: Mais alto.
HERMANN: Eu faço isso por você.

Longa pausa.

HELLINGER (*para o grupo*): Ele vai morrer. Não vai sair do envolvimento.
(*para Hermann*): Sua raiva é mais importante para você. — O que você fez a seu pai?
HERMANN (*teimosamente*): Não sei.
HELLINGER: Você lhe fez algo de mal?
HERMANN: Não sei dizer.
HELLINGER: Você o desprezou?
HERMANN (*com voz firme*): Sim.
HELLINGER: É isso aí.
HERMANN: Ele me...
HELLINGER: O que seu pai fez não tem aqui a menor importância. O decisivo é o que você faz. — Volte para o lado da irmã.
(*para o grupo*): O que precisaria ser feito agora é que ele se ajoelhasse e se inclinasse profundamente diante do pai. Isso ele não consegue fazer. Prefere morrer.
(*para Hermann*): É verdade?
HERMANN: Não!
HELLINGER: Quer fazê-lo?
HERMANN: Vou tentar.
HELLINGER: Tentar não! Quer fazer?
HERMANN (*com voz firme*): Sim.
HELLINGER: Bem, então eu farei isso com você e o ajudarei nisso. — Ajoelhe-se até o chão, incline-se até a terra, muito profundamente, e estenda as mãos para a frente, com as palmas para cima. Assim! Respire profundamente! Diga: "Querido paizinho!"
HERMANN: Querido paizinho!
HELLINGER: "Eu lhe presto homenagem."
HERMANN: Eu lhe presto homenagem.
HELLINGER: Repita isso, com muita tranqüilidade.
HERMANN: Querido paizinho, eu lhe presto homenagem.
HELLINGER: Justamente. Esta é a frase. Respire fundo. "Querido paizinho!"
HERMANN: Querido paizinho!
HELLINGER: "Eu lhe presto homenagem."
HERMANN: Eu lhe presto homenagem.
HELLINGER: "Eu o respeito como meu pai"...
HERMANN: Eu o respeito como meu pai...
HELLINGER: "... e você pode ter-me como seu filho."
HERMANN: ...e você pode ter-me como seu filho.
HELLINGER: "Eu lhe presto homenagem."
HERMANN: Eu lhe presto homenagem.
HELLINGER: Fique ainda um pouco assim, totalmente tranqüilo, inspirando e expirando profundamente. Relaxe completamente! Assim! Então, quando sentir que está certo para você, levante-se e volte ao seu lugar.

(*depois de uma longa pausa*): Respire profundamente, com a boca aberta. Isso é o melhor para que haja o fluxo para dentro e para fora, de forma que você tome o seu pai e o seu amor flua para ele.
(*depois de outra longa pausa*): Agora volte para o lado de sua irmã e olhe para o pai. Incline levemente a cabeça com respeito; então, endireite-se de novo.
— Como é isto para o pai?
PAI: Ainda é difícil de acreditar que isso esteja acontecendo, pois...
HELLINGER: O que é difícil de acreditar? Que ele realmente esteja honrando você?
PAI: Sim.
HELLINGER: Sim, pode ser.
(*para o grupo*): Aqui não se trapaceia. Estão notando isto? Aqui não se trapaceia.
— Minha hipótese a respeito do câncer é que muitos cancerosos preferem morrer a curvar-se profundamente diante dos pais, do pai ou da mãe. Antes morrer! Por isso muitos andam erguidos assim. Eles caminham de cabeça erguida, ao invés de se curvarem.
(*para Hermann*): Agora olhe de novo para seu pai e diga-lhe: "Por favor,"
HERMANN: Por favor,
HELLINGER: "Dê-me mais algum tempo."
HERMANN: Dê-me mais algum tempo.
HELLINGER: "Por favor,"
HERMANN: Por favor,
HELLINGER: "Dê-me mais algum tempo."
HERMANN: Dê-me mais algum tempo.
HELLINGER: Confie agora em sua boa alma.
(*para o grupo*): Ele ainda não consegue dirigir-se ao pai. E também não deveria abraçá-lo, pois seria uma encenação. Não funciona.
(*para Hermann*): Está bem, deixo ficar assim. Também eu confio em sua boa alma. Posso confiar?
HERMANN: Sim. (*Ele sorri ao dizer isso.*)
HELLINGER: Não posso confiar. Seu sorriso está dizendo que não posso.
HERMANN: Pelo contrário!
HELLINGER: Preste atenção! Não quero brigar com você, quero ajudá-lo. Por isso levo a sério todos os sinais. Caso contrário, estaria brincando com você, o que seria mau. Com uma doença como a sua não se brinca.
— Está bem, foi isso aí.
HERMANN: Obrigado.
HELLINGER (*para o grupo*): Gostaria de dizer algo sobre o horrível. O horrível sustenta. Somente estão em sintonia com a terra aqueles que estão em sintonia com o horrível e concordam com ele, como ele é. E ele às vezes providencia o bem para essas pessoas, muito mais do que o amor consegue fazê-lo. Por essa razão, o terapeuta também está em sintonia com o funesto e diz sim a ele,

em qualquer caso. Posso concordar se Hermann permanece em sua atitude e morre, posso concordar com isso. Também estou em sintonia com o horrível. Por estar em sintonia com o funesto, posso tomá-lo a sério, e Hermann pode tomar-me a sério e tomar a sério sua doença. Somente então ele é colocado diante da decisão, não antes disso!

UM PARTICIPANTE: Como continuaria um trabalho como este?

HELLINGER: Não continuaria, em absoluto. Isso foi tudo!

O MESMO PARTICIPANTE: Estou pensando que talvez na próxima semana, ou...

HELLINGER: Não. Isso foi tudo. Para ele está claro o que é preciso fazer. Se ainda quiséssemos continuar, tornaríamos ridículo o que acabamos de fazer. O que se passou aqui foi tudo.

UMA PARTICIPANTE: Como é que você chegou à idéia de que quem precisa ir não é o pai, mas a mãe? Pois no início era o inverso.

HELLINGER: Isso eu li no rosto dele e então busquei a comprovação. Contudo, já presenciei casos semelhantes. Aqui se pôde ver que efetivamente é assim.

OUTRA PARTICIPANTE: Como você explica este fenômeno, que os representantes numa constelação podem sentir algo que não lhes diz respeito?

HELLINGER: Não explico nada. Vejo que é assim, que acontece assim, e que é possível comprovar que os representantes numa constelação familiar realmente podem perceber o que se passa nessa família. Isso basta para o meu trabalho.
— Está bem, vamos ainda trabalhar mais um caso antes do intervalo?

VÁRIOS PARTICIPANTES: Sim.

Constelação de Christa — Seqüelas de uma paralisia infantil e de uma gestação e um parto difíceis

HELLINGER: Christa, agora vou trabalhar com você. Pode vir para a frente? (*para Max, marido de Christa*): Sente-se ao lado dela, para que você também possa participar.
(*para Christa*): Qual é a sua doença?

CHRISTA: Estou perdendo energia, provavelmente desde minha paralisia infantil. Não posso falar alto, devido a uma paralisia das cordas vocais que tenho há quarenta anos. Somente agora se constatou que é uma seqüela da paralisia infantil. Toda a área da garganta está paralisada, assim como o diafragma. Isso não foi diagnosticado na época.

HELLINGER: Desde quando você tem isso?

CHRISTA: Na época eu tinha quatorze anos.

HELLINGER: Aconteceu alguma coisa na família nessa época?

CHRISTA: Eu recebi a Confirmação.*

---

* Rito sacramental, também chamado Crisma, associado ao fortalecimento interior do cristão. (N.T.)

HELLINGER: Isso não deve ter produzido efeitos tão negativos. Qual é o seu problema agora?
CHRISTA: Minha filha recebeu a Confirmação e então a minha energia desmoronou. Seis meses antes eu já não conseguia ficar de pé, e nessa ocasião a energia baixou a tal nível que não consegui mais me manter. Começou com uma pielite. Estou muito debilitada.
HELLINGER: Coloque agora seu sistema familiar atual. Depois olharemos também as pessoas importantes de sua família de origem. Quem pertence à sua família atual?
CHRISTA: Meu marido, eu e minha filha.

Christa escolhe os representantes para essas pessoas.

HELLINGER: O que aconteceu no nascimento de sua filha?
CHRISTA: Tive uma gestose e quase morri. Os médicos só deram quinze por cento de chances para mim e nenhuma para a criança. Também é importante dizer: minha bisavó morreu no parto.
HELLINGER: Isso é importante. — Num curso recente havia uma mulher que sofria de psicose de gravidez. Sua mãe tinha morrido no parto. Em seguida coloquei a mulher, com sua filha, diante da mãe morta e lhe disse que apresentasse a filha à sua mãe, pedindo-lhe que a abençoasse. De repente houve uma íntima ligação de amor que atravessou as gerações.
— Aqui também trabalharei, depois, dessa maneira. Agora, coloque primeiro a sua família atual.

Figura 1

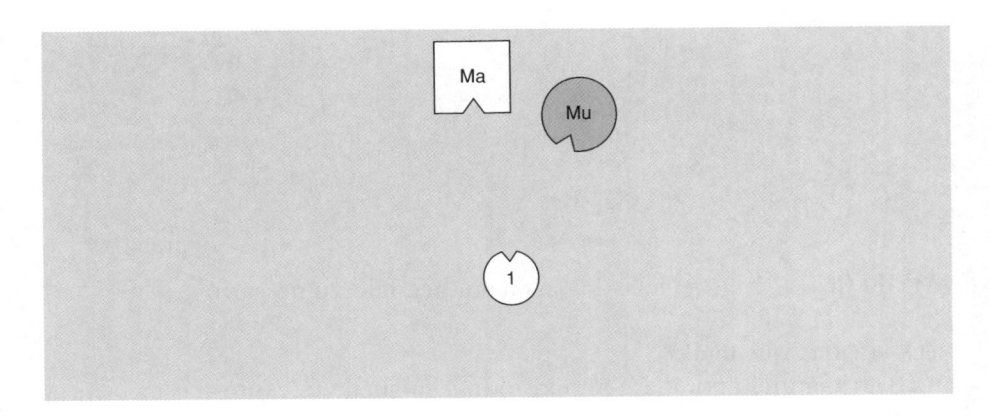

Ma   Marido
Mu   Mulher (=Christa)
1   Primeira filha

HELLINGER: Como está o marido?
MARIDO: Sinto uma ligação com a filha em minha frente, mas tenho a necessidade de me virar para minha mulher.
HELLINGER: Como está a mulher?
MULHER: Sinto muito frio. Desde o início, quando ela me chamou, senti uma espécie de arrepio que ainda está presente. Pensei que ia melhorar quando ficasse perto de meu marido, mas não melhorou.
HELLINGER (*para Christa*): Você tem essas sensações de frio?

Christa confirma com a cabeça.

HELLINGER (*para o grupo*): Estão vendo como sua representante sente isso imediatamente, sem que saiba coisa alguma a respeito? — Como está a filha?
PRIMEIRA FILHA: Sinto-me desamparada com esses pais. Não sei ao certo com quem realmente me relaciono.
HELLINGER (*para Christa*): O que aconteceu com essa bisavó?
CHRISTA: Morreu ao dar à luz sua sétima criança. É a avó materna de meu pai.
HELLINGER: Vou introduzi-la agora e colocá-la diante dos olhos, para podermos ver o que muda.

Figura 2

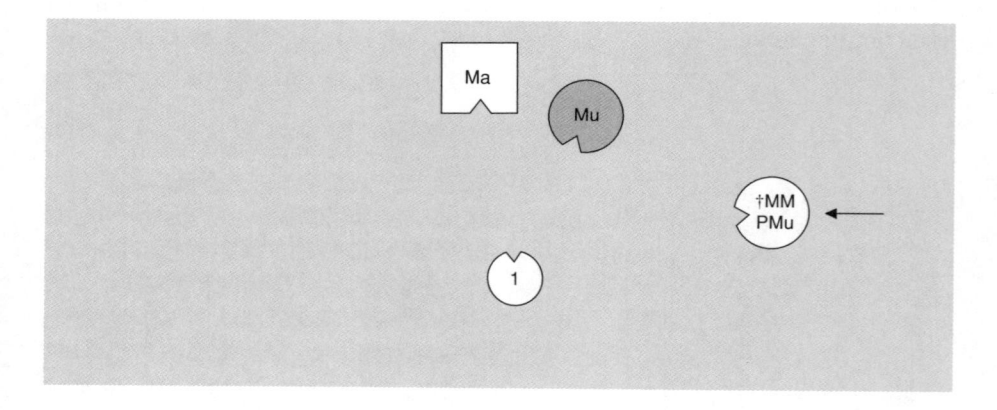

†MMPMu   Mãe da mãe do pai da mulher, faleceu no parto

HELLINGER: O que mudou?
MULHER: Ganhei apoio. Agora existe mais alguém aí. Antes eu me sentia muito só.
HELLINGER: Como está a filha agora?
PRIMEIRA FILHA: Ela também me ajuda. Estou olhando para ela. Meus pais estão sempre desviando o olhar.

HELLINGER (*para Christa*): Agora tome também representantes para seu pai e para a mãe dele, e coloque-os aí.

Figura 3

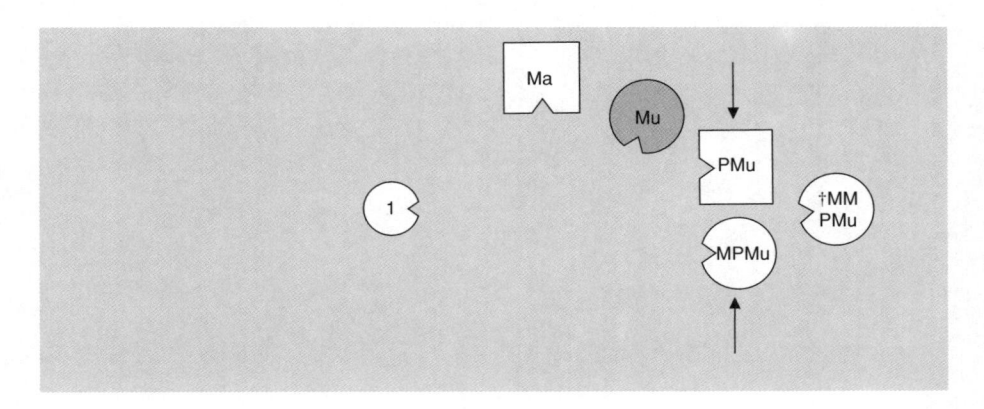

PMu   Pai da mulher
MPMu   Mãe do pai da mulher

HELLINGER (*para o pai da mulher*): Como é isto para você?
PAI DA MULHER: Agora existe algo atrás de mim.
HELLINGER: É agradável ou desagradável?
PAI DA MULHER: Desagradável.
HELLINGER: Como é para a mãe do pai?
MÃE DO PAI DA MULHER: Ela está excessivamente perto de mim.
HELLINGER (*para o grupo*): Uma mulher que morre no parto causa um medo incrível num sistema.

Hellinger coloca a bisavó falecida junto da avó, à sua esquerda.

Figura 4

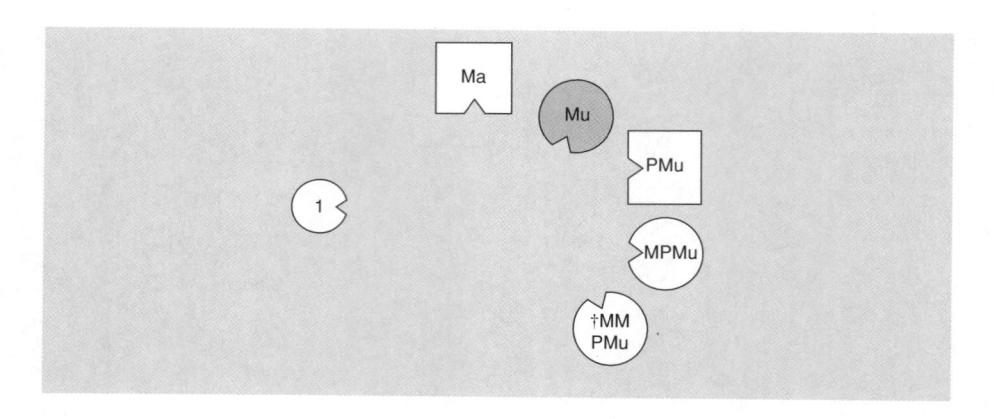

HELLINGER *(para o pai da mulher)*: Como é para você quando ela aparece?
PAI DA MULHER: É melhor.
MÃE DO PAI DA MULHER: Para mim também é melhor.
MÃE DA MÃE DO PAI DA MULHER†: Para mim está bom aqui. Quando fiquei atrás deles, também senti carinho.
HELLINGER *(para o grupo)*: Mulheres que morrem no parto têm boa vontade pelos filhos e netos que as sucedem, e lhes querem bem.
(para a representante de Christa): Como está você agora?
MULHER: Melhor. Todo o lado esquerdo se aqueceu. Desse lado recebo muita força e energia.

HELLINGER: Agora vou modificar o sistema. Normalmente, quando se configura uma família, vem primeiro o marido, a seguir a mulher e então os filhos, todos no sentido horário. Contudo, quando acontece algo pesado do lado da mulher, como é o caso aqui, primeiro vem ela e depois o marido.

Figura 5

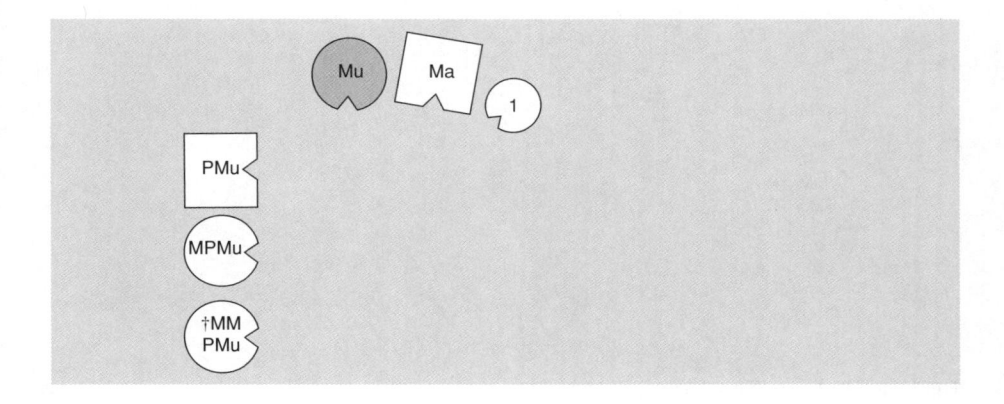

```
            Mu   Ma
                      1

    PMu

     MPMu

      †MM
      PMu
```

HELLINGER: Como é agora?
MULHER: Sinto energia.
HELLINGER: Energia?
MULHER: Sinto-me viva de ambos os lados, e isso aconteceu de um só golpe. Antes, sentia-me partida ao meio. Então o lado esquerdo se aqueceu, e agora também o direito. Aqui posso ficar bem.
HELLINGER (*para o grupo*): Vocês também perceberam isso?
(*para Christa*): Energia foi sua palavra-chave. Entre agora pessoalmente ali.
CHRISTA: É estranho: depois do nascimento de minha filha, meu braço esquerdo ficou paralisado.
HELLINGER: Coloque-se aí, e experimente qual é o lugar certo para você. Você também pode deslocar outras pessoas, se alguém tiver de ficar um pouco mais perto ou mais longe de você.

Christa se coloca em seu lugar, aproxima-se do marido e então acena para o pai para que se aproxime, junto com a avó e a bisavó.

Figura 6

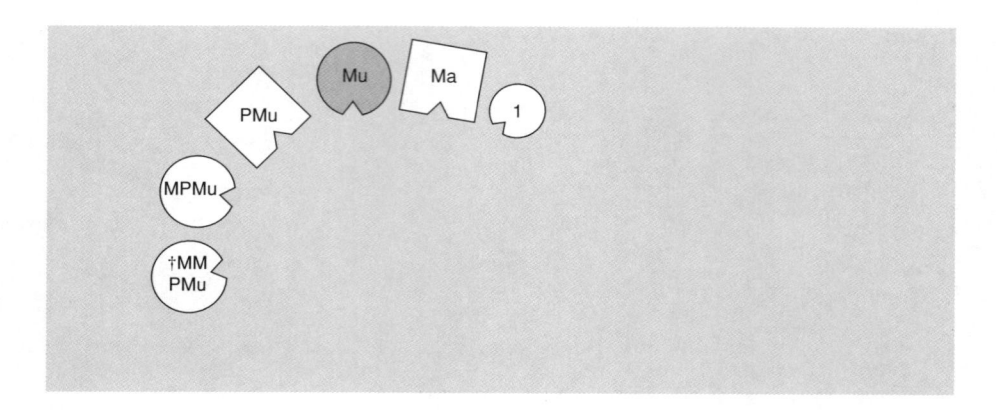

HELLINGER: Como está o marido agora?
MARIDO: Sinto-me bem assim.
HELLINGER: Bem. Como está a filha?
PRIMEIRA FILHA: Sim, aqui está bem.
HELLINGER (*para o grupo*): Tirei a filha da esfera da mãe e passei-a para a esfera do pai, porque o sistema da mãe está excessivamente carregado.
(*para Max, o marido de Christa*): Você quer colocar-se também na imagem e curtir sua felicidade?

Max coloca-se em seu lugar e balança a cabeça satisfeito.

HELLINGER (*para Christa*): Diga à bisavó: "Por favor, abençoe-me se eu fico!" Olhe para ela!
CHRISTA: Por favor, abençoe-me se eu fico!
HELLINGER: Você pode tranqüilamente dizer isso a ela de forma um pouco mais amável. Diga-o com força: "Por favor..."
CHRISTA (*com voz firme*): Por favor, abençoe-me, se eu fico.
HELLINGER: Justamente.
CHRISTA: Por favor, abençoe-me, se eu fico.
HELLINGER: Diga a ela: "Eu fico..."
CHRISTA: Eu fico...
HELLINGER: "...com meu marido..."
CHRISTA: ...com meu marido...
HELLINGER: "...e com minha filha".

CHRISTA: ...e com minha filha.
HELLINGER: "E abençoe-me se eu fico."
CHRISTA: E abençoe-me se eu fico.
HELLINGER: Agora diga isso à sua avó!
CHRISTA: Abençoe-me se eu fico.
HELLINGER: E ao seu pai!
CHRISTA: Abençoe-me se eu fico.
HELLINGER: Sim, exatamente.

Hellinger coloca Christa de costas para a bisavó, de forma a apoiar-se nela. A bisavó coloca as mãos suavemente sobre os seus ombros.

Figura 7

HELLINGER: Pegue força para você com sua bisavó!
(*depois de uma pausa*): Agora volte para junto do marido, olhe de novo para a bisavó e diga "Abençoe-me se eu fico."
CHRISTA: Abençoe-me se eu fico.
HELLINGER: Agora havia força aí.
Bem, foi isso aí.

Constelação de Daniel: Identificação com o sexo oposto

HELLINGER (*para Daniel*): Agora vou trabalhar com você. Já conversamos durante o intervalo. Sente-se a meu lado. — Gostaria apenas de saber algo sobre a sua família, nada mais. Seus pais são casados?
DANIEL: Sim.
HELLINGER: Quantos filhos eles têm?
DANIEL: Três filhos.
HELLINGER: Algum dos pais foi casado antes ou manteve uma relação firme?
DANIEL: Não.
HELLINGER: Aconteceu algo especial nas famílias de origem dos pais?
DANIEL: A mãe de meu pai morreu de câncer.
HELLINGER: Com que idade?
DANIEL: Com sessenta ou sessenta e cinco anos.
HELLINGER: Isso não é relevante para o sistema. Alguém morreu ao dar à luz?
DANIEL: Creio que houve uma criança que nasceu morta, mas nada sei a respeito.
HELLINGER: Era filha de quem?
DANIEL: De minha mãe, mas não sei ao certo.
HELLINGER: Essa criança seria sua irmã?
DANIEL: Correto.
HELLINGER: Menino ou menina?
DANIEL: Não sei.
HELLINGER: Que imagem você faz?
DANIEL: Antes uma menina.
HELLINGER: Exatamente. Que lugar você ocupa entre os filhos?
DANIEL: Sou o último, o terceiro.
HELLINGER: O nascimento dessa criança ocorreu antes ou depois do seu?
DANIEL: Antes de mim.
HELLINGER: Imediatamente antes?
DANIEL: Creio que sim.

HELLINGER: Está bem, coloque agora esse sistema, por favor. Deixe de fora, por enquanto, a criança que nasceu morta. Mais tarde a incluiremos.

Figura 1

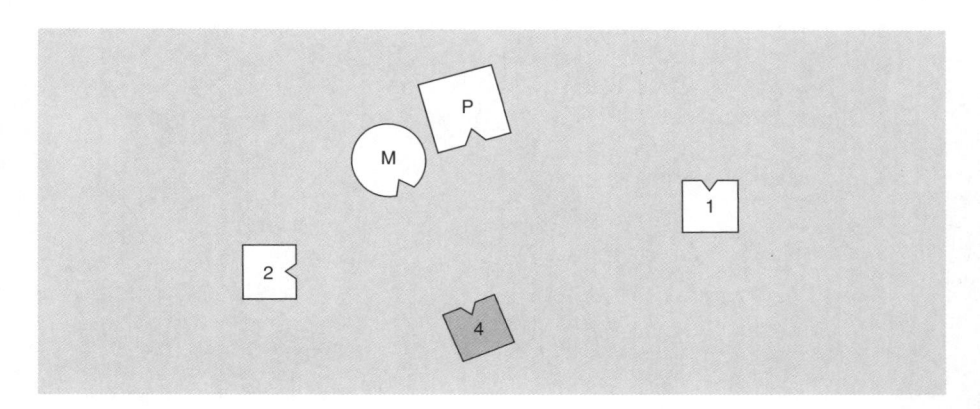

P	Pai
M	Mãe
1	Primeiro filho
2	Segundo filho
4	**Quarto filho (=Daniel)**

HELLINGER: Como está o pai?
PAI: Acabo de me perguntar o que aconteceu para que o filho mais velho vá embora assim. De resto, minha mulher me bloqueia o contato com meu segundo filho, um contato que eu bem gostaria de ter.
HELLINGER: Como está a mãe?
MÃE: Um tanto perplexa. Não vejo meu marido nem os dois filhos mais velhos. O mais novo é o único que posso ver.
HELLINGER: Como está o filho mais velho?
PRIMEIRO FILHO: Tenho uma sensação forte e desagradável pelas costas. Só vejo os meus pais e nada mais; e só os vejo pelo canto dos olhos.
HELLINGER: Como está o segundo filho?
SEGUNDO FILHO: Gostaria de correr atrás do outro irmão.
HELLINGER (*para o representante de Daniel*): Como está o filho mais novo?
QUARTO FILHO: Quando fui colocado aqui, senti-me excessivamente próximo da mãe. Prefiro ficar perto dos dois irmãos.

HELLINGER (*para Daniel*): Agora coloque também a irmã que nasceu morta. Faça isso seguindo apenas o seu próprio sentimento.

Figura 2

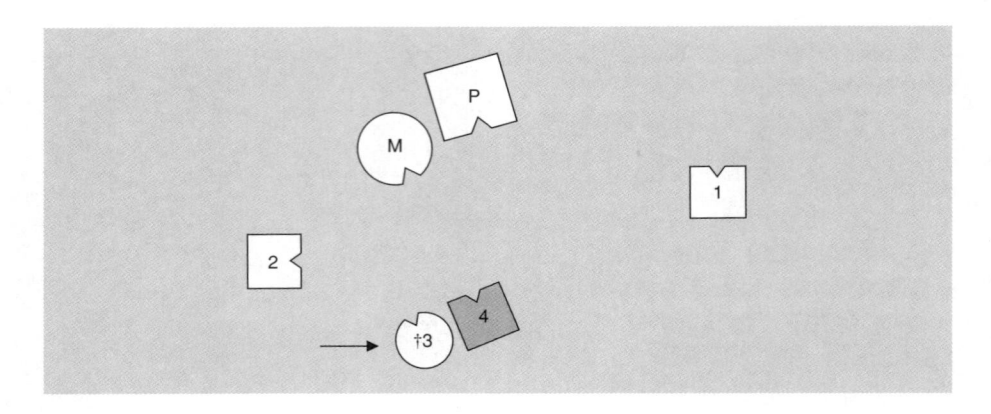

†3   Terceira filha, nascida morta

HELLINGER: O que mudou para o filho mais novo?
QUARTO FILHO: Me dá um medo enorme. Está perto demais e me deixa inseguro.
HELLINGER: Como está a irmã?
TERCEIRA FILHA†: Sinto-me totalmente estranha aqui.
HELLINGER: Que tal agora para os pais?
MÃE: Gosto que a filha esteja aqui.
PAI: Algo novo apareceu, mas não mudou a situação básica.
HELLINGER (*para Daniel*): Posso relatar brevemente a sua situação?

Daniel concorda com a cabeça.

HELLINGER (*para o grupo*): Ele me disse, durante o intervalo, que se sente partido em dois e não tem clareza sobre sua identidade sexual, se é masculina ou feminina. Isso acontece numa família quando um menino precisa identificar-se com uma menina que não recebeu seu lugar na família. É exatamente a situação que temos aqui. — A menina precisa ficar junto com seus pais.
(*para a representante da menina que nasceu morta*): Sente-se diante dos pais e apóie suas costas neles.

Hellinger coloca a mãe à esquerda do pai, e pede aos pais que coloquem uma das mãos suavemente sobre a cabeça da criança. Então coloca os irmãos diante dos pais, por ordem de idade.

Figura 3

HELLINGER: Como é isto agora?
PAI: Sou um pai orgulhoso.
MÃE: Fico bem assim.
HELLINGER: Como está agora o filho mais novo?
QUARTO FILHO: Sinto-me relaxado outra vez. Agora está bem.

Os pais trocam sorrisos.

HELLINGER (*para o grupo*): Agora o filho mais novo fica livre da identificação porque a outra criança recebeu seu lugar. Agora o filho pode ser ele mesmo e não precisa representar outra pessoa, uma menina.
(*para a irmã*): Como se sente a criança aí embaixo?
TERCEIRA FILHA†: Aqui estou em meu lugar.
HELLINGER: Exatamente.
(*para Daniel*): Você quer entrar em seu lugar?

Daniel coloca-se em seu lugar e olha em torno.

HELLINGER: Como estão os outros irmãos?
PRIMEIRO FILHO: Superbem.
Os irmãos aprovam entre si.
HELLINGER: Está bem, foi isso aí.

Identificação com o sexo oposto no amor homossexual e em psicoses

HELLINGER (*para o grupo*): Para um curso que dei há pouco tempo, junto com Gunthard Weber, convidamos 25 pacientes psicóticos, cada um acompanhado pelo respectivo médico ou terapeuta e por seus pais. Queríamos descobrir qual é a dinâmica familiar que se manifesta nas psicoses. Nossa hipótese era que os psicóticos talvez estivessem identificados com duas pessoas diferentes. A prática nos levou rapidamente a abandonar essa hipótese, e logo constatamos que quase todos os pacientes estavam identificados com pessoas do sexo oposto. Por exemplo, no caso de um casal cuja filha estava numa clínica psiquiátrica, ficou claro, na constelação dessa família, que essa filha representava o irmão gêmeo do pai, que nascera morto. Por isso ela enlouqueceu.

Se houvesse uma outra menina na família de Daniel, ela teria representado a irmã morta e então nenhum irmão precisaria fazê-lo. Mas só havia meninos. Por isso, um deles precisou representar a irmã morta.

A questão agora é como lidar com essa situação. Não se sabe ao certo se ela ainda pode ser mudada. É o que diz a experiência. Pois também uma relação homossexual gera um vínculo que dificilmente se dissolve mais tarde. Quando pode ser dissolvido é algo muito especial. Quem foi compelido a isso pela situação de sua família tem um destino especial e deve assumi-lo como o seu próprio destino.

(*para Daniel*): Você ainda pode fazer uma coisa: durante um ano, mostre à sua irmã morta, com amor, as coisas belas do mundo. O curioso é que o amor suprime a identificação. Pois, quando estou identificado, eu me comporto como se fosse a pessoa que represento. Não a considero como uma pessoa diferente e por essa razão também não posso amá-la. No momento em que a amo, ela se coloca diante de mim ou a meu lado. Então fico simultaneamente unido a ela e separado dela, e a identificação é suprimida e revogada.

— Confie em que sua irmã fará algo de bom por você!

(*para o grupo*): Existem ainda perguntas sobre o assunto?

UMA PARTICIPANTE: Foi dito há pouco que na homossexualidade a criança está sempre identificada com o sexo oposto. Pergunto, em primeiro lugar, se esta é uma afirmação geral sobre o assunto, porque abre uma dimensão totalmente nova na discussão sobre a homossexualidade. E, em segundo lugar, o que acontece na transexualidade?

HELLINGER: Transexualidade é sempre homossexualidade; não existe diferença. É uma forma extrema de homossexualidade. Mas esta nem sempre se funda numa identificação com o sexo oposto. Pode existir ainda quando alguém somente quer representar uma pessoa excluída, que eventualmente é outro homem. Nesse caso, a homossexualidade é experimentada como uma forma de marginalidade. Assim, é possível que um homossexual apenas represente alguém que se marginalizou, sem que haja uma identificação com o sexo oposto. Isso existe também. Mas essa forma de homossexualidade não é experimentada de maneira tão opressiva como quando alguém está identificado com o sexo oposto. Respondi à sua pergunta?

OUTRA PARTICIPANTE: A questão não está resolvida. Se fosse esta a única explicação para a homossexualidade, como se explica que outras sociedades a tratem de forma totalmente diferente, como os antigos gregos que a consideravam como simplesmente normal?

HELLINGER: Evito falar do que não vejo. O que acontece aqui pode ser visto, e o digo na medida em que o vejo; como afirmação geral, seria excessivamente arriscada. Simplesmente provoco uma reflexão sobre o assunto. Com isso é possível aliviar o destino de alguns homossexuais, pois passam a encarar-se sob uma nova perspectiva. Se é possível mudar o comportamento, é uma outra questão.

OUTRA PARTICIPANTE: Como você explica a bissexualidade?

HELLINGER: É homossexualidade.

Decidir-se pelo pai, contra o namorado da mãe

DANIEL (*no dia seguinte*): A respeito de minha constelação, lembrei-me ainda de que minha mãe tinha um namorado que foi para os Estados Unidos e desapareceu.

HELLINGER: Sua mãe tinha também um namorado?

DANIEL: Exatamente. Eu soube disso na época, quando ele esteve lá rapidamente e depois foi embora e desapareceu. Era o homem que minha mãe teria desejado para si. É esta a minha sensação hoje.

HELLINGER: Numa situação assim, um filho homem é levado a representar esse namorado para a mãe, sem estar consciente disso e sem que a mãe o queira. Não sei que filho será esse, pois vocês são três irmãos. Esse filho entraria então em conflito com o pai e conseqüentemente teria dificuldade em tornar-se homem. Não poderia tomar seu pai e o pai não poderia dar-lhe seu lado paterno, porque o filho representaria um rival para ele.

Neste caso, a solução consiste em dizer à mãe, encarando-a de frente: "Este é o meu pai, só este. Eu fico do lado dele. Com o outro não tenho nada a ver." E em dizer ao pai: "Você é meu pai e eu o tomo como meu pai. Você é o verdadeiro pai para mim. Com o outro não tenho nada a ver. Eu sou seu filho."

DANIEL: Muitas vezes eu me senti no papel do rival.

O saber está a serviço do agir

DANIEL: O dia de ontem também me ensinou que a família de meu pai é muito importante para mim. Meu avô paterno desapareceu e não se fala do que se passou. Está faltando alguma coisa.

HELLINGER: Não quero entrar nisso agora. Não devemos fazer coisas demasiadas de uma só vez. Basta que você veja o avô por trás de seu pai e o honre, juntamente com o pai. Tome como princípio que o saber está a serviço do agir. Quando já sei o suficiente para agir, paro de pesquisar e ajo. Quando quero saber mais do que preciso para agir, perco a força necessária para a ação. Então o saber se torna um substitutivo da ação.

Constelação de Ernst — Câncer de pele: "Antes eu do que você"

HELLINGER (*para Ernst*): Sente-se aqui. O que acontece com você?
ERNST: Há cinco anos fui operado de um melanoma, há três anos tive uma metástase e sofro de flebite. Além das operações, fiz...
HELLINGER: Disso eu não preciso saber. — Você quer olhar o seu sistema familiar?
ERNST: Sim, gostaria de olhá-lo.
HELLINGER: Você é casado?
ERNST: Sim.
HELLINGER: Tem filhos?
ERNST: Tenho uma filha, e outra criança está a caminho.
HELLINGER: A recuperação de sua saúde é algo que você deve a seus filhos. Sabe disso?
ERNST: Sei disso.
HELLINGER: Caso contrário, eles o seguirão. — Esta é uma boa motivação para fazermos algo de bom por você?
ERNST: Certamente.
HELLINGER: Houve algo de especial em sua família de origem?
ERNST: Somos quatro filhos. Do meu lado materno não há nada de especial. É uma família enorme...
HELLINGER: Houve algo com seus irmãos? Alguém morreu ou nasceu morto?
ERNST: Meu pai também tem câncer de pele, assim como minha irmã e meu irmão mais velho.
HELLINGER: Ui! Isso acontece em penca. — O que se passa na família de seu pai?
ERNST: Meu pai perdeu o pai quando tinha sete ou oito anos...
HELLINGER: De que morreu ele?
ERNST: Dizem que morreu por causa de um estilhaço de granada que em algum momento começou a se deslocar, provocando uma septicemia e sua morte repentina.
HELLINGER: Quantos irmãos tinha seu pai?
ERNST: Uma meia-irmã.
HELLINGER: De onde veio ela?
ERNST: Veio do primeiro casamento do meu avô, e é mais velha do que meu pai.
HELLINGER: O que aconteceu com a primeira mulher do seu avô?
ERNST: Pelo que sei, ela se atirou da janela pouco depois do parto ou algum tempo mais tarde. Ignoro a razão.

HELLINGER: Essa é a pessoa importante. Porém vou começar com sua família atual. Vou colocá-la agora: você, sua mulher e a criança. Que idade tem a filha?
ERNST: Quatro anos.

Figura 1

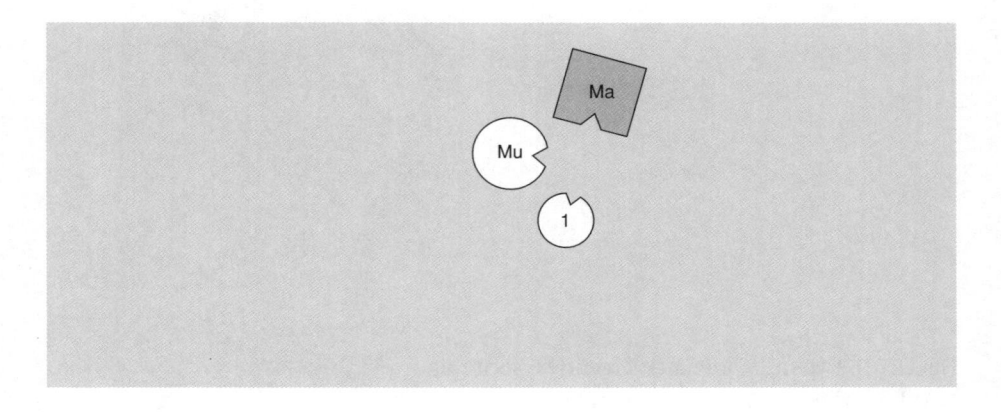

Ma	Marido (=Ernst)
Mu	Mulher
1	Primeira filha

HELLINGER: Como está o marido?
MARIDO: Sinto-me sufocado, incrivelmente apertado. Isso tem um lado bonito, mas também é excessivo.
HELLINGER: Como está a mulher?
MULHER: Apertada demais, e olhando para a frente.
HELLINGER: Como está a filha?
PRIMEIRA FILHA: Tenho vontade de me afastar um pouco de minha mãe.

Hellinger afasta da família o marido.

Figura 2

HELLINGER (*para o homem*): Como se sente agora?
MARIDO: Agora estou fora demais.
HELLINGER: Sinta precisamente como isso é. É melhor ou pior?
MARIDO: Um pouco melhor.

Logo que o marido se distanciou, a mãe e a filha trocaram sorrisos.

HELLINGER (*para o grupo*): É curioso! Estão vendo isso?

Mãe e filha riem abertamente uma para a outra.

HELLINGER: Estão vendo isso? Para elas, ele precisa desaparecer. Oh! (*para Ernst*): É assim?

Ernst balança a cabeça afirmativamente.

HELLINGER: O que você diz disso?
ERNST: No momento, não consigo dizer nada.
HELLINGER: Sim, é difícil.
ERNST: Hum!
HELLINGER: O que aconteceu na família de sua mulher?
ERNST: O pai dela também morreu de câncer.
HELLINGER: Que idade ele tinha quando morreu?
ERNST: Não sei ao certo. Sessenta ou setenta, mas já tinha se divorciado de sua mulher.

HELLINGER: Por que se divorciou?
ERNST: Pelo que me disseram, sua mulher o mandou embora.
HELLINGER: Ela o mandou embora?
ERNST: Ela lhe arranjou um emprego na Suíça.

Risadas no grupo.

HELLINGER (*para o grupo*): Vocês têm aqui exatamente a mesma situação. O que a mãe fez com o pai, agora a filha faz com o marido. A situação se repete, exatamente do mesmo jeito.
(*para Ernst*): Coloque agora o pai de sua mulher.

Figura 3

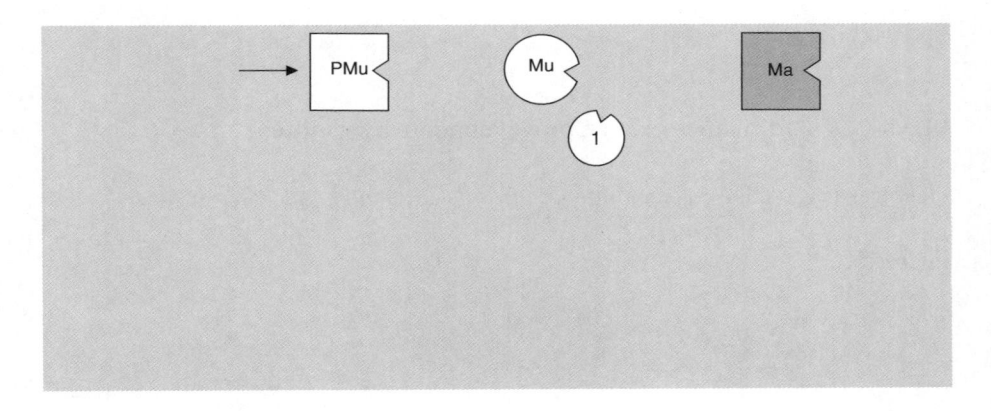

```
→  PMu        Mu         Ma
               1
```

PMu   Pai da mulher

HELLINGER: O que mudou para a mulher?
MULHER: Sinto o impulso de ir para trás e de me apoiar no meu pai.

HELLINGER: Faça isso.

Figura 4

HELLINGER: A dinâmica exata é provavelmente a seguinte:

Hellinger vira o pai e coloca a mulher atrás dele, de modo que ela o segue.

Figura 5

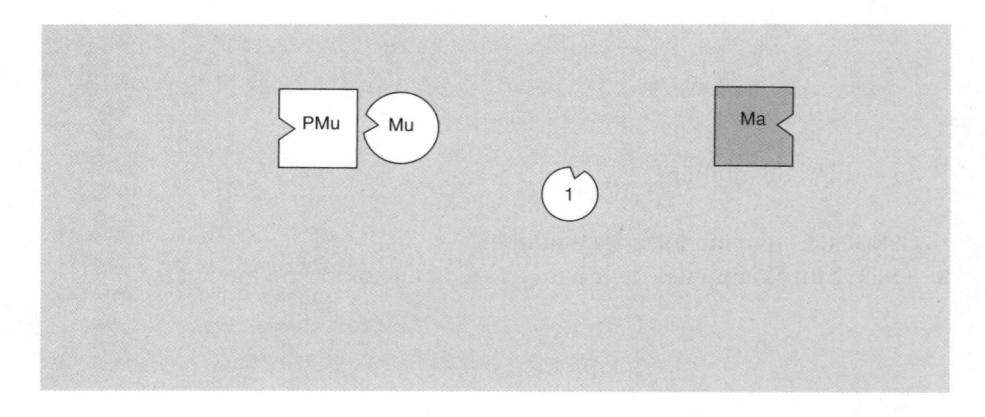

HELLINGER: Como está o pai da mulher?
PAI DA MULHER: Esta posição é bem melhor.
HELLINGER: Como está a mulher?
MULHER: Melhor. Gostaria de abraçar meu pai pelas costas.
HELLINGER (*para o grupo*): A dinâmica dela é a seguinte: "Eu sigo você." E quem vai embora? — O marido. Os homens são amáveis, isso tem que ser dito, afinal!
Risos e aplausos no grupo.

Hellinger vira o marido e coloca a filha ao lado dele.

Figura 6

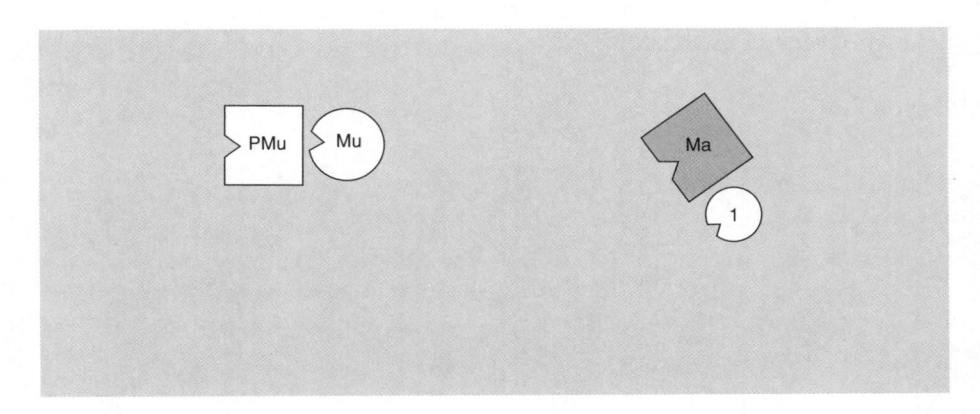

HELLINGER: O que se passa agora com o marido?
MARIDO: Assim é mais bonito. Não estou tão só.
HELLINGER: Como está agora a filha?
PRIMEIRA FILHA: Estou bem.
HELLINGER (*para Ernst*): Esta é a dinâmica oculta no sistema. Como você vê, não é uma boa dinâmica. Eu lhe pintei a pior das possibilidades.
ERNST: Estou pensando que ainda existe aí uma barriga grande (*sua mulher está grávida*). Ela também tem algo a ver com isso.
HELLINGER: Isso não muda nada. Pois também não mudou nada aqui.
ERNST: Mas a filha mudou alguma coisa.
HELLINGER: O quê?
ERNST: O marido já não está tão só.
HELLINGER: É verdade. A criança também precisa ficar com o pai. Mas a pergunta aqui é esta: como se pode salvar sua mulher?
ERNST: Na medida em que ela se desprenda de seu pai.
HELLINGER: Não, não, isso não pode ser!
ERNST: Então, que ela não queira mais segui-lo.
HELLINGER: Precisamos colocar agora a mãe dela, então veremos mais alguma coisa. Coloque-a também!

HELLINGER (*para o grupo*): Quando colocamos uma constelação assim, muitas vezes mostramos primeiro o extremo ao qual tende o sistema, para que se manifeste toda a seriedade da situação. A seguir, vemos se ainda existem outras soluções. Freqüentemente não existem, mas para o cliente é importante que ao menos sejam tentadas.

Figura 7

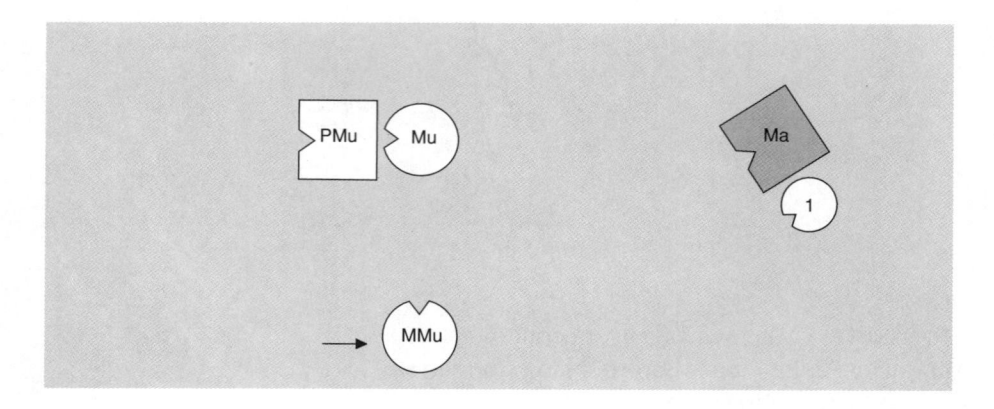

Mmu   Mãe da mulher

HELLINGER: Como está agora a mulher?
MULHER: Melhor. Gostaria de ir para minha mãe.

HELLINGER Faça-o.

Figura 8

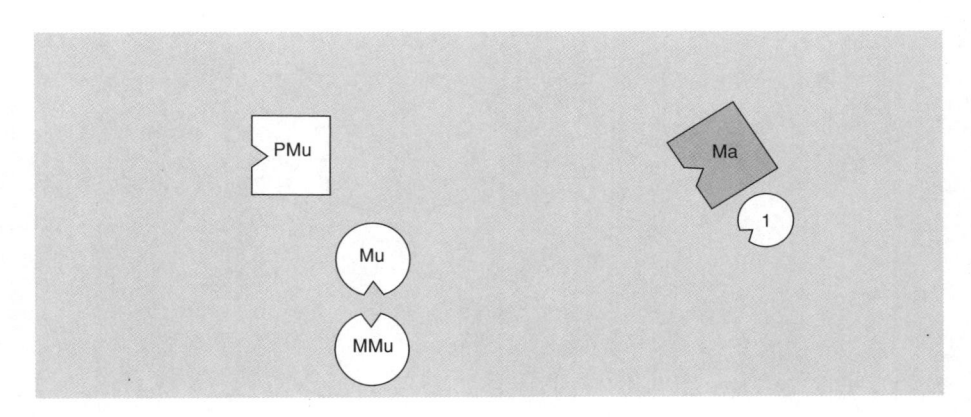

A *mulher olha a mãe com raiva.*
HELLINGER (*para o grupo*): Quem é que a filha está representando com essa raiva? — O pai que foi mandado embora. Quem seria o objeto dessa raiva? — A mãe. E quem a recebe na realidade?
UM PARTICIPANTE DO GRUPO: O marido.
HELLINGER: Sim, o marido. É isso que a gente chama de dupla transferência. (*para o pai da mulher*): Como está você agora?
PAI DA MULHER: Percebi minha mulher pelo lado esquerdo.

HELLINGER: Vire-se. Vamos colocar sua filha ao seu lado e virar para fora sua mulher.

Figura 9

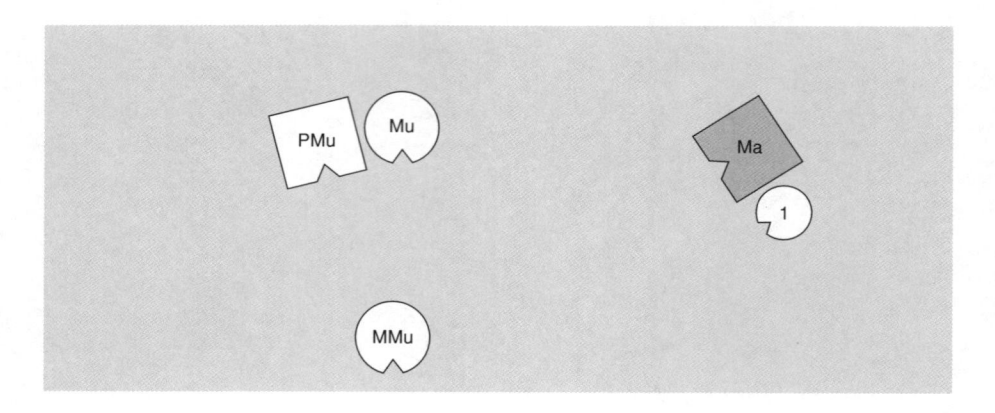

[Figura 9: diagrama com PMu e Mu à esquerda, Ma com 1 à direita, e MMu abaixo ao centro]

HELLINGER: O que acontece agora?
MULHER: Fico com raiva. Não quero que ela se vire e vá embora.
PAI DA MULHER: Agora estou muito melhor.

Risadas no grupo.

HELLINGER: O que se pode fazer com os filhos? Eles são fiéis a ambos os pais.
HELLINGER: Como está a mãe da mulher?
MÃE DA MULHER: Sinto pouca relação com eles.

HELLINGER: Exatamente. Afaste-se um pouco mais.

Figura 10

HELLINGER *(para o grupo)*: Não sabemos o que se passa na família dela e por que ela tem vontade de ir embora. Mas vamos deixar isso e buscar a solução nesta família.
(para o representante da mulher): Devo procurar a solução?
MULHER: Sim. *(Ela ri.)*

Hellinger coloca agora a imagem da solução.

Figura 11

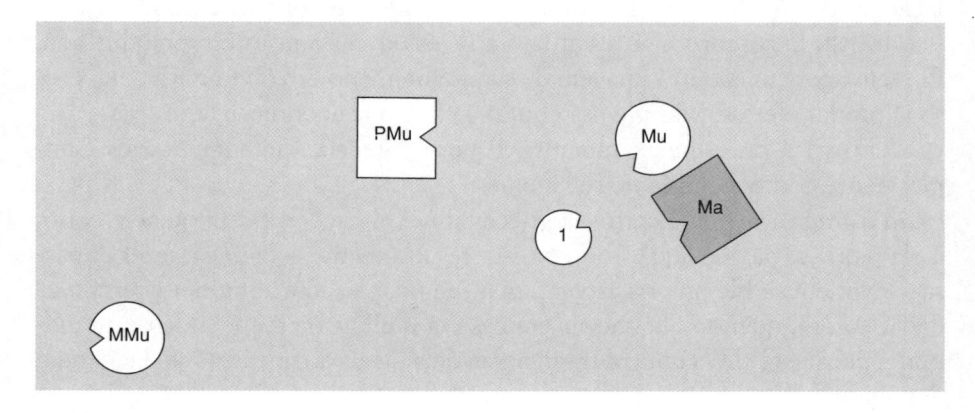

HELLINGER: Como é isto agora?
MULHER: Melhor. Sinto que posso respirar melhor. Tive espontaneamente a sensação de que este é o meu lugar. Antes eu não sabia onde realmente pertencia.
MARIDO: Sinto que ela me apóia muito mais e está do meu lado. Esta é uma boa proximidade. A anterior não era autêntica.
PRIMEIRA FILHA: Agora tenho pais.
PAI DA MULHER: E bem-intencionados. (*Ele ri.*)
HELLINGER (*para Ernst*): Você quer colocar-se pessoalmente em seu lugar?

Ernst se coloca, o marido e a mulher trocam sorrisos e gracejos.

HELLINGER: Portanto, às vezes ainda existe uma boa solução.
(*para Ernst*): Trabalhei primeiro o problema mais aparente, sua família atual. Não sabemos se o câncer tem relação com a dinâmica de sua família. Para sabê-lo, ainda precisaríamos colocar sua família de origem. Mas neste momento não devo fazer demasiadas coisas de uma vez. De acordo?
ERNST: Está bem.
HELLINGER: Bem, então foi isso aí.

As constelações familiares atuam através da imagem interna

HELLINGER: Alguma pergunta a respeito?
UM PARTICIPANTE: Nas constelações anteriores, os próprios interessados puderam fazer alguma coisa: honrar o pai ou perceber o amor. Nesta última constelação, a solução depende da mulher. O que pode fazer aí o interessado?
HELLINGER: Essas constelações atuam através da imagem interna modificada. Ele tem agora uma outra imagem de sua mulher e do envolvimento dela, e isso já produz efeitos. Mas precisa contar a ela o que aconteceu aqui.
(*para Ernst*): Conte-lhe exatamente o que aconteceu, sem comentários. Simplesmente conte e confie no seu efeito.
(*para o grupo*): O que é certo não necessita explicações. Basta que ele conte a ela o que se passou aqui. Todo o resto resulta da imagem que a mulher passa a levar em si. Ele precisa esperar, mas sua relação com a mulher já está mudada. Agora, quando ele chegar em casa, a mulher o receberá de outra maneira, porque ele leva uma outra imagem dela. Mais do que isso não faço, nem devo fazer.

Assim, requer-se do terapeuta uma grande reserva. Ele não deve "completar o trabalho", mas interrompê-lo quando a energia está no auge e entregar o sistema às suas boas forças.

Como se sabe o que é "certo"

UMA PARTICIPANTE: Tenho ainda uma pergunta técnica: faz diferença se quem escolhe os representantes é o senhor ou o próprio cliente? E também tenho uma pergunta temática: o senhor diz freqüentemente "certo" ou "isto está certo" ou ainda "assim está certo". Isso é afirmado a partir de princípios ou pela percepção da atmosfera?

HELLINGER: Não tem importância quem representa quem numa constelação, nem se quem escolhe o representante é o cliente ou sou eu mesmo — o que faço às vezes, para simplificar. Qualquer pessoa pode representar outra do mesmo sexo, desde que se entregue ao papel.

"Certo" significa para mim que, ao que se pode notar, cada um se sente bem em seu lugar na constelação. Nada mais do que isso. E "ordem" significa que cada pessoa está em seu lugar apropriado. Isso porém, depende de muitos fatores e, por conseguinte, varia de uma constelação para outra. Não me permito estabelecer leis gerais, embora veja algumas ordens e inicialmente me oriente por elas. Mas afasto-me delas quando vejo que as coisas ocorrem de modo diverso.

Constelações familiares apenas com símbolos

UM PARTICIPANTE: Quando o senhor trabalha sem grupo e portanto com símbolos, como percebe a dinâmica dos sentimentos que normalmente são expressos pelos diversos parceiros e participantes?

HELLINGER: Eu trabalho assim exclusivamente com grupos. Pois vocês estão vendo que este trabalho realmente só pode ser feito em grupos e percebem que existe nele uma intensidade que dificilmente se consegue numa terapia individual. Existem, porém, situações em que um terapeuta não dispõe de um grupo. Nesse caso, ele também pode trabalhar com símbolos.

Nesse particular, revelou-se confiável o trabalho com sapatos, que são colocados no lugar das pessoas e as representam para o cliente e o terapeuta. Ambos podem caminhar pelo recinto, aproximar-se dos sapatos e perceber junto deles como se sentem as pessoas que representam. É um recurso útil. Pode-se também utilizar pequenos tapetes retangulares, sobre os quais se senta o cliente. Aqui, como em outros casos, vale o princípio de que a alma se orienta de acordo com as circunstâncias e pode, portanto, tirar o melhor dessa situação.

O PARTICIPANTE: As "manifestações dos sapatos" são expressas pelo terapeuta ou pelo cliente?

HELLINGER: É preciso proceder com o máximo cuidado, pois logo se perde o rumo quando interferem fantasias e interpretações. Um amigo me contou que, quando trabalha assim, basta-lhe ficar ao lado dos sapatos para perceber exatamente o que sentem as pessoas representadas. Esse método se mostrou confiável para ele e também pode ser praticado. Mas é melhor que o próprio cliente se coloque junto aos símbolos para identificar as sensações das pessoas, porque convive mais intimamente com elas.

Constelação de Frieda — o primeiro irmão morreu após o nascimento e o segundo suicidou-se

HELLINGER (*para Frieda*): Qual é o seu caso?
FRIEDA: Meu irmão suicidou-se há seis meses e eu me sinto existencialmente atingida. Meus pais esperam que eu...
HELLINGER: Você já fez alguma tentativa de suicídio?
FRIEDA: Não, mas pensei nisso.
HELLINGER: Então vou trabalhar agora com você. — Quem pertence à sua família?
FRIEDA: Atualmente, apenas eu e meus pais.
HELLINGER: Como se matou seu irmão?
FRIEDA: Ele se atirou de um viaduto sobre a auto-estrada.
HELLINGER: Que idade ele tinha?
FRIEDA: Vinte e sete anos.
HELLINGER: Vamos colocar essas quatro pessoas: seu pai, sua mãe, seu irmão falecido e você.
FRIEDA: Minha mãe ainda teve um filho que morreu com seis dias de vida. Era o meu irmão mais velho.

HELLINGER: Aqui vemos outra vez a dinâmica: "Eu sigo você." Naturalmente precisamos desse irmão, pois ele foi completamente esquecido. Porém só vamos colocá-lo mais tarde.

Figura 1

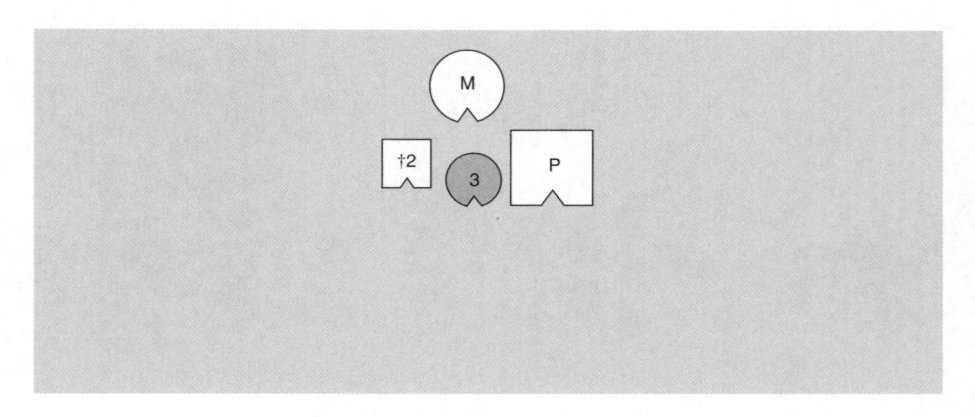

P	Pai
M	Mãe
†2	Segundo filho, matou-se aos 27 anos
3	**Terceira filha (=Frieda)**

HELLINGER (*para o grupo*): Toda a família está olhando para um único ponto. Estão vendo isso? Provavelmente todos olham para o filho que morreu cedo.
(*para Frieda*): Alguém foi recriminado pela morte da criança?
FRIEDA: Sim. O menino nasceu de sete meses e minha mãe acusa o pai dela de ter-lhe aprontado tantas que, por razões psicológicas, teve a criança prematuramente. O bebê não mamou e praticamente morreu de inanição.

HELLINGER: Agora vou colocar essa criança.

Figura 2

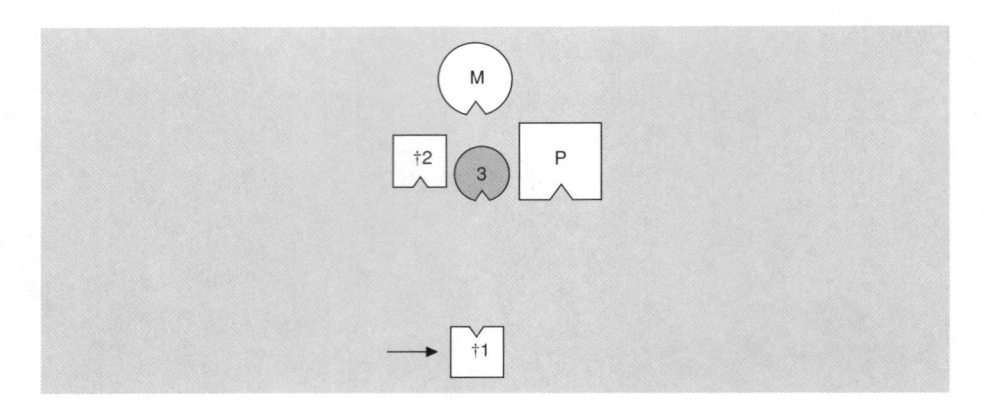

†1   Primeiro filho, morto logo após o nascimento

HELLINGER: Como está o pai?
PAI: Estava me sentindo totalmente sozinho, olhando lá para a frente. Agora sinto-me atraído para a criança morta e estou com raiva de minha mulher.
HELLINGER: Como está a mãe?
MÃE: Antes, estava péssima. Sentia-me realmente mal, com uma sensação muito desagradável. Agora, pelo menos tenho para onde olhar. Mas não significa que eu esteja bem.
SEGUNDO FILHO†: Ter minha mãe atrás de mim é uma sensação muito desagradável. Antes, quando ela pôs a mão no meu ombro, era ainda pior.
TERCEIRA FILHA: Gostaria de ficar mais longe do pai e senti-me atraída para o irmão, ao meu lado. Isso mudou quando chegou o outro irmão. Agora sinto-me mais distante do pai.
HELLINGER: Quem se sente culpado pela morte? — A mãe.
E quem morreu por ela? — O filho.
(*para o filho que morreu prematuro*): Como está você?
PRIMEIRO FILHO †: No início, eu me sentia realmente mal. O peso vinha primeiro da família, depois foi ficando claro que vem da mãe.

Hellinger afasta a mãe da família.

Figura 3

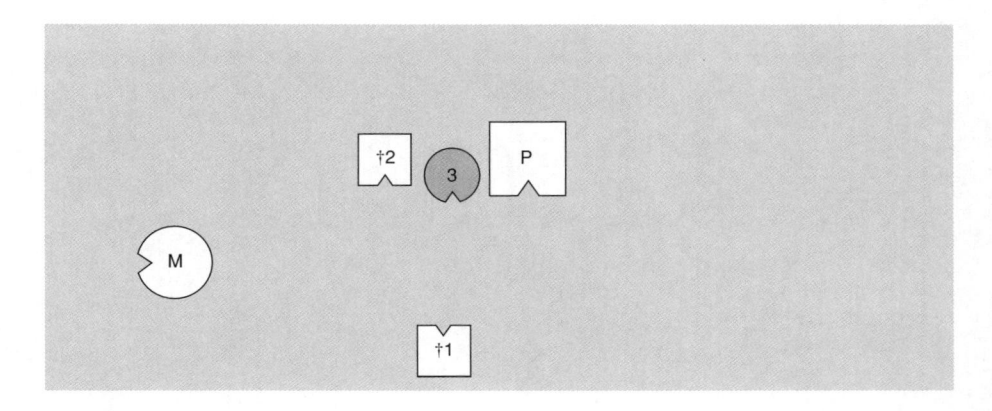

HELLINGER (*para a mãe*): Como se sente aí?
MÃE: Melhor. Desapareceu o peso do lado direito.
HELLINGER: A solução seria esta:

Figura 4

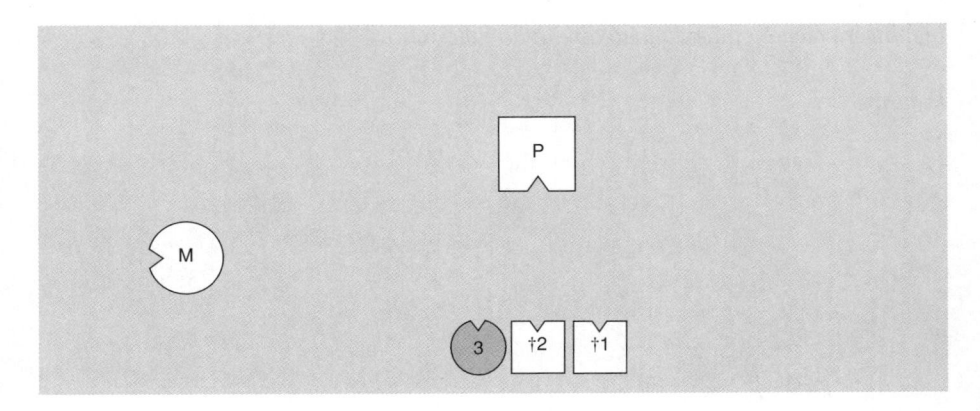

HELLINGER: Como é isto agora para o pai?
PAI: Sinto-me aliviado.
PRIMEIRO FILHO†: Sinto-me atraído para a mãe.
SEGUNDO FILHO†: Sinto-me protegido.
TERCEIRA FILHA: Agora está certo.

Hellinger coloca na frente da mãe, de costas para ela, a criança que faleceu prematuramente.

Figura 5

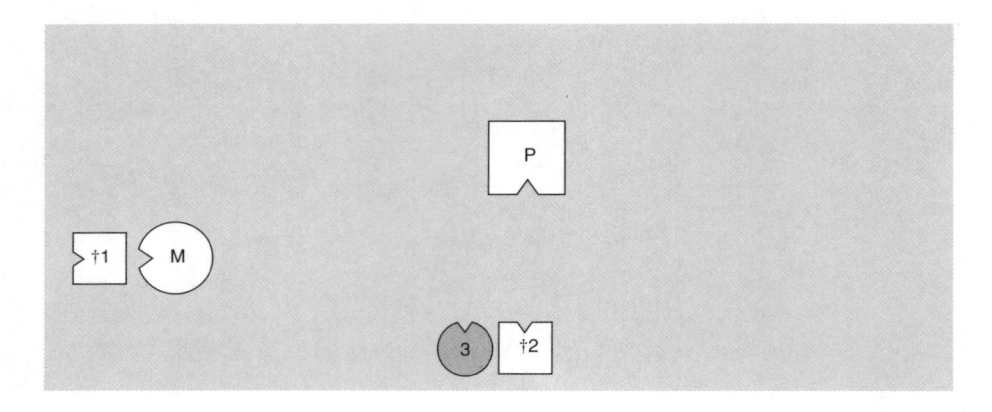

HELLINGER: Esta é a dinâmica aqui. A mãe diz: "Eu sigo você."
(*para a mãe*): Como você se sente aí?
MÃE: Nesse meio-tempo, eu me sinto muito amorosa. Estou muito melhor.
PRIMEIRO FILHO†: Eu estou relativamente bem. Não completamente, mas...

Hellinger coloca a mãe do lado direito do filho morto.

Figura 6

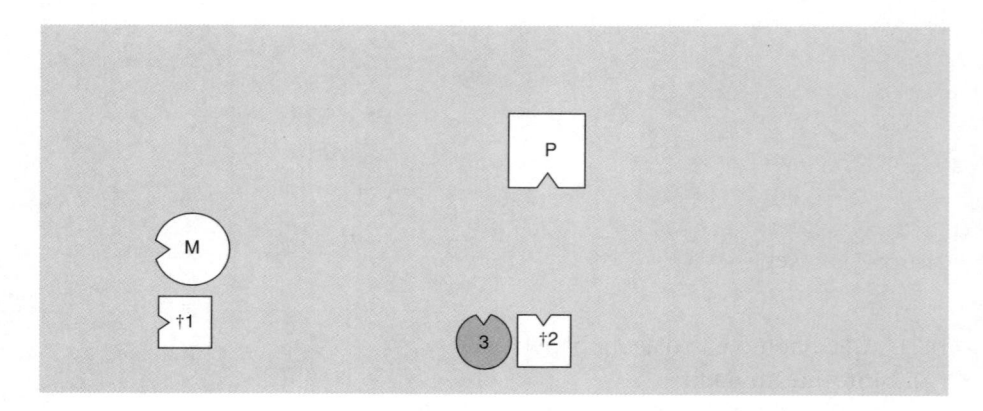

HELLINGER: Como é isto?
PRIMEIRO FILHO †: Ainda poderia ser melhor.

HELLINGER: O lugar certo para ele seria ao lado do pai e junto com os irmãos. Como se sentem os irmãos, quando ele foi embora?
SEGUNDO FILHO†: Sinto um vazio do lado direito.
TERCEIRA FILHA: Eu me sinto totalmente confusa.
HELLINGER: Se ele não ficar com os irmãos, eles o seguirão. Agora vou mostrar ainda uma outra solução.

Hellinger coloca a mãe do lado esquerdo do marido e o filho, prematuramente falecido, diante dos pais, apoiando-se neles com as costas.

Figura 7

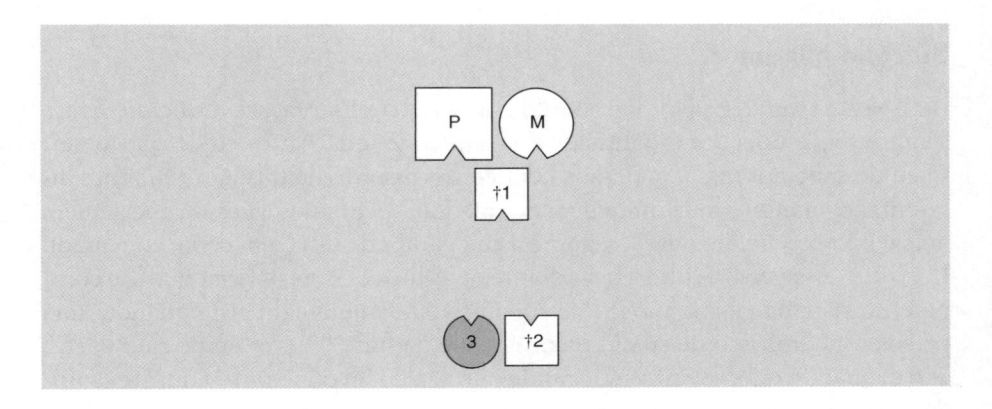

HELLINGER (*para os pais*): Coloquem suavemente uma das mãos sobre a cabeça da criança.

A mãe começa a chorar.

HELLINGER (*para a mãe*): Olhe para a criança. — Apóie-se em seu marido e então diga à criança: "Meu querido filho."
MÃE: Meu querido filho.
HELLINGER: Repita!
MÃE: Meu querido filho.
HELLINGER: Respire fundo, com a boca aberta!
HELLINGER: Como está agora?
MÃE: Estou melhor. Agora já posso ver os outros.
HELLINGER (*para o filho que morreu prematuramente*): Como está você?
PRIMEIRO FILHO†: Bem.
HELLINGER (*para o segundo filho, que se suicidou*): Como está você?
SEGUNDO FILHO†: É a primeira vez que vejo minha mãe.

HELLINGER (*para o grupo*): Quando se passa algo como a morte de um filho, é mais fácil para os pais procurarem um culpado ou se sentirem culpados. Então não precisam defrontar-se com a própria dor e com o desígnio do destino. Foi um destino pesado para ambos os pais. A solução nesse caso é que os pais se aproximem, fiquem juntos e digam: "Nós o carregamos em comum", e mantenham o filho diante dos olhos e no coração. No caso presente, eles o tinham perdido de vista e banido do coração.
(*para Frieda*): Entre agora em seu lugar!
(*quando ela fica lá*): Está bom assim?
FRIEDA: Sim.
HELLINGER: Bem, foi isso aí.

Suicídio por amor

HELLINGER (*para o grupo*): De acordo com minha observação, o suicídio quase sempre segue uma das dinâmicas: "Eu sigo você" ou "Antes eu do que você". Quando sabemos disso, podemos lidar com o assunto de forma totalmente diferente, com muito mais amor e menos medo. Procuramos a pessoa que alguém ameaçado de suicídio deseja seguir e a colocamos de novo em cena, com amor. Logo que essa pessoa volta a ficar diante dos olhos e ocupa o lugar que lhe compete no sistema, acaba o risco de suicídio. Isso vale igualmente quando uma pessoa está em risco de suicídio em virtude da frase "Antes eu do que você", isto é, quando quer seguir, em lugar de outra, alguém que morreu. Existem ainda outras formas de envolvimento sistêmico que envolvem risco de suicídio, por exemplo, a necessidade de expiar por uma culpa, embora também aí a frase "Eu sigo você" desempenhe um papel importante. Porém, na maioria das vezes, o risco de suicídio resulta do amor, como aqui ficou manifesto.
UM PARTICIPANTE: Você sempre trabalhou a solução através do cliente. Neste caso, porém, trabalhou através da mãe, embora a cliente seja Frieda. O que pode fazer ela?
HELLINGER: No caso presente, a verdadeira cliente foi a mãe. Aqui trabalhei pela mãe — e por toda a família.

Procurar culpados para evitar sentir a dor

FRIEDA: Ainda tenho uma pergunta. Sinto-me de certo modo culpada. Tenho a sensação de que eu poderia ter impedido o suicídio de meu irmão, e...
HELLINGER: Não, não. Esta é a mesma dinâmica que acabo de descrever. Quando se procura a culpa em si ou em outra pessoa, a gente se dispensa de enfrentar a dor e o impacto do destino. É a solução fácil, mais fácil do que conformar-se ao destino. Porém você pode dizer ao irmão morto que respeita a decisão dele — que não foi uma decisão livre, no sentido em que aqui a en-

caramos. Dizer-lhe que respeita o seu destino e o seu envolvimento, e que ele não precisa preocupar-se com a possibilidade de perdurar algo nefasto. Está bem assim?

Frieda assente com a cabeça.

HELLINGER: É isso que ainda estava faltando.

Recusando resposta

UMA PARTICIPANTE: Ainda não está claro para mim por que o suicídio demorou tanto. Se o filho queria seguir outra pessoa, por que isso não aconteceu muito antes?
HELLINGER: O que essa pergunta traz? A quem ela ajuda? É uma pergunta que pretende saber mais do que é necessário para a solução. Aqui ela só tira força. Por essa razão recuso uma resposta. Você entende quando falo assim?

A participante concorda com a cabeça.

UM PARTICIPANTE: Esse princípio de se sentir culpado é algo particularmente católico, cristão, dependente do meio cultural, ou os aborígines da Austrália também o têm, exatamente como nós?
HELLINGER: Isso não me interessa.

Risadas no grupo.

HELLINGER: O que vai ajudar se eu der uma resposta a essa pergunta? Vejo o que atua aqui, e isso me basta. O que acontece em outras circunstâncias não é importante para mim. Seja qual for a resposta que eu dê a essa pergunta, a dinâmica aqui permanece a mesma.

Sobre o modo de proceder nas constelações familiares

OUTRO PARTICIPANTE: Quando um paciente apresenta sintomas, no sentido psicoterapêutico, e então se verifica que em sua família a mãe cometeu suicídio, o senhor, por princípio, colocaria a mãe na constelação da família ou a deixaria de lado?
HELLINGER: Seguramente será preciso incluí-la. Nesse particular, começo sempre com poucas pessoas, como o senhor viu aqui. Quando vejo que precisa entrar mais alguém, incluo depois essa pessoa. A partir da dinâmica do grupo menor verifica-se se é preciso ampliá-lo. Se a mãe se suicidou, ela certamente terá a tendência de afastar-se. Então procuro ver quem é que ela quer seguir. Per-

gunto o que aconteceu em sua família e, quando encontro a pessoa em questão, introduzo-a também. Mas nunca devemos colocar mais pessoas do que as que são necessárias para a solução. Não o sistema todo, por exemplo, porque isso imediatamente causa confusão.

Quando entra em cena o cliente?

OUTRO PARTICIPANTE: Uma pergunta técnica: o cliente só entra em cena quando todos estão no lugar certo?
HELLINGER: Via de regra. Quando os outros espelham antes para ele o que realmente acontece em sua família, ele é atingido de uma forma bem diversa do que se estivesse pessoalmente em cena. Pois ele talvez tenha resistências, o que não acontece tanto com os representantes. Assim, a impressão é muito mais forte quando ela vem primeiramente através dos outros. Mas existem casos em que absolutamente não faço o cliente entrar em cena. Por exemplo, quando vejo que tem excessiva timidez ou vergonha, deixo-o apenas assistindo, para protegê-lo.

A que distância dos vivos devem ficar os mortos?

UMA PARTICIPANTE: Você deixou que o irmão morto ficasse junto da irmã viva. Minha sensação foi que deveria haver aí alguma distância, para honrar essa decisão do irmão. Por que você agiu assim?
HELLINGER: Ele precisava ficar diretamente ao lado da irmã.
(*para Frieda*): Não é verdade?

Ela concorda com a cabeça.

HELLINGER: A resposta foi esta: o gesto afirmativo dela. Caso contrário, estaríamos nos orientando por considerações teóricas e nos distanciando da dinâmica que mostrou isso com clareza. Se o irmão não quisesse ficar ao lado dela, teria se afastado por sua própria iniciativa. Assim, entrego-me totalmente à dinâmica do momento.

Constelação de Georg: Filha viciada em heroína, a falta da energia masculina

HELLINGER (*para Georg*): De que se trata?
GEORG: Tenho uma filha viciada em heroína.
HELLINGER: Então vamos colocar agora sua família atual. Quem pertence a ela?
GEORG: Minha mulher, eu, temos uma filha, e minha mulher tem mais dois filhos, do primeiro casamento.

HELLINGER: Por que ele se desfez?
GEORG: Eles eram muito diferentes e se distanciaram. Na verdade, naquela ocasião minha mulher queria se casar com um outro homem, mas por qualquer motivo se casou com seu primeiro marido.
HELLINGER: Por que queria o outro?
GEORG: Pelo que me disse, sentia-se mais ligada a ele.
HELLINGER: Também vamos precisar dele. — Você teve alguma relação estável antes de seu casamento?
GEORG: Não.
HELLINGER: Com quem foram criados os filhos do primeiro casamento de sua mulher?
GEORG: Com ela. Seu filho, porém, se distanciou muito. Também a filha se distanciou um pouco, mas com ela ainda existe contato.

Figura 1

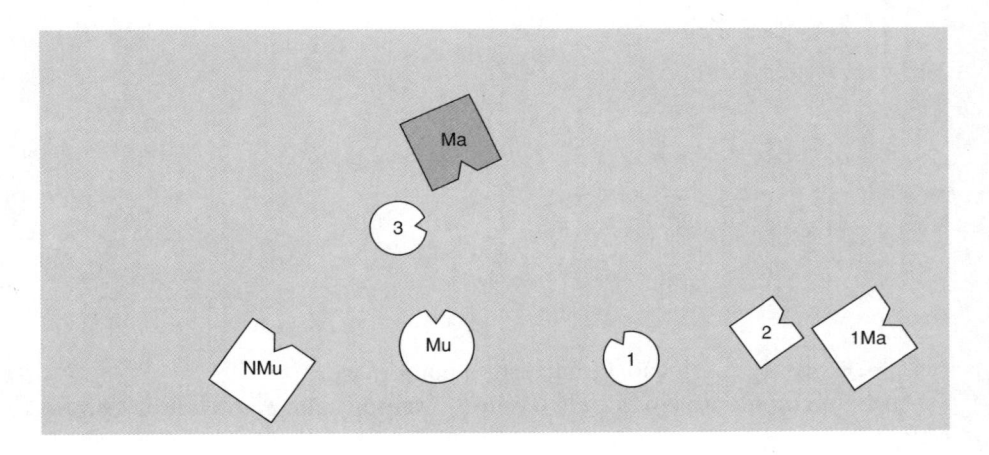

Mu	Mulher
1Ma	Primeiro marido, pai de 1 e 2
1	Primeira filha
2	Segundo filho
Ma	**Marido (=Georg), pai de 3**
3	Terceira filha, viciada em heroína
NMu	Namorado da mulher

HELLINGER: Como está o marido?
MARIDO: Tenho dois sentimentos diferentes: primeiro, uma grande raiva por estarmos num triângulo com nossa filha; segundo, a impotência por não poder fazer nada. Por outro lado, gostaria finalmente de agarrar pelo pescoço o na-

morado de minha mulher, dar um soco na mesa e esclarecer que tipo de imoralidade está acontecendo.
HELLINGER: Como está a mulher?
MULHER: Está me vindo muito calor pelo lado esquerdo, aqui do meu amigo. (*Ela ri.*) Isso me surpreende. O que me irrita é que não vejo meus outros filhos, mas só uma filha. Meu marido está muito longe.
HELLINGER: A solução aqui é óbvia. Só existe uma solução.

Hellinger vira o namorado e coloca a mulher atrás dele.

Figura 2

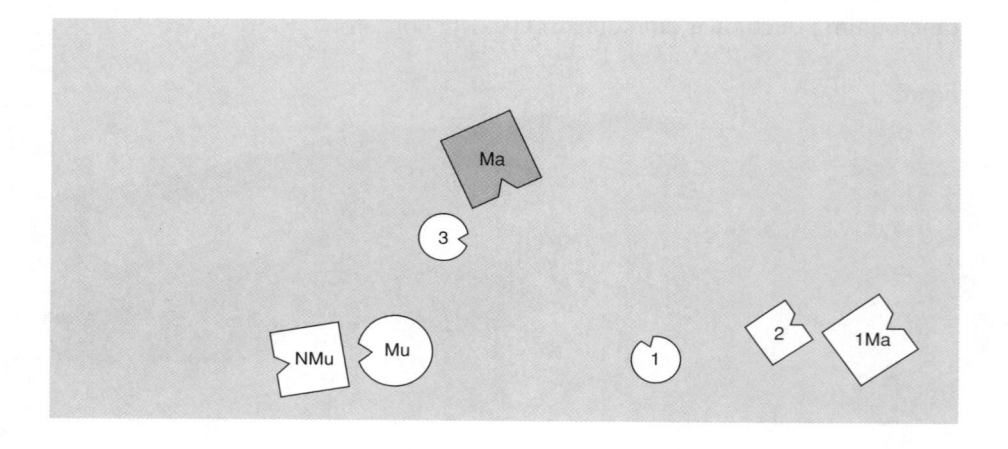

HELLINGER: Esta é a solução. Como está o marido agora?
MARIDO: No momento em que ela se virou, a tensão caiu. Agora estou sozinho e triste.
HELLINGER: Como está a filha?
TERCEIRA FILHA: Antes estava péssima. Sentia-me só. Tinha a sensação de que podia sair batendo em volta que não ia doer em ninguém. Agora ficou um pouco mais claro. Ainda continuo olhando para o vazio, mas fiquei um pouco mais calma.

Hellinger a coloca do lado esquerdo do pai, vira o primeiro marido da mulher e coloca seus filhos a seu lado.

Figura 3

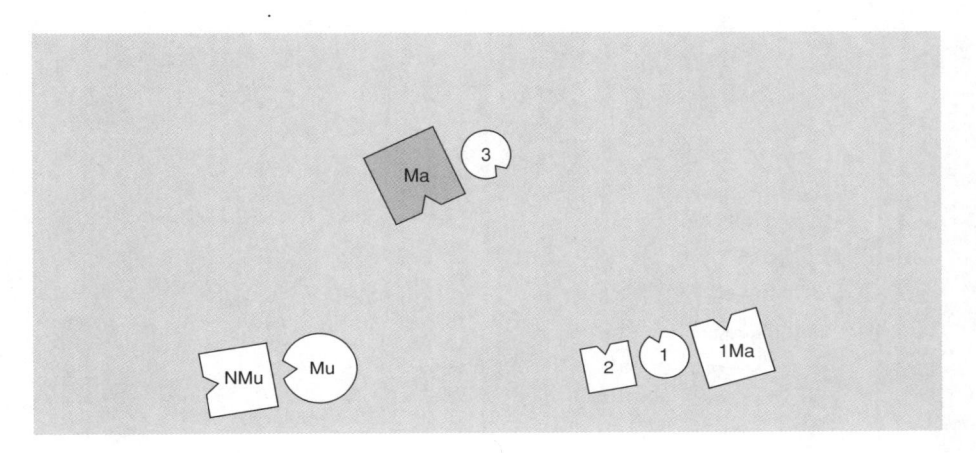

HELLINGER: Como é aqui, ao lado do pai?
TERCEIRA FILHA: É melhor, mais claro. Tenho a sensação de que aqui poderia encontrar a paz.
HELLINGER: Como está o filho?
SEGUNDO FILHO: Agora estou bem. Antes estava muito afastado; não estava legal.
PRIMEIRA FILHA: Agora me sinto melhor ainda.
PRIMEIRO MARIDO: Para mim também está muito melhor.
HELLINGER: Como está a mulher?
MULHER: Não estou bem. Sinto-me castigada aqui. *Ela ri.*
HELLINGER: E com razão.

Risadas no grupo.

HELLINGER: Como está o namorado dela?
NAMORADO DA MULHER: Na primeira posição eu estava muito bem. Então, quando você me virou, pensei: agora estou totalmente fora. Não reparei que você também tinha virado a mulher. Quando vi isso, senti de repente muito calor outra vez e pensei que ela poderia realmente ficar ao meu lado.

HELLINGER: Isso podemos fazer.

Figura 4

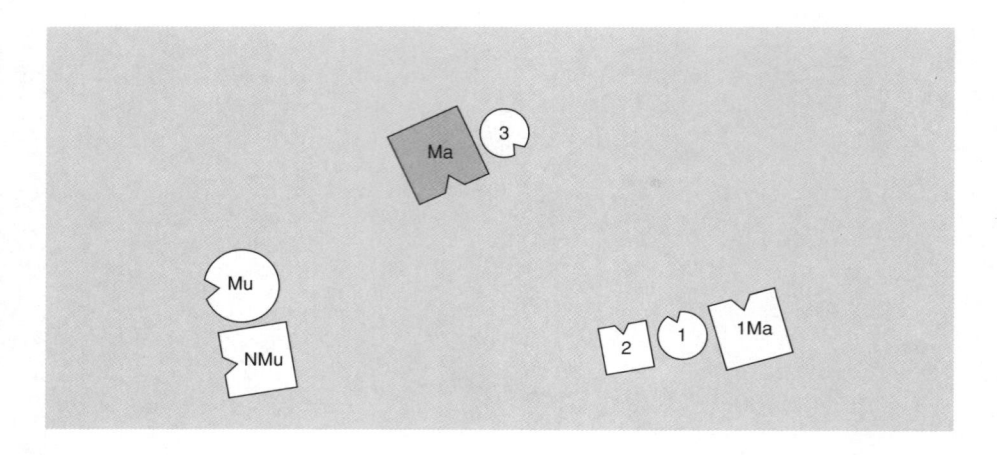

HELLINGER (*quando a mulher e seu namorado não parecem particularmente felizes*): O sonho do amor é um pouco maior do que a realidade.

Muitas risadas e palmas no grupo.

HELLINGER (*para Georg*): Você quer colocar-se pessoalmente em seu lugar?

Georg se coloca primeiro à direita da filha e depois faz menção de passar para a esquerda.

HELLINGER: Não, não, fique em seu lugar.
GEORG: A mulher está muito longe de mim. Preciso vê-la. Ela precisa ficar mais perto de mim.

Sua filha diz: "Não!" e sacode a cabeça.

HELLINGER (*para o grupo*): A filha não tem ninguém em quem possa confiar.

Hellinger a coloca ao lado de seus meios-irmãos.

Figura 5

HELLINGER: Que tal assim?
TERCEIRA FILHA: Eu já queria fazer isso quando ainda estava lá. Antes que Georg entrasse em seu lugar, eu tinha a sensação de ter mais segurança e esperava que ele pudesse me dar isso. Mas quando ele disse: "Minha mulher precisa vir mais para perto", eu pensei: Não, não quero isso. Aqui, ao lado de meus irmãos, tenho agora a sensação de que posso me orientar. Estamos num mesmo nível, se bem que não sei onde posso buscar ajuda e se ela vem de meu pai. Mas aqui estou num nível adequado e no mesmo patamar.
HELLINGER: Gostaria de dizer algo sobre o vício. Ele surge quando a mulher despreza o marido e dá a entender à criança que nada de bom vem do pai e que tudo vem somente dela. Então a criança toma tanto da mãe que se prejudica. O vício é a vingança da criança contra a mãe, pelo fato de não poder tomar nada do pai. Por essa razão, o vício é curado quando também o pai dá à criança e quando ela toma dele — e isso em presença da mãe.

Aqui isso não é possível. Vocês notaram? O marido não está disposto a dar à filha, como pai, aquilo de que ela necessita. Aquilo de que a filha precisa, ela não pode receber e tomar nem da mãe nem do pai. Só lhe restam os irmãos.
(*para o primeiro marido*): Como você se sente quando ela está ao lado de seus filhos?
PRIMEIRO MARIDO: De um jeito ou de outro, é bom.
HELLINGER (*para o grupo*): Ele é, de longe, o mais confiável de todos. Com ele a filha está segura; precisa ficar com ele.
(*para Georg*): Deixei isso claro?

GEORG: Sim. Mas é difícil transformar isso em realidade.
HELLINGER (*para o grupo*): Minha suspeita é que o próprio Georg não tem pai. Ele também não pode buscar força junto do pai.
(*para Georg*): Como foi isso em sua família?
GEORG: Não fui criado com meu pai, e minha mulher também não foi criada com o seu pai.
HELLINGER: Aí temos a explicação. Nesta família não existe a força masculina que poderia salvar a filha. — Agora vamos introduzir também o avô paterno e ver o que muda.

Hellinger coloca o avô atrás do pai, um pouco à sua direita.

HELLINGER: Como está a filha agora?
TERCEIRA FILHA: Ele fica mais simpático. (*Ela ri alto.*)
HELLINGER (*para a filha*): Agora coloque-se de novo junto de seu pai.

Figura 6

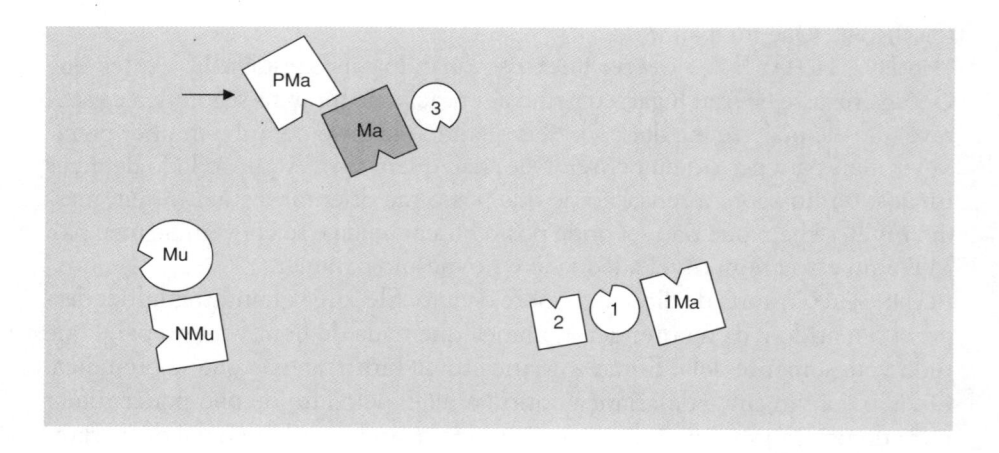

PMa   Pai do marido

HELLINGER: Como é isto?
TERCEIRA FILHA: É melhor do que antes.
GEORG: Para mim é bom também.
HELLINGER: Você poderia agora cuidar da filha e renunciar à sua mulher?
GEORG (*hesitante*): Sim, sim.
HELLINGER: Está bem, foi isso aí.
(*para o grupo*): Ainda alguma pergunta a respeito?
UMA PARTICIPANTE: Por que você colocou a filha à esquerda do pai?

HELLINGER: Para ficar longe da mãe.
UM PARTICIPANTE: Para mim, a situação ainda não estava totalmente em ordem. Eu não teria deixado Georg ir embora simplesmente assim. Creio que ele talvez ainda precise de um conselho.
HELLINGER: Eu confio na alma dele.

Os filhos devem seguir o pai, assim como a mãe deve seguir o marido

OUTRA PARTICIPANTE: Você disse que, se o pai fosse respeitado, o vício não nasceria ou desapareceria. Isso eu apliquei muito a mim mesma. Meu pai esteve ausente. Morreu na guerra quando eu tinha quatro anos. Eu o respeito muito e certamente devo tê-lo procurado muito desde pequena. Ele e sua família, por sua origem humilde, não foram respeitados por minha mãe. O que se deve fazer?
HELLINGER: A gente se coloca primeiro interiormente junto do pai, encara a mãe com atrevimento e lhe diz: "Ele é tão importante para mim quanto você, e eu tomo tudo dele, como de você." Então você diz seu sobrenome — suponhamos que o pai se chame Schmitt — e diz à sua mãe: "Eu sou uma Schmitt." Isto a gente também precisa resgatar e fazer enquanto a mãe ainda vive. É muito difícil e exige a maior coragem.

A ordem do amor na relação entre homem e mulher e na família exige normalmente que a mulher siga o homem. Isso significa que ela deve segui-lo no que toca à família, à língua — se, por exemplo, ele fala uma outra língua —, à cultura, até mesmo à religião. Isso significa que ela deve permitir aos filhos que sigam o pai no que se refere à família, à cultura, ao país, à língua, à religião. Não posso justificar isso. Não tem nada a ver com patriarcado ou coisa semelhante. Mas a gente vê o efeito dessa atitude na paz que passa a reinar e na força positiva que surge de repente numa tal família. A única exceção que conheço é quando a família do pai está carregada de destinos pesados. Nesse caso, os filhos precisam passar da esfera do pai e da família dele para a esfera da mãe e da família dela.

Certa vez, uma paciente com perturbações psicóticas participou de um grupo, em companhia de sua mãe. Quando colocamos sua família, a mãe disse: "Meus filhos são meio árabes, pois me casei com um árabe, um sírio." O pai morava na Alemanha, com a família. Eu lhe disse: "Seus filhos são sírios, isso está claro para você?" A mãe ainda não estava sensibilizada para o problema, e nem sequer sabia qual era a religião de sua filha. Então perguntei à filha, e ela respondeu: "Sou muçulmana." Até então a mãe não sabia disso.

Então colocamos os dois países, do mesmo modo como se coloca uma família. O homem que representava a Síria disse: "Sinto-me tão generoso", e a mãe confirmou: "É justamente assim." A Alemanha recebeu na constelação um lugar de honra, mas a cultura, a língua e a religião do homem tiveram claramente a precedência. Quando isso ficou claro e a filha teve o direito de admiti-lo, ficou totalmente feliz e sentiu-se certa e no lugar certo.

A frase que eu disse precisa ser complementada por uma segunda, para estabelecer o equilíbrio. A frase é a seguinte: "O homem precisa servir ao feminino." Ambas estas coisas pertencem à ordem do amor: que a mulher siga o homem e que o homem sirva ao feminino.

UM PARTICIPANTE: Eu ainda teria uma pergunta. Apesar de viver na Alemanha, o pai continua sendo um sírio. Ele não precisa ir para a Síria e a mulher com ele?

HELLINGER: Não estou certo disso.

OUTRO PARTICIPANTE: Tenho ainda uma pergunta. Na Bíblia está escrito: o homem deixará pai e mãe e se unirá à sua mulher. Na Vesfália, onde fui criado, vale a frase: quando se casa um filho numa família, os pais perdem o filho; quando se casa uma filha, os pais ganham um genro. Isso significaria o contrário?

HELLINGER: Eu só digo: pobre diabo!

Risadas no grupo.

UMA PARTICIPANTE: O que se deve fazer quando alguém foi criado numa família onde o pai veio morar na Alemanha e aqui viveu como se fosse o seu país? Meu pai é tcheco, mas sempre viveu aqui. Na verdade, ele deixou sua família e não viu mais sua mãe em vida.

HELLINGER: Você fala tcheco?

PARTICIPANTE: Não.

HELLINGER: Precisa aprender! — Filhos que têm pais de países diferentes têm duas pátrias. Isso é muito importante. E nisso o país do pai tem precedência, e o país da mãe deve merecer muito respeito.

PARTICIPANTE: Sinto que existe algo em mim que ainda não esclareci, como se eu estivesse dividida.

HELLINGER (*para o grupo*): Vamos fazer agora um teste para demonstrar, com o exemplo dela, o que falei há pouco sobre o outro caso.

(*para essa participante*): Coloque agora uma pessoa que represente a República Tcheca, outra para a Alemanha e outra para você mesma. Posicione-as da maneira como você está sentindo agora.

Figura 1

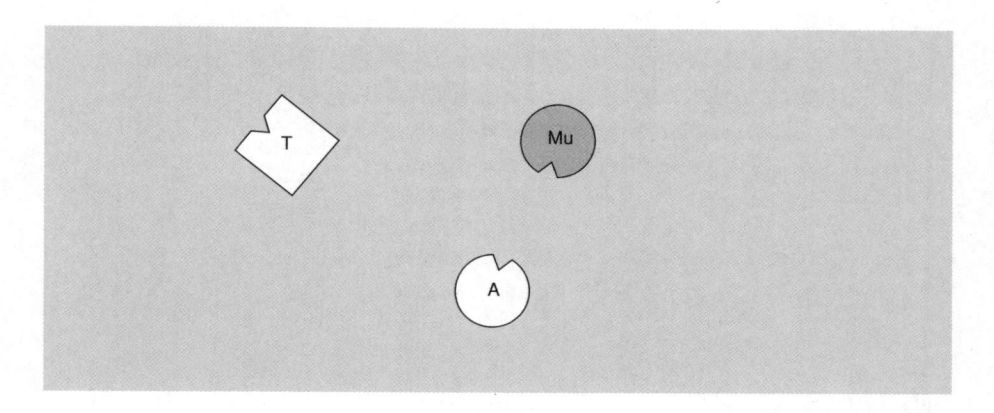

T   República Tcheca
A   Alemanha
Mu   **Mulher (=cliente)**

HELLINGER: Como se sente a República Tcheca?
REPÚBLICA TCHECA: Mal, estou fora.
HELLINGER: Como se sente a Alemanha?
ALEMANHA: Só vejo uma pessoa, a mulher.
HELLINGER: Como está a mulher?
MULHER: Não estou bem. Sinto falta da República Tcheca e não me agrada o que vejo na Alemanha.
HELLINGER (*vira o representante da República Tcheca e então pergunta à mulher*): Para onde você gostaria de ir para experimentar a melhor posição para você?

MULHER: Quero me aproximar da República Tcheca.

Figura 2

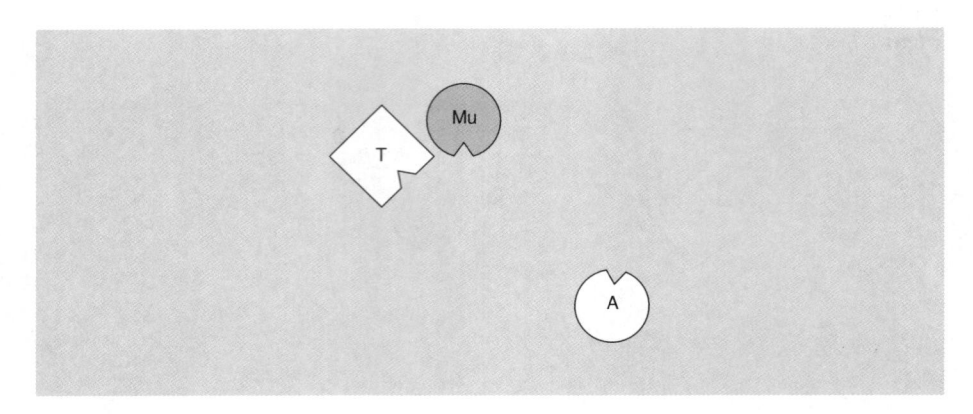

HELLINGER: Como está agora a República Tcheca?
REPÚBLICA TCHECA: Melhor. Mas tenho um impulso de me aproximar da Alemanha.
HELLINGER: Como está a Alemanha?
ALEMANHA: Perdi alguma coisa.

Figura 3

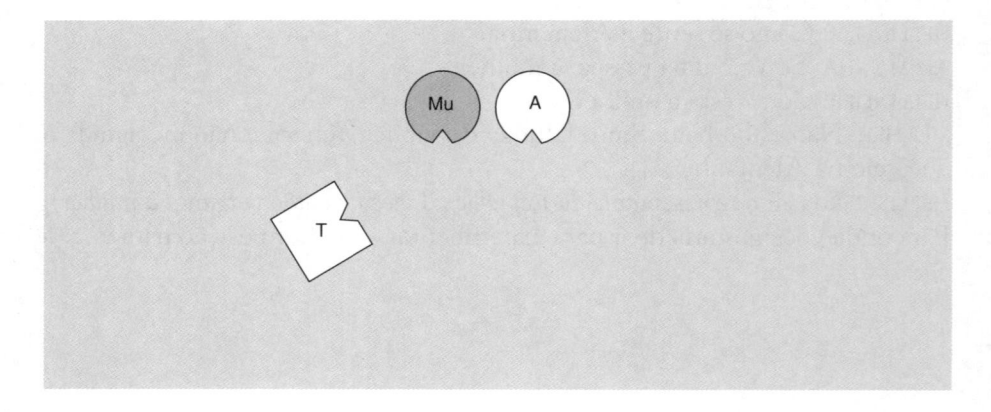

HELLINGER (*para a participante em questão*): Você quer colocar-se pessoalmente? Experimente ainda a que proximidade de um ou de outro você deseja ficar.

Ela se coloca bem perto da República Tcheca e ri.

Figura 4

HELLINGER (*para o grupo*): Está bem, demonstrei agora que uma criança, para que fique bem, precisa seguir o pai quanto à terra e à família dele?

Risadas no grupo.

HELLINGER: Está bem, foi isso aí.
OUTRA PARTICIPANTE: Tenho ainda uma pergunta a respeito. De acordo com seu princípio, meu filho seria espanhol. Ele tem seis anos e não tenho mais nenhum contato com o pai dele. Como é isto para meu filho?
HELLINGER: Ele ainda tem avós espanhóis?
PARTICIPANTE: Sim, tem um avô espanhol.
HELLINGER: Isso geralmente se esquece, que junto com o pai também há uma família.
PARTICIPANTE: Ele também tem tios.

Risadas no grupo.

Constelação de Heidi — Câncer do seio: Nenhuma simpatia pelos homens

HELLINGER (*para o grupo*): Tenho uma mulher sentada a meu lado e quero trabalhar com ela agora. Ela vai dizer rapidamente do que se trata.
HEIDI: Tenho câncer no seio. Há duas semanas fui operada e só então soube disso com certeza. Minha mãe também morreu de câncer no seio, há nove anos. (*Ela ri.*)

HELLINGER: Você é casada?

HEIDI: Sou casada e tenho dois filhos. O mais velho é de um outro homem — ele provavelmente também vai entrar. (*Ela ri.*) Mas não me casei com esse homem. Meu marido atual adotou esse filho.

HELLINGER: Terrível.

HEIDI: Ainda temos uma filha em comum. Meu marido tem mais um filho, mas isso não me diz respeito. Provém de uma relação anterior dele.

HELLINGER: Por que você não se casou com o primeiro homem?

HEIDI: Eu não quis. Pensei: Agora tenho um filho e isso basta. E também: Ele não é o homem certo para mim.

HELLINGER: Ah, sim? — E seu marido atual, esteve casado antes ou foi apenas um relacionamento?

HEIDI: Foi um relacionamento. Ele queria casar-se com a mulher, a mãe de seu filho, mas ela não quis.

HELLINGER: Vou começar com o sistema atual. Portanto, precisamos de seu primeiro homem, vamos dizer assim, você e o filho desse relacionamento; a seguir, seu marido, a primeira mulher dele, seu primeiro filho e finalmente a filha comum de vocês dois. A primeira mulher dele se casou?

HEIDI: Não, ela criou sozinha o seu filho.

HELLINGER: O homem de seu primeiro relacionamento se casou depois?

HEIDI: Isso não sei, pois não tivemos mais contato. Não foi um casamento.

HELLINGER: Quando existe um filho, isso cria um vínculo, da mesma forma como um casamento. Então não se pode lidar com isso como você o fez. Foi o seu primeiro homem. Vamos ver isso mais precisamente agora. Coloque os representantes.

Figura 1

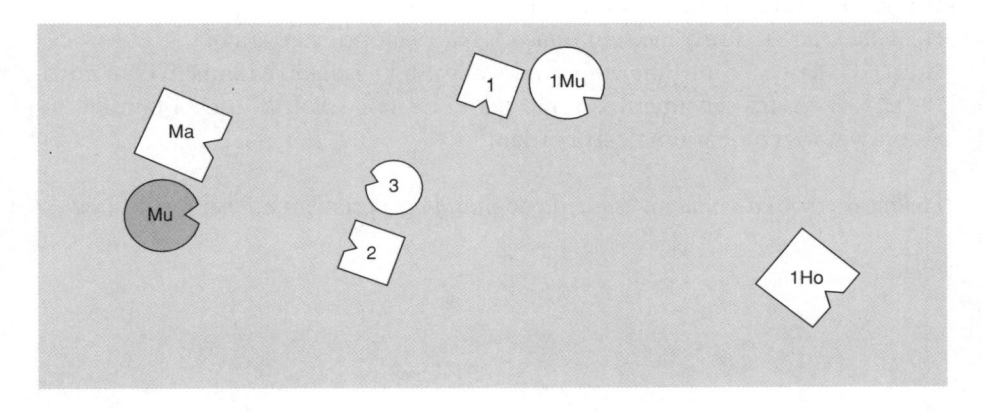

Mu	Mulher (=Heidi), mãe de 2 e 3
1Ho	Primeiro homem, pai de 2
2	Segundo filho, adotado pelo atual marido
Ma	Marido, pai de 1 e 3
3	Terceira filha
1Mu	Primeira mulher, mãe de 1
1	Primeiro filho (do atual marido e sua primeira mulher)

HELLINGER: Como está o marido?
MARIDO: Sinto-me aqui como num miniclube. Com minha primeira mulher e meu primeiro filho não tenho nada a ver.
HELLINGER: Como está a mulher?
MULHER: Os filhos estão no meu caminho, eles me afastam do meu primeiro homem. Estão no meio.
HELLINGER: Como está o filho dela?
SEGUNDO FILHO: Quero ir para meu pai.
HELLINGER: E como está você aqui? Qual é a sensação?
SEGUNDO FILHO: Muito apertado.
TERCEIRA FILHA: Estou muito próxima de minha mãe. Ela está muito perto e o meu pai muito distante.
HELLINGER: Numa família como esta, o filho do primeiro homem representará na nova família o seu pai, e terá os sentimentos dele diante de sua mãe e de

seu pai adotivo. E a filha representará a primeira mulher de seu pai e terá os sentimentos dela diante de seu pai e de sua mãe. Esta é uma lei inflexível. Sempre que há um homem anterior ou uma mulher anterior que não foram respeitados, eles serão representados e valorizados por filhos do matrimônio seguinte. Como está a primeira mulher?

PRIMEIRA MULHER: Gostaria de ver meu parceiro anterior e me irrita que o outro homem fique de costas para mim.

PRIMEIRO FILHO: Sinto-me sem relação. Não sei onde pertenço.

PRIMEIRO HOMEM: Sinto-me empurrado, enganado, isolado e também com raiva.

HELLINGER: Estes sentimentos serão adotados por seu filho nesta família. — Agora vamos colocar uma certa ordem.

Hellinger coloca a mulher à esquerda do marido e a primeira mulher à sua direita.

Figura 2

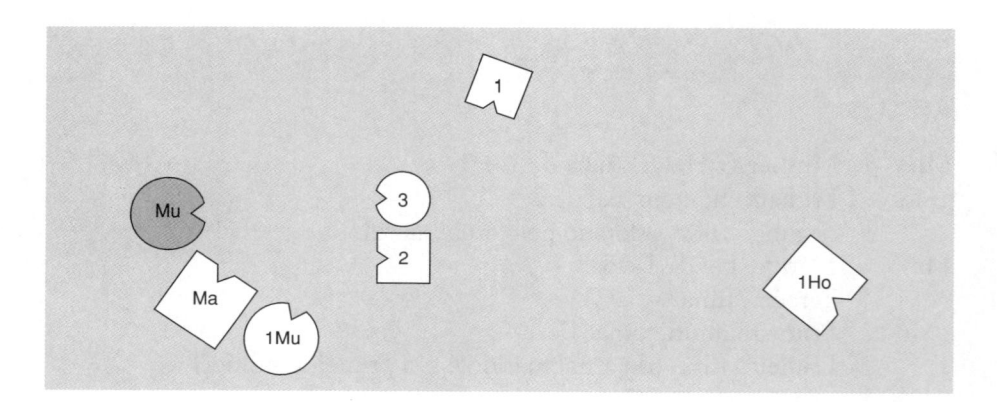

HELLINGER (*para o primeiro filho*): Como está você? Você riu.

PRIMEIRO FILHO: Eu esperava ficar perto dela e de meu pai e ser colocado ali. Gostaria de ir para lá. Se puder ir para lá, já não me sentirei tão só.

HELLINGER: Como está agora a segunda mulher?

MULHER: Sinto que estou perdendo terreno. Não me sinto bem, não me sinto à vontade.

HELLINGER: Como está o marido?

MARIDO: Ela está próxima demais.

HELLINGER: Quem?

MARIDO: Ela.

Aponta para sua atual mulher e se aproxima da primeira.

HELLINGER: Permanece o vínculo com a primeira mulher.

Hellinger coloca a imagem da solução.

Figura 3

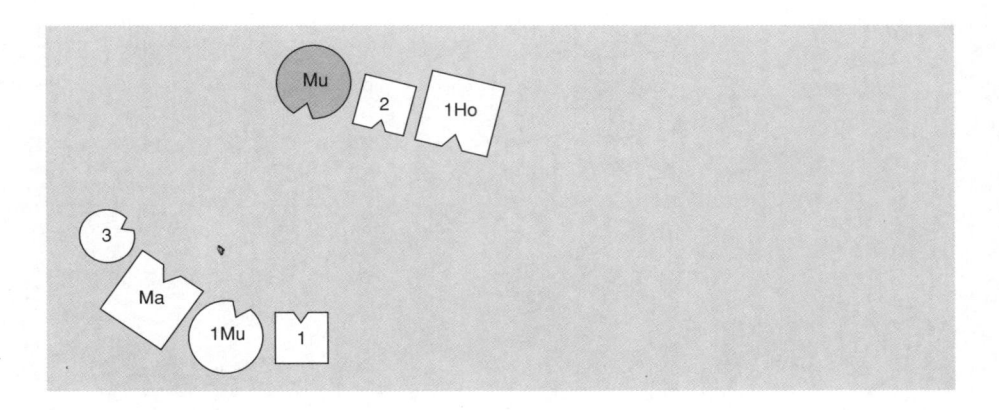

HELLINGER: Que tal agora?

O primeiro homem da mulher aprova com a cabeça.

MULHER: É bom.
PRIMEIRO FILHO: Está certo.
SEGUNDO FILHO: Sim, está bom.
TERCEIRA FILHA: É bom.
PRIMEIRO HOMEM: Estou contente, mas tenho necessidade de que ela repare o que aconteceu. Ela deveria vir para a minha esquerda.

A mulher ri.

HELLINGER: Não quero continuar isso.
(*para Heidi*): Você quer colocar-se em seu lugar?
HEIDI (*depois de uma pausa*): Este não é o meu lugar. Onde estão minha filha e meu marido?

HELLINGER: Experimente ver se encontra algo melhor. Por favor. Mas você precisa colocar-se e ver como é para você e como é para os outros. Pois não pode orientar-se só pelo seu próprio sentimento.

Figura 4

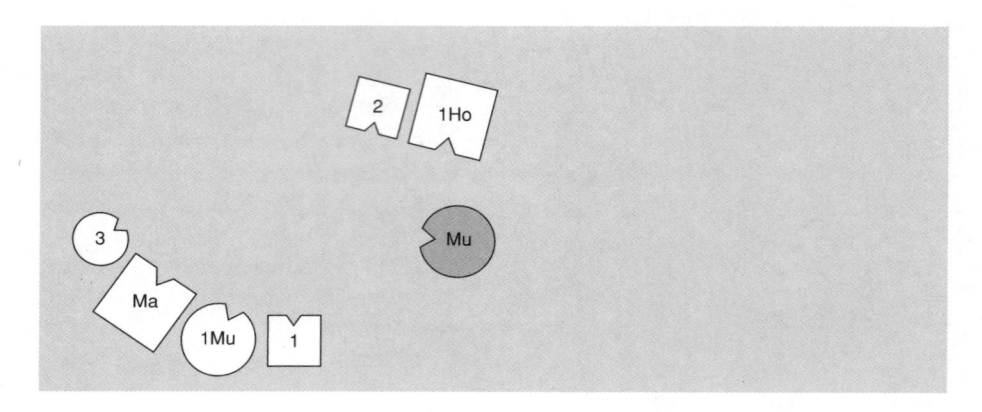

HELLINGER: O que diz disso o segundo marido?
MARIDO: É um pouco estranho. Ela precisa saber o lugar onde pertence. Aqui não é.
HELLINGER (*para Heidi*): Você perdeu todos eles.
(*para o grupo*): Vocês notam como ela lida com eles, sem consideração para com eles? Ela absolutamente não pensa no que sentem o primeiro homem e o marido atual. Não revela a menor simpatia pelos homens. Pensa que pode agir a seu bel-prazer. Agora fica sentada entre as cadeiras: este é o resultado.
(*para Heidi*): Câncer é às vezes expiação. Segundo minha observação — que, devo dizer, é muito limitada — câncer no seio é às vezes expiação pela injustiça cometida contra um homem.
(*para o grupo*): Uma grande injustiça foi cometida com seu primeiro homem e com o seu filho, porque lhe foi tirado o pai. O filho foi até mesmo adotado. Desta maneira ele perdeu duplamente o pai, porque teve de passar para outra família e também perdeu o sobrenome do pai.

Heidi protesta.

HELLINGER: O que é legal não tem aqui a menor importância para mim. O filho precisa ter o nome do pai para se sentir bem.
(*para o grupo*): Aqui se vê como prevalece o direito materno. Vocês percebem? Quando se trata dos filhos, só as mulheres decidem.
(*para Heidi*): Vou deixar que a imagem fique assim e atue em você.

A precedência do mais próximo

HELLINGER (*para o grupo*): Aqui atua também naturalmente uma outra dinâmica. Ela está em conexão com a família de origem de Heidi, sobre a qual não se falou agora. Contudo, enquanto não se olha o sistema atual, não adianta voltar ao anterior. Devemos começar pela frente, pelo sistema atual. Só depois disso se recua. Não adianta buscar a solução no passado sem antes ter colocado em ordem o que ocorre no presente.

Existe algo mais a se considerar. Há uma hierarquia entre os problemas. O que está próximo tem precedência sobre o anterior, portanto a família atual tem precedência sobre a família de origem. Se, portanto, na família atual algo de significativo precisa ser resolvido, o que na família de origem ainda não foi resolvido perde significado e força.

Parceiros anteriores são mais tarde representados por filhos

UM PARTICIPANTE: O senhor poderia esclarecer mais uma vez a lei inflexível?
HELLINGER: Que lei inflexível?
O PARTICIPANTE: No início do trabalho com esta constelação o senhor mencionou uma lei inflexível.
HELLINGER: Eu me recordo. Bem, sempre que houve um vínculo com um parceiro anterior — este fato pode ser verificado e sempre existe um vínculo forte quando há filhos — e os parceiros entram depois numa nova relação e têm filhos em comum, os parceiros anteriores são representados por esses filhos e a injustiça que tenham sofrido é vingada por esses filhos, contra os próprios pais.

No caso presente, isso significa que a filha representará a ex-mulher de seu pai, até que a injustiça cometida contra ela seja reconhecida e colocada em ordem, e o filho representará na nova família o antigo parceiro da mãe, portanto, o seu próprio pai.

Até agora não presenciei nenhuma exceção a essa dinâmica. Portanto, quando algo assim vem à luz na colocação de uma família, começo por esse ponto e só passo ao seguinte quando isso é colocado em ordem. Por essa razão, antes de começar a colocar uma família, sempre pergunto pelos vínculos anteriores dos pais.

UMA PARTICIPANTE: A representação de um ex-parceiro está sempre ligada ao sexo da criança ou pode acontecer também que uma menina represente um ex-parceiro da mãe?
HELLINGER: Quando num casamento existem só meninos ou só meninas, pode acontecer que uma menina represente um parceiro anterior da mãe ou que um menino represente uma parceira anterior do pai. Nesse caso o menino corre o risco de tornar-se homossexual. Não sei se o mesmo acontece com meninas, mas com meninos já presenciei casos assim.

Filhos extraconjugais durante o casamento

OUTRA PARTICIPANTE: O que acontece com crianças que nascem de uma relação extraconjugal durante o casamento?
HELLINGER: Filhos imputados?
A PARTICIPANTE: Sim.
HELLINGER: Pertencem sempre ao pai.
A PARTICIPANTE: Se o fato se repete, o que acontece? Meu pai teve um filho dessa maneira e meu marido também.
HELLINGER: É preciso distinguir. Quando um homem casado tem um filho com outra mulher, precisa deixar o casamento e ficar com ela. O novo sistema tem precedência sobre o antigo. Quando não age assim, é muito mau para todos. Se tiver uma nova relação com filhos, precisa ficar com essa mulher e esses filhos, mesmo que tenha muitos filhos em seu casamento. Naturalmente continua sendo o pai destes e é responsável por eles, mas sua parceria só pode ser com a nova mulher. Para a mulher casada isso significa uma carga pesada, mas qualquer outra solução costuma ser ainda pior.

Quando uma mulher casada tem um filho com outro homem, o filho precisa sempre ficar com esse homem, o seu pai. Naturalmente, o casamento dela termina, mesmo que exteriormente continue. Não se sabe se então a mulher poderá viver com o outro homem, mas a criança sempre deve ficar com o pai. Via de regra, em nenhum outro lugar estará mais segura do que com ele.
UM PARTICIPANTE: O caso é o seguinte: na vigência de um casamento nasceu uma filha que não pertence ao marido, mas esse fato foi silenciado. A filha tem agora 26 anos. Isso deve ser revelado ou não?
HELLINGER: Isso tem que ser revelado, sem condições. Pertence aos direitos básicos da pessoa saber quem é seu pai e quem é sua mãe. A criança deve de qualquer maneira ficar com o pai. É para ela o único lugar seguro.
UMA PARTICIPANTE: De onde vêm essas regras, que a criança precisa sempre ficar com o pai? Como o senhor explica isso?
HELLINGER: Eu só vejo que qualquer outra solução é pior. Assumo então o mal menor, que mais tarde muitas vezes se demonstra ter sido uma solução feliz. Chego a isso de modo puramente fenomenológico, só pela observação.

Risos e aplausos no grupo.

Abortos não dizem respeito aos filhos

UM PARTICIPANTE: Os irmãos devem ser informados por seus pais sobre abortos, espontâneos ou intencionais?
HELLINGER: Não. Abortos, espontâneos ou intencionais, pertencem ao relacionamento íntimo dos pais e não dizem respeito aos filhos. Isso não deve ser di-

to a eles; se o foi, precisa ser esquecido. E os filhos podem esquecê-lo na medida em que tenham amor pelos pais e permitam que eles guardem os próprios segredos. Já os irmãos que nascem mortos não pertencem aos pais, pertencem à família, e disso os filhos podem e devem saber.

UMA PARTICIPANTE: O que acontece quando os filhos perguntam por abortos espontâneos ou intencionais e não recebem resposta?

HELLINGER: Está certo que os pais não falem sobre isso. Esta é uma pergunta vedada aos filhos, uma intromissão no sistema superior.

Quando não há solução

OUTRA PARTICIPANTE: Tenho uma pergunta que já tencionava colocar ontem. Quando numa constelação não existe solução, como vimos ontem, quando o senhor diz: "Aqui não se vai adiante, precisamos interromper", o que acontece então? Já o ouvi dizer, igualmente, que a pessoa que se defronta com um destino especialmente pesado também recebe forças especiais. Sobre isso nada foi dito ontem em sua conferência "Céu e Terra", nem no presente seminário. Por favor, diga algo a respeito.

HELLINGER: Quando não se encontra nenhuma solução ou se manifesta, de repente, que não existe nenhuma, uma das intervenções mais difíceis para o terapeuta é interromper o trabalho nesse momento e renunciar à solução. Com isso, toda a força do problema não resolvido permanece com o cliente. Essa força busca a solução, desde que o cliente se confie a ela. Esse processo pode durar anos e qualquer interferência alheia só piora a situação. Sigo o princípio de que cada cliente pode encarregar-se do próprio problema. Se ele pode ser confiado a alguém, então será, antes de tudo, ao próprio cliente. Nenhum outro pode carregá-lo e resolvê-lo como ele. Em várias ocasiões em que algo terrível veio à luz e foi confiado ao cliente, por exemplo, que ele tinha pouco tempo de vida, presenciei casos em que ele se sentiu totalmente liberado. Pois o que digo a ele não lhe é estranho. Ele sabe disso, apenas não pôde vê-lo, até então, com tanta clareza.

Constelação de Isabel — Acidente do filho: "Antes vá eu do que você, meu querido pai"

HELLINGER (*para Isabel*): Diga-nos, em poucas palavras, do que se trata.

ISABEL: Meu filho sofreu um grave acidente, há onze anos, e ficou gravemente deficiente. Creio que isso se relaciona com a família de meu marido, pois a mãe dele morreu num acidente. Também a irmã dele acidentou-se seriamente, mas agora já está muito bem.

HELLINGER: Qual é a idade do seu filho?

ISABEL: 31 anos.

HELLINGER: Vamos colocar agora seu sistema atual e mais tarde incluiremos as outras pessoas. — Quantos filhos você tem?
ISABEL: Dois.
HELLINGER: Algum de vocês foi casado antes ou manteve uma relação estável?
ISABEL: Não.
HELLINGER: Bem, coloque primeiro seu marido, você e os filhos. Depois coloque ainda a mãe de seu marido.

Figura 1

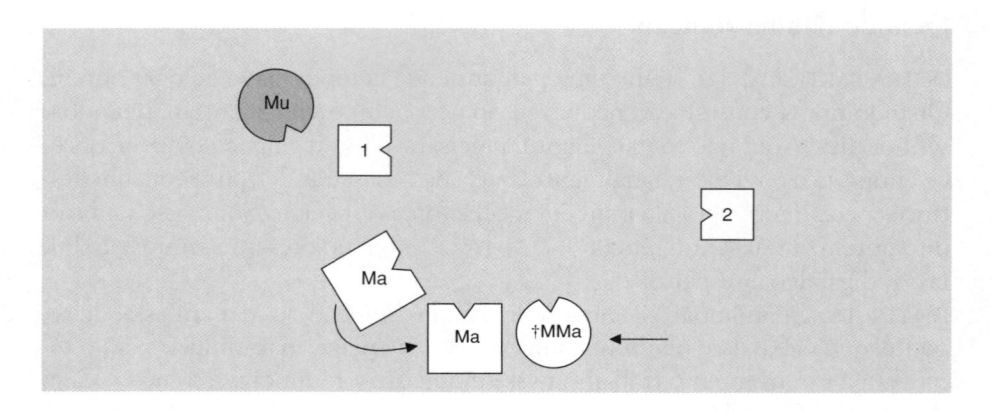

Ma   Marido
Mu   Mulher (=Isabel)
1   Primeiro filho, gravemente lesado por um acidente
2   Segundo filho
†MMa   Mãe do marido, morreu num acidente

HELLINGER: Como está o marido, e o que mudou desde que a mãe apareceu?
MARIDO: Minhas pernas estão bambas e tremem. Sinto um mal-estar. Isso aumentou quando minha mãe foi colocada.
HELLINGER: Fique bem perto, ao lado dela. — Como é agora?
MARIDO: Mais agradável. Sinto-me mais estável, mas agora não sinto mais relação com o que está em torno.
HELLINGER (*para Isabel*): O que houve na família da mãe dele?
ISABEL: O marido dela desapareceu na guerra.

HELLINGER: Vamos colocá-lo também.

Figura 2

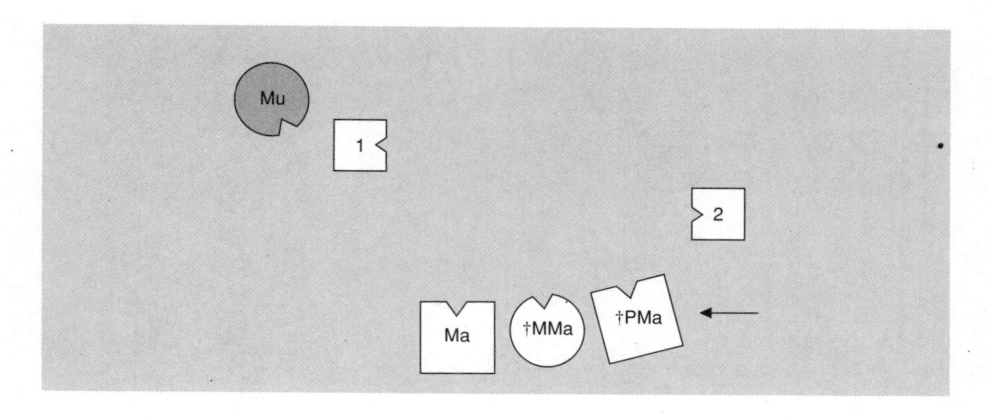

†PMa   Pai do marido, desapareceu na guerra

HELLINGER: Como está o filho mais velho?
PRIMEIRO FILHO: Não estou sentindo minha mãe, em absoluto. Minha avó me parece ameaçadora.
HELLINGER: Vou tirá-lo agora desse campo de força.

Hellinger altera a imagem.

Figura 3

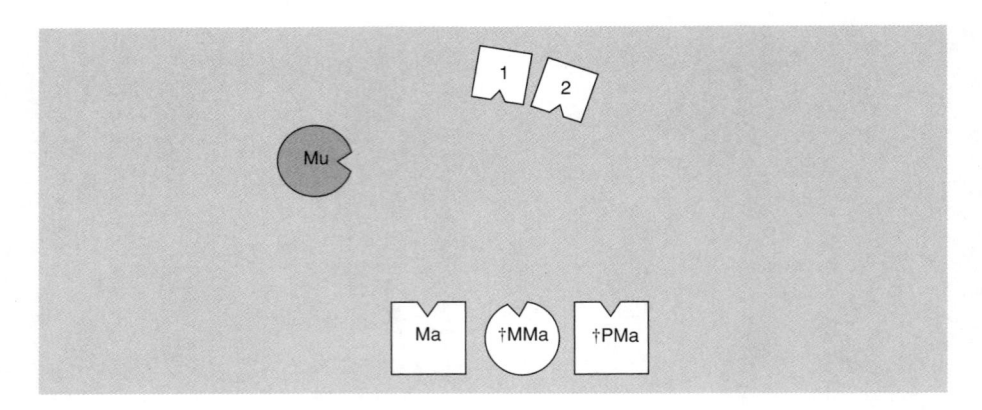

HELLINGER: Como está a mulher?
MULHER: Agora estou melhor. Antes estava muito mal. Sentia o coração oprimido por causa do filho mais velho. Com o marido não tenho nenhuma relação. Quando chegou a mãe dele, a situação ficou ameaçadora. Noto agora que algo está fluindo na direção de meu filho. Agora me sinto mais livre. (*Respira fundo.*)
HELLINGER: Como estão os filhos?
PRIMEIRO FILHO: Melhor.
SEGUNDO FILHO: Também estou melhor. Antes eu me sentia perdido.
HELLINGER: Como está o marido agora?
MARIDO: Não estou no lugar certo. Sinto-me atraído para minha mulher.

Ele se coloca ao lado de sua mulher e fica radiante.

Figura 4

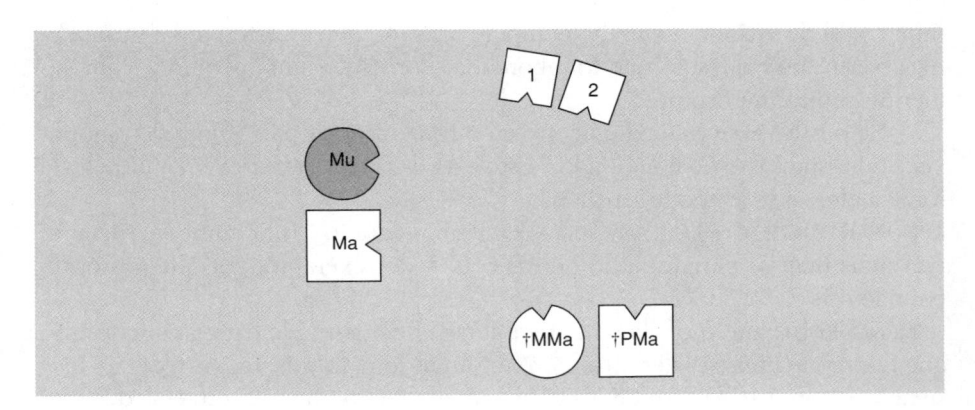

HELLINGER (*para Isabel*): Minha imagem é que o marido tem a tendência de seguir seu pai e sua mãe, ambos. Entretanto, em vez de fazê-lo ele próprio, seu filho sofreu esse acidente. Esta é a minha imagem. O filho diz ao pai: "Antes vá eu do que você." Porém, logo que os mortos são vistos e reconhecidos, o marido pode ficar e o filho também.
ISABEL: Logo que ele os reconheça ou...?
HELLINGER: Logo que reconheça os mortos e os olhe sem medo, aberta e claramente. Isso ele está fazendo agora, pode-se ver. Você vê a mudança nele?
ISABEL: Sim.
HELLINGER: Então seus filhos ficam livres. Porém os filhos precisam passar para a esfera da mãe, pois a família do pai está excessivamente carregada. Está bem? — Agora coloque-se você mesma em seu lugar.
HELLINGER (*para Isabel, quando ela fica ao lado do marido*): Agora prometa a seu marido que vocês assumirão juntos o cuidado pelo seu filho. Diga isso a ele!
ISABEL (*para seu marido*): Nós assumiremos juntos o cuidado por nosso filho.
HELLINGER: Como se sente o homem ouvindo isso?
MARIDO: Acho difícil aceitar isso. Eu estava me sentindo muito forte aqui e tenho dificuldade de aceitar o que ela diz.
HELLINGER (*para Isabel*): Você precisa dizer a ele: "Eu ajudo você nesse cuidado."
ISABEL: Eu ajudo você a cuidar do nosso filho.
HELLINGER (*para o marido*): É melhor assim?
MARIDO: É melhor.
HELLINGER (*para o grupo*): Ele tem a principal responsabilidade. Assim, a mulher apenas pode apoiá-lo, não dividir com ele. Aí ele pode aceitar sua ajuda. É o principal responsável, porque o filho fez isso por ele e em seu lugar.
(*para Isabel*): Isso está claro para você?

ISABEL: Para mim está claro que é assim.
HELLINGER: Está bem, foi isso aí.
(*para o grupo*): Alguma pergunta a respeito?
O REPRESENTANTE DO FILHO ACIDENTADO: Quando alguém se encontra assim num papel de vítima, o que lhe compete fazer? O que é certo para a vítima?
HELLINGER: Essa questão não foi abordada. Por isso, é uma pergunta complementar muito importante.

Se o filho estivesse aqui agora, eu o faria dizer ao pai: "Querido pai, por você eu assumi isso de bom grado." Esta é a verdade. Quando vem à luz, ela dá força a ele. — Você pode sentir isso?
REPRESENTANTE DO FILHO ACIDENTADO: Sim. — Então o filho também não precisa mais ficar se perguntando outras coisas, por exemplo, por que o próprio pai não o fez?
HELLINGER: Isso mesmo, ele não precisa mais fazer isso. Ele carrega um destino que não pode mais ser desfeito. Porém, olhando para trás, reconhece sua motivação e com isso se torna mais fácil para ele reconciliar-se com esse destino. Então também pode aceitar de boa consciência e coração tranqüilo os cuidados dos pais. Isso é importante porque o filho perde o medo de sobrecarregá-los e se vê num contexto de inocência e de amor.
REPRESENTANTE DO PAI: Quero acrescentar uma coisa sobre o final da constelação. Ficar diante de meu filho acidentado deu-me uma sensação de um vínculo incrivelmente forte e profundo.
HELLINGER: Essa foi mais uma informação importante para a Isabel.
UMA PARTICIPANTE: Só uma breve pergunta. Existe uma regra que determine qual dos filhos assume esse papel?
HELLINGER: Muitas vezes é o mais velho que o assume, mas não existe regra fixa.
OUTRA PARTICIPANTE: Gostaria de dizer que estou grata por ter podido participar. Esse filho foi colega de meu filho na escola. O que aconteceu aqui eu achei muito verdadeiro.

Constelação de Julia — Moça anoréxica: "Antes desapareça eu do que você, querido papai"

UM PARTICIPANTE: O senhor mencionou antes um caso de anorexia. Poderia talvez esclarecer um pouco mais esse tema e a origem desse processo?
HELLINGER: Temos uma anoréxica aqui na sala. Poderíamos simplesmente colocar o sistema dela e observar sua dinâmica.
(*para Julia*): Você quer vir?
JULIA: Sim.
HELLINGER (*para o grupo*): Ela acaba de sair da clínica, por isso está com um aspecto melhor.
(*para Julia*): Você não precisa contar nada. Coloque simplesmente seu sistema de origem. Quem pertence a ele?

JULIA: Meu pai, minha mãe, eu e quatro irmãos. Gostaria também de incluir um ex-namorado meu, pois somente comecei seriamente com a anorexia quando o conheci.
HELLINGER: Não precisamos dele, apenas da família de origem. — Algum de seus pais esteve antes casado ou num vínculo estável?
JULIA: Num vínculo estável não, mas houve para meu pai uma mulher importante, com a qual ele não tem vínculo, mas que sempre permaneceu num segundo plano.
HELLINGER: Vamos colocá-la também.

Figura 1

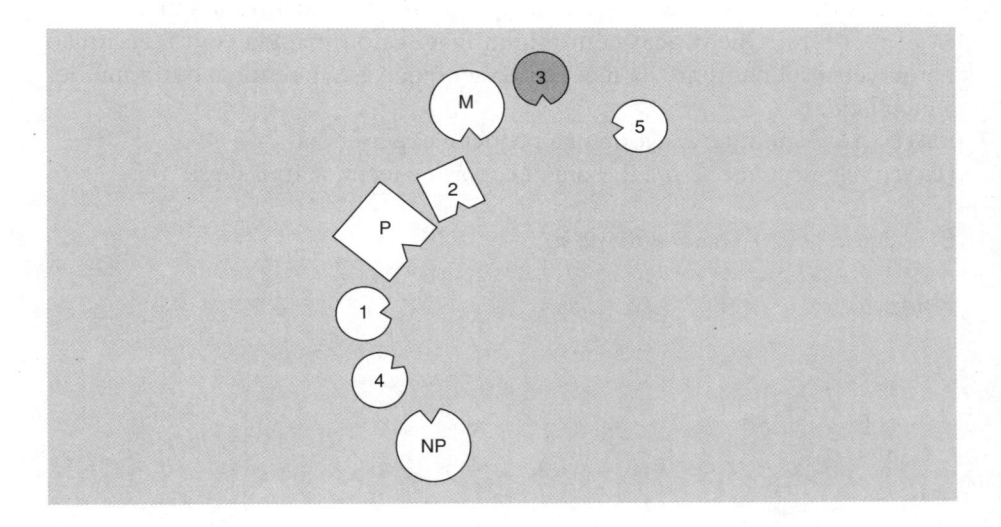

P	Pai
M	Mãe
1	Primeira filha
2	Segundo filho
3	**Terceira filha (=Julia)**
4	Quarta filha
5	Quinta filha
NP	Namorada do pai

HELLINGER: Como está o pai?
PAI (*aponta para a mulher que representa sua namorada*): Quem é ela?
HELLINGER: A namorada secreta.
PAI: Desde que ela está ali eu me sinto bem.

Risadas no grupo.

PAI: Antes eu estava pensando comigo mesmo: já é tempo de procurar uma mulher.
HELLINGER: Como está a mãe?
MÃE: Numa pior. Não sei em absoluto o que estou fazendo neste sistema.
HELLINGER: Como está a filha mais velha?
PRIMEIRA FILHA: Por um lado, sinto-me bem junto com o pai; por outro lado, gostaria que minha mãe ficasse atrás de mim.
SEGUNDO FILHO: Sinto-me muito indisposto. Estou entre a mãe e o pai. A mãe está atrás de mim, sinto-me empurrado para a frente e não estou bem.
TERCEIRA FILHA: Tenho a sensação de que tenho de ajudar minha mãe.
QUARTA FILHA: Quero ficar com minha mãe. Estou irritada com meu irmão porque ele está na frente da mãe, e não sei o que está fazendo a outra mulher a meu lado.
HELLINGER: Vamos fazer agora uma pequena experiência.
(*para a representante de Julia*): Saia pela porta e feche-a atrás de si.

Ela sai pela porta e bate-a atrás de si.

Figura 2

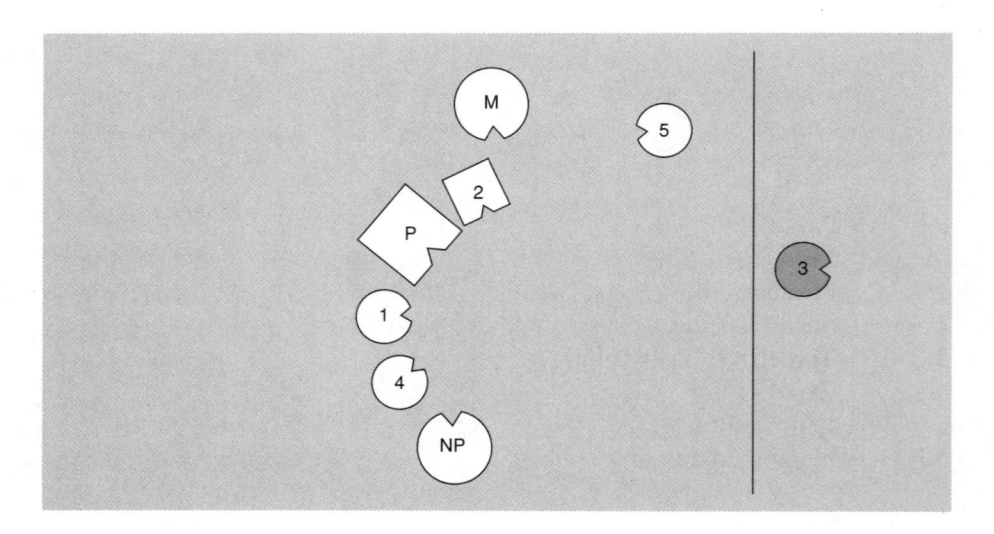

HELLINGER: O que mudou para o pai?
PAI: Não agüento isto. É insuportável.
HELLINGER: O quê?
PAI: Que ela falte. Era minha filha!

HELLINGER (*para o grupo*): A dinâmica da anorexia é a seguinte: "Antes desapareça eu do que você, meu querido pai." Quando a filha vai embora, o pai pode permanecer na família. A dinâmica aqui é esta: o pai se sente atraído para essa mulher mas, se a filha desaparece, ele precisa ficar. Esta é uma solução má, mas é esse o sentido da anorexia. Deixei isso claro?
VÁRIOS PARTICIPANTES: Sim.
HELLINGER: Agora vamos procurar uma solução melhor. Façam-na entrar de novo!

Hellinger afasta o pai e sua amiga para o lado e coloca a mãe diante dos filhos.

Figura 3

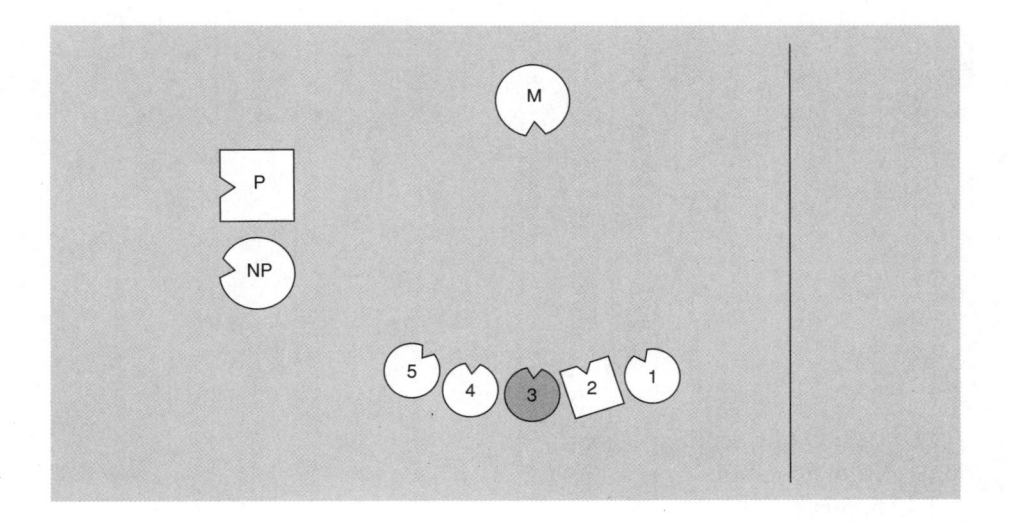

HELLINGER: O que acontece agora com a mulher?
MÃE: Sinto-me aliviada.
PRIMEIRA FILHA: Sinto-me confusa.
SEGUNDO FILHO: Melhor.
TERCEIRA FILHA: É bom estar assim alinhada.
QUARTA FILHA: Está razoável assim. Não sei ainda ao certo.
QUINTA FILHA: Confusa.
HELLINGER: Como está o pai?
PAI: Estou oscilando entre "Algo poderia acontecer com a amiga: será um começo?", e "Não vai dar certo, de jeito nenhum".
HELLINGER: É um belo sonho.

O pai confirma com a cabeça.

NAMORADA DO PAI: Na primeira posição eu estava me sentindo muito bem. Era bonito ver todos na minha frente e eu tinha a sensação de que esta é a minha família. Agora não está bom aqui, absolutamente.

HELLINGER: Vamos tentar agora uma nova solução.

Figura 4

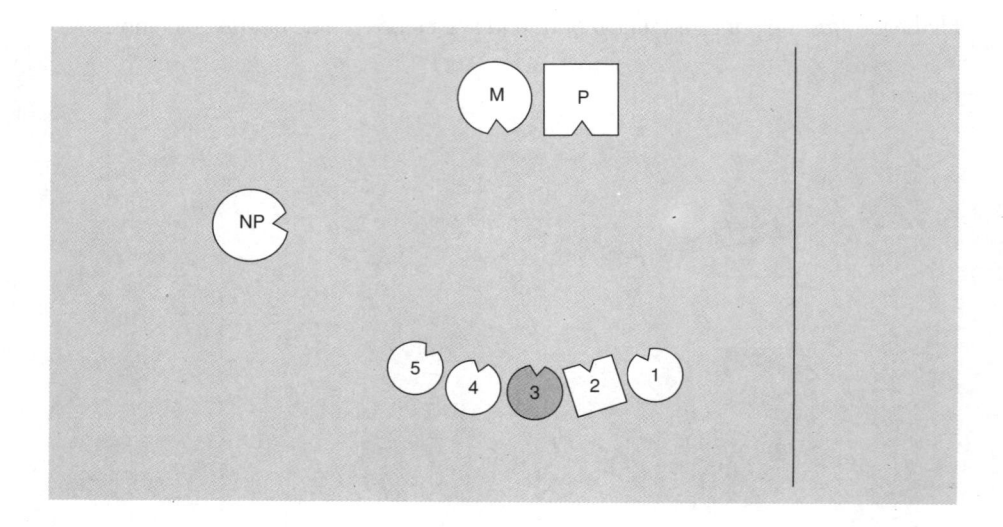

HELLINGER: O que acontece agora?
MÃE: Assim é melhor.
PAI: Olá, meus filhos!
PRIMEIRA FILHA: Sinto-me cheia de amor.
SEGUNDO FILHO: Há pouco eu estava com raiva porque ele estava longe. É melhor assim.
TERCEIRA FILHA: Está bem.
QUARTA FILHA: Está legal assim.
QUINTA FILHA: Está bom também.
HELLINGER (*para o grupo*): A mulher não assumiu o homem completamente; ela não se colocou conscientemente entre ele e a outra mulher. O pai também não assumiu a mulher completamente. Então surgiu esta situação: uma filha quer desaparecer em lugar do pai, para retê-lo na família.
(*para Julia*): Você quer colocar-se em seu lugar?
JULIA: Eu me sinto tão no centro! É muito difícil suportar isto.
HELLINGER: Suportar a desgraça e a morte é mais fácil. Percebe isso?

Ela assente vigorosamente com a cabeça.

HELLINGER: Agora olhe para a mãe e diga a ela: "Mamãe, eu fico."
JULIA: Mamãe, eu fico. Mamãe, eu fico.
HELLINGER: "Mesmo que papai vá, eu fico."
JULIA: Mesmo que papai vá, eu fico.
HELLINGER: Diga-o tranqüilamente, com suas próprias palavras!
JULIA: Mamãe, eu fico, mesmo que papai vá.
HELLINGER: Como você sente isso?
JULIA: Esta posição é difícil de acreditar.
HELLINGER: Como foi isto agora para a mãe?
MÃE: Bem. Eu também estava querendo sair, quando ela saiu da sala.
PAI: Senti-me mais livre quando ela disse isso, apesar dos sentimentos de culpa.
HELLINGER (*para Julia*): Coloque-se ao lado de sua mãe, bem próxima, olhe para ela e lhe diga: "Mamãe, eu fico."
JULIA (*com voz clara e firme*): Mamãe, eu fico.
HELLINGER (*para o grupo*): Não soou bem?

Risadas no grupo.

JULIA: Aqui isto fica mais fácil para mim.
HELLINGER: Justamente. O que lhe disse ontem, quando conversamos? Qual é o seu lugar?
JULIA: Aqui, junto da mãe.
HELLINGER (*para o grupo*): Em que pese o que dizem tantas teorias terapêuticas, as pessoas anoréxicas estão mais seguras junto da mãe. Aqui o comprovamos. Oxalá!
— Está bem, foi isso aí.

Acessos de fome seguidos de vômito (bulimia)

UM PARTICIPANTE: Posso fazer ainda uma pergunta? — Hoje em dia a anorexia e a bulimia estão se alternando, cada vez com maior freqüência. A anorexia pura é cada vez mais rara; acontece muito a mudança da anorexia em bulimia.
HELLINGER: A bulimia tem uma dinâmica diferente da anorexia. Na bulimia, a situação familiar é tal que a criança não tem o direito de receber do pai, apenas da mãe. Dessa maneira, ela toma de sua mãe para ser-lhe fiel e então cospe fora, por lealdade ao pai. Dessa maneira, fica leal a ambos.

A terapia da bulimia é muito simples. A instrução básica à paciente bulímica é que, quando sente o impulso de comer, ela prazerosamente compre tudo o que gostaria de comer e espalhe em cima da mesa. Então ela deve pegar uma colher de chá, imaginar-se sentada no colo do pai, tomar a primeira colherada, olhar para o pai e dizer-lhe: "Com você isto tem sabor, de você eu o tomo com gosto", comendo então a porção com prazer. Isso deve ser repetido a cada nova porção. A simples imagem já costuma bastar. Mas não se deve fazer isso como se fosse um ritual: é preciso fazê-lo conscientemente cada vez e mudar a instrução de acordo com o sentimento.

No que se refere à mudança da anorexia para a bulimia, isso se deve ao fato de que a antiga anoréxica ainda não se decidiu completamente a ficar. Assim, ela come para ficar e vomita para ir. A solução consiste em que ela diga ao pai, quando sentir vontade de vomitar: "Papai, eu fico."

Estar em sintonia com algo maior

HELLINGER: Gostaria de dizer alguma coisa sobre a atitude básica que mantenho no trabalho de ajuda. Isso também é importante para outros quando buscam soluções para um problema.

Com freqüência me telefonam pessoas em dificuldades conjugais e me perguntam se podem vir resolvê-las comigo. Na maioria dos casos eu digo: "Não, não faço isso, caso contrário vocês me confiarão algo que deve ficar entre vocês. Se me procurarem juntos, seu amor sofrerá prejuízo, pois confiarão a uma terceira pessoa o que pertence a vocês. Em lugar disso, aconselho que cada um me telefone separadamente. Então talvez irei sugerir a cada um coisas diferentes. E não vou querer saber o que vocês terão feito com minha sugestão. Eu os confiarei totalmente ao seu próprio amor, à sua responsabilidade e à sua força."

Isso também vale quando alguém está em busca de cura. Quando confia isso a uma outra pessoa e passa a depender dela, ele se priva da força.

Soluções que duram são um dom e uma graça. Quem as experimenta sente-se, de repente, em sintonia com algo que ultrapassa suas forças e o sustenta. O que procuro em meu trabalho é fazer com que as pessoas entrem em sintonia com essa força. Eu próprio me confio a ela, estou em sintonia com ela, e assim trabalho com algo que simplesmente flui através de mim.

Digo isso também para as pessoas que ainda gostariam de trabalhar aqui e percebem que isso não é mais possível neste curso. Talvez encarem isso como azar, mas não sabemos se realmente é assim.

Conta uma história chinesa que dois cavalos selvagens apareceram no sítio de um camponês. Então as pessoas lhe disseram: "Você teve sorte." Ele porém respondeu: "Veremos." No dia seguinte, seu filho montou os cavalos, mas foi derrubado e quebrou uma perna. Então as pessoas lhe disseram: "Você teve azar." Mas ele respondeu: "Veremos." No dia seguinte apareceram enviados do imperador, recrutando jovens para a guerra.

Assim, nunca se sabe ao certo.

Risadas e aplausos no grupo.

HELLINGER: O tempo deste seminário está esgotado. Para concluir, contarei uma história a vocês. É uma história filosófica, onde os interlocutores lutam pela verdade e pela compreensão, assim como outras pessoas lutam pela solução ou pela cura. Contudo, também neste caso, aquele que aparentemente ganha não subsiste sem aquele que perdeu; pois como poderia ele superar a fonte enquanto ainda está bebendo dela?

Contudo, ao ouvirmos a história, não precisamos tomar posição. Por isso, enquanto a escutamos, sentimo-nos livres da pressão dos contrários. Eles só voltam a dominar-nos quando ficamos entregues a nós mesmos e nos sentimos obrigados a agir e, por conseguinte, a decidir.

Dois tipos de saber

*Um erudito perguntou a um sábio
como as coisas individuais
se integram num todo,
e qual é a diferença
entre conhecer muitas coisas
e conhecer a plenitude.*

*O sábio respondeu:
"O que está muito disperso
se converte num todo
quando se dispõe
em torno de um centro
e, assim centrado, atua.
Pois só através de um centro
o múltiplo se torna essencial
e real,
e sua plenitude nos aparece então
como simples
e até modesta,
como uma força tranquila
que visa ao imediato
e fica na base e próxima
daquilo que ela sustenta.*

*Assim, para experimentar
ou comunicar uma plenitude,
não preciso conhecer,*

*dizer,
ter,
fazer*
todas as coisas individualmente.

*Quem entra numa cidade
atravessa um único portal.
Quem bate um sino uma vez
faz ressoar em uníssono
muitos outros sons,
e quem colhe a maçã madura
não precisa investigar sua origem:
ele a toma na mão
e come."*

*"Quem busca a verdade" —
objetou o erudito —,
"precisa também
conhecer as particularidades."*

*Mas o sábio contestou:
"Só sobre as verdades velhas
é que sabemos muitas coisas;
a verdade que nos faz progredir
é ousada e nova,
pois oculta o seu fim,
como a semente oculta a árvore.*

*Assim, quem hesita em agir,
querendo saber mais
do que o próximo passo lhe permite,
deixa escapar o que atua.
Ele toma a moeda
pela mercadoria
e de uma árvore
faz lenha."*

*O erudito achou que isso
era apenas uma parte da resposta
e pediu ao sábio
que explicasse um pouco mais.*

*Mas ele recusou com um gesto,
pois a plenitude começa
como um barril de mosto, doce e turvo,
que precisa fermentar bastante
até tornar-se límpido.
Quem tenta bebê-lo,
em vez de prová-lo,
facilmente cambaleia.*

PERGUNTAS A UM AMIGO
(Entrevista com Norbert Linz)

A dimensão sistêmica dos problemas e do destino

NORBERT LINZ: Caro Bert, como é que você chegou à psicoterapia sistêmica?

BERT HELLINGER: É difícil para mim refazer esse caminho, pois já se passou muito tempo. Porém, quanto me lembre, o *insight* decisivo me veio quando pratiquei a Análise do *Script* segundo Eric Berne. Ele partiu da constatação de que cada pessoa vive de acordo com determinado padrão. Esse padrão pode ser encontrado em histórias literárias como contos de fadas, romances, filmes, etc., que impressionaram essa pessoa. Pede-se a ela que mencione uma história que a comoveu em sua primeira infância — ainda antes do quinto ano de vida —, e uma segunda história que a comove atualmente. Então se comparam essas duas histórias e a partir do elemento comum a ambas se deduz qual é o secreto plano de vida daquela pessoa. Eric Berne acreditava que esse *script* resultava das primeiras mensagens que os pais transmitem aos filhos. Entretanto, descobri de repente que isso não é verdade.

LINZ: Como é que você descobriu isso?

HELLINGER: Vi que alguns dos assim chamados *scripts* — portanto, dos planos de vida pelos quais as pessoas inconscientemente se orientam — decorrem de vivências bem antigas, independentemente de sua transmissão pelos pais. Quando alguém traz, por exemplo, a história do anão *Rumpeltistekin*, vemos que se trata de uma história onde um pai entrega a filha e onde falta a mãe. Então pode-se seguir essa indicação e perguntar à pessoa se na família dela alguma criança foi dada, ou se ela própria foi dada. Então talvez se manifeste que ela se sente como uma criança que foi dada e se propôs viver e se comportar como tal por toda a sua vida.

LINZ: Como prosseguiu seu trabalho com as histórias de *scripts*?

HELLINGER: Depois de algum tempo, descobri que muitas dessas histórias absolutamente não se referem à pessoa que as conta, mas a outra pessoa de sua família. Por exemplo, certa vez encontrei um homem que em criança se impressionara muito com a história de Otelo. Aí me ocorreu, de repente, que essa história não poderia referir-se a ele mesmo, pois uma criança não pode vivenciar o que Otelo vivenciou. Então perguntei-lhe, de chofre: que homem de sua família matou alguém por ciúme? Ele respondeu: meu avô. Sua mulher lhe fora infiel e ele fuzilou o amante. Desde então, passei a distinguir muito claramente, quando trabalhava com *scripts*, se a história dizia respeito a uma vivência do próprio cliente ou de alguma outra pessoa. Assim deparei, pela primeira vez, com a dimensão sistêmica dos problemas e dos destinos pessoais.

LINZ: Tudo isso resultou da observação?

HELLINGER: Não exclusivamente. Ao falar de *scripts*, Eric Berne já tinha considerado uma dimensão sistêmica, cujo alcance, entretanto, ele não reconheceu. Os que se dedicaram mais tarde à análise transacional voltaram a encobrir esse ponto. Portanto, Eric Berne já me deu uma pista.

LINZ: Houve outras?

HELLINGER: Aconteceu um fato que me levou a uma pista sistêmica. Por longo tempo pratiquei a terapia primal. Nessa ocasião, trabalhei certa vez com uma mulher que manifestava sentimentos que eu não conseguia entender. Ela havia tratado um homem de uma maneira terrível mas absolutamente não se dera conta disso. Naquela ocasião fiz algo de errado, porque não sabia como lidar com isso. Posteriormente senti muito esse erro.

LINZ: Em que você errou, do ponto de vista de sua compreensão posterior?

HELLINGER: Atribuí aqueles sentimentos a essa mulher, como se fossem próprios dela. Só mais tarde verifiquei que existe o que se chama de sentimento adotado. Até então eu partia do pressuposto de que só existem dois tipos de sentimentos: os primários, que são uma reação imediata a eventos ou a uma ofensa, e os sentimentos que substituem os primários ou defendem contra eles. Por exemplo: uma pessoa fica triste quando deveria estar com raiva, ou fica zangada quando deveria sentir-se grata.

LINZ: Portanto, os sentimentos secundários.

HELLINGER: Sim. O fato de existirem sentimentos adotados, que alguém inconscientemente assume de outra pessoa e dirige a uma terceira, que nada tem a ver com o assunto, isso eu só percebi quando voltei a refletir sobre o caso. Assim, através da terapia primal, deparei-me também com a dimensão sistêmica dos sentimentos e dos destinos funestos.

A seguir, fiz uma nova descoberta. Verifiquei também que os sonhos, às vezes, não dizem respeito à pessoa que sonha, mas a algo que pertence a outras pessoas da família. Quando atribuímos o conteúdo de um sonho à pessoa que o tem, podemos incorrer em equívocos e cometer injustiça para com ela. Portanto, os sonhos também revelam, às vezes, um envolvimento nos destinos de outras pessoas. Por outras palavras, eles também podem ter uma dimensão sistêmica.

Mestres e estimuladores

LINZ: Você citou Eric Berne como um de seus motivadores. Pode citar outros mestres a quem você credita algo em seu desenvolvimento como psicoterapeuta?

HELLINGER: São muitos. Meus primeiros mestres foram terapeutas sul-africanos, formados nos Estados Unidos, que trabalhavam com dinâmica de grupos. Para participar desses treinamentos, que eram basicamente organizados por ministros anglicanos para os colaboradores de sua igreja, eram convidadas também pessoas de outras confissões e de diversas raças. Para mim foi uma vivência muito profunda ver ali como os antagonismos se dissolviam num respeito recíproco. Também pude imediatamente colocar isso em prática, porque era diretor de uma grande escola para africanos em Natal. Portanto, a dinâmica de grupos foi o primeiro passo. Naquela época eu ainda não havia pensado em psicoterapia.

LINZ: Como você chegou à psicoterapia?

HELLINGER: Quando voltei à Alemanha, em 1969, passei a ministrar treinamentos em dinâmica de grupos, mas logo notei que isso não me bastava. Por isso, fiz em Viena uma formação em psicanálise, que também me deu muita coisa.

Enquanto ainda estava nessa formação, chegou-me às mãos, através de meu analista, o livro *The Primal Scream (O Grito Primal)*, de Arthur Janov. Naquela época este livro ainda não era conhecido no espaço cultural de língua alemã. Fiquei profundamente impressionado com a maneira direta como Janov abordava as emoções básicas. Nos meus cursos de dinâmica de grupos experimentei secretamente seus métodos e imediatamente reconheci seu impacto. Resolvi então que, após terminar minha formação em Psicanálise, iria submeter-me a uma terapia primal com Janov. De fato, dois anos depois, fui para os Estados Unidos e fiz terapia primal por nove meses com Janov e com o primeiro terapeuta formado por ele. Ali aprendi muito sobre a forma de lidar com as emoções. Desde então já não fiquei abalado com fortes explosões emocionais. Pois também eu sou movido a emoções...

LINZ: ... mas não se deixa enrolar por elas.

HELLINGER: Nisso consigo manter distância. Entretanto, logo notei que a terapia primal também tinha as suas deficiências.

LINZ: Quais?

HELLINGER: Alguns clientes e terapeutas se deixam dirigir exclusivamente por suas emoções. Logo percebi isso e me defendi contra essa atitude. Porém conservei o que tinha valor: antes de tudo, que o indivíduo seja entregue a si mesmo e não se ocupe de sentimentos alheios como recurso para escapar dos próprios, distraindo-se de si mesmo. Por exemplo, que não receba *feedback* de outras pessoas enquanto expressa os próprios sentimentos.

LINZ: Como você utilizou mais tarde suas experiências com a terapia primal?

HELLINGER: Quando voltei à Alemanha trabalhei muito intensamente, por algum tempo, com a terapia primal. Com o passar do tempo, reparei que os sentimentos fortes que emergem geralmente encobrem um outro sentimento, um amor primitivo pela mãe e pelo pai. Assim, sentimentos como a raiva, a cólera, o luto e o desespero muitas vezes funcionam apenas como defesa contra a dor causada pela interrupção de um movimento precoce em direção da mãe ou do pai.

LINZ: O que se deve entender concretamente por "movimento interrompido"?

HELLINGER: Quando a criancinha quis ir em direção à mãe ou ao pai mas não pôde fazê-lo, por exemplo, porque estava no hospital ou numa incubadora como bebê prematuro, ou ainda porque o pai ou a mãe morreram cedo, então o amor se transforma em dor, que é o outro lado do amor. No fundo, é exatamente a mesma coisa. A dor é tão grande que a criança mais tarde nunca mais quer aproximar-se dela. Ao invés de ir ao encontro da mãe ou de outras pessoas, prefere manter-se distante delas. Em vez do amor, sente raiva ou desespero e a dor da perda. Quando o terapeuta sabe disso, pode prescindir desses sentimentos mais superficiais e visar diretamente ao amor. Ele conduz o cliente até o ponto em que o movimento foi interrompido e o restabelece, no contexto de uma terapia primal ou de uma constelação familiar. Dessa maneira, o movimento interrompido é reconduzido ao seu termo, advindo uma profunda paz. Então acaba muita coisa que resultara da mágoa primitiva, como medos, compulsões, fobias, sensibilidade excessiva ou outras formas conhecidas de comportamento neurótico.

LINZ: Que tarefa cabe ao terapeuta nesse processo?

HELLINGER: Para o cliente eu substituo o pai ou a mãe, e só posso acompanhar e dirigir o seu movimento pelo fato de estar consciente de que os represento. Eu conduzo o cliente à mãe ou ao pai e cedo-lhes o lugar logo que o filho chega lá.

LINZ: O que faz você, após esse trabalho de vinculação intensa, para que o cliente não transfira demasiado para você?

HELLINGER: Quando levo a termo o movimento interrompido o cliente me esquece. Pois eu o entreguei às melhores mãos que existem para ele, às mãos de seus pais, e posso tranqüilamente retirar-me. Por isso é muito reduzido o perigo da transferência neste trabalho.

LINZ: Você ainda citaria outros métodos terapêuticos que foram importantes para você — por exemplo, a terapia familiar?

HELLINGER: Durante muitos anos, de 1974 a 1988, combinei a análise do *script* e a terapia primal. Em seguida, ocupei-me intensamente com a terapia familiar, a nova tendência dos anos 70. Então estive nos Estados Unidos por mais quatro semanas e participei de um grande seminário sobre terapia familiar, dirigido por Ruth McClendon e Les Kadis. Com eles aprendi muito. Faziam constelações familiares impressionantes e, por intuição ou por tentativas, encontravam boas soluções, as quais, entretanto, eu não conseguia absorver plenamente. Eles também não podiam explicar o processo, por não estarem conscientes dos padrões básicos.

LINZ: Para ter um ponto de referência, em que ano aconteceu isso?

HELLINGER: Foi em 1979. Depois Ruth McClendon e Les Kadis estiveram na Alemanha e deram dois cursos sobre terapia multifamiliar, fazendo simultaneamente, em cinco dias, a terapia de cinco famílias, com a presença de pais e filhos. Nessa ocasião pensei comigo mesmo: talvez eu faça apenas terapia familiar, é a única coisa certa. Mas então considerei meu trabalho anterior e decidi permanecer nele, pois tinha ajudado muita gente. Porém a terapia familiar não me deixou mais. Tomando consciência, cada vez mais, da dimensão sistêmica dos problemas e dos destinos, meu trabalho terapêutico mudou tanto que no espaço de um ano se transformou numa terapia familiar, incorporando porém minhas experiências anteriores.

LINZ: Então você passou a trabalhar com constelações familiares.

HELLINGER: Sim. Mas, antes disso, participei ainda de dois cursos com Thea Schönfelder sobre constelações familiares. Ela trabalhou de uma forma muito marcante que eu já entendia melhor, se bem que ainda não completamente. Então, quando estava escrevendo uma conferência sobre culpa e inocência nos sistemas, ocorreu-me de repente que existe algo que se pode chamar "ordem de origem", isto é, a precedência do que é anterior num sistema sobre o que é posterior.

LINZ: Juntamente com os "sentimentos adotados" e o "movimento interrompido", esta é uma abordagem original sua.

HELLINGER: O que significa aqui original? O *insight* me ocorreu, como poderia ter também ocorrido a outros. Por isso não faço nenhuma reivindicação sobre isso. Mas isso me proporcionou o modelo básico, com o qual pude reconhecer e resolver as perturbações nas relações familiares. Só a partir daí pude começar a trabalhar com constelações familiares. No decorrer do tempo reconheci outros padrões, por exemplo, a representação de pessoas excluídas através de outras que vieram depois, e a importância da compensação nas famílias e grupos familiares.

Constelações familiares

LINZ: Você mencionou há pouco que muitos trabalharam com constelações familiares antes de você. O que há de peculiar em sua maneira de trabalhar?

HELLINGER: Tenho firme confiança em que cada indivíduo, quando coloca sua própria família ou colabora em alguma constelação, está em contato com algo que vai além dele. Por isso, abstenho-me de instruções prévias. Vários terapeutas dizem aos representantes como devem se comportar; por exemplo, que se inclinem para a frente ou olhem numa determinada direção. Denominam isso "escultura familiar". Não permito algo assim. Pois, quando o representante se centra e se entrega ao que acontece, faz espontaneamente tudo isso, quando é necessário. Isso tem então uma força de convencimento muito diferente do que se eu desse instruções prévias.

De mais a mais, quando alguém coloca a família de uma forma preconcebida, a imagem nunca é correta. A verdadeira imagem da família realmente só

emerge passo a passo durante o processo da constelação, surpreendendo inclusive a pessoa que a está colocando.
LINZ: Como você explica que a realidade sistêmica realmente se manifeste nas constelações familiares?
HELLINGER: Isso eu não posso explicar. Mas é possível ver que os participantes de uma constelação familiar, desde que são colocados em relação uns com os outros, não estão mais em si, mas se comportam e sentem como os membros da família que representam. Chegam até a sentir sintomas físicos deles.

Há pouco tempo, participou de um curso para enfermos um homem que tinha epilepsia. Ele queria colocar seu sistema familiar mas não pôde, porque não estava totalmente presente. Então fiz com que sua mulher colocasse a família de origem dele, pois ela podia fazê-lo. Quando esse cliente tinha dez anos, seu pai ficou cego devido a uma explosão. Desde então, ele não ousou mais aproximar-se do pai, por medo de também ficar cego. Eu disse a seu representante na constelação que se ajoelhasse diante do pai, se inclinasse até o chão e lhe dissesse: "Eu lhe presto homenagem." Ele o fez. Ajoelhou-se, inclinou-se até o chão e ficou muito emocionado ao dizer isso. Subitamente começou a tremer, como se tivesse um ataque epiléptico. Não pôde resistir a isso. Vê-se portanto que existe um saber e um sentir imediatos, que vão muito além do que nos é comunicado por palavras.
LINZ: O que atua nisso é uma espécie de inconsciente coletivo?
HELLINGER: Não sei, e também evito buscar uma denominação para o fenômeno. Só vejo que essa coisa existe. Por isso, também se pode ver imediatamente se um representante se entrega ou não ao papel numa constelação familiar. Há pessoas que resistem ou estão enredadas no próprio sistema; então eu as tiro imediatamente.

O olhar

LINZ: Você diz com freqüência que isso ou aquilo "a gente pode ver imediatamente". Que espécie de olhar é para você esse processo?
HELLINGER: É um olhar que vai além do fenômeno, isto é, além do que justamente aparece.
LINZ: Portanto, não é uma observação?
HELLINGER: Não, é algo totalmente diverso. Na observação, a visão se estreita, ao passo que o olhar é amplo. Ele se dirige ao todo e vai além do particular e do aparente. Então vejo uma pessoa junto com sua família. Por isso, quando alguém coloca sua família, posso ver imediatamente, olhando além da imagem, se está faltando alguém. Quando então procuro comprovar isso no grupo e pergunto: "Qual é a impressão de vocês, está faltando alguém ou não?", muitos respondem; eles também estão vendo. Portanto, não se trata de um saber só meu. Apenas é necessário algum exercício, até que a gente confie nessa percepção e "olhe" dessa maneira.

As objeções contra o olhar

Entretanto, existe aí algo muito importante a considerar. Quando alguém olha dessa maneira, mas depois coloca uma pergunta interna ou faz uma objeção, já não consegue ver assim. Isso acontece, por exemplo, quando diz "isso não pode ser assim" ou "talvez eu esteja fantasiando", começa a duvidar ou sente medo. Se, de repente, ele toma consciência de algo que realmente está vendo — por exemplo, que alguém está perto da morte —, e fica com medo de sustentar e exprimir essa percepção, então já não consegue ver isso.

LINZ: Como é possível ver algo assim, que alguém está prestes a morrer? Que sinais permitem verificar isso?
HELLINGER: Isso agora já seria...
LINZ: ... uma objeção?
HELLINGER: Seria uma objeção. Entretanto, em vez de fazer uma objeção, testa-se pelo efeito se é real o que foi visto. Também o cliente o comprova pelo efeito. Quando lhe comunico minha percepção e lhe digo: "Vejo que você está no fim", ele reage imediatamente e diz, por exemplo, "sim", e imediatamente se sente tocado. Assim percebo que vi algo que ele também sabe, mas não ousou admitir. Da mesma maneira é possível ver outras coisas, por exemplo, que uma relação acabou. Isso se pode ver. Quando se diz isso aos envolvidos, eles respiram aliviados porque isso finalmente veio à luz. Portanto, por meio dessas informações de retorno, o olhar é avaliado e treinado e aumenta a coragem de assumi-lo.

A hipnoterapia segundo Milton Erickson

LINZ: Existem ainda outros incentivadores ou terapeutas a quem você deve algo?
HELLINGER: Devo muito aos discípulos de Milton Erickson.
LINZ: Você pode descrever mais precisamente o que recebeu, de modo particular, de Milton Erickson e seus discípulos?
HELLINGER: A primeira coisa foi que Erickson reconhece o ser humano tal como é, reconhece os sinais como são, deixando-se conduzir pelos sinais do cliente que está diante dele. Isso se processa em vários níveis; num nível mais aparente, ouvindo as palavras do cliente, e num nível mais profundo, reparando em seus mais leves movimentos. Pois o cliente transmite sinais que muitas vezes diferem muito do que expressa com palavras. O terapeuta vê e distingue esses níveis. É isso que muitas vezes desconcerta os clientes e faz muita gente me perguntar como é que eu vi uma coisa, quando a pessoa disse outra muito diferente. Mas eu vi como ela reagiu.
LINZ: De que discípulos de Erickson você aprendeu mais?
HELLINGER: Jeff Zeig e Stephen Lankton foram meus principais mestres nessa matéria. Antes eu já tinha participado de dois seminários com Barbara Steen

e Beverly Stoy. Eles me introduziram aos métodos de Milton Erickson, assim como à Programação Neurolingüística (PNL) e ao trabalho com histórias. Por exemplo, eles contavam a cada pessoa no grupo uma história que se ajustava a ela. Por outras palavras, apenas pela percepção imediata captavam alguma coisa e a devolviam através das histórias. Nessa ocasião, tive vontade de fazer também algo semelhante, mas não consegui. Entretanto, dois anos depois, ocorreu-me num grupo, pela primeira vez, uma história terapêutica: "O grande Orfeu e o pequeno Orfeu", que se transformou mais tarde na história "Dois tipos de felicidade".

A função das histórias

LINZ: Quando é que você introduz histórias? Existem determinadas regras para isto?

HELLINGER: Quando não vou adiante com alguém e noto que existe um bloqueio, às vezes me ocorre alguma história para essa pessoa. Muitas de minhas histórias surgiram dessa maneira e fazem então um efeito surpreendente.

LINZ: Como elas atuam?

HELLINGER: O primeiro ponto é que a outra pessoa já não precisa defrontar-se diretamente comigo. Se, por exemplo, eu lhe digo diretamente o que ela poderia ou deveria fazer, ela se vê como um oponente e precisa colocar limites diante de mim, ainda que seja correto o que lhe digo. Ela precisa fazer isso para preservar sua dignidade. Mas, quando lhe conto uma história, ela não se defronta mais comigo e sim com os personagens da história. E muitas vezes não conto a história a ela, mas a uma outra pessoa, e ela não sabe que a história está sendo dirigida a ela.

LINZ: Às vezes você também fala diretamente às pessoas, por exemplo, numa terapia individual. Isso faz alguma diferença? Você precisa ser mais cuidadoso nisso, ou utiliza outras histórias?

HELLINGER: Existem pequenos truques. Posso dizer, por exemplo: "Certa vez, encontrei um homem que contou a alguém..."

LINZ: Portanto você faz um enquadramento.

HELLINGER: Sim, dou à história um enquadramento. Ela fica sendo uma história que outra pessoa conta a uma terceira, e a atenção do meu interlocutor se desvia de mim. O enquadramento cria um grupo fictício onde a história é contada.

LINZ: Muitas vezes, suas histórias parecem ter, além da função de esclarecer, a de relaxar a tensão. Você segue um certo plano quando introduz histórias num curso?

HELLINGER: Não planejo. Às vezes, após um trabalho difícil, noto que o momento exige uma distensão e vejo se já tenho uma história ou me ocorre alguma nova, e então conto-a. Isso ajuda o grupo a voltar à calma e a preparar-se para o que vem depois. Também são histórias desse tipo os exemplos que eventualmente uso para esclarecer alguma coisa. São igualmente pausas para descanso. Dessa forma, procuro fazer com que um curso se desenvolva como um drama. Primeiro existe uma ação, depois uma certa reflexão, ou às vezes preciso contar alguma piada ou algo divertido, quando a situação fica muito séria.

LINZ: Portanto, são também momentos de compensação.

HELLINGER: São momentos de compensação e, curiosamente, também de aprofundamento, porque também se mobiliza o elemento contrário. Assim, não apenas o sério e não apenas o divertido, não só teoria e não só trabalho. Tudo isso vem junto, a vida completa.

Experiências de vida

LINZ: Recapitulando sua vida, que outras experiências pessoais, além das adquiridas através dos mestres, foram importantes para o desenvolvimento de suas formas de terapia?

HELLINGER: Naturalmente, uma experiência muito importante para mim foi meu convívio com os zulus na África do Sul. Lá conheci uma forma de convívio humano totalmente diferente: por exemplo, uma enorme paciência e também um enorme respeito mútuo. Lá é natural que ninguém ridicularize o outro. Assim, cada um pode preservar seu semblante e sua dignidade. Também me impressionou muito a maneira como os zulus lidam com seus filhos e como os pais fazem valer sua autoridade. Por exemplo, jamais ouvi que alguém tivesse falado depreciativamente dos próprios pais. Isso é impensável entre eles.

LINZ: Na época, você atuava numa ordem de missionários católicos. Como é que esse campo especial o marcou?

HELLINGER: Essa foi para mim uma experiência de muita disciplina e trabalho intenso, que me exigiu amplamente e ainda produz seus efeitos. Na África do Sul dirigi escolas superiores, ensinei várias disciplinas, especialmente o inglês, e administrei por muitos anos todo o sistema de ensino de uma diocese com cerca de 150 escolas. As experiências pedagógicas dessa época ainda me beneficiam hoje em meus cursos.

LINZ: Quando você deixou a ordem religiosa, no início dos anos 70, e mudou de profissão, houve resistências?

HELLINGER: Quando me afastei não houve resistências, nem da parte da ordem nem de minha parte. Foi um crescimento ulterior. Por essa razão, também não vivenciei minha saída como uma ruptura, mas como uma evolução.

LINZ: Portanto, sua saída foi totalmente pacífica?

HELLINGER: Sim. Posso olhar para trás com bons sentimentos e ainda mantenho contato com alguns amigos da ordem. Reconheço o que nela recebi e também o que ali realizei.

Os principais *insights*

LINZ: Você pode resumir os aspectos novos que introduz na psicoterapia sistêmica?

O amor

HELLINGER: O aspecto mais importante foi reconhecer que o amor atua por trás de todos os comportamentos, por mais estranhos que nos pareçam, e também de todos os sintomas de uma pessoa. Por esse motivo, é fundamental na terapia que encontremos o ponto onde se concentra o amor. Então chegamos à raiz, onde se encontra também o caminho para a solução, que sempre passa também pelo amor. Isso eu vivenciei primeiro na terapia primal e, em seguida, também na análise do *script* e na terapia familiar. Notei que grande parte do tão decantado trabalho com emoções, onde o terapeuta diz ao cliente "Solte sua raiva", deixa escapar o essencial. Já vi casos em que alguém é incitado a dizer aos pais que está furioso com eles ou mesmo que deseja matá-los, e mais tarde se castiga severamente por isso. A alma da criança não tolera nenhuma depreciação dos pais. Só quando vi isso é que tomei plena consciência da dimensão desse amor. Por isso, procuro sempre e antes de tudo pelo amor, e oponho-me a tudo que o coloque em risco.

A compensação

Uma outra descoberta muito importante foi que a necessidade de compensação entre o dar e o tomar e entre os ganhos e perdas é tão forte que não pode ser superestimada. Ela atua em todos os níveis. Num nível inconsciente, atua como uma necessidade de compensação no mal. Assim, quando, por exemplo, fiz a alguém algo mau, faço também algo mau a mim mesmo. Ou quando vivencio algo bom, pago por isso com algo mau.
LINZ: Como se origina esse comportamento paradoxal?
HELLINGER: Simplesmente pela necessidade de escapar da pressão. A pressão para compensar é enorme. De repente, percebi que inúmeros problemas decorrem dessa necessidade compulsiva, que não leva a nenhuma solução. Deve-se encontrar, num nível mais elevado, uma outra forma de compensação, através do bem, do respeito e do amor.
LINZ: Para o seu modelo terapêutico você recebeu também incentivos externos?
HELLINGER: Boszormenyi-Nagy escreveu um livro sobre "Os Vínculos Invisíveis". Isso me apontou uma direção; mas logo coloquei de lado o livro e passei a examinar por mim mesmo como atua nas famílias a necessidade de compensação. Reparei também que o autor descreve somente a compensação compulsiva que produz efeitos funestos, ao passo que a compensação que leva à solução se acha num nível diferente e superior.

Direitos iguais de pertencimento

LINZ: Existe ainda uma percepção básica, que orienta de modo especial o seu esforço terapêutico?

HELLINGER: Identifico-me com um movimento que torna a unir o que foi separado, mas de forma a primeiro descobrir o que separa e o que une. Nesse particular, minha descoberta mais importante foi que cada membro, vivo ou morto, da família e do grupo familiar tem o mesmo direito de pertencer ao grupo. Por outras palavras, a alma demonstra, por seu modo de reagir à negação ou ao reconhecimento desse direito, que se trata aqui de uma lei básica, intimamente reconhecida por todos. Portanto, quando qualquer membro é excluído, reprimido ou esquecido, a família e o grupo familiar reagem como se tivesse acontecido uma grande injustiça que precisa ser expiada. Isso acontece, por exemplo, quando alguém, por razões morais, é declarado indigno de pertencer à família ou é deslocado por outra pessoa que ocupa o seu lugar. Acontece igualmente quando, na família e no grupo familiar, não se quer mais saber de alguém porque seu destino amedronta, ou ainda quando alguém é simplesmente esquecido, como uma criança que tenha morrido ao nascer. A alma não suporta que alguém seja considerado maior ou menor, melhor ou pior. Somente os assassinos podem e devem ser excluídos, isto é, os demais membros da família os despedem em seus corações com amor.

A injustiça da exclusão é expiada, na família e no grupo familiar, quando outro membro do sistema passa inconscientemente a representar, diante dos membros remanescentes ou agregados, a pessoa que foi excluída ou esquecida. Essa é a causa mais importante de um envolvimento sistêmico e dos problemas que dele resultam, tanto para a pessoa envolvida quanto para sua família e seu grupo familiar. O direito básico de pertencimento não é, portanto, uma exigência imposta de fora. No fundo de nossa alma nós nos comportamos como se tratasse de uma ordem preestabelecida, independentemente de nossa compreensão e justificativa.

Na família reina, portanto, a lei da igualdade de todos. Pode-se dizer que cada um é tomado, à sua própria maneira, a serviço da família e ninguém é dispensável nem pode ser esquecido. Os problemas mais graves com que me defronto nascem do desrespeito a essa igualdade. Como terapeuta, recoloco diante dos olhos de todos as pessoas excluídas. Logo que são de novo reconhecidas e acolhidas, a paz volta a reinar e as pessoas enredadas ficam livres. Nesse reconhecimento mútuo da igualdade reencontram-se com amor pessoas que talvez estejam separadas: marido e mulher, filhos e pais, sãos e enfermos, os que chegaram e os que partiram, vivos e mortos. Como terapeuta, empenho-me profundamente a serviço da reconciliação.

O que faz adoecer e o que cura nas famílias

LINZ: Há algum tempo você também trabalha com pessoas gravemente enfermas. Sua abordagem sistêmica mostrou-se válida também nesse domínio?
HELLINGER: Sim, sobretudo quando se trata de problemas e sintomas causados por envolvimentos.
LINZ: E que sintomas são melhor aliviados através da psicoterapia sistêmica?
HELLINGER: Pode-se ver que determinadas doenças graves como o câncer, por exemplo, têm um condicionamento sistêmico. O nexo sistêmico se mostra na dinâmica "Eu sigo você", isto é, alguém quer seguir, na doença ou na morte, uma pessoa do grupo familiar que está doente ou faleceu. Ou então, quando uma criança vê que alguém de sua família quer seguir outro dessa maneira, ela diz: "Antes eu do que você." Existe ainda o desejo de expiar e compensar algo funesto através de algo igualmente funesto. Quando se conhecem essas dinâmicas básicas, é possível neutralizá-las, aliviando muito sofrimento.

Outros sintomas estão associados ao movimento interrompido em direção dos pais. Dores no coração ou dores de cabeça, por exemplo, são muitas vezes amor represado, e dores nas costas resultam freqüentemente da recusa de uma reverência profunda à mãe ou ao pai.

Procedimentos importantes

LINZ: Quais são seus procedimentos mais importantes nas constelações familiares? Como você descreveria seus pontos básicos?

Assumir a direção

HELLINGER: Nas constelações familiares não deixo que o cliente faça nada sozinho. Por exemplo, não deixo que procure sozinho o lugar onde ele fica bem. Só faço isso em coisas de menor importância. Quando alguém coloca uma família, capto, através de minha percepção e de minha experiência, uma imagem da ordem, de como está perturbada e como pode ser restaurada. Sigo essa imagem ao buscar soluções. Assim, eu próprio coloco as imagens intermediárias e a imagem da solução, contando sempre com a participação do cliente. Então coloco à prova a imagem pelo efeito que produz e verifico se o efeito a confirma ou se ainda faltam outros passos.
LINZ: Portanto, você também coloca à prova a sua imagem interior?
HELLINGER: Sempre o faço, em qualquer caso. Dessa maneira, o cliente não precisa acreditar naquilo que digo ou faço. Mas não lhe deixo a iniciativa. Sozinho ele não encontraria a solução. Se pudesse encontrá-la, não me teria procurado. Quando a imagem da solução foi encontrada, deixo que o cliente entre na constelação e tome a posição que seu representante estava ocupando. Assim ele verifica por si mesmo se a solução é certa para ele.

Ir até o limite

LINZ: Muitas vezes você aponta ao cliente, a partir da imagem da solução, conseqüências que soam muito duras.

HELLINGER: Confronto a pessoa com as conseqüências extremas do que se passa em sua família: por exemplo, que um filho irá morrer caso essa pessoa deixe a família. E confronto-a com os passos necessários para a solução, por exemplo, que faça uma profunda reverência a seu pai e lhe preste homenagem. Ou, talvez, que deixe a família; a conseqüência também pode ser esta.

LINZ: O que significa isso concretamente?

HELLINGER: Que a pessoa renuncie a suas reivindicações. Por exemplo, uma mãe que entregou uma criança à adoção perdeu seu direito a ela. Então precisa ir embora e deixar a criança com o pai.

Estas são intervenções terapêuticas de graves conseqüências e requer muita coragem assumir a responsabilidade por elas. Só quando alguém é plenamente confrontado com as conseqüências de seu comportamento e com as condições da solução é que sua decisão se torna inevitável e possível.

Aliás, lembrei-me aqui de um outro mestre que tive. Esse ir até os limites foi claramente formulado por Frank Farrely em sua *terapia provocativa*. Ele me mostrou um caminho e sou-lhe grato por isso.

Permanecer na realidade, mesmo que choque

LINZ: Mas em seus grupos de terapia há sempre alguns participantes que ficam chocados com sua maneira direta de confrontá-los.

HELLINGER: Eu confronto um participante apenas com uma realidade que está visível.

LINZ: Que você vê!

HELLINGER: E que ele próprio naturalmente conhece. Isso só é chocante para aqueles que não querem ver o que é.

Por exemplo, num de meus cursos havia uma mulher que sofria de uma doença mortal e incurável. Assim, já não lhe restava muito tempo de vida. Ela queria colocar sua família, porém eu lhe disse: "Só colocarei duas pessoas, você e a morte. Escolha alguém que represente você e alguém que represente a morte." Isso tem um efeito chocante em pessoas que estão de fora. Com essa mulher não aconteceu isso porque sabia que ia morrer. Escolheu uma mulher mais baixa para representá-la e outra mais alta para representar a morte. Colocou-as de frente e muito próximas, peito a peito. A mulher mais baixa, que a representava, levantou os olhos para a morte e disse: "Tenho um sentimento terno e sinto em meu rosto o hálito suave da morte." Também a morte teve um sentimento terno pela mulher. Então eu fiz a representante da cliente dizer à morte: "Eu lhe presto homenagem." Ela fez isso, e ambas se tomaram suavemente pelas mãos, com ambas as mãos, e se olharam com muito carinho.

Essa é a realidade que vem à luz e atua porque veio à luz. Quando porém uma pessoa parte do pressuposto de que a morte é algo de horrível, ela tem medo de trazer à luz essa realidade. Quando revelo algo assim, a realidade sempre se apresenta como ela é, com toda a seriedade. Isso permanece sem contestação, e na verdade sem contestação pelo cliente. Outras pessoas talvez fiquem amedrontadas com essa realidade. Então querem fazer objeções e dizer que a doença não é tão grave e que deve haver outra atitude que não seja defrontar-se com o fim. Como não permito isso, minha atitude parece dura.

LINZ: Se você o permitisse, que conseqüências haveria?

HELLINGER: Então a realidade seria rebaixada ao nível de uma opinião e do bel-prazer, o que não pode acontecer. O caráter direto e a consistência do meu trabalho consiste nisto: não tolerar que a realidade seja diminuída.

LINZ: Como atuaria sobre o cliente tal diminuição?

HELLINGER: Ela o enfraqueceria, ao passo que a realidade, por mais fatal que pareça, fortalece e libera quando é vista e reconhecida. Certa vez, quando uma mulher fez a constelação de sua família, eu disse a ela que o seu casamento não tinha salvação, que os filhos precisavam ficar com o pai e ela devia ficar só. Outras pessoas quiseram fazer objeções e propor soluções mais confortáveis, mas eu não permiti. Pois eu não dissera isso a ela por minha própria cabeça, mas porque tinha ficado claro para ela e para mim, através da constelação. Mais tarde, um dos participantes me contou que naquela noite brigou interiormente comigo por três horas, julgando que eu tinha sido excessivamente duro com a mulher. Entretanto, ela voltou radiante ao grupo na manhã seguinte, e ficou claro para o participante que sua preocupação com a cliente e sua briga interior foram em vão.

LINZ: Como é que você vê a si mesmo numa ação tão cheia de responsabilidade?

HELLINGER: Considero-me, antes de tudo, como alguém que traz realidades à luz. São essas realidades que ajudam e curam, não eu. São elas, e não eu, que colocam uma pessoa diante da decisão. Seja como for que a decisão aconteça, ela nada tem a ver comigo.

LINZ: O que acontece ao cliente quando encara de frente a realidade?

HELLINGER: Ele perde suas ilusões. Com isso, sua visão e seus atos ganham outra seriedade e uma força nova. Mesmo quando age contra a sua percepção, ele agora sabe o que faz e deixa de agir compulsivamente. Essa é a diferença.

Abstrair do problema apresentado

LINZ: Por que você muitas vezes não permite aos clientes que falem mais extensamente dos seus problemas? Essa atitude irrita muitas pessoas.

HELLINGER: O problema que a pessoa expõe não é realmente o seu problema, da forma como o expõe. Pois se ela o tivesse entendido bem...

LINZ: ... ele não existiria mais.

HELLINGER: Justamente. Por essa razão, parto do pressuposto de que quase tudo o que alguém diz sobre uma situação realmente não corresponde a ela. Se eu ouvisse isso, daria à pessoa uma oportunidade de confirmar e reforçar seu problema através de sua descrição. Em vista disso, não permito que me conte seu problema como gostaria de fazê-lo, mas digo-lhe que apenas me narre os acontecimentos, por exemplo, se algum dos pais foi casado anteriormente, quantos irmãos tem, se algum deles morreu ou se houve ainda algum acontecimento marcante em sua infância e em sua família.

LINZ: Portanto, você só permite que ela lhe conte fatos.

HELLINGER: Apenas fatos, sem interpretações. Pelos fatos sei então o que vai em sua alma e qual é a raiz de suas dificuldades ou de seu envolvimento. Então tenho as informações de que preciso.

Ficar atento à energia

LINZ: Algumas pessoas, entretanto, poderiam trazer um monte de fatos. Quando é que a informação é suficiente para que você faça uma imagem clara? Com que fatos você se dá por satisfeito?

HELLINGER: Acontecimentos e fatos estão carregados de energia. Quando alguém conta um acontecimento, é possível sentir imediatamente se ele contém energia ou não e se produz ou não um efeito à distância. Quando alguém conta que um irmão morreu quando criança, isso sempre tem muita força. Ou quando uma mãe morreu ao dar à luz, isso tem um impacto tremendo sobre várias gerações. Algo assim precisa ser abordado e reconhecido. Pois aqui se trata de acontecimentos que dão medo e, por isso, são varridos para debaixo do tapete. Entretanto, é justamente através do encobrimento que eles ganham força. Quando o acontecimento é mencionado, sinto imediatamente se ele tem impacto ou não. Quando alguém cita uma determinada pessoa, muitas vezes eu vejo de imediato que ele está enredado com ela e que ela precisa ser representada e imitada por alguém.

LINZ: De onde você tira sua certeza? Como você chega a ela?

HELLINGER: Sinto-a na energia e na força que disso resulta. Em seguida, porém, coloco à prova minha percepção quando configuro o sistema. Muitas vezes aparecem ainda outros fatos. Mas logo que é mencionada uma pessoa importante, eu começo a trabalhar. Todas as outras informações são obtidas através da própria constelação.

Trabalhar com o mínimo

LINZ: Existem ainda outros procedimentos terapêuticos que são característicos para você?

HELLINGER: Nas constelações familiares comprovou-se para mim a eficácia de trabalhar com o mínimo. Que, portanto, eu só faça o que for estritamente necessário e renuncie a ser completo. Caso contrário, a energia reflui para a curiosidade e para a vontade de saber e se desvia da ação. Quando a solução se torna visível, interrompo imediatamente. Interrompo no auge da mobilização, porque então está presente o máximo de energia. Pelo corte, fecho o caminho ao escape da energia para as discussões. Assim ela permanece concentrada para a ação. Pela mesma razão, não tolero extensos comentários posteriores.

LINZ: Que efeitos teria o comentário posterior?

HELLINGER: Enfraqueceria o impacto sobre o cliente e daria oportunidade a outros participantes de direcionar a energia para si e para seus próprios problemas.

LINZ: Isso quer dizer que você passa logo a outro cliente ou muda o tema.

HELLINGER: Sim. Passo logo à pessoa seguinte.

A interrupção como recurso

LINZ: O que você faz quando não encontra nenhuma solução numa constelação familiar?

HELLINGER: Quando não encontro solução, interrompo imediatamente e também nesse caso não permito discussão a respeito. Então o corte faz efeito. Esta é uma intervenção difícil. Muitas vezes o participante encontra, depois de um ou dois dias, o que ainda faltava para a solução. Isso talvez não teria sido possível sem a interrupção e a força que ela mobiliza.

LINZ: Assim, a interrupção de um processo de constelação familiar tem também um efeito terapêutico?

HELLINGER: Também é útil ao cliente. O mesmo vale quando é necessário admitir um insucesso. Às vezes digo, por exemplo: "Agora nada posso fazer aqui", e deixo que fique nisso. Embora veja que a situação é má para o participante, não me preocupo com isso. Pois quando deixo ficar assim, talvez ocorra a outra pessoa do grupo algo a respeito, e essa pessoa traga a palavra que faz progredir. Por essa razão, não me esforço por ter tudo na mão, mas nado a favor da corrente. Também os outros participantes nadam comigo na mesma corrente e existe entre todos uma troca que ajuda a levar a um fim positivo.

Esquivar-se da curiosidade

LINZ: Essa é uma bela imagem.
— Já presenciei muitas vezes como você resiste a uma pergunta recorrendo a uma resposta de duplo sentido ou a uma observação irônica. Qual a razão disso?

HELLINGER: Quando alguém faz uma pergunta séria e importante para ele, sempre a respondo. O respeito exige isso. Mas quando ele me faz uma pergunta só para me colocar à prova, então me esquivo dela usando uma expressão ambígua ou uma piada, mas eventualmente também por meio de uma confrontação.

LINZ: Muitas vezes também está em jogo a curiosidade.

HELLINGER: A curiosidade é uma desconsideração para com a outra pessoa. Da mesma forma como não faço perguntas por curiosidade, não permito que me sejam feitas.

Não controlar resultados

LINZ: Às vezes, você dá a impressão de não precisar de *feedback* quanto à eficácia de seu trabalho e também de não querer recebê-lo. Por quê?
HELLINGER: Eu preciso de *feedback*. O principal retorno me vem durante o próprio trabalho, quando vejo o impacto imediato sobre as emoções do cliente, e as mudanças que ocorrem. Entretanto, nunca me limito a trabalhar com um sintoma, de modo que precise investigar posteriormente se ele desapareceu ou não. Meu objetivo não é eliminar um sintoma, mas fazer com que alguém volte a sentir-se em casa com sua família, de maneira a ficar em ligação com todas as boas forças que nela atuam. Isso dá a essa pessoa uma enorme energia e é sempre um êxito. Em que medida isso age também sobre os sintomas, é uma outra questão. Nesse particular, a competência cabe aos médicos e aos psiquiatras. Por essa razão, sempre encaminho também ao médico ou ao psiquiatra clientes com sintomas graves, quando vejo que é o indicado no caso.
LINZ: Não perguntar pelo êxito tem um sentido terapêutico?
HELLINGER: Esta é uma pergunta importante, que também me faço. Bem, eu me alegro quando, depois de algum tempo, recebo informação de terceiros sobre uma pessoa que ficou bem. Mas a essa pessoa eu nada perguntaria a respeito, porque não me coloco entre ela e sua alma, entre ela e seu destino, entre ela e "a grande alma", como a denomino, que a guia. Quando trabalho com essa pessoa, sinto-me em sintonia com seu destino, com sua alma e com a "grande alma". Por isso, após concluir meu trabalho, posso retirar-me sem fazer uma investigação ulterior. Se eu ficasse curioso e quisesse investigar, não estaria mais confiando nessas forças. Isso teria efeitos maléficos, tanto para mim quanto para o cliente, porque então essas forças nos abandonariam.
LINZ: Quando um cliente lhe comunica, cheio de alegria, que a terapia surtiu bom efeito, isso está em ordem para você ou o deixa constrangido?
HELLINGER: Distancio-me disso como de uma tentação de poder.
LINZ: Não pode ser também uma tentação encontrar regras a partir daí e confiar mais nelas do que no momento e no que este revela?
HELLINGER: É a mesma coisa. Também seria uma tentação de poder. Logo que me deixo afetar por uma comunicação eufórica, perco o chão debaixo dos pés e também minha clareza. E perco força. Nesse momento já não estou livre. Quando sei o mínimo possível, fico ao máximo presente a mim mesmo e centrado. Por causa disso, também não quero saber do cliente tudo o que ele já tinha tentado fazer para resolver seus problemas. Assim fico totalmente desimpedido.

O que importa é o momento

LINZ: Muitas vezes surge nas pessoas que se defrontam com sua psicoterapia esta pergunta: "De onde tira o Hellinger tudo isso?" ou ainda: "Como chegou ele a ver as coisas dessa maneira?"

HELLINGER: Aprendi com muita gente.

LINZ: Disso já falamos.

HELLINGER: A maior parte das coisas eu vejo no momento. Portanto, quando sou exigido e preciso colocar-me, abro-me completamente à situação e às pessoas que estão em questão, sobretudo aos excluídos. Quando os tenho todos presentes e me dirijo a eles com respeito e amor, de repente me vem a solução e eu a digo. Depois de algum tempo, reconheço determinados padrões.

LINZ: Então, disso resulta uma experiência.

HELLINGER: Sim, a partir da experiência reconheço padrões repetitivos, como por exemplo, que parceiros anteriores dos pais são sempre representados na família por algum de seus filhos.

LINZ: ...quando eles se casaram pela segunda vez...

HELLINGER: ... ou quando houve anteriormente alguma noiva ou outra relação importante. Também essa pessoa é representada mais tarde pelos filhos. Este é um dos padrões que reconheci. Ocorrem ainda padrões fora do comum, que já não sei como cheguei a reconhecer. Por exemplo, uma pessoa que gosta do conto "João na Sorte" pode ter alguém em seu grupo familiar, geralmente um dos avós, que perdeu uma fortuna. Eu vejo isso de repente e posso confiar nessa percepção.

LINZ: Você descobriu outros padrões?

HELLINGER: Às vezes me ocorrem *insights* que inicialmente eu preferia não levar em consideração, por exemplo, a frase : "A mulher deve seguir o marido", e a complementar: "O homem deve servir ao feminino." Quando essas frases me ocorreram, primeiro resisti a essa percepção, mas depois já não consegui ignorá-las. Quando algo assim me ocorre, comprovo-o, e então o digo e aguardo o efeito. Mas não me envolvo no que a pessoa faz com isso. Não apresento esse *insight* como se fosse uma tese que preciso defender. Pois é algo que apenas me veio e que transmito tal qual. Que seja ou não reconhecido, não tem importância para mim.

LINZ: Quero referir-me agora à pergunta que tenho ouvido muitas vezes: "De onde consegue o Hellinger essa segurança de apresentar suas afirmações como verdades incontestáveis?"

HELLINGER: Eu sempre apresento as "verdades" como algo que vejo no momento e que qualquer pessoa também pode ver, desde que esteja centrada no momento. Para mim, a verdade é algo que o momento mostra, indicando através dela a direção do próximo passo. Quando vejo algo assim, eu o digo também com toda a segurança e o coloco à prova pelo efeito. Quando algo semelhante se passa numa outra situação, não invoco a percepção anterior — pois não estou proclamando uma verdade permanente —, mas olho sempre de novo para aquilo que o momento me mostra. Talvez ele me mostre isso desta vez de forma algo diferente, e então o digo da maneira como o estou vendo nesse momento. Mesmo que então seja diferente e até mesmo o contrário do anterior, eu o digo exatamente com a mesma segurança, porque o momento não me permite outra coisa.

LINZ: Portanto você não estabelece regras fixas?

HELLINGER: Absolutamente. Por conseguinte, quando alguém me diz: "Ontem você disse isto e aquilo", eu me sinto incompreendido, porque ele pressupõe que não olho para o momento. Olho cada vez com um novo olhar, porque a verdade de um momento é substituída pela verdade do momento seguinte. Por essa razão, aquilo que digo só vale para o momento. É nessa focalização para a verdade do momento que penso quando chamo meu procedimento de "psicoterapia fenomenológica".

LINZ: Mas isso não contradiz o que você disse há pouco sobre os padrões?

HELLINGER: Justamente (*ri*). Enfrento a contradição quando ela ocorre, e então peso uma afirmação contra a outra.

LINZ: Essa visão foi uma das causas pelas quais você durante muito tempo não quis publicar nada?

HELLINGER: Há muito tempo eu já tinha vontade de publicar algo. Mas muito do que vi estava ainda incompleto, como por exemplo os *insights* sobre a consciência. Depois de algum tempo notei que basta ver e comunicar apenas alguns aspectos. Eles também atuam assim. Por isso, a maneira pela qual *Ordens do Amor* foi concebido é muito mais adequada a meu procedimento e a meu modo de percepção do que se eu tivesse procurado dizer algo completo.

LINZ: Há alguma outra coisa essencial sobre essa forma especial de percepção na psicoterapia?

HELLINGER: Carlos Castañeda, em seu livro sobre *Os Ensinamentos de Don Juan*, fornece um breve tratado sobre os inimigos do saber. O primeiro inimigo citado é o medo. Somente quem supera o medo pode ver claramente o real.

LINZ: E qual é a melhor maneira de vencer o medo?

HELLINGER: É dizer sim ao mundo como ele é. Este é o grande passo. Quem aceita a morte e a doença, o destino próprio e o dos demais, o fim e a impermanência, supera o medo e ganha clareza.

LINZ: Agradeço-lhe por nossa conversa.

HELLINGER: Eu também lhe agradeço. Foi um intercâmbio intenso. Você me estimulou a formular e a comunicar-lhe muitas coisas de maneira mais clara.

QUADRO DAS MATÉRIAS

A compreensão por meio da renúncia

"*O conhecimento*" 13
O caminho científico e o caminho fenomenológico do conhecimento 14
O processo 14
A renúncia 15
A coragem 15
A sintonia 15
Fenomenologia filosófica 16
Fenomenologia psicoterapêutica 17
A alma 18
Fenomenologia religiosa 18
"A *volta*" 19

Os envolvimentos sistêmicos e sua solução
(de um curso de vivência pessoal e aperfeiçoamento)

PRIMEIRO DIA 21
Abertura 21
A adoção é perigosa 21
Enfrentar o risco de expor-se 22
"*Quem recebe mais, e quem menos*" 23
A dupla transferência 23
A precedência da primeira mulher 25
A felicidade dá medo 25
Constelação de Hartmut: Filho representa irmão da mãe 26
A diferença entre identificação e modelo 34
Ter coragem de fazer o mínimo 34
A individualização diminui a intimidade nas relações 35
A ordem precede o amor 36

A ordem de origem 36
A precedência do primeiro vínculo 37
Hierarquias 37
A hierarquia na família 38
A proteção da intimidade 38
A precedência no divórcio 39
A hierarquia em organizações 40
A objeção 41
A decisão de não ter filhos 41
O ser e o não-ser 42
Conseqüências para o relacionamento 42
"Em pé de guerra" 43
Mau desempenho escolar dos filhos 43
Luto transferido 44
Constelação de Robert: Filha representa a falecida irmã de seu pai 45
Compensação através da renúncia (negativa) 49
Compensação através da ordem do amor 49
Compensação por meio do reconhecimento 50
Constelação de Klara: Tomar, mesmo quando muitos tiveram de abrir mão 51
"Eles estão aqui" 53
O reconhecimento da culpa pessoal como fonte de força 61
Salvar as aparências para o pai 62
Sofrer é mais fácil do que resolver 62
A solução humilde dói 63
A interrupção do movimento amoroso em direção à mãe ou ao pai 64
Dores nos ombros 66
Com a pulga atrás da orelha 66
Constelação de Thea: Mãe ameaçou matar a si mesma e aos filhos 67
Conseqüências de ameaças de morte e crimes graves numa família 75
Quem perdeu seu direito de pertencimento deve ir embora ... 76
Confiar na imagem interior 77
A responsabilidade do terapeuta no trabalho com constelações familiares .. 78
Sobre o procedimento na constelação de Thea 78
Sentimentos adotados 79
Ameaças de suicídio da mãe 80
"O final" 81
Questão de vida ou morte 82
O túmulo 83
Constelação de Frank: Tios-avôs repudiados e tio desprezado 84
Quem faz parte do sistema familiar? 90
Sobreviventes e mortos, perpetradores e vítimas como participantes de
  um destino comum 91
Atuar sem agir, apenas pela correta imagem interior 92
Ameaça de suicídio da primeira mulher 93

Constelação de Ulla: Filha representa para o pai a sua ex-noiva 93
O lugar certo para os filhos 98
A identificação inconsciente com um parceiro anterior dos pais 99
A preocupação com Deus 100
Com quem deve ficar a filha de uma divorciada toxicômana? 102
O que leva ao vício 103
O vício como expiação 105
A intuição está conectada ao amor 106
O vício como tentativa de suicídio 106
O movimento curativo em direção à mãe 106
A solução para um movimento amoroso interrompido 107
Através dos pais 107
Através de representantes dos pais 108
A reverência profunda 108
O movimento amoroso para além dos pais 109

SEGUNDO DIA 110
O papel de vítima como vingança 110
A promessa 111
A compensação 111
Melhora surpreendente 111
Conciliador 111
Na pista da dupla transferência 112
Constelação de Laura: Colocando em ordem uma dupla transferência 112
É mau pedir perdão 118
Conseqüências de abusos para os filhos 118
*Constelação de Ute: Irmão deficiente e meio-irmão escondido, falecidos
   quando crianças* 119
"A plenitude" 128
Luta inútil 130
O luto adotado enfraquece 130
Resolver um problema soltando-o 130
Felicidade excessiva 131
Divórcio e culpa 131
Separações levianas são expiadas pelos filhos 132
A expiação como compensação compulsiva 132
Culpa como negação da realidade 133
O vínculo que nasce da consumação do amor 133
Na esfera de influência da mãe 134
Diversos modos de dar e tomar na família 134
Feliz com o problema 136
Vítima substituta 136
Constelação de Wilhelm: O pai é filho extraconjugal e seu pai foi excluído 137
Parentificação: Quando filhos representam pais dos próprios pais 143

Expiação pela morte no parto 143
"O engano" 145
Pai e filho 148
Avô desconhecido 149
Prestar reconhecimento à mãe 149
Ciúme transferido 150
Constelação de Dagmar: Filha está identificada com a ex-noiva do pai e assumiu os sentimentos dela 151
Presunção objetiva e presunção subjetiva 155
Saudades do pai 155
A precedência numa família: quando cabe ao homem e quando à mulher? .. 157
A mulher segue o homem, e o homem deve servir ao feminino 157
Amor frustrado 158
Que mal lhe fiz para estar tão furioso com você? 159
Raiva como defesa contra a dor 160
Raiva reprimida 160
Diversos tipos de raiva 160
Cautela e coragem 162
Constelação de Jonas: Filho representa o ex-noivo da mãe 162
O sentido do equilíbrio sistêmico 165
As diversas consciências 166
"A inocência" 167
Consciência e compensação 167
Compensação boa e compensação má 168
Os limites da compensação 169
Compensar por meio do agradecimento e da humildade 169
Clareza duradoura 170
Deixar em paz o que passou 170
Do fogo, as cinzas 171
Cessaram as dores nas costas 171
Constelação de Brigitte: A lei da compensação pela igualdade não respeitada 172
Ciúme e compensação 177
Inocência e vingança 178
Fidelidade e infidelidade 178
Vingança adotada 179
Reflexão sobre a inocência 179
Presentes para a mãe 179
Crises se resolvem com mais facilidade em seu extremo limite ... 180
Constelação de Frank(2): A outra imagem 180

TERCEIRO DIA 184
A rodada 184
Sintomas adotados 184
Origem judaica 185
A medida certa 186

Aliviado	187
O preço	187
O sentimento básico e como mudá-lo	188
Paz através do amor	189
A felicidade secreta	190
Um outro tipo de saber	190
Dar sem tomar	191
Uma nova perspectiva	192
Um ideal frustrado de relacionamento	192
Dar e tomar na relação do casal	192
Deixar que a pressão reflua	193
A questão religiosa	194
Luto pelas tias que pereceram	194
Ajudar os pais de crianças deficientes — com respeito	195
A presunção e suas conseqüências	195
A metade do caminho	197
Ter um filho com o companheiro: sim ou não?	197
A posição da segunda mulher	198
Sim e não ao fumo	199
O que alivia dores de cabeça	199
Honrar o pai — e, atrás dele, a Deus	200
Alívio recusado	200
Constelação de Ruth: Filha mais jovem identificada com a mãe de sua mãe	201
Heranças com e sem preço	205
Constelação de Claudia: Destino que continua atuando	207
Rodada rápida	216
Sobre ambos os pés	217
Fugindo da plenitude	217
Plenitude e completude	217
"A festa"	218
Gostar e respeitar	218
Em pé de igualdade	219
Clareza reconciliadora	220
Permanecer alerta	220
Conter-se: alerta e com força	220
Os limites da inocência	221
Permanecer no presente alivia	221
Estar atento à realização interna	222
O que ajuda as vítimas de incesto	222
O que ajuda os perpetradores	226
"O silêncio"	227
A indignação	227
"A adúltera"	228
Constelação de Thomas: O que tira o poder das mulheres que aparecem como Deus	229
"A graça passa"	230

O homem e a mulher	239
Renegando Deus	239
"A fé maior"	240
Constelação de Anne: Os pais do pai foram assassinados num campo de concentração e os pais da mãe sobreviveram escondidos	241
A graça da vida	247
Constelação de Jan: Encontrar e tomar o pai, prematuramente falecido	248
Constelação de Hartmut(2): Separação conveniente	252
A bênção do difícil	256
O passo seguinte	257
A estreiteza	257
Mãe e filho	257
Fazer pelos pais idosos o que for correto	258
Ousar o que convém	258
A perspectiva	258
"O ciclo da vida"	259
Honrar o que havia	260

Vínculos familiares de crianças adotadas
(de um curso para profissionais de orientação familiar)

O desprendimento como um ato religioso	261
Constelação de Rita: Não teve filhos e adotou uma criança	262
O preço de uma adoção leviana	268
A hierarquia da competência	268
Objeções	269
O direito da criança a seus pais	270
Olhar para as vítimas, não para os perpetradores	270
O passo seguinte	271
A solução pelo desprendimento	273
Encarar o horrível	273
Compaixão e esquecimento	275
Ouvir e ver	275
Culpas iguais produzem efeitos iguais	276
A solução exige a renúncia às objeções	276
A compreensão e a execução	276
Crianças herdadas	278
Constelação de Raimund: Consentiu na adoção de sua filha extraconjugal pelo segundo marido da mãe	278
"A volta ao lar"	285

O que faz adoecer nas famílias e o que cura
(de um curso para enfermos, terapeutas e médicos durante um congresso internacional sobre Medicina e Religião)

Céu e Terra	287
A comunidade de destino	287

O vínculo e suas conseqüências 287
Semelhança e compensação 288
A doença segue a alma 289
"Antes eu do que você" 289
O amor consciente 292
"Compulsão de desaparecer" 293
"Mesmo que você vá, eu fico" 293
"Eu sigo você" 294
"Eu vivo ainda algum tempo" 294
A fé que faz adoecer 295
O amor que cura 295
"*Fé e amor*" 296
Doença como expiação 296
Compensar pela expiação duplica o sofrimento 297
A compensação através do tomar e da ação reconciliadora 298
A expiação é um substitutivo para a relação 299
Na Terra a culpa passa 299
Doença como expiação em lugar de outros 300
Doença como conseqüência da recusa de tomar os pais 300
Honrar os pais é honrar a terra 300
"O não-ser" 300
Constelação de Astrid — Diabetes: "Eu sigo você" 302
Constelação de Bruno: Mãe segue filha deficiente para a morte 312
*Constelação de Hermann — Câncer da medula óssea: Antes morrer do que
  fazer uma profunda reverência ao pai* 323
*Constelação de Christa — Seqüelas de uma paralisia infantil e de uma
  gestação e um parto difíceis* 330
Constelação de Daniel: Identificação com o sexo oposto 338
Identificação com o sexo oposto no amor homossexual e em psicoses 342
Decidir-se pelo pai, contra o namorado da mãe 343
O saber está a serviço do agir 343
Constelação de Ernst — Câncer de pele: "Antes eu do que você" 344
As constelações familiares atuam através da imagem interna 354
Como se sabe o que é "certo" 355
Constelações familiares apenas com símbolos 355
*Constelação de Frieda — O primeiro irmão morreu após o nascimento
  e o segundo suicidou-se* 356
Suicídio por amor 362
Procurar culpados para evitar sentir a dor 362
Recusando resposta 363
Sobre o modo de proceder nas constelações familiares 363
Quando entra em cena o cliente? 364
A que distância dos vivos devem ficar os mortos? 364
Constelação de Georg: Filha viciada em heroína; a falta da energia masculina 364

Os filhos devem seguir o pai, assim como a mãe deve seguir o marido 371
Constelação de Heidi — Câncer do seio: Nenhuma simpatia pelos homens 375
A precedência do mais próximo 381
Parceiros anteriores são mais tarde representados por filhos 381
Filhos extraconjugais durante o casamento 382
Abortos não dizem respeito aos filhos 382
Quando não há solução 383
Constelação de Isabel — Acidente do filho: "Antes vá eu do que você,
  meu querido pai" 383
Constelação de Julia — Moça anoréxica: "Antes desapareça eu do que você,
  querido papai" 388
Acessos de fome seguidos de vômito (bulimia) 393
Estar em sintonia com algo maior 394
Dois tipos de saber 395

Perguntas a um amigo
(entrevista com Norbert Linz)

A dimensão sistêmica dos problemas e do destino 398
Mestres e estimuladores 400
Constelações familiares 402
O olhar 403
As objeções contra o olhar 404
A hipnoterapia segundo Milton Erickson 404
A função das histórias 405
Experiências de vida 406
Os principais *insights* 407
  O amor 407
  A compensação 407
  Direitos iguais de pertencimento 408
  O que faz adoecer e o que cura nas famílias 409
  Procedimentos importantes 409
  Assumir a direção 409
  Ir até o limite 410
  Permanecer na realidade, mesmo que choque 410
  Abstrair do problema apresentado 411
  Ficar atento à energia 412
  Trabalhar com o mínimo 412
  A interrupção como recurso 413
  Esquivar-se da curiosidade 413
  Não controlar resultados 414
  O que importa é o momento 415